ENTRE CIEL ET LOU

Avant de se consacrer à l'écriture, Lorraine Fouchet a été pendant quinze ans urgentiste au Samu et à SOS Médecins. Elle est l'auteur de seize romans, dont *Couleur champagne* et *La Mélodie des jours*, et d'un récit, *J'ai rendez-vous avec toi.* Elle vit entre les Yvelines et l'île de Groix, qui lui a inspiré *Entre ciel et Lou*, lauréat du prix Bretagne et du prix Ouest en 2016. Son dernier roman, *Les Couleurs de la vie*, a paru aux Éditions Héloïse d'Ormesson en 2017.

LORRAINE FOUCHET

Entre ciel et Lou

ROMAN

ÉDITIONS HÉLOÏSE D'ORMESSON

ISBN : 978-2-253-06997-3 – 1re publication LGF

Me'zo ganet e kreiz ar mor,
Je suis né au milieu de la mer

Yann-Ber KALLOC'H

De quelle source lui vient son nom ?
Est-ce de fée ou de sorcière ?
Ou de quelque noir enfer,
comme la boue de ses sillons
On dit que l'on y voit sa joie,
on dit que l'on y voit sa croix
Je parle de l'île de Groix.

Gilles SERVAT, Michelle LE PODER

Une île, voici qu'une île est en partance
Et qui sommeillait en nos yeux,
depuis les portes de l'enfance

Jacques BREL

Au peintre Simone Marini qui,
six mois après la mort d'Isabella Peroni,
m'a offert une bouteille cachetée avec sa voix dedans

Aux Groisillons, cette terre posée sur l'océan leur appartient
À ceux qui viennent d'ailleurs et y ont posé leur sac
À tous ceux que la Bretagne chamboule

31 octobre

Jo, île de Groix

Je m'appelle Joseph, tu m'appelais Jo. C'est moi au premier rang dans l'église, avec les yeux rougis, le caban et le pull turquoise posé sur les épaules. Tu disais que les lys avaient un parfum à réveiller les morts, j'aurais dû t'en acheter. Tu avais le sens de l'amour mais un sens de l'humour pire que le mien. Notre vie, tu l'as passée à me faire des blagues nulles. Je n'arrive pas à admettre qu'une femme lumineuse comme toi s'est éteinte. Il y a forcément un piège. Je vais tomber dedans quand ?

Nos enfants sont arrivés par le bateau. Cyrian a roulé depuis Paris avec sa femme Albane, leur fille Charlotte et le chiot Hopla, dans sa Porsche Cayenne noire qu'il a laissée au parking de Lorient. Sarah a pris le train en s'aidant de sa canne sans s'encombrer de son fauteuil roulant. Cyrian a tout géré comme il gère son entreprise. Il a choisi ton cercueil, s'est chargé de l'annonce dans les journaux et du livret de messe avec ta photo suffocante de beauté. Notre fils n'est ni sympathique, ni drôle, ni attendrissant, mais il est irréprochable.

Les bancs de l'église sont tous occupés : les Groisillons d'un côté, les non-insulaires de l'autre, ta famille devant. On a marié ici les enfants de nos copains, on a enterré leurs parents. On s'asseyait à l'arrière de l'église en se tenant la main. Ce matin, tes doigts me manquent et je suis assis au premier rang comme un fayot. L'ex-voto de bateau qui se balance au-dessus de ma tête me fiche le mal de mer. Derrière l'autel, sous le crucifix, la grande ancre est flanquée de deux anges placides. Le nouveau recteur, le jeune père Dominique, officie en personne. Autrefois, on pouvait mourir tous les jours, aujourd'hui les prêtres ne vivent plus ici à l'année. Tu es partie à la bonne date, tu as droit à une vraie messe. La chorale de La Kleienn chante *Audite Silete* de Michael Praetorius. C'est chamboulant et intense.

J'ai une faim de loup, de marin, de loup de mer. Une faim de Lou, puisque c'est ton prénom. J'ai envie de toi et de notre crêpe camembert caramel au beurre salé. J'ai le cœur gros – le comble pour un cardiologue. Je suis mal rasé, je n'ai pas ciré mes souliers. Ma belle-fille Albane est choquée que je porte mon chandail turquoise. Tu me l'as offert pour notre dernier anniversaire de mariage. C'est moi le veuf, qu'on me foute la paix ! J'ai toujours un pull posé sur les épaules, c'est ma marque de fabrique. Nos copains m'ont promis que si je meurs avant eux, ils viendront tous à mon enterrement avec un Joseph sur les épaules. Tu ne seras pas là pour le voir.

La vie se construit comme un oignon, par couches successives. Tes différents mondes sont réunis dans cette église. La bande du 7 – nos amis de Groix qu'on retrouvait pour dîner au bourg chez notre amie Fred le 7 de chaque mois – est au complet. Les adhérents de la SAFMD – la Société d'aide aux femmes de maris défaillants que j'ai créée avec Jean-Pierre quand on bricolait chez les femmes des copains qui étaient sur l'île le week-end et repartaient bosser en semaine – sont là aussi. Ta famille est assise devant, dos droit, port de tête impeccable. Ton père, le comte, est mort il y a deux ans. Ta mère a disparu dans un accident de voiture quand tu avais un an. Tes sœurs aînées ont pris place comme les frères Dalton, par ordre de taille. Je ne les ai pas vues depuis l'enterrement de ton père. Elles sont restées au château familial, moi je t'ai kidnappée. Elles te ressemblent sans les étincelles et les pétillements, les folies et les rêves. Tes amies d'enfance de l'école privée catholique sont là, fidèles. Je les repère à leurs tailleurs, foulards, mocassins ou ballerines. En cette saison, nos amies de Groix portent plutôt des vestes chaudes, des pantalons et des grosses chaussures. Tu t'étais investie dans le prix Clara, un concours de nouvelles récompensant des écrivains adolescents publiés au profit de la recherche en cardiologie. Tes collègues et de jeunes lauréats sont venus de Paris. Mon vieux pote Thierry Serfaty, patron en neurologie, est là par amitié. Le confrère qui dirige maintenant mon service de cardio s'est déplacé par politesse, je n'ai jamais pu le piffer. J'ai pris ma retraite tôt, il y a deux ans, pour profiter enfin de la vie avec toi. Tu viens de me poser un lapin monstrueux, Lou.

Tu t'es envolée dans la nuit de samedi à dimanche, au passage de l'heure d'été à l'heure d'hiver. À trois heures du matin, les Français ont reculé leur montre d'une heure. En ultime pied de nez, tu as rendu ton dernier soupir à cet instant précis, l'infirmière faisait sa ronde. Chez nous en Bretagne, l'Ankou, le passeur des morts, vient chercher leurs âmes dans sa charrette grinçante. Tu lui as dit quoi ? « Recule ta montre sinon tu vas te planter » ?

Nous sortons sur la place par la grande porte du parvis. Le soleil d'automne éclaire le thon qui trône en haut de la flèche de l'église. Partout ailleurs en France, il y a des coqs sur les clochers, mais ici c'est une île de marins, le premier port thonier de France au début du XXe siècle.

Nous n'avons pas de funérarium dans l'île, le client manque. Le cortège contourne l'église pour se diriger à pied vers le cimetière. J'emprunte ce chemin tous les jours, mais exceptionnellement je ne m'arrête pas pour boire un café au « Triskell », je n'ai aucun journal sous le bras. J'ai le cœur déchiqueté et l'âme écrabouillée. Tu croyais au Dieu de ton père, je crois au Dieu des marins. Il m'a lâché, je fais naufrage sur le plancher des vaches, je me noie de chagrin sans avoir pris la mer.

Le glas sonne. Les voitures s'arrêtent. Les vieux se signent. Arthur, le beagle de Fred, pisse sur la roue du corbillard. Je le remercie du regard, il est le seul à agir normalement. Nos enfants, effondrés, marchent un pas derrière moi. Je prie pour que tout ça soit une de tes farces bizarres. Le cortège passe devant « Le Cinquante ». Jean-Louis change sa carte selon le marché. Tu aurais pris le millefeuille de tomates anciennes à la chair de tourteau avec sorbet au poivron, j'aurais choisi la soupe de lieu fumé aux algues. Tu aurais résisté au dessert, j'aurais craqué pour la poire Belle-Hélène dont tu m'aurais piqué la moitié. Maintenant je vais m'empiffrer seul. Cette idée me mord le cœur. Si je t'en laisse une part, tu reviens ? On dépasse la galerie de peinture de Yannick, Maurie et Perrine. Tu vas jaillir d'une toile et me faire mourir de peur ?

Tu étais belle, Lou, à rendre à un aveugle l'acuité visuelle d'un pilote de chasse, à un paraplégique la vitesse d'un guépard. Je ne t'ai pas vue morte, j'ai refusé. Je ne voulais pas de cette image, même si mes confrères psychiatres professent que c'est utile au travail de deuil. Je fais la grève du deuil, Lou, je suis un rouge.

Sous la halle du marché couvert, ça se trémousse. Pourtant je n'entends rien. Je pile. Tout le monde freine, sauf la voiture noire qui t'emmène. Je regarde mieux. On danse effectivement sous la halle. J'avise une affiche placardée sur un des piliers : « Bal silencieux organisé en réaction contre la Sacem et la taxation des commerçants du bourg qui passent de la musique. » Je quitte le cortège et m'avance vers la piste improvisée où aujourd'hui personne ne vend rien.

— Papa ! souffle Cyrian, gêné.

— Bon-papa ! renchérit sa femme Albane.

Je déteste qu'elle m'appelle comme ça, et je les emmerde. J'écarte les bras, je tourne sur moi-même. Chaque danseur suit son tempo propre. Ils ont des casques, des oreillettes, des iPod, des téléphones portables. Je bouge au rythme d'une musique que je suis seul à entendre : Serge Reggiani chante dans ma tête.

Le cortège funèbre attend, décontenancé. Tes amies d'enfance écarquillent les yeux, tes sœurs sont abasourdies. Cyrian s'approche pour me saisir le bras, je me dégage brutalement. Alors Sarah lâche sa canne qui tombe à terre. Les autres danseurs s'écartent. Elle m'enlace et commence à tourner avec moi.

— Fellini est mort un 31 octobre, glisse-t-elle à mon oreille.

Nous dansons, vacillants, fragiles, malhabiles, chacun au rythme de sa musique, certainement une mélodie de Nino Rota pour notre fille.

— Je vous rejoins, dis-je à Cyrian d'un ton sans réplique.

Il recule, mécontent. Sa femme serre ses lèvres fines. Leur fille Charlotte, neuf ans, s'en fiche. Sa demi-sœur Pomme, dix ans, fille aînée de Cyrian, qui vit chez nous avec sa maman, a le visage noyé de larmes. Elle connaît mal son père. Depuis sa naissance, il ne lui rend visite à Groix qu'en coup de vent, pour son anniversaire, Noël, Pâques, et il venait pour toi à la fête des mères. Sans jamais croiser son ex, Maëlle, la maman de Pomme.

Je termine mon couplet : « Je t'aime, toi, qui ne seras jamais une grande personne, ne me quitte jamais, je t'aime. » Je te parle une dernière fois avec mes mots groisillons, *me galon*, mon cœur, *me karet vihan*, ma petite chérie. Puis je m'incline devant Sarah et je ramasse sa canne.

— Il faut qu'on rejoigne le cortège, dis-je.

Sarah souffle à Pomme :

— *Cortège* est un poème de Prévert qui commence par : « Un vieillard en or avec une montre en deuil, une reine de peine avec un homme d'Angleterre, et des travailleurs de la paix avec des gardiens de la mer. »

Pomme a les yeux de son père, bleus avec des reflets dorés. Elle est maligne, elle remet les bouts de phrase dans l'ordre. Nous te rejoignons à l'allure de Sarah. Pour être un vrai Groisillon, il faut quatre plaques au cimetière, quatre générations d'îliens nés et morts sur ce morceau de terre posé au milieu de l'océan, trois lieues au large de Lorient. Je suis né ici, descendant de plusieurs générations de marins pêcheurs. Tu es née dans le château de ton père, digne héritière de cavaliers et de chasseurs. En m'épousant, tu as perdu ta particule mais tu as gagné Groix. Et je suis devenu ton âme sœur, ton proche. Ton « piroche », comme disait Pomme bébé en prononçant de travers – le mot est resté.

L'île protège autant qu'elle isole. En y arrivant, ceux qui y sont attachés retrouvent leur âme perdue. En la quittant, on en emporte l'ombre, on en exile le souvenir, on vit dans l'attente des retrouvailles. Groix, une vérité palpable de huit kilomètres sur quatre, est addictive. On revit quand le bateau passe entre les deux feux d'entrée de Port-Tudy et accoste. Les îles, avec leur vibration intérieure, servent d'amer à l'âme des insulaires. « Amer », non dans le sens « âpre », mais dans celui d'objet fixe servant de repère sur une côte. Ici, on n'a pas d'autre choix que d'être vrai.

Quand Sarah et Cyrian étaient enfants, je leur ai expliqué que le cœur des Groisillons était entouré d'eau salée. Le premier jour des vacances scolaires, je les emmenais avaler un verre d'eau de mer. On filait à la plage, quelle que soit la météo, et on buvait les yeux dans les yeux. Cyrian, l'aîné, a abandonné ce rite le premier. Sarah a tenu un peu plus longtemps pour me faire plaisir. Je continue avec Pomme. J'ai essayé avec Charlotte les rares fois où elle est venue, elle a tout recraché. Albane, quant à elle, a poussé des cris de mouette hystérique. J'ai renoncé.

En te voyant encadrée de cierges à bâbord et à tribord, j'ai pensé aux « veillées mortuaires et autres mortelles joyeusetés » de Lucien Gourong, le globe-conteur groisillon. La dernière fois qu'on est allés l'écouter, on est rentrés en chantant : « Elle a perdu son berlingot dans le vallon de Kerlivio. » Je fais moins mon malin, là.

Pomme tressaille quand on descend ton cercueil dans la fosse. Elle tente de prendre la main de son père, mais il reste les bras ballants. Charlotte se penche sur son téléphone portable. Son visage se crispe, il n'y a pas de réseau. Les larmes de Pomme lui brouillent la vue. Tes deux petites-filles n'ont en commun que leur père. C'est important la famille. C'est crucial. Aujourd'hui, ça me crucifie.

Je suis toujours étonné, dans les interviews, quand les gens à qui on demande « quel est le plus beau jour de votre vie ? » répondent : « Celui de la naissance de mes enfants. » Moi, c'est celui où tu m'as souri pour la première fois. Nos enfants, c'était une évidence, une transmission. Mais que tu m'aimes, avec ton regard ensorcelant et ton physique renversant, c'était un miracle. Tu avais un sourire éblouissant, je suis encore aveuglé, mais tu n'es plus là pour me guider.

Quand ta sœur la plus pieuse m'a affirmé que tu étais heureuse près du bon Dieu dans sa joie, je lui ai répondu qu'elle avait tort, tu étais heureuse avec nous. Dieu s'est planté ou il est parti en week-end et son remplaçant a coché le mauvais nom sur sa liste.

J'ai grandi dans cette île. Il y avait deux écoles, celle du diable et celle du bon Dieu, la laïque et la catholique. Je suis allé aux deux. Puis j'ai été interne au lycée de Lorient, j'ai fait médecine à Rennes, j'ai bossé comme un dingue et réussi l'internat de Paris. Nous nous sommes mariés. J'ai refusé de m'installer chez ton père comme les gentils maris de tes obéissantes sœurs, il m'en a tenu rigueur. Nos enfants sont nés, Cyrian puis Sarah. J'ai emprunté sur vingt ans pour acheter un appartement à Montparnasse près de la gare d'où partent les trains vers la Bretagne. J'ai choisi de faire carrière à l'Assistance publique plutôt que dans le privé où j'aurais gagné cent fois plus. On retournait à Groix pour les vacances scolaires. Et on est revenus y vivre à l'année avec notre joyeuse bande de jeunes retraités. C'était tendre et festif. On est redevenus libres et légers. Jusqu'à ce que tu déconnes, mon bel amour, au printemps dernier. Tu avais cinquante-six ans, je ne me suis pas méfié.

Cyrian et sa famille vivent au Vésinet, Sarah habite à Paris dans le Marais. Ils ont réussi chacun dans sa branche, ils nous ont fichu une paix royale, même quand tu as exigé d'emménager en maison de retraite fin juin et que j'ai dû, la mort dans l'âme, me ranger à ta décision. Je n'ai dit à personne pourquoi, j'étais tenu par le secret médical. De toute façon, ça ne concernait personne d'autre que nous et tu n'aurais pas aimé qu'ils sachent. Nos amis n'ont pas compris. Nos enfants étaient gênés de te savoir là, mais aucun n'a offert de nous aider. Cyrian s'est réfugié dans le travail et a proposé de payer quelqu'un pour s'occuper de toi à domicile. Sarah a forcé sur la bouteille et les fiancés d'un soir. Ils ont fait quelques allers et retours pour t'embrasser, tu aurais mérité mieux. Puis ils sont arrivés trop tard. Tu n'avais pas revu Charlotte depuis un an.

Je suis un type chanceux, je gagne au Monopoly contre Pomme, je me gare facilement à Paris, les caisses ferment derrière moi au supermarché. Je t'ai rencontrée, tu m'as aimé. J'étais né sous une bonne étoile, mais tu l'as emportée avec toi et désormais la nuit est d'encre. Tu as été en retard toute ta vie, on a raté des avions, des trains, des levers de rideaux, des débuts de films. C'est la première fois que tu es en avance, que tu me précèdes quelque part. Je suis prêt à pouffer à la plaisanterie que tu m'as concoctée. On rigole à quelle heure ?

Je ne pleure pas. Chaque fois qu'on enterrait quelqu'un ensemble, tu citais Stan Laurel : «Celui qui pleure à mon enterrement, je ne lui parlerai plus jamais.» Je repense au poème de Sarah. Je suis un veuf turquoise avec un chandail inconsolable. Un piroche turquoise avec un chandail seul.

1er novembre

Pomme, île de Groix

Ta veste reste accrochée au portemanteau de l'entrée, Lou – personne n'ose la retirer. Papa, sa femme et ma demi-sœur Charlotte sont arrivés de Paris hier avec leur chien, le bébé labrador Hopla. Avant de partir pour l'église, Albane est sortie avec lui dans le jardin, elle a dit :

— Hopla, number one !

Et, je te jure, le petit chien a fait pipi. Ensuite, elle lui a dit :

— Hopla, number two !

Hopla, obéissant, s'est accroupi. Elle a sorti de sa poche une pince et un sac en plastique vert pour ramasser ses crottes. Elle l'a fait dresser. Elle est folle. Ensuite, elle a dit à Charlotte :

— Prends tes précautions, va où le roi va tout seul !

Et Charlotte est allée aux toilettes. Quand elle est revenue, je n'ai pas pu m'empêcher de lui souffler :

— Un jour ta maman se trompera, elle dira « Charlotte, number two ! » et elle sortira sa pince.

Ma demi-sœur n'a pas apprécié, mais le regard de Jo s'est ravivé un instant.

J'ai les yeux de papa, Charlotte a sa bouche. Elle est rousse avec des cheveux raides comme sa mère, je suis brune avec des boucles comme maman. Je fête mes dix ans aujourd'hui. Cette année, je n'aurai pas de gâteau parce que tu es morte. Maman m'a offert mon cadeau discrètement ce matin. Je déteste le rose genre Hello Kitty, ma nouvelle montre est noire, une montre en deuil comme dans le poème de tante Sarah. J'aime le noir, le papier peint qui se décolle, les tuyaux qui sifflent, la mer en furie, les méduses et les moustiques. L'île de Groix ne s'est pas détachée du continent, elle a surgi du fond de l'océan il y a des millions d'années, je l'ai appris en classe. Je fais souvent un cauchemar dans lequel l'île s'enfonce sous l'eau et on se noie tous. Je me réveille en pleurant, mais je n'en parle à personne.

J'ai autant d'amis à Primetur qu'à Piwizi. Dans le temps, l'île était divisée en deux : la partie orientale Primetur et la partie occidentale Piwizi. Maintenant, on peut se marier ou être ami des deux côtés de la frontière. Maman et moi, pendant l'année scolaire on habite au bourg chez mes grands-parents dans une maison d'armateur. L'été, on emménage à Locmaria dans une petite maison de pêcheur que maman a héritée de ses parents. On fait chambre d'hôtes, ça défile et ça met du beurre dans les épinards, même si je déteste les épinards. C'est moi qui vais à vélo acheter le pain frais pour le petit déjeuner des clients. Maman s'occupe du ménage, des lessives, du café et des confitures. Comme il n'y a pas de chauffage, on n'accueille pas les touristes l'hiver.

J'ai déjà vu des tas de morts, des bébés lapins écrasés sur la route la nuit par les crétins qui roulent trop vite, des oiseaux attrapés par les chats du village, et aussi un noyé qui s'est échoué sur une plage. Je n'ai pas voulu te voir, Lou. Je préfère me souvenir de toi en train de rater la recette du gâteau au chocolat de ton amie Martine. Mes amies ont des grands-mères qui les régalent de tartes, de far breton, de *tchumpôt*. Tu étais tellement nulle en cuisine que tu ratais même les omelettes. Mais tu les préparais avec tant d'amour que je les mangeais.

Maman et papa sont fâchés depuis ma naissance. Maman dit que je n'y suis pour rien, mais elle ment : c'est mon arrivée qui a foutu le bazar, ma demi-sœur Charlotte me l'a révélé avec un méchant sourire satisfait. Papa espérait que maman s'installerait avec lui à Paris, mais elle a refusé de quitter Groix : ailleurs, on respire mal. Je ne sais pas si c'est vrai, je ne suis jamais allée plus loin que Lorient. Charlotte dit qu'il lui a proposé de me supprimer, mais qu'elle a refusé. Papa ne voulait pas de moi, je suis un accident. Chaque fois qu'il vient dans l'île, maman file à Locmaria pour ne pas le croiser. Je déjeune avec lui au bourg mais on se parle peu. J'ai pourtant tant de choses à lui dire, ça m'étouffe. Il m'embrasse mais il ne me serre pas dans ses bras. Je tutoie mon papa, ma maman et mes grands-parents. Charlotte vouvoie notre père, sa mère et nos grands-parents. Je les appelle par leurs prénoms, Jo et Lou. Charlotte les appelle Grampy et Granny.

Papa porte des costumes sombres et des cravates, jamais de jeans comme les papas de Groix. Il grogne contre les revendications syndicales de ses employés, la crise, les impôts. Sa femme Albane n'est jamais contente. Elle n'aime pas la Bretagne, elle préfère le Midi où la mer est chaude. Tante Sarah appelle leur Charlotte «l'infâme môme». Tante Sarah est ravissante, elle change souvent d'amoureux. Elle a une maladie *neurogéné, neurodégé*, un nom compliqué, rare, qui ne se soigne pas. Elle marche avec une canne. Quand elle a des crises, elle s'assied dans un fauteuil roulant customisé. Elle a des tatouages sur les avant-bras, à gauche Federico Fellini de profil avec un grand chapeau et une écharpe, à droite sa femme Giulietta Masina avec le petit chapeau et le tricot rayé du film *La Strada*. Elle dit qu'elle n'a pas de temps à perdre, elle croque la vie. Elle est très brillante, elle a fait l'X. Papa aussi voulait aller dans cette école, mais il a raté le concours d'entrée. Il paraît qu'il n'a toujours pas digéré que sa petite sœur le surpasse. Moi, plus tard, je serai médecin, comme Jo. Je serai obligée de partir pour faire mes études, mais je reviendrai à Groix ouvrir mon cabinet.

J'ai du chagrin que tu sois morte, Lou, mais moins qu'en juin dernier, le jour où s'est passé ce que je me suis juré de ne dire à personne. J'ai menti à tout le monde, même à maman, j'ai prétendu que c'était la faute de Tribord, le chat roux. Dans le temps, on appelait les marins de Groix les Greks. Quand ils pêchaient sur leurs thoniers, les grands *dundees* à fonds plats gréés de voiles brunes, filant *hatoup*, toutes voiles dehors, ils avaient de hautes cafetières émaillées qu'on appelait des greks. Le matin dont je parle, le café bouillant de notre grek nous a brûlées, toi et moi. J'ai mis tout de suite mon visage et tes mains sous l'eau froide. On a eu des cloques, toi sur les doigts, moi au coin de l'œil, j'en garderai toujours la marque. Et je garderai aussi ton secret, c'est promis.

Après, tu as déménagé à l'Ehpad. J'ai d'abord cru que tu n'y étais que de passage, mais tu n'es jamais revenue. La mort c'est pour la vie, pour les siècles des siècles amen. Dans son sermon ce matin à l'église, le père Dominique a dit qu'on était une famille unie et soudée. En vrai, on fait semblant. Tu étais la seule qui nous aimait tous. Je ne crois pas que papa remettra les pieds à Groix. Il venait pour toi. Au cimetière, j'ai glissé ma main dans la sienne et il s'est raidi. Du coup j'ai eu honte et je me suis écartée. Je voulais juste le consoler et avoir moins peur. Je suis un boulet pour lui. Maman travaille à la Librairie principale avec ses collègues Marie-Christine et Céline. Elle gagne notre vie, elle refuse l'argent de papa. Charlotte dit que je lui pèse, pourtant je ne lui coûte pas un euro et je suis maigre alors qu'elle est ronde. Elle a beau être ma demi-sœur, elle est deux fois plus lourde que moi.

À la messe, un de tes petits-neveux, qui est soprano soliste dans une chorale parisienne, a chanté un air si beau que ça m'a fait trembler. Ça s'appelait *Pie Jesu*. Je connais peu mes cousins. Quand on habite une île, on rate les réunions de famille. Jo, papa, Albane et tante Sarah vont traverser demain pour aller à Lorient chez le notaire. Je vais me retrouver pour la première fois toute seule avec Charlotte.

Quelques jours avant ce qui s'est passé dont je ne peux pas parler puisque je t'ai promis de me taire, Jo et toi m'avez appris à faire un massage cardiaque. Qu'est-ce qu'on a ri ! Jo a emprunté un mannequin qui sert à former des secouristes. J'ai placé ma main droite en bas du sternum du mannequin, avec la gauche en crochet, les bras verticaux, et il m'a dit d'appuyer régulièrement, à une fréquence de cent compressions par minute. J'avais du mal à compter, alors tu as pris ton téléphone portable et tu as mis une chanson au volume maximum en me conseillant de me caler sur le rythme. Je l'ai dans la tête pour toujours. C'est une chanson du siècle dernier, *Staying Alive*, d'un groupe qui s'appelait les Bee quelque chose. On beuglait ensemble : «*And we're stayin' alive, stayin' alive ! Ah ha ha ha, stayin' alive, stayin' alive ! Ah ha ha ha, staying aliiiiive !*» Ça veut dire rester vivant, en français. J'ai demandé à Jo si à l'Ehpad, quand ton cœur a arrêté de battre, ils l'ont massé sur cette chanson. Il a dit que tu dormais paisiblement et que parfois rester vivant n'est pas la meilleure solution.

Lou, là où on va après

Je suis morte mais je me souviens de tout. Comme si je relevais mes mails après des semaines d'absence. J'ai juste eu un trou de mémoire de plusieurs mois, un bug informatique.

Ma messe était belle. L'*Audite Silete* et le *Pie Jesu* étaient poignants. Ceux dont la présence m'importait sont venus. Mes sœurs qui sont quand même mes sœurs, mes camarades d'école, mes joyeux complices du prix Clara, ton vieux pote Thierry, ton successeur devenu calife à la place du calife, et assez d'amis groisillons pour équiper une flottille de pêche.

Je t'aime mais je ne peux plus te le dire et ça me fracasse l'âme. Je voudrais te toucher, sécher les larmes de Pomme, confisquer son portable à Charlotte qui joue l'indifférente pour cacher son désarroi. Je t'ai vu étreindre Sarah, mon piroche ; je vous ai vus crochés l'un à l'autre comme une gaffe agrippe une bouée. Ce chandail turquoise te va bien, j'avais hésité pour la couleur, mais j'ai fait le bon choix. J'ai vu Cyrian vaciller de peine, la main de Pomme chercher celle de son père, j'ai vu Maëlle hésiter à le serrer dans ses bras, j'ai vu Albane regarder Maëlle avec une haine palpable.

Je rembobine le film, je revis notre mariage, les moues de nos familles et nos sourires heureux. Je retrouve ta peau contre la mienne, ton odeur, ta saveur, je m'envole avec toi, éperdue. Je revois ta fierté à la naissance de Cyrian. Et ton bonheur à la naissance de Sarah. Ton sérieux à ta soutenance de thèse de docteur en médecine. Ton visage radieux quand tu es devenu chef de service. Tes larmes rentrées chaque fois que la mort t'arrachait tes patients. Tes éclats de rire quand tu les sauvais. Ton émotion quand Thierry a mis un nom sur la maladie de Sarah. Ma panique le jour où Pomme a été brûlée. Mes mains retrouvent la sensation du fusil de chasse quand tu m'as découverte dans ton bureau en pleine nuit. Mes oreilles entendent le concert du nouvel an à Vienne que nous avons réécouté le premier soir à l'Ehpad, serrés l'un contre l'autre. Mon souffle ralentit de nouveau au moment ultime. Même pas peur, Jo. Même pas mal. Comme une vague ou du sable qui coule entre les doigts. Les gouttes d'eau ne souffrent pas en devenant écume, les grains de sable ne souffrent pas en s'éparpillant sur la plage.

Je souris en songeant au jeune notaire de Lorient auquel j'ai confié la délicate mission que tu prendras à tort pour une mauvaise blague. Tu es le meilleur, tu réussiras. Tu ne m'as jamais laissée tomber. Enfin, si, une fois.

2 novembre

Jo, Lorient

Tu aurais pu choisir un notaire groisillon. Non, il a fallu que tu ailles sur le continent, sur la grande terre. Que tu prennes le bateau, sans m'en parler. Quand tu étais indépendante, libre de tes mouvements, consciente. Quand tu te souvenais qu'on s'aimait.

Je n'ai jamais douté de ton amour pour moi et nos enfants. Tu as eu avec eux un rapport fusionnel, je ne m'immisce pas dans votre relation, je n'y ai pas ma place. Je te les ai laissés, je te les ai confiés. J'ai travaillé pour l'appartement, leurs écoles, leurs études, les appareils dentaires, les lunettes, les leçons de musique, le rattrapage en maths, les stages de voile, les vêtements à la mode, les ordinateurs. Je t'ai avoué un jour que je préférais d'autant plus Sarah à Cyrian que je me sentais coupable vis-à-vis d'elle. Tu as bondi, furieuse :

— Elle est ravissante et pétillante. Elle sera forte et heureuse !

Mon cœur se serre comme si une main géante le chiffonnait quand je pense au connard d'interne qui nous a dit : « Votre fille n'a pas une pathologie héréditaire, mais il existe souvent un antécédent familial. Vous voulez savoir de quel côté ça vient ? » Nous avons crié « Non ! » en même temps pour porter ce fardeau ensemble.

Ton absence me cache le soleil, Lou. Aucun antidépresseur, aucun psy ne te ramènera. J'ai adoré la vie avec toi. Celle qui m'attend me donne envie de vomir. Comme si on me servait à chaque repas le gratin de chou-fleur que je détestais, enfant.

Avant-hier, la procession était pour toi, depuis l'église jusqu'à l'endroit où ils t'ont couchée. Ce matin, elle est pour tous les morts, de l'église au monument à la mémoire des marins péris en mer. Je m'en dispense cette année. Quand on se marie, l'étiquette veut qu'on soit placés côte à côte à table pendant un an. Quand on est un veuf frais du jour, on ne s'occupe que de son deuil à soi.

— Mes condoléances, docteur.

La poignée de main du jeune notaire est ferme, le ton compatissant. Son étude est en principe fermée aujourd'hui, il fait le pont. Il a ouvert exprès pour nous, parce que nos enfants repartent demain travailler à Paris. J'ai mis sur mes épaules un pull marin coucher de soleil.

Ce type ne nous connaît pas. Il voit un grand Groisillon avec des épis sur la tête, un nez rigolo et un chandail orange. Son fils qui lui ressemble comme deux gouttes d'océan Atlantique, version bobo parisien. Sa convenable belle-fille aux cheveux carotte coupés au carré. Sa ravissante fille blonde appuyée sur une canne.

Cyrian est mal à l'aise avec moi depuis que tu as pris la poudre d'escampette. Sarah, il en faut plus pour la décontenancer. Quand les gens sont gênés qu'elle soit en fauteuil roulant, elle les provoque en chuchotant : « Je suis une sirène, j'ai une longue queue de poisson à la place des jambes. »

— Notre père vous remercie, maître... commence Cyrian.

Je dois marquer mon territoire tout de suite, sinon ce sera foutu. Il me piquera ma place et je n'aurai plus qu'à filer à l'Ehpad.

— Je suis veuf, pas gâteux, Cyrian. C'est ta mère qui s'est éclipsée, moi je suis encore là. Alors ne parle pas en mon nom. Compris ?

Il encaisse. Je me mords la lèvre inférieure. Pourquoi ai-je dit « éclipsée » ? Je te revois, avec ta robe d'été, tes longues jambes hâlées, tes seins fiers, ta bouche pulpeuse. Les vieilles dames meurent, les femmes s'éclipsent. Tu t'es éclipsée, Lou. Et tu m'as laissé sur le carreau avec un trou dans le cœur.

Le notaire se racle la gorge. Son jean est impeccable et son gilet a un crocodile sur la poitrine. Il ressemble à tes neveux du château. Ton père m'en a longtemps voulu de t'avoir séquestrée dans mon île. Il était solide comme un roc, il est tombé comme un donjon s'écroule, seul dans son parc, devant ses cygnes et ses douves. Il avait raison d'insister pour qu'on vive avec lui. Si j'avais été là, je l'aurais peut-être sauvé.

Ton notaire a un accent snob. Je prenais le même pour rassurer mes patients qui parlaient ce langage. Mais dans mes rêves, j'ai l'accent groisillon. Tu l'as découvert parce que je parle en dormant.

— La défunte, annonce-t-il avec pompe, lègue sa part de l'appartement du boulevard Montparnasse à son mari. Et ses parts de la maison de Groix conjointement à ses deux enfants.

Nous avons pris cette décision ensemble pour inciter Cyrian et Sarah à revenir sur l'île. La maison est assez grande pour qu'on ne soit pas les uns sur les autres et je l'entretiendrai pour eux.

— Je vais vous donner lecture de ses dernières volontés, poursuit le notaire.

Cyrian et sa femme sont assis au bord de leurs chaises. Sarah est calée au fond de la sienne, Federico et Giulietta sont à cheval sur les accoudoirs. Le notaire a haussé un sourcil en remarquant ses tatouages.

— «Jo, Cyrian, Sarah, je vous en prie, demeurez unis, maintenez les traditions, préservez nos valeurs familiales. Continuez à vous rassembler à Groix pour les fêtes.»

Nos enfants hochent la tête, obéissants.

— Nous n'allons pas vous laisser seul pour Noël et Pâques, beau-papa ! s'écrie Albane avec emphase.

Elle n'a jamais accepté de me tutoyer.

— Ça roule ma poule, ajoute Sarah en me lançant un clin d'œil complice.

— «Je désire que Pomme et Charlotte apprennent à faire le… *tchumpôt* de mon amie Lucette ?» lit le notaire avec un point d'interrogation dans la voix.

Il prononce le mot comme il le lit alors que les insulaires disent tchoumpooote. C'est un gâteau à base de beurre salé et de sucre vergeoise, à côté duquel le *kouign amann* est un dessert de régime. Tu l'as raté à chaque fois.

— Albane a suivi des cours chez un grand chef, dit Cyrian. Elle aidera Charlotte.

Je plains ce grand chef qui a eu à supporter ma belle-fille. Il y a du sucre et de l'amour dans le *tchumpôt*, ça ne se trouve pas dans les séminaires pour Parisienne dépressive.

Le notaire me lance un regard étrange. Mon sourire se fige. Une salve d'extrasystoles m'ébranle la poitrine. Je pose discrètement l'index et le majeur gauches sur mon poignet droit pour prendre mon pouls. Ça galope, mais je n'ai aucune douleur dans la poitrine. Dommage. Faire un infarctus chez le notaire, ça aurait de la gueule. J'aurais droit à un entrefilet dans *Ouest France* et *Le Télégramme*. Tes enfants sont là, je pourrais casser ma pipe, dans la foulée. Autrefois, on en plaçait une en terre entre les dents des mourants. Quand ils rendaient l'âme, leur mâchoire inférieure s'affaissait, la pipe tombait et se brisait. J'ouvre la bouche comme si je lâchais une pipe invisible. Sarah le remarque. La lueur dans l'œil du notaire m'inquiète. Tu m'as tendu un piège, je te connais.

— La défunte a ajouté un codicille spécial pour vous, docteur, avec un legs qui lui est attaché.

Nous y voilà. Je dois faire quoi, Lou? Sauter à l'élastique du haut de Port-Saint-Nicolas? Grimper au clocher de l'église pour décrocher le thon? Repeindre l'Ehpad en rouge à pois bleus? Je sens que ça va être cocasse.

— Je dois vous lire à tous le premier paragraphe.

Il marque une pause, ménage ses effets. On dirait un animateur de télé-réalité.

— «Pour mon mari, Jo.»

Je grimace, gêné d'entendre ce gamin prononcer tes mots.

— «Nous nous sommes diantrement aimés.»

Tu commences par m'amadouer. Je rentre instinctivement ma tête dans mes épaules. Je me prépare à l'impact.

— «Pourtant tu m'as trahie, mon amour.»

Je vacille sous le choc. Tu te crois drôle? J'ai regardé d'autres femmes que toi, encore heureux! J'ai fantasmé sur certaines. J'en ai désiré. Mais je ne t'ai jamais trompée. Et, si je me fie aux confidences de mes copains, je suis une espèce en voie d'extinction. Un dinosaure amoureux.

Cyrian me foudroie du regard. Albane prend un air dégoûté. Sarah est surprise. Pomme et Charlotte sont certainement en train de s'entretuer sur l'île.

— C'est ridicule, dis-je avec un sourire forcé.

Le notaire lève la main.

— Laissez-moi terminer. «Tu m'as menti mais je te pardonne. Je ne souhaite pas que nos enfants en sachent plus. Cela ne regarde que nous. Ils doivent sortir de la pièce maintenant. Ce qui suit est réservé à tes seules oreilles, Jo.»

Le notaire désigne la porte. Cyrian se lève et obtempère en me tournant le dos. Albane le suit en me dévisageant comme si j'étais une huître pourrie au milieu d'une bourriche. Sarah sort en me flanquant au passage un petit coup de canne. Je tremble de colère. Et à la fois j'ai envie de rire, parce que c'est la plus formidable mauvaise blague que tu m'aies faite. C'est nul, Lou. Consternant. Mais ça fonctionne. Bravo, tu es la meilleure. Et maintenant, comment leur prouver que c'est faux ?

— « À tes seules grandes oreilles, continue le notaire, imperturbable. Si tu entends ces mots, c'est que je suis partie avant toi, donc ce qu'on raconte est vrai, les gens qui ont les oreilles de Dumbo vivent plus vieux. J'en étais sûre ! »

Tu as vraiment un humour de merde, Lou.

— « Tu es perplexe et fâché. Je ne t'en veux pas, Jo. Mais tu as contracté une dette d'honneur envers moi. Je te charge d'une mission délicate. C'est ta punition. »

Tu ne plaisantes pas ? Tu crois réellement que je t'ai été infidèle ? Tu délirais déjà quand tu es allée chez le notaire ? Si j'avais su, je m'en serais donné à cœur joie ! Elles étaient canon, les baby-sitters des petits-enfants de nos amis. Et la touriste suédoise dont le vélo avait crevé et que j'ai dépannée. J'aurais pu, si j'avais voulu ! J'aurais dû, au moins tu m'aurais accusé à raison, mon amour.

— « Voilà la mission qui t'incombe, mon piroche », poursuit le notaire. Piroche ?

— C'est une expression familiale. Continuez.

— « Je te demande d'assurer le bonheur de nos enfants dont tu ne t'es jamais occupé. Tu as été un amant délicieux, un mari merveilleux, un père absent. Ton père et ton grand-père partaient en campagnes de pêche, tu as reproduit le modèle. Tes ancêtres étaient en mer, tu étais de garde à l'hôpital. Nos enfants ont réussi professionnellement, mais ils ne sont pas heureux. Si mon notaire te lit cette lettre aujourd'hui, c'est que je ne peux plus rien pour eux. Alors je te les confie. Cyrian est marié et père, Sarah est libre et butine. Pourtant ils ne savent rien de l'amour. Tu as ressuscité des patients aux électrocardiogrammes plats. Je te demande de redonner le sourire à deux jeunes adultes qui portent ton nom. Tu as carte blanche. Le bonheur est contagieux. Il y a une surprise à la clé. »

Pourquoi cette farce, Lou ? Le notaire poursuit, implacable :

— « Cyrian et Sarah ne doivent rien savoir. Je t'interdis de les mettre au courant. Je te défends également d'en parler à la bande du 7. Cette mission n'est pas impossible. Tu as le temps que tu veux, après une période de sûreté de deux mois. Aucune agence n'a connaissance de tes agissements. Cette lettre ne s'autodétruira pas. »

Il lève les yeux vers moi.

— C'est une référence au film avec Tom Cruise.

— Pas du tout, c'est une référence à la série avec Peter Graves et Barbara Bain. Vous n'étiez pas né, elle était diffusée dans les années 1960.

— Vous comprenez cette allusion à la bande du 7 ?

Je hoche la tête.

— C'est quoi, la surprise à la clé ?

— Votre épouse a écrit une lettre adressée à vous et à vos enfants. Je vous la remettrai quand vous aurez mené à bien la mission dont elle vous a chargé.

Je rugis :

— Donnez-la-moi tout de suite ! Sarah et Cyrian sont adultes, ils vivent à cinq cents kilomètres de Groix, ils ont librement choisi leur vie. Lou était malade, sa pathologie lui a soufflé cette idée grotesque. Je suis médecin, je sais de quoi je parle. Vous êtes notaire, vous n'êtes pas qualifié pour juger du bonheur des autres.

— Mon rôle se borne à vous faire part des dernières volontés de la défunte, docteur. Je n'ai pas à juger de la façon dont vous opérerez.

— Qui en jugera alors ?

— Je lui ai posé la question. Elle m'a répondu qu'elle vous faisait confiance.

— Alors qu'elle m'accuse de l'avoir trahie ?

Le notaire hausse les épaules, fataliste.

— On voit de tout dans ma profession. Ce testament est plus sensé que beaucoup d'autres. Si vous estimez en votre âme et conscience que vos enfants sont heureux, revenez me voir dans deux mois. Vous briserez le cachet et vous pourrez lire sa lettre. Je vous souhaite bon courage, docteur.

Il se lève pour me signifier que l'entretien est fini. Il va rentrer chez lui, profiter de son jour férié que je lui ai bousillé. Je vais devoir affronter nos enfants.

— Attendez une minute ! Vous avez parlé de cachet. L'enveloppe est fermée avec un sceau ?

— Il n'y a pas d'enveloppe.

Le notaire ouvre un tiroir de son bureau, attrape une petite bouteille qu'il pose devant moi. Elle est cachetée à la cire. L'étiquette a été grattée, il manque les deux dernières lettres de la marque, maintenant on lit « champagne Merci ». Elle contient deux papiers pliés. Je la reconnais. La dernière fois que je l'ai vue, c'était en juin, un soir de solstice d'été. J'étais encore un patron débordé, Pomme n'avait que quelques mois…

Dix ans plus tôt

Lou, île de Groix

C'est le soir du solstice d'été. Je nous ai préparé des sandwichs avec amour. J'ai beau prendre des cours de cuisine et avoir une étagère entière de livres de recettes, tout ce que je touche devient immangeable. J'en ai pris mon parti. Sachant ce qui t'attend, tu as acheté des chips et des fraises Tagada. Nous partons en scooter pique-niquer au bord de l'eau. Nous sommes seuls sur la plage, assis sur une grande serviette, surveillés par un goéland ravi de l'aubaine. Il nous connaît, il sait que nous ne finirons pas mes sandwichs. Tu manges la moitié du tien pour me faire plaisir. Sarah et son fiancé Patrice viennent de réussir le concours de l'X. Ils sont allés en Corse faire le GR 20. Le mariage a lieu en octobre, les faire-part sont envoyés. Cyrian s'était présenté au même concours mais lui l'a raté, sa nouvelle petite amie Albane le console. Tu dis que ça lui rabattra le caquet, je trouve qu'il n'avait pas besoin de cette humiliation. Tu es un merveilleux médecin, mon amour, mais tu ne comprends pas notre fils. Tu as tout donné pour devenir chef de service. Cyrian a si peur de te décevoir, il en est paralysé. Tu préfères Sarah et il le ressent. Tu trouves Albane bêcheuse, tu l'appelles Éliane, Ariane, Morgane, son nom ne s'imprime pas dans ton cerveau. Tu préfères celle qu'il aimait avant, Maëlle, la maman de Pomme qui a huit mois et dont nous sommes fous. Je suis une mère poule. Si mes poussins vont bien, je glousse de joie et tu peux faire le coq. Aimer un enfant, c'est faire le deuil de l'enfant rêvé, fantasmé, c'est l'accepter tel qu'il est, pas tel que nous le souhaiterions. Tu n'aurais pas choisi Cyrian comme ami. Mais c'est notre fils, Jo. C'est ton fils, et il te ressemble.

La plage des Grands Sables est la seule plage convexe d'Europe, vagabonde en plus. Les courants marins qui longent l'île balaient le sable et le déposent plus loin. Avec les tempêtes, la plage s'est déplacée vers le nord-ouest de plusieurs centaines de mètres en doublant la pointe de la Croix. J'ai emporté une demi-bouteille de champagne Mercier et deux flûtes, des vraies, pas des gobelets en plastique. Tu fais sauter le bouchon à l'instant précis où le soleil plonge dans la mer. Tu portes sur tes épaules un Joseph rouge passion. Il ne manque que l'*Adagio pour cordes* de Barber dirigé par Leonard Bernstein pour être au paradis.

— À l'amour ! lances-tu.

— Regarde-moi en trinquant, Jo, sinon c'est sept ans sans sexe !

Tu obéis avec empressement. J'avance stratégiquement mes pions.

— Tu penses à une chanson pour ce moment, mon piroche ?

Je m'attends que tu choisisses Barbara, Reggiani, Brel. Tu entonnes Serge Lama en changeant les paroles, tu dis «Lou» au lieu de «l'eau», du coup ça ne rime plus :

— «Une île, entre le ciel et Lou ! Une île, sans hommes ni bateaux.»

Je te réponds avec les mots de Michel Fugain et son Big Bazar :

— «Chante, la vie, chante, comme si tu devais mourir demain !»

La marée descend, abandonnant algues et coquillages sur le rivage. Des rires fusent depuis un voilier ancré.

— Par un soir de solstice, tout est symbole, Jo. Nous sommes à la moitié de l'année et de notre existence. Nous aussi nous avons doublé la pointe.

— Il faut profiter de chaque moment, *carpe diem*. Ton sandwich est infect mais tes baisers sont savoureux.

Tu te penches vers moi. Je te repousse.

— Je t'aime depuis le premier jour, Jo, quand j'ai croisé ton regard au mariage de mon cousin. Tu dansais si mal que tu en étais irrésistible.

— C'est faux, je suis souple et gracieux. Les filles adoraient quand je les invitais pour un slow.

— Parce que tu dansais le rock comme une patate en leur écrabouillant les pieds ! Le slow était moins risqué.

Je t'avais remarqué à cause de ce pull marin incongru sur tes épaules. Je ressemblais à un canari dans ma ridicule petite robe jaune. J'ai posé mon cœur sur le pont de ton bateau.

— C'était la première fois que je mettais les pieds dans un château, Lou. Que je voyais un marié en queue-de-pie et des femmes avec des chapeaux autres que des coiffes bretonnes. J'étais impressionné. Puis je t'ai aperçue et j'ai su…

J'étais mal fagotée, on grandit différemment sans mère. Mon père avait un château mais pas de fortune, tout partait dans les travaux du toit et des douves. Je suis la cinquième fille, j'héritais des robes de mes sœurs aînées, mal coupées pour elle, inénarrables sur moi. Tu t'étais approché et tu m'avais dit : « Vous avez des yeux bleu cassé, j'aimerais les recoller. » Je t'avais répondu que cette couleur n'existait pas. Tu avais répliqué avec assurance : « Bien sûr que si, c'est une variante du blanc cassé ! »

— Tu dansais vraiment comme un éléphant dans un magasin de porcelaine, dis-je, implacable. Il faut que tu me promettes une chose, Jo.

— Ne m'oblige pas à finir tes sandwichs !

— Je parle sérieusement. Je veux pouvoir compter sur toi.

Alors je t'explique. Tu refuses. J'insiste. Nous restons des heures devant la mer, à discuter, à nous chamailler, à nous prendre dans les bras. Nous finissons la bouteille. Le goéland s'envole, la fin de mon sandwich dans le bec. Je réitère. Tu persistes. J'argumente. Tu tiens bon. Je passe à la phase deux, je me mets à pleurer en silence. Tu craques. Et finalement tu promets, pour que je sèche mes larmes. Je te roule une pelle langoureuse et te souffle : « Ce n'est pas l'appel du 18 juin, c'est la pelle du 21 juin, mon amour!» Je t'emprunte ton canif, je taille le bouchon du champagne. Je sors une feuille de papier de ma poche, je rédige un contrat en bonne et due forme, que nous signons. Je le glisse dans la bouteille vide. Je pose ma bouche autour du goulot et je crie dans la bouteille des mots que tu n'entends pas. Puis j'y enfonce le bouchon de liège. Ensuite je gratte l'étiquette, jusqu'à ce que les deux dernières lettres disparaissent. Il ne reste plus que Merci. Nous rentrons au bourg en scooter, dans la douce nuit de printemps.

À la maison, deux messages sur le répondeur changent nos existences à jamais. Le premier est de Cyrian, qui nous annonce ses fiançailles avec Albane et leur mariage dans la foulée avec l'arrivée d'un nouveau bébé dans la famille. Le second est de Sarah, elle est si affolée que je ne reconnais pas sa voix : «Papa, maman, quelque chose ne va pas, je n'arrive plus à marcher normalement, on laisse tomber le GR 20. Patrice et moi, on prend le premier avion pour Paris.»

Je panique. Tu tentes de me rassurer : Sarah s'est épuisée à préparer son concours, tu vas t'en occuper. Tu fais hospitaliser notre fille dans le service de ton ami le professeur Thierry Serfaty, c'est le meilleur.

Thierry pose rapidement le diagnostic et le ciel nous tombe sur la tête. Patrice rompt ses fiançailles avec Sarah, les rats quittent le navire. Tu proposes de le broyer pour réviser tes notions d'anatomie, je t'en empêche. Sarah ne prononcera plus jamais son nom. Nous annulons le mariage.

Patrice rentre à l'X. Sarah perd six mois en

hospitalisations, en examens, en analyses, elle inté-
grera Polytechnique l'année suivante. Cyrian et
Albane se marient, les parents d'Albane s'occupent
de tout. Tu voudrais qu'ils repoussent la cérémonie,
mais le ventre d'Albane s'arrondit, on n'a pas le choix.
Écrabouillée de peine, Sarah sourit bravement sur
les photos auprès des mariés. Elle s'appuie sur une
canne qu'elle a décorée de tulle blanc et de paillettes
dorées. Assise près de moi à la messe, au premier rang
de l'église, elle relève sa manche et me montre ses
tatouages tout frais, Federico et Giulietta. Eux ne la
trahiront jamais.

2 novembre

Jo, Lorient

Je n'ai jamais revu la bouteille avec ta lettre et ta voix dedans, Lou. Jusqu'à aujourd'hui. Elle renferme à présent deux feuilles, le fameux contrat et une lettre pour moi et nos enfants. Tu as cacheté la bouteille à la cire. Je comprends, enfin, ce que tu me reproches. Je ne t'ai pas trahie, mais je n'ai pas tenu mon engagement. Je suis pris de vertige, je me retiens aux accoudoirs de mon fauteuil. Le notaire s'inquiète, pas pour moi, pour son jour de congé. Si je meurs dans son bureau, ça va le mettre en retard.

— Il y a un médecin dans la salle, dis-je pour le rassurer.

Le type ne trouve pas ça drôle.

— Je vais appeler vos enfants.

— Non, ça va. Je suis juste troublé. La voix de ma femme est dans cette bouteille.

Ce jeune con me prend pour un vieux con et en plus il te prend pour une morte. Je sais bien que ta voix s'est éclipsée en même temps que toi, que je ne l'entendrai pas en débouchant la bouteille. Et pourtant je l'espère, comme autrefois j'ai cru mon père lorsqu'il m'a fait écouter la mer dans un coquillage. Les coquillages spiralés sont régis par le nombre d'or, comme les pistils des fleurs, les pyramides et les cathédrales. Tu étais mon nombre d'or, Lou. Je vais respecter tes dernières volontés. Par amour et parce que je veux savoir ce que tu nous as écrit. Mais tu as tort. Nos enfants sont heureux.

Les familles de médecins sont les pires à soigner. Leurs enfants ont des appendicites avec des complications. Leurs parents font des accidents d'anesthésie. J'ai été servi. Sarah n'a pas une sclérose en plaques, elle a une maladie orpheline. Tu n'as pas eu la maladie d'Alzheimer, tu as eu une pathologie rare qui affectait ta mémoire. Jamais deux sans trois. Qui sera le prochain d'entre nous ?

Le notaire va chercher nos enfants. Ça va être sanglant. Tu viens de me pourrir les deux prochains mois, mon amour. Il me reste quoi, sans toi ? Le nombre à deux chiffres de nos années ensemble et celui à cent chiffres de nos éclats de rire ?

Le taxi nous dépose devant la gare maritime de Lorient. Le bateau, que les Groisillons appellent le courrier ou le roulier – le ferry pour les touristes –, quitte la rade et vogue vers Groix. Les îliens prennent place à l'intérieur, alors que les touristes et les résidents secondaires s'assoient dehors, les yeux rivés sur l'océan. La mer est étale, le bateau stable. Dommage, ça m'aurait réconforté qu'Albane dégueule.

Sarah prend l'ascenseur avec les personnes âgées et les femmes enceintes. Elle s'installe près d'un hublot dans le salon principal, glisse sa canne sous son siège. Les hommes la regardent. Elle est habituée, elle s'en fiche. Ils détaillent ses longs cheveux blonds, son regard topaze, son blouson cintré, ses jambes gainées par le jean slim. Elle est sensuelle. Cyrian et Albane montent sur le pont supérieur au milieu des touristes. Été comme hiver, il y en a deux sortes : les randonneurs, bardés de sacs à dos et de bâtons de marche, et les imitateurs, vareuses de pêcheur neuves et chaussures de pont, qui n'iront pas plus loin que le café du port.

Je reste à la frontière entre ces deux mondes, sur le pont inférieur, dehors avec les fumeurs. J'ai écrasé ma dernière cigarette pour te faire plaisir il y a vingt ans, mais j'en tape une à un jeune que je connais de vue. Les mains crispées sur le bastingage, la clope au bec, je fixe la mer en inhalant la fumée. J'attends qu'on soit dans la passe des Courreaux pour aller m'asseoir à côté de Sarah. Les touristes qui ne nous connaissent pas me trouvent trop vieux pour elle et me détestent.

— Dure journée, hein, papa ?

— Je n'ai pas trompé ta mère.

Elle laisse échapper un rire désabusé.

— Patrice m'a appris une chose, il ne faut jamais faire confiance à personne.

Ton départ a ouvert la boîte de Pandore, Lou. Hier, Cyrian et Maëlle étaient assis dans la même église, ce que je n'aurais jamais cru possible. Aujourd'hui, Sarah a prononcé le prénom de son ex.

— Il t'a dit quoi, après notre départ, le notaire au croco ?

— Ta mère m'a confié une mission. Je n'ai pas le droit de vous en parler.

Nous scrutons l'océan à travers le hublot. Puis Sarah se tourne vers moi.

— Pardon, papa. Je ne t'ai pas aidé quand elle est tombée malade, c'était au-dessus de mes forces. Si tu as estimé qu'elle serait mieux à l'Ehpad, c'était forcément pour son bien.

— Je n'ai rien estimé, ta mère ne m'a pas laissé le choix.

— Au moins elle n'était pas seule, elle t'avait. C'est terrible d'être seul.

Un signal d'alarme retentit dans ma tête. J'aurais juré que ma fille n'était pas malheureuse de son célibat. Le bateau lance un coup de corne en croisant son homologue qui traverse de l'île vers Lorient.

— Je viendrai pour Noël, papa. Mais je connais Albane, elle travaillera Cyrian au corps pour qu'il change d'avis. Avant, elle n'avait rien à quoi s'accrocher pour te démolir. Elle va s'en donner à cœur joie.

Tu savais à quoi tu m'exposais, Lou. Je déglutis avec peine. Je pense à nos enfants autrefois, à leur complicité, à leur plaisir de parler groisillon. Ils avaient « du goût pour » leur île, comme on dit ici. Quand ils juraient, ils finissaient leurs phrases par *gast*. Bretons têtes de lion, ils se foutaient des Parigots têtes de veau. À l'adolescence, Cyrian est devenu hautain, alors que Sarah restait douce et drôle. Ils sortaient le samedi soir dans des rallyes, cette invention de l'aristocratie et de la haute bourgeoisie pour que leurs enfants se marient entre eux. Quand ç'avait été le tour de Sarah de recevoir son rallye, ton père avait ouvert l'orangerie du château et la soirée avait été magnifique. Cyrian avait de la classe en costume, Sarah était époustouflante en robe longue. Puis ils ont préparé ce fichu concours.

— Ton frère ne se remet toujours pas d'avoir raté l'X, dis-je.

— Et il m'en veut d'avoir réussi. C'est pire depuis que je bosse dans le cinéma. Il dit que c'est du gâchis.

— Tu es un merveilleux gâchis.

— Ce n'est pas l'avis d'Albane. Tu sais ce qu'elle m'a balancé hier ? « Je m'inquiète pour Charlotte, entre ta maladie et celle de Lou, votre famille a de sacrées tares ! »

Je grince des dents. Les grands-parents d'Albane sont des paysans normands qui ont travaillé les terres héritées de leurs ancêtres. Son père s'est enrichi en rachetant les parcelles de leurs voisins dont les enfants ne voulaient plus exercer ce métier. Il a fait jouer la corde sensible en leur jurant qu'il poursuivrait la tradition. Il a mené ses tractations en secret, rien n'a filtré. Il s'est retrouvé à la tête d'un nombre conséquent d'hectares. Puis ses voisins ont découvert, trop tard, qu'il s'était associé à un gros spéculateur immobilier. Sur ces terres auxquelles ils tenaient tant, qu'ils lui avaient vendu peu cher, les yeux dans les yeux, de paysan à paysan, d'homme à homme, on a construit des appart'hôtels pour les Parisiens en week-end. Les paysans grugés ont enseveli la Mercedes du père d'Albane sous un tombereau de bouse de vache.

— Désolé de vous interrompre, dit Cyrian. Nous avons décidé de dormir à l'hôtel de la Marine. J'ai réservé deux chambres. On passe chercher Charlotte et on y va.

48

— Vous avez décidé ou Albane a exigé ? gronde Sarah.

— Ne te mêle pas de ça, rétorque son frère.

— Ta femme croit que la trahison est contagieuse ? dis-je, dégoûté.

— Comment as-tu pu faire ça à maman ? attaque Cyrian, farouche. Te débarrasser d'elle en la casant à l'Ehpad pour avoir le champ libre !

J'enfonce mes poings au fond de mes poches pour les empêcher de jaillir.

— Fous le camp. Je n'ai besoin ni de tes insultes ni de ton aide.

Cyrian est pâle de rage.

— Ce sont les pères qui aident les fils ! Si j'avais fait médecine, tu m'aurais mis des bâtons dans les roues. Tu veux être le chef, le vieux loup dominant de la meute, le mâle alpha.

Une phrase de l'Apocalypse de Saint-Jean surgit de ma mémoire : « Je suis l'alpha et l'oméga, le commencement et la fin. »

— Le vieux loup dominant, ça plairait à ma psy, glisse Sarah en rigolant. Le vieux loup a perdu sa Lou. Très freudien.

Sarah fait une psychanalyse ? C'est la journée des surprises.

— Ta psy devrait te suggérer de fonder une famille au lieu de te taper tous les mecs qui passent, crache Cyrian.

— Eh là ! dis-je en haussant le ton.

— Maman est morte, poursuit-il avec hargne. Elle ne s'est pas éclipsée, papa, elle est canée. Enterrée dans le cimetière de ta chère île. On ne la reverra pas.

C'est fini. Finis les Noël en famille, les fêtes des mères, la tendresse. Je ne remettrai plus jamais les pieds sur ce caillou merdique.

— Je te rappelle que ta fille aînée vit ici.

— Je l'emmènerai en vacances dans le Midi avec nous.

— Tu coupes les ponts en même temps que le cordon ? C'est plutôt radical !

Cyrian hésite. Albane, qui connaît son bonhomme, surgit et vole à son secours.

— Nous sommes sous le choc de ce que nous avons appris chez le notaire, beau-papa.

— Nous avons besoin de prendre du recul, renchérit Cyrian.

Le fond de ma poche gauche se déchire sous la poussée de mon poing fermé. Je pense à la bouteille cachetée, aux Grands Sables, à la mission que tu m'imposes, à ton sens de l'humour tordu.

— Prendre du recul, c'est ce qui se dit lors d'une rupture, quand on ne s'aime plus. J'en déduis que nous nous sommes aimés.

Le bateau corne en entrant au port. Les passagers rassemblent leurs affaires pour débarquer. Cyrian et Albane marchent vers l'escalier du bateau. J'attends l'ascenseur avec Sarah.

Pomme, île de Groix

Jo, papa, tante Sarah et Albane sont partis pour Lorient. Je donnerais ma montre neuve pour savoir où tu es maintenant, Lou. Pour moi, le paradis, c'est Groix.

— Tu crois au ciel et à l'enfer ? dis-je à ma demi-sœur.

Elle hausse les épaules.

— Maman y croit. Papa dit que l'enfer c'est les autres.

— Tu penses qu'elle est où, Lou ?

— Pas dans la cuisine, heureusement, dit-elle en pouffant.

Tu m'as appris que quand les gens disent des choses méchantes, il faut chercher pourquoi. Souvent c'est qu'ils ont peur ou qu'ils sont malheureux. Charlotte a la chance de vivre avec papa. Moi j'ai eu la chance de vivre avec maman, Jo et toi. On est sœurs, mais on n'a rien à se dire. Maman travaille jusqu'à ce soir. Je n'ai pas école, je vais devoir la supporter.

— Si on allait au cinéma ? propose Charlotte.

— On ne peut pas.

— Pourquoi ?

Je me demande parfois si on a le même papa.

— On vient d'enterrer Lou.

— Et alors ?

— On ne peut pas à cause du respect. Elle ne te manque pas ?

— Je la voyais trois fois par an. Papa dit que le mois dernier, elle ne l'a même pas reconnu.

— Il n'est pas venu dans l'île depuis août, dis-je, surprise.

— Bien sûr que si, il est venu chaque mois depuis qu'elle a emménagé à l'Ehpad. Il faisait l'aller et retour dans la journée.

J'encaisse. Finalement, on n'a pas le même papa. Elle voit le sien chaque soir. Le mien passe à Groix sans me dire bonjour.

— Je ne savais pas, dis-je d'une voix qui déraille.

— Au moins maintenant il va arrêter de nous gonfler pour venir ici. Y a même pas de piscine !

— L'océan ne te suffit pas ?

Elle me regarde comme si j'étais folle.

— Il est gelé ! Papa dit que ta mère est une patelle.

La patelle est un petit coquillage pointu qui se nourrit des algues qu'il trouve sur les rochers. Sa coquille y creuse une petite rainure circulaire. Il se colle au rocher par son pied musclé, sa coquille s'encastre dans la rainure et résiste aux vagues. Maman est ancrée à Groix comme Jo et moi. Ce n'est pas une offense, c'est la réalité. Je suis sur mon territoire, je dois me montrer hospitalière.

— Ça te plairait de pique-niquer à la pointe des Chats ?

C'est, juste après la chambre d'hôtes du Sémaphore de la Croix, une pointe avec un petit phare coiffé de rouge, au début de la côte sauvage, dans la réserve naturelle François-Le Bail. Les rochers étincellent au soleil, ça brille sous les pieds.

— On y va comment ?

— À vélo ! Je prends celui de maman et je te passe le mien.

— Je ne sais pas en faire, avoue Charlotte, gênée.

— Tu rigoles ?

Non. Elle n'est jamais montée sur un vélo.

— Alors tu vas t'asseoir sur mon porte-bagages.

Je m'occupe du ravitaillement. Charlotte est empotée dans une cuisine. Sa mère ne lui laisse rien toucher, même pas le couteau à pain.

— Tu aimes l'andouille de Guéméné ?

Hopla, servi le premier, apprécie. Ma sœur goûte puis se ressert. Je ne lui précise pas qu'elle mange des intestins de porc fumés au feu de bois. J'en mets dans nos sandwichs. Je prends aussi des pommes et une bouteille d'eau. Charlotte porte un col roulé rose et des boots en cuir. Je lui prête une polaire, une veste chaude et ma vieille paire de Converse.

On caresse Hopla, on ne le prend pas avec nous. J'enfourche mon vélo.

— Monte derrière ! Accroche-toi au porte-bagages et écarte les pieds pour ne pas les prendre dans les rayons de la roue. Ne bouge pas, si tu gigotes ça va me déséquilibrer. Ne t'inquiète pas, je suis prudente.

Maman a besoin de moi et puis je tiens à ma peau.

Il n'y a pas de feux à Groix, mais il y a des croisements avec des stop. Je roule doucement d'abord, puis je m'enhardis. Si Charlotte se fait mal, papa m'aimera encore moins. Il a plu cette nuit. Le soleil brille, je

roule exprès au milieu des flaques en levant les jambes
à l'équerre. Charlotte m'imite, on rit même si l'absence de Lou me brise le cœur. On est complices pour
la première fois.

— On va faire un crochet par Port-Lay. Je vais te
présenter des amis.

J'ai des copains groisillons et j'en ai qui ne viennent
que pour les vacances. Les jumeaux ont mon âge, ils
vivent à Paris. Ils s'appellent Elliot et Solal. Leurs
grands-parents Gildas et Isabelle sont des amis des
miens. Autrefois, à Port-Lay, il y avait les conserveries
de thons et de sardines et la première école de pêche
de France. Je pédale le long du sentier en évitant les
chaînes d'amarrage. C'est marée basse, les barques
sont échouées. Je dépose mon vélo dans l'herbe. On
marche jusqu'à la maison blanche qui surplombe
l'eau. Les jumeaux sont en train de danser sur la terrasse.

— Salut ! On attend Boy et Lola, dit Solal.

— On sait qu'ils ne vont pas tarder, ajoute Elliot.

Ils disent « on », jamais « je ». Ils appellent leurs
grands-parents par leurs prénoms, comme moi. Ils
sont drôles. Ils sont deux.

— C'est qui, Boy et Lola ? demande Charlotte,
intriguée.

— Des copains.

— Groisillons ou Parisiens ?

— Ni l'un ni l'autre, dis-je en riant.

— Boy, c'est anglais ? Leurs parents ont une maison ici ?

— Ce sont des SDF, précise Elliot.

— Maman fait partie d'une association qui aide les sans-abri au Vésinet, dit Charlotte. Vos copains font la manche ?

— Ils n'ont besoin de rien. Les voilà.

Boy et Lola débarquent, affamés, réglés comme une horloge, à midi plein. Ils font un petit repérage circulaire au-dessus de nous puis atterrissent sur la terrasse.

— Ce sont des mouettes ! s'écrie Charlotte, stupéfaite.

— Non, des goélands argentés, rectifie Solal. Les mouettes ont un bec noir, les goélands un bec jaune avec un point rouge.

— Les petits tapent sur ce point rouge et la maman goéland régurgite ce qu'elle a mangé pour les nourrir, c'est beurk. Les parents sont blancs, les jeunes gris, enchaîne Elliot.

Johana, la grande sœur des jumeaux, apporte des croûtons tartinés au Boursin. Elle a l'air d'une sirène avec ses longs cheveux et sa silhouette élancée.

— Ils aiment aussi le saucisson, les crevettes, le poisson, les restes de gâteau, tout ce qui est gras, dit-elle.

Boy, le gros mâle, attrape une croûte dans son bec puis se recule pour laisser Lola, plus fine, se servir, en un pas de deux bien rodé. Johana s'approche, mais les oiseaux crient et s'envolent aussitôt.

— C'est le cri spécial danger, explique Solal. Ils en ont un différent pour demander à manger ou chasser les autres, sauf Julie.

— On croyait que Julie était une fille, précise Elliot, mais Isabelle a découvert que c'est un garçon. Gildas lui donne à manger à la main.

— Le voilà ! dit Johana en désignant un goéland blanc à dos gris qui atterrit sur la terrasse.

Boy et Lola s'écartent. Julie pousse un cri strident. Le grand-père des jumeaux arrive avec du pain beurré. Il en tend un morceau à l'oiseau qui l'attrape puis recule, en attrape encore puis recule, en continuant son manège bruyant.

— Quand on déjeune à l'intérieur, raconte Gildas, Julie frappe à la vitre avec son bec. On ouvre la fenêtre et on pose un tabouret devant. Depuis le tabouret, il saute sur le plancher pour venir manger. Si on oublie son tabouret, il n'entre pas. Nous supposons que Boy et Lola sont ses enfants.

J'invite les jumeaux à pique-niquer aux Chats avec nous, mais ils ont prévu d'aller au centre équestre. Je propose à ma sœur de les accompagner. Elle refuse, elle a peur des chevaux.

— Ton grand-père est d'ici, donc tu es Groisillonne de sang, remarque Solal, admiratif.

— Je préfère la Côte d'Azur, c'est plus chou ! réplique Charlotte avec son petit ton arrogant.

Je l'entraîne vite avant que ça dégénère.

On s'installe sur un rocher argenté pour pique-niquer au soleil à la pointe des Chats.

— Maman dit qu'il fait toujours mauvais en Bretagne, s'étonne Charlotte.

— C'est faux, il y a autant d'heures d'ensoleillement annuelles dans le Morbihan qu'à Cannes.

— Papa dit que les jours de tempête, le bateau ne passe plus. On peut être coincé dans l'île.

— Ça arrive rarement et ça dure peu.

— Tu connais des *people* ici, des célébrités qu'on voit dans les magazines ?

— Je connais des artistes et deux écologistes engagées.

— Tu leur as demandé des autographes ?

— Non, je ne veux pas les ennuyer. Jo m'a posé une devinette, dis-je pour changer de sujet. « Quand y a pas d'eau on boit de l'eau, quand y a de l'eau on boit du vin. »

— Ça ne veut rien dire, c'est débile.

— Réfléchis. À Groix, dans le temps, il n'y avait pas de bassin à flot. Les bateaux de pêche ne pouvaient rentrer au port qu'à marée haute. S'ils arrivaient au port à marée basse, les marins étaient obligés de patienter dans leur bateau, et ils buvaient de l'eau en attendant que la mer monte. « Quand y a pas d'eau on boit de l'eau. » Tu comprends ? À marée haute, quand les bateaux pouvaient rentrer dans le port, les marins descendaient à terre et fonçaient au bistrot. « Quand y a de l'eau on boit du vin. » C'est drôle, non ?

Charlotte se fiche des marins et des marées.

— Comment tu t'es fait ça ? demande-t-elle en montrant la cicatrice près de mon œil.

— Tribord a renversé la cafetière et je me suis brûlée.

J'ai raconté le même bobard à papa. Il m'a crue. J'effleure la blessure, je ne sens plus rien, Jo affirme que les terminaisons nerveuses vont se régénérer.

— Mes amis disent que je suis comme Harry Potter, sauf que ma cicatrice n'a pas une forme d'éclair.

— Toi aussi tu as des amis, comme Grampy et

Granny ? dit pensivement Charlotte en attrapant une rondelle d'andouille avec les doigts.

— Évidemment ! Pas toi ?

— Non. J'ai maman. Et elle m'a moi.

Elle attrape un caillou qu'elle lance loin avec rage. Je suis triste pour elle.

— On peut devenir amies si tu veux ? On est déjà sœurs.

— Demi-sœurs seulement. Et encore, c'est pas certain. Maman dit que papa s'est fait manipuler par ta mère, il n'a jamais exigé de test de paternité.

Je la regarde, pétrifiée. Si papa n'est pas mon papa, Jo et toi vous n'êtes pas mes grands-parents. Est-ce qu'on devra quitter la maison du bourg ? Est-ce que je n'aurai plus le droit de te pleurer ? C'est pour ça que papa ne me prend pas dans ses bras et qu'il vient si rarement dans l'île ?

— Maman dit que tu es jalouse de moi, ajoute Charlotte.

— Je ne peux pas être jalouse de quelqu'un qui a ta mère au lieu de la mienne ! dis-je, agacée.

— On échange quand tu veux.

— Tu n'aimes pas ta maman ?

— Personne ne l'aime, sauf Hopla. Je m'enfuirai à dix-huit ans. Papa ne s'apercevra même pas de mon absence.

La belle image de la famille parfaite vole en éclats.

— Tu le vois tous les jours, pourtant ?

— Quand il rentre du bureau le soir, je suis déjà couchée. Et il part le matin avant que je me réveille.

— Tu le vois le week-end, quand même ?

— Samedi il va au bureau. Dimanche il fait du jogging au lac des Ibis et après il écoute du jazz en lisant. Moi, je reste dans ma chambre et je regarde des séries télé. Je n'ai pas le droit d'inviter une amie à la maison et je n'ai pas le droit d'aller chez les autres.

Je suis scotchée.

— Moi je vais chez mes amies ou elles viennent chez moi et maman nous fait des crêpes. J'adore lire : Jules verne, Rudyard Kipling, Enid Blyton, j'ai dévoré les sept tomes de *Harry Potter* et les trois tomes du journal intime du cheval Crac.

Charlotte hausse les épaules.

— Je prends des cours de danse privés seule avec la prof. Je suis abonnée à la Comédie-Française et à la salle Pleyel pour les concerts jeune public, j'y vais avec maman. Elle dit qu'on n'a pas besoin d'amis quand on aime sa mère. Elle m'emmène à l'école et vient me rechercher. Je préférerais rester à la cantine, mais elle ne veut pas.

— Dis donc, elle est pas drôle, ta vie !

— Je croyais que tous les enfants avaient la même. Tu préfères la tienne ? Y a rien dans ton île paumée !

Je m'étrangle.

— Rien ? Tu rigoles ? Jo dit que c'est le Nirvana et l'Olympe. Je me baigne toute l'année. Je fais du théâtre. Je danse au cercle celtique. Je ramasse du bois flotté aux grandes marées. Je vais aux champignons et aux mûres avec Jo. L'été, y a des petits concerts en plein air, ils transportent le piano sur une remorque. Y a l'apéro à midi au Hangar chez Georges, celui qui fabrique des roulottes géniales. Y a l'Écomusée. J'aide pour la vente de charité du presbytère, la kermesse de l'école, la brocante du Dojo. Je me balade entre les arbres du Parcabout sur des filets tendus au-dessus du vide. J'ai participé au clip *Caballitos* de Laurent Morisson, j'étais figurante à la fête foraine, le tournage a eu lieu la nuit, c'était cool !

— T'as de la chance. Papa dit que tu veux devenir docteur comme Grampy, c'est vrai ?

J'acquiesce, étonnée qu'il soit au courant.

— Tu veux faire quoi plus tard, toi ?

— Partir le plus loin possible.

Sa réponse me fait de la peine. Je propose, pour la consoler :

— Tu veux voir plein de Boy, de Lola et de Julie ?

Au printemps, à Pen-Men et sur la falaise, il ne faut pas déranger les oiseaux qui couvent. Mais en novembre, on peut, en se faisant discrètes. Charlotte remonte sur le porte-bagages et je pédale jusque là-bas. Ça fait une trotte, j'ai des mollets en béton. On approche doucement. Je connais les noms des espèces : fulmar boréal, goéland marin, goéland brun, goéland huppé, goéland argenté.

— Ils restent en couple des années, ils font leur nid vers avril-mai et ils couvent leurs œufs à tour de rôle. Ils les protègent et ils attaquent les imbéciles qui s'approchent. Quarante jours après leur naissance, ils apprennent aux petits à voler.

On marche vers le rocher ensoleillé où les oiseaux se sont regroupés. Et brusquement Charlotte se met à hurler et à sauter, les bras écartés, avec une expression sauvage sur le visage. Les goélands s'envolent en battant furieusement des ailes. Ils crient, piquent vers le sol, virent en rase-mottes. Elle reçoit du guano plein le bras. Puis elle s'arrête, comme une marionnette dont on coupe les fils. Elle n'est plus cramoisie, elle ne hurle plus. Les oiseaux se posent et la surveillent.

— Pourquoi tu as fait ça ?

— Pour rire, dit-elle en s'essuyant le bras avec un mouchoir en papier qu'elle balance par terre.

— Si les nids avaient été pleins, tu aurais affolé les petits !

— Ç'aurait été encore plus drôle. Les bébés goélands ont de la chance, grogne-t-elle. Leurs parents les couvent et les protègent, puis ils leur apprennent à voler pour être libres.

Elle suffoque de jalousie et Albane l'étouffe. Papa ne s'occupe pas d'elle. Elle n'a droit ni à la tendresse de nos grands-parents ni à la douceur de ma maman pour s'élancer avec confiance. Personne n'apprend à Charlotte à voler. Un son grave déchire l'air. La corne du bateau. On n'a pas vu le temps passer.

Je pédale pour rentrer au bourg. Charlotte est lourde derrière moi. Je range mon vélo sous l'appentis, je pousse la porte. Albane surgit, glaciale.

— Vous étiez où ?

— À la pointe des Chats et après à Pen-Men.

Je cherche des yeux la silhouette rassurante de Jo.

— Grampy n'est pas là ? s'étonne Charlotte.

— Nous partons dormir à l'hôtel de la Marine. J'ai fait ton sac. Quelle est cette odeur affreuse ? Ce sont tes doigts, Charlotte ? Tu as touché quoi ?

— On a mangé de l'andouille, dit ma sœur.

Albane me dévisage comme si j'avais donné de l'arsenic à la chair de sa chair. Puis elle regarde avec dédain la tenue de sa fille, polaire et Converse avachies. Où sont le délicat col roulé rose et les jolies boots ?

— Tu es attifée comme l'as de pique, tu as l'air de…

Les mots lui manquent pour décrire sa fille déguisée en moi. Elle fronce les sourcils.

— Et vous êtes allées comment à la pointe des Chats ?

— À vélo, claironne Charlotte.

Albane blêmit, mais sa fille ne s'en aperçoit pas.

— Tu… as… roulé… à… bicyclette… sur la route ? dit-elle en détachant ses mots.

— Pomme pédalait et j'étais assise sur le porte-bagages, répond Charlotte avec insouciance.

Albane fond sur moi, m'attrape par un bras, me secoue comme un prunier. Je suis si abasourdie que je suis incapable de réagir.

— Tu as osé ! crie-t-elle.

— Vous me faites mal, dis-je en essayant de me libérer.

Papa, alerté par le bruit, déboule.

— Qu'est-ce qui se passe ?

— Cette folle a emmené notre fille faire du vélo sur la route ! hurle Albane en rentrant ses ongles dans mon bras.

— On est juste allées pique-niquer, lâchez-moi !

— Charlotte va bien, Albane, intervient papa. Elle ne pouvait pas savoir.

— Je ne pouvais pas savoir quoi ? dit Charlotte d'une voix blanche.

— Calme-toi, Albane, elles vont bien toutes les deux, répète papa.

— Je n'aurais jamais dû la laisser seule ! Je me fous de ta fille, c'est la mienne qui m'importe, la tienne peut crever !

Papa blêmit. Il saisit sa femme par les épaules puis il déplie de force ses doigts et me libère. Je me frotte le bras. Si Jo avait été là, il aurait fichu Albane à la porte. Si Sarah avait vu ça, elle lui aurait flanqué des coups de canne. Si maman avait assisté à la scène, ça se serait mal terminé aussi.

— On est juste allées se promener, dis-je, pétrifiée.

Charlotte évite mon regard et redevient l'infâme môme pleurnicheuse d'avant.

— Elle m'a obligée, maman, gémit-elle.

Pauvre choupinette. Albane tourne les talons et sort. Papa la suit. Je dis à Charlotte :

— T'es vraiment une sale traîtresse !

— Je dois la supporter toute l'année. Tu ne connais pas ta chance.

Elle rejoint sa mère, la tête basse. Je me laisse glisser par terre et les larmes me montent aux yeux. Lou est au cimetière. J'ignore où sont Jo et Sarah. Maman, qui croit que papa passe la nuit ici, dort à Locmaria avec un radiateur électrique, un édredon et les sous-vêtements polaires de la coopérative maritime. Papa revient, se penche sur moi. Le monde recommence à tourner.

— Elle t'a fait mal ?

Il examine mon bras. Il a des étoiles au fond des yeux et une tendresse inhabituelle dans la voix. Sa mégère peut me secouer tous les jours et me casser les deux bras et les deux jambes, s'il vient me soigner après.

— Je suis désolé, Pomme. Elle n'aurait pas dû. Elle ne pensait pas ce qu'elle disait. Elle a eu peur, ça n'arrivera plus. Il faut mettre de l'arnica. Allez, zou, secoue-toi.

Le moment de grâce est fini. Il m'aide à me relever. Il regarde dans l'armoire à pharmacie, trouve la pommade, me tartine le bras. Le poison du doute s'est distillé dans mes veines, je veux savoir la vérité.

— Je suis ta fille, papa ?

— Évidemment !

— Tu en es certain ?

— Oui, quelle question ridicule ! Tu sais où est la clef de la porte du grenier ?

— Sur l'étagère de la buanderie.

Jo est le seul de la famille à monter là-haut. J'entends papa gravir l'escalier qui conduit au royaume des toiles d'araignée. Il s'agite dans les combles. Mon bras me brûle. Il revient, poussiéreux, avec une mallette noire à la main.

— Il y a quoi dedans ?

— C'est Baz. J'aurais dû le récupérer avant. Ça va vite passer pour ton bras. Occupe-toi de ton grand-père, il va se sentir seul.

— Il est comme une patelle sur son rocher, dis-je.

Il disparaît dans la nuit. Je reste plantée dans l'entrée avec mon bras engourdi, à me demander ce que peut bien contenir la mallette noire. Une poupée de ventriloque ? J'imagine papa assis sur une chaise face au public avec une poupée nommée Baz qui prononce à sa place les mots qu'il n'ose pas dire. Je réentends la voix haineuse d'Albane. Elle se fiche de moi, c'est sa fille qui importe, moi je peux crever.

Jo, île de Groix

Je débarque du bateau avec Sarah. Nous formons une étrange famille. Tu étais notre ciment, Lou. Sans toi l'édifice s'effrite, vacille, pour s'écrouler avec fracas. Je ne peux pas rentrer à la maison, je dois laisser Cyrian récupérer sa fille et ses affaires. J'aurais voulu embrasser Charlotte, tant pis. Une dernière épreuve m'attend, ce sera moins dur avec Sarah.

— Il faut que je passe à l'Ehpad libérer la chambre de ta mère. Tu m'accompagnes ?

J'y allais tous les jours, même si le dernier mois tu ne me reconnaissais plus. Je venais voir la Lou d'autrefois, pas cette femme étonnée de m'avoir oublié, tressaillant de rage incontrôlée, frissonnante d'amour inutile. Je te prenais la main, tu te dégageais brutalement ou tu rougissais comme une jeune fille – je ne savais jamais à quoi m'attendre. On regardait ensemble tes films préférés : *Out of Africa, Fisher King, Le Festin de Babette*, et *Dr House* dont l'humour décalé nous tirait des larmes de rire. On se repassait *Downton Abbey* – tu avais connu la vie de château chez ton père, mais il n'y avait que Jeannette, la vieille cuisinière moustachue, pour tenir la maison. Les jours où tu te recroquevillais comme une pelote de chagrin fulgurant, je te passais de la musique, les *concertos italiens* de Bach, *La Flûte enchantée* de Mozart.

Je remercie le personnel que je croise, dévoué malgré les coupes budgétaires. Je signe des papiers, je serre des mains, je présente Sarah. Je suis un type verni, j'ai eu une femme et une fille ravissantes. Mais ma femme s'est taillée et ma fille ne courra jamais le marathon de New York.

Je dois vider ta chambre qu'une famille attend avec impatience. Les maisons de retraite sont comme les rentes viagères : le malheur des uns fait le bonheur des autres. La pièce est claire, j'y avais apporté tes meubles préférés, des photos encadrées, des tissus aux couleurs chatoyantes, ta lampe Tiffany. Tu as décidé de venir ici de ton propre chef, mais ensuite tu l'as oublié et tu as sombré doucement. Les médecins appellent ça le syndrome du glissement. En termes profanes, ça consiste à ne plus avoir envie de vivre et à se laisser emporter comme une vague sur le sable à la marée descendante.

— Je ne veux rien récupérer, dis-je. Si un objet t'intéresse, dis-le-moi, Sarah.

Elle secoue la tête. J'offre tout au personnel qui t'a entourée jusqu'au bout. Tandis que nous marchons vers la sortie, une Groisillonne âgée m'arrête. Elle jouait au Scrabble avec toi quand les mots étaient encore tes amis, et aussi à la vache, un jeu de cartes insulaire où il faut bluffer comme au poker.

— J'ai quelque chose pour vous ! Je vais le chercher.

Nous patientons. Sarah s'assied, je reste debout. La femme et son déambulateur mettent un siècle à revenir. Elle me tend une pochette qui contient ton agenda en cuir avec la recharge du trimestre en cours et, à part, les recharges des cinq années précédentes.

— Lou me l'a confiée un jour de lucidité. Elle m'a dit de la garder pour vous.

Quand nous arrivons à la maison, Pomme sort de sa chambre.

— Ils sont allés s'installer à La Marine. Vous vous êtes disputés ?

— Nous sommes tous à cran. Je suis fatigué, ma chérie. Je serais un piètre compagnon pour vous ce soir. Je n'ai pas faim. Va donc dîner au « Cinquante » avec Sarah et ta maman.

— Ne reste pas seul, viens ! insiste Sarah.

— On se verra demain. Je préfère. Vraiment.

Je serre affectueusement l'épaule de Pomme qui grimace.

— Tu as mal au bras ? Montre-moi.

— C'est rien, juste un bleu.

— Tout s'est bien passé avec Charlotte ?

— Le Nirvana et l'Olympe.

Tu es partie seule en repérage là où on va après, tu seras là pour m'accueillir. Ne cuisine pas pour moi, ou alors prends des cours là-haut, mon amour. Fais-leur des cheveux d'ange, des poissons paradisiaques, des viandes infernales, empoisonne les apôtres, inflige ton brouet aux damnés de la terre. Hier, après le cimetière, ton amie Martine est venue avec son gâteau au chocolat, le célèbre gâteau sans farine qui fait voir la vie en cacao, THE *magical cake*. On l'a dévoré ce matin avant d'embarquer pour Lorient. Je t'en ai laissé une part, personne n'a osé y toucher. C'est un gâteau si moelleux qu'on a l'impression de mâcher un nuage. Il est à base de chocolat, de tendresse et de rires.

Je croque ta part de gâteau ce soir dans la maison qui craque. J'ouvre ton agenda. Tu as écrit puis raturé des numéros de téléphone, des adresses, des noms. Pourquoi voulais-tu que cette femme me donne ce carnet ? Je tombe sur la date anniversaire de notre mariage. Je serai seul désormais à le fêter. Je mettrai la table pour deux, je déboucherai un grand vin, je sortirai des verres en cristal et je m'arsouillerai. Le bon vin est excellent pour le cœur, je l'ai assez répété à mes patients. Beaucoup m'en ont offert. On a de quoi boire pour des siècles, mais ça n'a plus d'intérêt sans toi. Je pense à la petite bouteille dans le tiroir du notaire. Et à la chanson de Police que tu aimais : « *I'll send an SOS to the world, I hope that someone gets my, message in a bottle…* »

Pomme, île de Groix

Je dîne au « Cinquante » avec maman et tante Sarah, à la table ronde sur la droite. Elles m'interrogent sur ma journée avec Charlotte.

— On est allées à Port-Lay, aux Chats et à Pen-Men.

Maman me connaît par cœur.

— Il y a eu un problème ?

— Elle a effrayé les oiseaux exprès. Sa mère l'étouffe. Charlotte est plus supportable sans elle.

— L'infâme môme est comme Janus, dit tante Sarah.

— C'est qui ?

— Le Dieu romain des choix et des portes a deux profils, un triste et un souriant, un pour le passé et un pour l'avenir.

Charlotte qui rit et Charlotte qui pleure. Maman remarque la façon étrange dont je tiens ma fourchette.

— Tu as mal au bras ?

— Je me suis cognée. Je suis fatiguée, je vais rentrer me coucher.

Je ne risque rien, j'habite à trois cents mètres. Ce n'est pas encore l'heure des marins en bordée, et de toute façon ils ne sont dangereux que pour eux-mêmes quand ils regagnent leurs bateaux et tombent à la flotte.

Je traverse la place, je m'éloigne de l'église au thon. Je passe devant l'hôtel de La Marine. Je jette un coup d'œil aux fenêtres éclairées. Une silhouette sort par la porte du bar, je me cache derrière la camionnette du boulanger. L'homme, dont je ne vois pas le visage, porte une mallette. Il passe sous un réverbère. C'est mon papa. Il contourne la poste, il entre sous la halle. Il s'arrête. Les battements de mon cœur vont réveiller tout le bourg.

J'avance lentement dans la nuit, paniquée à l'idée qu'il remarque ma présence. Il pose la mallette sur le muret. Il l'ouvre. Je profite du fait qu'il me tourne le dos pour traverser et me réfugier là où se gare le camion à pizza l'été. Papa fait des gestes bizarres, il porte quelque chose à sa bouche, il visse un élément sur un autre. Est-ce qu'il monte un fusil ? Il ne chasse pas. Il ne va pas se suicider ? Il ne veut pas tuer quelqu'un ?

J'ai du mal à respirer. Mon père n'est ni un désespéré ni un criminel, pourtant il sort de sa mallette ce qui est peut-être la crosse. Il saisit une autre pièce qui semble large pour un canon. Il est toujours de dos. Il passe quelque chose autour de son cou. Il avance au centre de la halle, se retourne. Je le vois de profil, en ombre chinoise.

Je pousse un soupir de soulagement. Il n'a pas un fusil, mais un saxophone. Il n'est pas venu se supprimer ni tuer mais jouer. Ce n'est pas mon cœur qui va réveiller le bourg endormi, c'est la musique qui va les tirer du lit !

J'ignorais que papa jouait du saxo, je le savais juste fan de jazz. Voilà ce que contient la mallette qu'il a récupérée au grenier. Baz n'est pas une personne, mais un instrument. Dans la lueur des phares d'une voiture, j'aperçois papa, les yeux clos, les coudes au corps, la main gauche sur les touches du haut, la main droite sur les touches du bas. Il ne souffle pas dedans, il se balance d'avant en arrière, ses mains s'agitent, ses pieds restent stables. Un chat miaule, trouant le silence. Les doigts de papa se promènent sur les touches, son corps danse, sans produire un seul son. Alors, brusquement, je comprends. Il n'a pas participé hier au concert silencieux où Jo et Sarah ont dansé sous la halle. Il ne les a pas rejoints à cause de tante Albane, ou parce qu'il n'avait pas de saxo, ou par peur du qu'en dira-t-on. Mais cette nuit, il est seul, il est libre. Et il joue enfin pour toi, Lou. Je recule dans l'ombre. Je retourne à la maison. Il y a de la lumière sous la porte de Jo. Je me réfugie dans ma chambre, je me glisse sous ma couette. Papa aussi est comme Janus. Papa aussi a deux profils, papa qui rit et papa qui pleure.

3 novembre

Jo, île de Groix

Soaz, jeune femme brune souriante, tient «L'Escale», le dernier café avant Lorient. Le dernier parce qu'il est au bout de la cale, à quelques mètres du quai où l'on embarque pour la grande terre. Elle n'est pas née ici, elle vient de l'autre côté, mais les marins l'ont adoptée. Elle a gagné ses galons par les froides aubes d'hiver où elle sert le café aux Groisillons qui partent travailler à Lorient, par les chaudes nuits d'été où elle tient tête aux voileux pintés et aux touristes saouls.

Je m'installe en terrasse avant le départ du premier bateau pour ne pas rater mon fils. C'est trop bête de se quitter sur un malentendu. Cette nuit, entre deux cauchemars, j'ai décidé d'offrir à chacun des enfants un souvenir de toi. Tu portais la Jaeger-LeCoultre de ton père, elle sera parfaite au poignet de Cyrian. Les perles de ta mère sont pour Sarah. J'ai gardé tes deux bagues, le saphir et le rubis, pour les dix-huit ans de Pomme et Charlotte. J'ai mis ta montre à mon poignet pour être certain de ne pas la perdre, du coup j'en ai deux, on va croire que je vire barjo. Elle me plaît mais je préfère celle, extraplate, que tu m'as offerte pour nos trente ans de mariage.

Je salue les habitués accoudés au bar. *Ouest-France* et *Le Télégramme* passent de main en main.

— Café ? propose Soaz.

— Champagne !

Je marque le coup avec ta boisson préférée. La passation de pouvoir de ta montre, c'est quelque chose.

— Je t'apporte ça, dit-elle sans sourciller.

Elle revient, pose une flûte devant moi. Il y en a une seconde sur le plateau, très peu remplie.

— Faut pas boire seul, dit Soaz en trinquant avec moi.

— À Lou, dis-je.

— À Lou !

Soaz avait un gros chien, Torpenn, que des cons ont empoisonné. Tu as émergé de ton brouillard pour grogner qu'on devrait les intoxiquer eux, œil pour œil, poison pour poison. J'en ai déduit que tu avais encore toute ta tête.

Un touriste entre et commande un muscadet. Soaz le sert. Il grogne :

— C'est un mini-muscadet ça, moi j'en veux un normal.

Elle lui verse un second verre en précisant :

— La dose habituelle ici, 6 centilitres.

— À Lorient, les verres sont plus grands !

— Ils contiennent 20 centilitres et ils sont plus chers. À Groix, on sert le vin dans des petits verres. Quand autrefois les marins faisaient la tournée des bistrots, ça limitait la casse.

Assis devant le port, j'attends notre fils, Lou. J'écoute les bruits du vent dans les haubans, les conversations des voisins, les verres qu'on entrechoque. Les piétons avancent le long de la cale, les insulaires ont les mains dans les poches, les touristes sont chargés comme des baudets. Les voitures disparaissent dans les entrailles du bateau. Les passagers montent les escaliers. Cyrian n'est pas là. Le roulier s'écarte du quai. Je règle ma consommation.

— Je reviens tout à l'heure !

J'ai attaché un club le long de mon scooter. Je suis le seul médecin au monde qui déteste le golf. Je ne m'en vante pas : je risquerais d'être viré du Conseil de l'Ordre. Je ne comprends pas le plaisir que mes confrères éprouvent à se bousiller le dos et à s'enflammer l'épaule et le coude. C'est un jeu pervers générateur d'infarctus, les cardios l'adorent. Il a un seul avantage : il défoule. Je suis seul sur la falaise ce matin. J'ai emporté des balles d'exercice, je peux taper de toutes mes forces.

Je retourne chez Soaz au départ du prochain bateau. Je scanne le port du regard. Loïc, que tu surnommais « le beau boucher », boit un café au comptoir. Il remarque les montres à mon poignet.

— Je vais offrir celle du père de Lou à Cyrian, dis-je.

Loïc, qui a usé ses fonds de culotte sur le même banc d'école que moi, lève sa tasse.

— À ce moment !

Groix est comme ça : pas de sensiblerie mais des sentiments, pas de baratin mais des actes, pas de solitude mais de la solidarité. On naît, on meurt, et entre les deux on navigue, on aime, on pêche, on se bat, entre le ciel et l'eau. La Twingo vert pomme de Maëlle s'arrête devant nous. Sarah en descend. Lorsqu'elle m'aperçoit, son visage s'éclaire.

— Je te cherchais pour te dire au revoir, j'avais peur de te rater. Je t'ai appelé vingt fois. Ce truc rectangulaire que tu as dans la poche, ça s'appelle un téléphone, quand il sonne tu dois dire allô.

Je commande deux coupes de champagne. Tant pis si ce n'est pas ta marque favorite. Un jour, dans une fête où on servait un somptueux Dom Pérignon, tu as fait une moue adorable et tu as demandé : « Vous n'auriez pas plutôt du Mercier Blanc de Noirs ? » J'ai cru que le sommelier allait avoir une attaque.

Sarah aperçoit son amie d'enfance Morag et la salue, ignore mes cernes, trinque avec moi. Des randonneurs subjugués qui ne savent pas que je suis son père me foudroient du regard.

— J'ai un cadeau pour toi, dis-je.

Je plonge la main dans ma poche, ton collier de perles ruisselle sur la table. Sarah sourit. Sur d'autres jeunes femmes, elles seraient incongrues. Sur elle, elles fascineront. J'aime offrir à notre fille, au milieu des bateaux de pêche et des voiliers, dans le brouhaha du départ, ce collier qui se transmet de génération en génération dans ta famille. Une de tes aïeules a voulu être enterrée avec lui, le conseil de famille a rejeté sa demande.

— Quand j'étais petite, maman me les prêtait en

secret le jour de mon anniversaire, pour aller à l'école, sous mes vêtements.

— Ah ! bon ?

Cette idée farfelue – confier un collier de valeur à une gamine – te ressemble.

— Tu m'aides ?

Sarah soulève ses cheveux pour dégager sa nuque. J'attache la sécurité. Elle est aussi époustouflante que toi. Je me raidis pour ne pas me fissurer devant notre fille.

— Tu ferais mieux d'embarquer, dis-je.

— J'attends Cyrian. Je veux lui offrir la montre de ta…

— Ils sont déjà partis, papa.

— C'est impossible, j'étais là au premier bateau !

— Je suis allée à La Marine ce matin. Ils s'engueulaient. Cyrian voulait prendre le roulier, Albane le bateau taxi. Je me suis fichue d'elle. Je lui ai expliqué que le bateau taxi, c'est réservé aux urgences. Elle a rétorqué que pour elle il y avait urgence à quitter l'île.

J'enlève ta montre et je la pose sur la table.

— Je te la confie, Sarah. Sinon je risque de la balancer à la baille dans un accès de colère.

— Je la garde jusqu'au jour où tu la lui offriras.

— Ce con est fichu de refuser. Donne-la-lui toi-même.

Elle la glisse dans son sac à main.

Notre fille embarque en s'aidant de sa canne. Notre fils file vers Paris dans son char d'assaut noir. Où es-tu, petite Lou ? Amarrée à quel corps-mort céleste ? Le bateau corne pour annoncer son départ. On l'entend dans toute l'île, chacun s'immobilise avant de reprendre sa tâche. Qui voit Groix voit sa joie, dit le proverbe. C'est quelque chose de savoir qu'une jeune femme à la beauté inouïe, avec un collier de perles autour du cou et une canne à la main, vogue vers le continent en te pleurant. J'aurais mis ma tête à couper qu'elle avait oublié Patrice. Toi tu savais que ce n'était pas le cas ?

Cyrian, sur la route entre Lorient et Paris

Je conduis, les mains crispées sur le volant, la rage au ventre. Je colle les ridicules petites bagnoles qui roulent sur la voie de gauche et je leur balance mes phares, caltez volailles, poussez-vous, dégagez le passage, j'ai plus de chevaux sous le capot que vous.

Je savais que tu me manquerais, maman, mais je ne me doutais pas que ton absence me poignarderait. J'ai envie de casser la gueule à tout le monde. Pourtant, je ne suis pas bagarreur. La seule fois où je me suis battu, c'est au mariage d'une de tes nièces. Parce qu'un connard beurré de la famille adverse s'est moqué du handicap de ma sœur. Ce beauf a repéré Sarah, il avait les yeux exorbités et la langue déroulée du loup de Tex Avery. Puis il l'a vue marcher. Il a lancé avec dédain à un copain : «Elle est belle comme un camion mais elle marche comme un pantin déglingué. À l'horizontale ça passe, mais à la verticale c'est *no way* ! »

Mon poing est parti tout seul, droit dans le pif du type. Ça a fait un petit bruit sympa en écrasant le cartilage, le sang a giclé. Le mec s'est écroulé en pleurnichant. J'ai ordonné à son copain de l'exfiltrer, je lui ai expliqué que j'étais le frère de Sarah et que sa réflexion dégueulasse ne m'avait pas échappé. Il est parti la queue entre les jambes avec un mouchoir rouge sous son nez éclaté. J'ai eu mal à la main pendant une semaine.

Cogner quelqu'un aujourd'hui me soulagerait. Je regrette d'avoir pris le bateau taxi, j'ai cédé ce matin devant l'insistance d'Albane. Je n'ai pas pardonné à Groix de t'avoir arrachée à moi, maman. Qui voit Groix voit sa croix, dit le proverbe. Quand vous viviez à Montparnasse, je déjeunais avec toi une fois par semaine, je te confiais tout, tu avais un rire contagieux. Et puis ce salaud de Systole t'a emmenée sur son caillou au milieu de l'eau, son île aux fées et aux sorcières, et je suis resté seul. La systole est le nom médical de la contraction des oreillettes et des ventricules du cœur, c'est le surnom que je donne à mon père depuis l'adolescence. Une contraction, une fureur, une bourrasque. Dans son service, Systole faisait marcher tout le monde à la baguette. Seule la surveillante lui tenait tête, c'est peut-être avec elle qu'il t'a trahie ? Il n'aime que toi, Groix, ses patients, sa bande de copains, Sarah, Pomme et Maëlle. Il a passé sa vie à soigner le cœur des autres mais lui n'en a pas. Je n'ai pas sauvé des vies comme lui, je vends du mobilier de salle de bains haut de gamme. Je l'ai entendu dire à un de ses amis : « Ma fille fait rêver les hommes avec ses films, mon fils les fait pisser dans ses chiottes. »

Ça m'a fichu un coup de voir Maëlle à l'église. Pomme lui ressemble tellement. Je ne retournerai jamais dans cette île. Je ferai dire une messe pour toi à Paris chaque année. Je ferai paraître une annonce dans *Le Figaro*. Je me souviendrai des belles choses. J'oublierai Systole. Comment a-t-il pu te tromper ? Comment as-tu pu continuer à l'aimer ?

Ma femme somnole sur le siège passager. Elle est loyale, solide, elle m'a aidé à sortir la tête de l'eau après mon échec au concours de l'X. Je ne l'aurais jamais épousée si elle n'était pas tombée enceinte. Albane était si heureuse quand elle m'a annoncé qu'elle attendait un enfant. Elle n'avait plus souri aussi franchement depuis la mort de son frère. Si je lui avais dit d'avorter, ça l'aurait détruite. Aux yeux de tous, j'étais le salopard qui avait plaqué Maëlle enceinte, alors qu'en réalité je rêvais de l'épouser et de l'emmener à Paris. J'ai voulu avoir le beau rôle, être l'époux ému, le père solide, le type bien.

Charlotte somnole à l'arrière. Hopla rêve en remuant les pattes. Je chantonne :
— «*Oh Danny boy, the pipes, the pipes are calling, from glen to glen, and down the mountain side.*»
Albane se redresse sur son siège et dit d'une voix ensommeillée :
— Tu m'as réveillée, je dormais si bien. Tu jouais ça autrefois dans cette cave enfumée.
Quand on préparait les concours, Sarah, Patrice et moi, on avait fondé un groupe. J'avais baptisé mon saxophone Baz parce que le copain qui me l'avait

vendu s'appelait Antoine-Basile. Sarah s'éclatait au piano, Patrice à la batterie. On répétait dans la cave de ses parents en fumant des pétards. Le groupe s'est disloqué après mon échec.

— J'ai récupéré Baz dans le grenier, dis-je sans quitter la route des yeux.

— J'ai vu. Nos voisins ne vont pas apprécier.

Les voisins, je les emmerde. Ceux de droite ont un bébé braillard. Celle de gauche est sourde et fait hurler sa télévision.

— Je vais m'y remettre.

— On te voit déjà si peu… murmure Albane.

— Vous m'entendrez, dis-je avec hargne.

Qu'est-ce que je vais devenir sans toi, maman ? Après la systole vient la diastole, quand le cœur se relâche après contraction. Relâchement, détente, sérénité, douceur. Tu étais ma Diastole, la seule à qui je pouvais parler de tout, y compris de Dany, pas Danny boy, ma Dany girl. Je me méfie de mes collègues. Si je craque, ils prendront ma place, ils n'attendent que ça. Un chef n'a pas d'amis. J'ai été tellement pris par le travail ces dernières années que j'ai perdu mes copains d'enfance. Même Hopla me préfère Albane qui remplit sa gamelle. Pomme ouvre des yeux effarés quand je lui parle. Charlotte s'en fiche. Sarah ne supporte pas Albane. Tu n'es plus là, Diastole. Je n'ai plus que Dany. Je n'ai plus qu'Albane. Et je suis infichu de choisir entre ces deux femmes qui m'aiment. Je ne veux pas être un sale type, je veux juste être un homme heureux.

5 novembre

Pomme, île de Groix

C'est bientôt la fin des vacances de la Toussaint. L'île va se vider. Les rues seront de nouveau silencieuses jusqu'à Noël, la pluie couvrira les pas des passants. Il y aura moins de monde chez Loïc pour le lard des thoniers, il n'expliquera plus aux Parisiens que le boudin c'est mercredi et le poulet rôti dimanche. Il y aura moins de clients à la poissonnerie de Thierry et devant l'étal de Sophie-Anne sous la halle, aux deux boulangeries, à la poste, aux trois librairies, dans les crêperies. Il y aura moins de clients pour le far de Gwenola ou les soins de beauté de Corinne. Le bourg entrera en hibernation.

Ywes et Jacote sont des amis de Jo. J'entends jouer du piano derrière leur porte, j'attends que le silence revienne pour ne pas déranger. Ywes est le chef de la fanfare des Chats-Thons, le nom vient du phare des Chats et du thon en haut de l'église. Ce n'est pas la première fanfare de l'île, il y avait eu La Lyre groisillonne en 1895 et L'Harmonie groisillonne en 1913. Le piano s'arrête. Je sonne. Ywes ouvre.

— Bonjour Pomme. C'est Jo qui t'envoie ?

Je secoue la tête, intimidée.

— Je voudrais prendre des cours. De saxo.

— Je peux demander à un prof du conservatoire de Lorient qui vient régulièrement…

— Non, avec vous.

Ywes a une barbe, des chemises à carreaux, des jeans et des yeux qui rigolent.

— Pomme, la musique fait partie de ma vie, je joue de plusieurs instruments, mais je n'enseigne pas.

— S'il vous plaît ! Je n'ai pas d'argent, mais je peux rendre des services, je fais le ménage, je repasse, je tonds. C'est une surprise.

— Une surprise ?

— Mon papa jouait du saxo dans le temps. On se connaît mal. Je voudrais apprendre pour pouvoir jouer avec lui s'il revient un jour ici. Personne ne doit savoir, ni maman ni Jo.

Les mots restent bloqués à l'intérieur, là où sont tapis les monstres qui enfoncent les îles sous l'eau, ou les Albane qui disent que je peux crever. Je pense à papa en train de jouer dans la nuit. Ywes échange un regard avec Jacote.

— Tu veux vraiment apprendre ?

Je hoche la tête avec conviction. Le salon d'Ywes est plein d'instruments, les tables sont couvertes de partitions.

— Ouvre cet étui, Pomme.

Il me montre une mallette usée. Je soulève le couvercle. Un saxophone en morceaux est couché sur du velours.

— Il est cassé ?

— Non, il dort. On va le réveiller.

Il sort un petit bâton de bois d'une boîte et me le montre.

— Cette languette de roseau s'appelle une anche. Je la mets dans ma bouche pour l'humidifier. Je la pose sur ce morceau, le bec du saxo, dans ce sens-là, un peu en retrait de l'extrémité, sur la table du bec. Ensuite, je glisse ce cercle, la ligature, en veillant à ne pas abîmer l'anche. Et je serre. Tu as compris ?

Non, mais j'acquiesce. Il démonte tout, pose les pièces sur la table.

— À ton tour. Le son que tu produiras dépend de la façon dont tu auras monté ton saxo. Fais attention à l'anche, elle est fragile.

J'essaie, je me trompe. Il me remonte. Ça semble aussi compliqué que les nœuds marins à l'école de voile, mais en fait il suffit de piger le truc.

— Ensuite, il faut monter le bec sur la partie en liège du bocal. Comme ça, pas plus loin. Tu vois ?

Je m'exécute.

— Parfait.

Il désigne les deux grands morceaux.

— Tu as le corps et le pavillon. Tu les emboîtes. Et tu visses le bocal dessus. Le saxo est un instrument à vent qui fait partie de la famille des bois, même s'il n'est composé que de métal. Celui-ci est un saxo alto.

Il attrape un cordon avec un crochet au bout, le passe autour de son cou, y suspend le saxo. Puis il place ses mains comme papa l'autre nuit, la gauche en haut, la droite en bas. Et il souffle dans le bec. Le son me donne le frisson. Quand Yves s'arrête de jouer, ça me fait un trou dans le cœur.

— C'est l'air que travaille la fanfare en ce moment : *Mon amant de Saint-Jean*. Beaucoup de fanfarons n'avaient jamais touché un instrument. En quelques mois, ils ont été capables de jouer ce morceau ensemble.

Je suis impressionnée. Yves enlève le cordon, le passe autour de mon cou, place mes mains sur l'instrument et le lâche. Je ne m'attendais pas qu'il soit si lourd.

— Tu dois nettoyer ton saxo avant de le ranger, Pomme.

— Comme on bouchonne un cheval après l'avoir monté ?

Est-ce qu'Yves va me chasser pour manque de respect au saxo ? Jacote et lui ont un chat, ils aiment les animaux.

— Tu es la première à le remarquer, mais oui, c'est pareil.

Il nettoie le bocal en y fourrant un chiffon accroché à une ficelle, et le corps avec un plumeau. Il dit qu'il y a de la salive qui s'infiltre dedans quand on joue.

— Ces pinces à linge servent à quoi ?

— Ce sont des clefs. Quand on souffle dans le bec et qu'on appuie sur une ou plusieurs clefs avec les doigts, on joue des notes de musique.

Yves regarde sa montre.

— J'ai rendez-vous pour une répétition.

— Vous acceptez de me donner des cours ?

— Tu viens de prendre le premier.

— Je peux faire quoi en échange pour vous payer ?

— Je te charge d'une mission capitale, j'espère que tu seras à la hauteur.

84

J'aspire mieux que je ne repasse. Je tonds mais maman m'interdit de nettoyer la tondeuse après.

— Je veux que tu t'occupes de ton grand-père, dit Ywes avec gravité. Il m'a soigné un jour, je lui dois une fière chandelle. J'ai peur pour lui.

— Mais ce n'est pas un service, c'est normal, je l'aime !

— Je dormirai mieux en sachant que tu veilles sur lui. Marché conclu, déclare Ywes en me serrant la main.

7 novembre

Jo, île de Groix

Le dîner du 7 est un rite incontournable. Être en deuil ne me dispense pas de retrouver les copains. Je parie que tu y serais allée toi aussi, si j'étais mort. La maison de Fred est remplie de ses œuvres et de celles de sa famille. C'est une artiste et une décoratrice hors pair. Tout le monde apporte à manger et à boire. Tu apportais toujours ton champagne préféré. Tes bulles rattrapaient le reste, tes quiches sèches et tes gâteaux pas cuits. Tu ne voulais pas concurrencer les canapés à l'araignée de mer d'Isabelle, les dattes fourrées chorizo menthe de Marie-Christine, le tiramisu de Renata, la tarte aux pommes de Monique. Je balançais discrètement le fruit de tes efforts dans la poubelle et tu rentrais chez nous heureuse avec ton plat vide.

— Regarde, Jo, ils ont aimé, ils n'ont rien laissé !

Mes copains me broient la paluche pour me prouver leur compassion. Ils font assaut de gentillesse :

— Tu es de la famille, Jo.

— Viens dîner quand tu veux.

— Tu t'invites, sans façons.

— Ma femme est moins belle que la tienne, mais elle cuisine vachement mieux, souffle un ami pour me dérider.

Tu étais la plus belle. Tu m'as appris à être heureux et à l'aise partout. Sans toi, je suis comme un con.

Je n'ai pas apporté de champagne ce soir, je n'ose pas piquer tes bouteilles. Tu avais un compte ouvert à la Librairie principale, je continue à mettre mes achats dessus, j'ai l'impression que c'est toi qui m'offres mon journal.

Le chagrin écrasant appelle le vin corpeux. J'ai pris du Cairanne, le G du Domaine de la Gayère. Le buffet est pourvu en bourgognes grâce à Georges et Geneviève. Les hommes me font boire. Les femmes me font manger. Je te cherche du regard, j'oublie un millième de seconde que tu n'es pas là.

— Comment vont tes enfants, Jo ?

«Nos» enfants sont devenus «mes» enfants, j'encaisse.

— Bien, enfin, normalement mal.

— Tu as été chez le notaire de Lorient ?

Tout se sait sur une île, on voit votre voiture, on vous croise sur le bateau, on sait que vous avez des invités parce que vous prenez plus de pain, si vous mangez de la viande ou du poisson, quels journaux vous lisez. Les enfants de nos amis aussi vivent ailleurs, ils viennent pour les vacances, mais c'est compliqué, les horaires de train sont fâchés avec les horaires de bateau, un korrigan farceur a fait exprès de les désynchroniser pour emmerder le monde. On compte les uns sur les autres plutôt que sur nos familles. Pendant les mois d'été, on se voit peu, les maisons se remplissent d'enfants et de petits-enfants. Puis la paix revient début septembre. On a le cafard quand ils partent, mais on reprend le rythme normal, on se revoit, on souffle.

— Lou a choisi un jeune type du continent, dis-je.

— Tu n'as pas besoin de fric, Jo ?

— On est là, tu sais.

— Tu peux nous demander n'importe quoi !

— C'est bon de vous avoir tous, merci.

Je meurs d'envie de leur raconter le tour que tu m'as joué, mais tu m'as interdit d'en parler. Pourtant j'aurais du succès, je serais le veuf boute-en-train. Je demande à brûle-pourpoint aux copains :

— Vous croyez que vos enfants sont heureux ?

Les conversations s'interrompent. Un silence étonné suit ma phrase.

— Quelle question bizarre.

— Tu es vraiment une andouille frite, dit Mylane qui insulte tendrement ceux qu'elle aime.

— Sacré Jo, tu nous surprendras toujours !

Ils veulent me prouver que oui, un fils divorcé a rencontré une femme délicieuse, une fille a un nouveau boulot qui la passionne, un fils a déménagé en Espagne, une fille à Dubaï. Je prends le problème par l'autre bout.

— Vous êtes heureux, vous ?

Ma question les trouble. Ils se taisent, gênés. On n'affiche pas sa félicité devant un veuf tout frais du jour. Anne-Marie qui a perdu son mari me sourit sans répondre. Bertrand parle de la joie que lui ont faite ses fils en le rejoignant sur la dernière étape du chemin de Saint-Jacques. Il a mis des mois à atteindre

Compostelle, le noyau dur de la bande du 7 l'y a rejoint le jour de son anniversaire. Nous y serions allés aussi, si ta mémoire n'avait pas faseyé.

Comment quantifier le bonheur, Lou ? J'ai eu une drôle de sensation quand Sarah a mentionné Patrice. C'est ça que tu veux, Lou, espèce d'andouille frite ? Que je retrouve Patrice et que Sarah et lui s'aiment de nouveau ? Pourquoi tu ne m'en as jamais parlé ? Un type qui s'enfuit en apprenant que sa femme est malade, moi j'appelle ça une planche pourrie. Tu penses qu'elle serait plus heureuse avec lui ?

Lou, là où on va après

Nos enfants sont malheureux. Cyrian est tiraillé entre deux femmes. Je ne veux pas que Sarah et Patrice se remettent ensemble. Je t'ai donné un indice, tu dois mener ta quête seul.

Il n'y a plus de réseau, plus de connexion, plus de batterie. Je donnerais tout pour pouvoir effleurer ta joue.

Je t'ai vu hésiter dans la cave, mon piroche, tu aurais dû prendre du champagne, ce qui est à moi est à toi.

9 novembre

Pomme, île de Groix

Le chat d'Ywes et Jacote est couché sur des partitions.

— Il s'appelle comment ?

— Elle s'appelle Mlle Godin parce qu'elle ronronne comme un poêle Godin.

Ywes ouvre la mallette usée.

— Monte le saxo, Pomme.

Je sors une languette de roseau de la boîte, je la suce comme un bâton d'esquimau.

— Ça s'appelle hanche parce qu'on pose le saxo contre la hanche ?

— Non, ça s'écrit sans *h*. Ton souffle met l'anche en vibration pour faire naître le son. Pose-la sur le bec. Elle dépasse trop, il faut la décaler. Prends la ligature. Dans l'autre sens. Serre la petite vis.

Je croyais qu'un saxophone était prêt à l'emploi comme une guitare.

— Enfonce le bec sur la partie en liège du bocal. Sans appuyer sur l'anche.

Je suis empotée, mes doigts sont trop petits.

— Tu te débrouilles bien. Monte le corps et le pavillon. Place le bec dans ta bouche. Tes dents du haut doivent être au tiers du biseau. Le bec doit reposer sur ta lèvre inférieure légèrement repliée sur tes dents du bas.

Quoi ? Il ne suffit pas de mettre sa bouche en O et de souffler ?

— Détends tes épaules. Ne les relève pas. Ne gonfle pas les joues. Allez, souffle.

— Je n'y arriverai jamais ! Je croyais qu'il suffisait d'apprendre les notes, comme au piano, dis-je, découragée.

J'essaie une dernière fois. Si ça ne marche pas, je renonce. Et, alors que je n'y crois plus, un son sort de l'instrument et vibre de la pointe de mes orteils à la racine de mes cheveux. Je ris de bonheur. Tu as entendu, Lou ?

— Tu vois, tu y arrives !

Je crie de joie. J'essaie encore. Sans succès.

— J'abandonne. C'est trop compliqué.

Ywes ne cherche pas à me convaincre. Il prend le saxo. Je m'assieds sur le canapé et j'écoute la musique qui me déchire en petits morceaux. Ywes, les yeux fermés, me transporte à Pen-Men le jour où les bébés goélands s'envolent sous le regard de leurs parents. Je n'ai plus de famille décomposée, plus de méchante belle-mère, plus de demi-sœur à deux faces, plus de papa triste, plus de grand-mère morte. J'ai deux ailes maladroites, des adultes qui me protègent, et l'immensité du ciel. Je suis Julie, Boy et Lola. Je survole la falaise et l'océan. La musique me suffoque. Ywes s'arrête.

— Le morceau s'appelle *Amazing Grace*. Si tu t'exerces tous les jours, tu sauras le jouer pour Noël.

Jo, île de Groix

Mes amis Jean-Pierre et Monique m'ont invité à dîner à Locqueltas. J'accepte pour ne pas trop peser sur Maëlle. Tu étais à l'Ehpad depuis juin, j'étais en manque de toi, mais je pouvais m'imaginer que tu reviendrais un jour, ça m'aidait pour ne pas m'effondrer. Maintenant ce qui me fait tenir est une bouteille de Mercier avec ta voix et une lettre dans le tiroir d'un notaire assez jeune pour être mon fils.

L'océan rugit derrière les fenêtres et les arbres plient sous les rafales du vent. Le chat Misty dort en remuant les pattes. JP attise le feu. Monique a préparé ton plat préféré. Leur fille, très attachée à l'île, vient dès qu'elle peut.

— J'étais proche de Cyrian et de Sarah autrefois, puis je suis devenu patron, je travaillais comme un dingue, on s'est éloignés. Vous avez de la chance avec Magali. Comment vous faites pour vous entendre si bien avec elle ?

— C'est notre fille. On s'aime.

— Intéresse-toi à leur travail, leurs amis, leurs projets, suggère Monique.

— Ils sont plus muets qu'une tombe !

Je grimace, le terme est mal choisi.

— Tu devrais créer une alerte Google. Tu seras prévenu par mail chaque fois que le nom d'un de tes enfants circule sur le Net.

Je réfléchis. Ce serait une intrusion dans leur vie privée, mais c'est pour la bonne cause. JP ne doute pas de mes intentions. Il allume son ordinateur et crée deux alertes Google.

JP et Monique sont des amis subtils, des généreux, des lumineux, des tendres, des irremplaçables. Leur chambre d'hôtes est un havre de paix. Ils partagent leur jardin, leurs confitures maison, leur vue imprenable sur l'océan. Je les quitte repu et beurré. C'était toi qui prenais le volant quand on rentrait de chez les copains. J'étais à la place du mort, pourtant c'est moi qui suis vivant, pas toi. Je démarre. Les gendarmes font des contrôles l'été à des points stratégiques, comme le lieu-dit L'Apéritif. À cette heure et en cette saison, ils restent au chaud chez eux. Dommage. En garde à vue au poste, j'aurais pu leur parler de toi.

C'est une chance de vivre dans une île qu'on traverse en dix minutes à peine. Un jour, j'ai calculé le nombre d'heures de ma vie gâchées en embouteillages parisiens. Des milliers d'heures gaspillées, que j'aurais pu passer avec toi. Je regarde le réverbère allumé de la placette. L'électricité est arrivée dans nos villages en 1959, le téléphone en 1965. Avant l'avènement de la télé dans les années 1960, les villageois se rassemblaient pour la veillée, maintenant c'est chacun chez soi et tout le monde devant le poste.

J'allume la radio pour ne pas m'endormir au volant.

Renaud chante : « Eh déconne pas Manu, va pas t'tailler les veines, une gonzesse de perdue, c'est dix copains qui r'viennent. »

— J'aurais pu venir te chercher, dit Maëlle qui a attendu que je rentre pour aller se coucher.

— Ne t'inquiète pas. Je gère.

Parfois je suis submergé par tout ce dont tu ne profites plus. Les vagues qui s'écrasent sur la plage en jouant de la batterie sur le sable. L'écume qui vole dans les jardins et s'accroche aux haies comme la crème fouettée sur les « irish coffees ». Les livres que tu ne lis plus, les musiques que tu n'écoutes plus, les rires que tu ne partages plus, le regard clair de Pomme.

Je me retire dans notre chambre qui n'est plus que ma chambre. Je regarde le tableau de Perrine que tu m'as offert, un pull marin sur une toile de lin brut. Et celui de Yannick que je t'ai donné, une île avec une voile rouge au milieu de l'océan. L'iPad émet une sonnerie guillerette pour me prévenir que je ne l'ai pas synchronisé avec mon ordinateur depuis dix jours. Depuis ton ultime nuit. Un espoir absurde gonfle mon cœur à l'idée que tu m'as laissé un message, mais non. Je fais le ménage dans mes mails, je trie, je jette dans la poubelle virtuelle des pubs pour des voyages que nous ne ferons plus, des produits de beauté que tu n'utiliseras plus, un fatras de propositions qui ne te tenteront plus.

Le courrier que tu reçois s'entasse dans l'entrée, je ne me résous pas à le jeter. On te propose des abonnements à des journaux, une aide auditive, une convention obsèques. Tu as gagné un voyage, un four à micro-ondes et une tablette numérique, tu aurais dû rester. Ta veste est accrochée au portemanteau, tes bottes aux dessins psychédéliques sont dans l'entrée avec les nôtres. Tu t'approvisionnais chez les commerçants sans faire de jaloux, avec équité, tu achetais ton pain chez les deux boulangers, tes livres aux trois libraires, faisais tes courses dans les trois grandes surfaces. Tu es partie fin octobre, tu paieras des impôts sur dix mois. J'ai envoyé à la Sécurité sociale la feuille de maladie du confrère qui a constaté ton décès. Tu as reçu, à ton nom, un courrier te stipulant que ta Sécu ne prendra pas cette visite en charge puisque tu es morte.

11 novembre

Jo, île de Groix

C'est l'anniversaire de Mimi, qui tient la Boutique de la Mer avec son mari Pat. La table est mise devant la cheminée. Il manque ta putain d'assiette.

— Vous échappez ce soir au cake de ma femme, dis-je pour ne pas me fissurer.

Les habitués le refusaient, les artisans ou les nouveaux amis tombaient dans le piège.

— Il était si dur que même trempé dans le café il ne ramollissait pas.

— Le chien du jardinier le laissait !

On évoque des grands moments avec toi en savourant le poulet au Coca – on sert de cobayes en prévision du réveillon. Chaque année, Pat et Mimi organisent une soirée à thème. Des photos où nous sommes déguisés décorent les murs de leur salon. Ton regard bleu prend mon âme pour cible. Je leur tourne le dos mais je sais que tu te fends la pêche sous ton chapeau de cow-boy, un colt à la ceinture, il y a trois ans, à côté de Betty en fille de saloon.

L'anniversaire de Mimi tombe le jour de l'armistice de 1914-1918 et celui où Beudeff s'est éclipsé. Alain était le patron du *Ty Beudeff*, bistrot groisillon culte pour les navigateurs du monde entier, le plus fameux pub entre les Scilly et les Açores. La bière et le rhum avaient un goût d'amitié et d'aventure, les chants de marins coulaient à flots, les clients gravaient leurs noms dans le bois. Des générations y ont refait le monde. On s'y est pris de nobles cuites, à quelques mètres du port dans la montée, jusqu'au bout d'inoubliables nuits. Le capitaine Alain et son second Jo étaient des arcs-boutants de vie, des boute-en-train, des tue-la-mort. Après sa disparition, sa fille Morgann a repris le gouvernail. Pourquoi n'y a-t-il que nos enfants qui ne viennent pas à Groix, Lou ? Qu'est-ce que j'ai fait de mal ?

— Il faut que j'y aille. Merci, dis-je en me levant.
— *Black dog* ? devine Pat.

Churchill surnommait son cafard ainsi. Pat me connaît, le *black dog* me mord le cœur.

— Un tour en train avant de partir, Co ?

« Co », dans l'île, c'est le diminutif de compagnon. On laisse les autres au coin du feu et je le suis dans la pièce dédiée à son train électrique. On se baisse pour passer sous les rails et on se retrouve au centre du circuit. Il actionne des interrupteurs, les locomotives s'allument et se mettent en marche. Je redeviens un enfant émerveillé. Je t'oublie un instant, Lou. Les trains de Pat me rafistolent l'âme. Je les regarde passer en écoutant *Go West*. J'ai pris le train en marche avec

97

toi sans savoir où il nous mènerait. Lou, j'ai embarqué à ton bord. C'était une belle aventure, Co.

Je rentre seul chez nous. Je souris en passant devant la poissonnerie. À l'époque où Albane venait encore ici, tu t'étais placée avec elle dans la file derrière des Groisillonnes qui attendaient leur tour en commentant les événements insulaires, naissances, morts, accidents, travaux, horaires de bateau, querelles de voisinage. Albane, se croyant à Paris, avait questionné le poissonnier de sa voix aiguë :

— Vous avez du bar de ligne ? Je ne passe pas devant ces dames, c'est juste pour savoir si ça vaut le coup d'attendre, je suis un peu pressée…

— Vous n'êtes pas en vacances ? s'était étonnée une Groisillonne.

— Si, mais c'est pour ne pas perdre de temps…

— Elle veut pas perdre son temps à parler avec nous, Co ! avait lancé une autre Groisillonne.

— C'est parce qu'on doit aller à la plage avant que la mer redescende, madame Co. N'est-ce pas, Lou ?

Devant les Groisillonnes hilares, tu avais dit à ta propre belle-fille :

— Je ne vous connais pas, madame. Vous devez me confondre avec quelqu'un d'autre.

26 novembre

Jo, île de Groix

J'ai reçu des alertes Google à propos des enfants. Cyrian est allé à une remise de décoration sans Albane. Sarah a assisté à l'avant-première d'un film. Nos gosses sont beaux sur les photos qui accompagnent ces articles, Lou. Je me sentais jeune avec toi, j'étais le type à qui l'on demande sa carte d'identité en pensant qu'il truande pour bénéficier du tarif senior. Je m'entraîne à devenir un VVP, un vieux veuf pinté. Avec dignité, à cause de Pomme. Je concours scientifiquement pour le prix du meilleur soûlot. J'ai vu mon père boire avec conviction en rentrant de campagne de pêche. J'ai vu ses compagnons d'équipage boire à sa mémoire quand son bateau est rentré sans lui, j'avais l'âge de Pomme. Ils buvaient pour se sentir vivants. Je bois pour ne plus te sentir morte.

Je suis morne le matin, bourré à midi, pas présentable le soir. Je carbure au pur malt, au petit rouge, au blanc sec, jamais de bière, par principe. Je n'ai pas oublié le patient auquel j'avais demandé : «Vous buvez du vin ?» et qui m'avait répondu : «Jamais d'alcool, docteur, c'est mauvais pour le cœur. Je bois que de la bière, dix canettes par jour, mais surtout pas de pinard, j'tiens à la vie ! »

Les copains compatissent, mais louent Dieu de t'avoir enlevée toi plutôt que leurs femmes, c'est humain. Maëlle m'oblige à manger pour limiter les dégâts. J'évite de croiser Pomme. Serge Reggiani chante en boucle dans ma tête *La Chanson de Paul* : « Je bois, à ces maisons que j'ai quittées, aux amis qui m'ont fait tomber, mais à toi qui m'a embrassé. »

Je suis vraiment le seul à t'avoir embrassée, Lou ? L'alcool rend paranoïaque. Je rouvre ton agenda. Qu'y a-t-il sous tes ratures ? Pourquoi certains mots sont-ils illisibles ? Tu as quelque chose de prévu le 3 décembre. Je n'arrive pas à déchiffrer, c'est trop petit, il faudrait une loupe. Je prends mon téléphone portable, je photographie la page, j'écarte les doigts sur l'écran pour agrandir l'image. Et je lis : « 9 h 30 brkfst Dan », et l'adresse d'un hôtel à Paris rue Monge dans le quartier latin. Brkfst c'est *breakfast*, petit déjeuner. Tu devais voir qui dans ce fichu hôtel ? C'est qui, ce connard de Dan ?

30 novembre

Pomme, île de Groix

Aujourd'hui, c'est ton anniversaire, Lou. Depuis que tu n'es plus là, Jo ressemble aux homards du vivier du port. Il est vivant, mais pris au piège, comme s'il attendait l'épuisette qui va le pêcher pour être savouré à l'armoricaine. Il boit trop, il a des yeux de lapin russe, son pas navigue, ses mains tremblent. Il me rejoint dans la cuisine à l'heure du goûter. Son sourire est fendillé. Il sort la farine, le beurre salé, les œufs, la crème, les yaourts, et ce qu'on appelle sur l'île du «suc' jaune».

— Lou veut que tu apprennes à faire le *tchumpôt*. Ta sœur aussi. Lucette, de Locqueltas, m'a donné sa recette.

Je mets la farine dans un saladier, j'ajoute le sel, la crème fraîche, les yaourts et les œufs. Je prends une serviette, je l'étale sur la table puis je renverse le saladier dessus et je travaille la pâte. Je mets la vergeoise (le suc' jaune) au milieu, j'ajoute le beurre. Je plie la pâte pour former un chausson que je ficelle dans un torchon comme un bonbon. J'immerge le *tchumpôt* dans l'eau bouillante.

— On le mangera ensemble après ?

Le Jo d'avant n'a pas totalement disparu, son visage s'éclaire.

— Oui, ma tarte aux pommes.

Je me penche sur la casserole pour vérifier que tout va bien.

— Ne te brûle pas, attention !

Il s'interrompt. Il regarde la cicatrice près de mon œil. On n'en a jamais reparlé. Il m'avait félicitée d'avoir eu le réflexe de mettre mon visage et tes mains sous l'eau froide. Il avait tartiné nos brûlures de Biafine. Puis c'est devenu un sujet tabou.

— Le jour où le chat a renversé la grek… commence Jo en plongeant son regard dans le mien.

— C'est du passé.

— Vous vous êtes brûlées, ta grand-mère et toi.

— Il y a eu un reflet dans le café, Tribord a cru que c'était une souris. C'est un mauvais souvenir, Jo, ça me rend triste.

Il n'insiste pas. Maman rentre de son travail au moment où on retire le *tchumpôt* de l'eau. On ne peut pas en manger beaucoup, ça remplit et Jo dit que ça tapisse les artères, mais c'est trop bon. On le finira demain coupé en tranches passées dans du beurre chaud.

Jo m'envoie à vélo déposer une part de *tchumpôt* à l'Ehpad pour la dame qui jouait à la vache et au Scrabble avec toi.

Charlotte, Le Vésinet

Maman est venue me chercher à l'école. Je pose mon cartable dans l'entrée et file dans la cuisine. Une enveloppe à mon nom est posée sur la table. Elle vient de Groix, je ne reconnais pas l'écriture. Granny m'écrivait, Grampy se contentait de signer.

«Ma charlotte aux poires. Aujourd'hui c'est l'anniversaire de ta grand-mère. Elle veut que toi et tarte aux pommes fassiez un *tchumpôt*. Je t'ai recopié la recette. Je t'embrasse.»

Je tends la lettre à maman.

— Ta grand-mère avait les idées confuses à la fin de sa vie, ma chérie. Va plutôt regarder la télévision. Quelle idée absurde, les enfants ne cuisinent pas, c'est dangereux !

— Grampy a dit aujourd'hui.

— Nous n'avons pas de vergeoise.

— Si, dans le placard du haut, Granny en avait apporté. Papa adore le *tchumpôt*.

Consciente d'être manipulée, elle soupire.

— D'accord. Je vais le faire et tu m'observeras.

— Pomme ne se contentera pas de regarder.

— Tu as vu la brûlure près de son œil ? Voilà ce qui arrive quand on laisse les enfants jouer avec le gaz ! Tu peux ouvrir le beurre. Prends ton couteau à bout rond. Ne t'approche pas du four.

Frustrée, je la regarde s'activer.

— On le mangera tous les trois ce soir ?

— Papa rentrera tard, tu dormiras. Mon foie ne supporte pas le beurre. Le sucre donne des boutons. Tu en mangeras une lichette.

Je m'en veux d'avoir répété à Pomme qu'on n'est peut-être pas sœurs. Parfois je fais tout pour que les gens me détestent. J'ai envie de faire mal aux autres pour me soulager.

— On retourne quand à Groix ? Je veux revoir Pomme !

Maman ne lui a pas pardonné de m'avoir emmenée à vélo sur la route.

— Elle a une mauvaise influence sur toi. Tu n'as pas besoin d'amies puisque tu m'as moi. On n'a qu'une seule maman, tu sais ?

Lou, là où on va après

C'est mon anniversaire. Je suis née le même jour que Winston Churchill. J'aurais aimé goûter au *tchum-pôt* de mes petites-filles. Tu veux me faire un cadeau, Jo ? Pas besoin de t'indiquer la taille ni la couleur ni la pointure. Arrête de te tuer à petit feu. Bois de l'eau.

3 décembre

Jo, Paris, rue Monge

Le lendemain de ton anniversaire, je me suis réveillé malade et je suis resté toute la journée au lit. Mon confrère Alexis m'a rappelé que la cirrhose n'est pas le moyen le plus agréable de mourir. Après son départ, j'ai rouvert ton agenda comme un naufragé s'accroche à un radeau. Comme mon père, tombé de son bateau de pêche, s'est peut-être agrippé à une planche avant d'être submergé.

Tu as fait mon bonheur jusqu'au printemps. Tu as commencé à oublier en janvier, mais je n'y ai pas pris garde ; tu as déconné en mars et j'ai été dans le déni ; tu as pété un câble en juin, puis tu as emménagé à l'Ehpad. Nous avons passé ta première nuit sur place, allongés l'un contre l'autre, dans ta nouvelle chambre. Tu étais la benjamine à cinquante-six ans. Personne ne comprenait ta décision, sauf ton médecin traitant et moi. Nous avons écouté l'ouverture de l'opéra *La Force du destin* de Verdi en mangeant des tartines de rillettes de homard. Je t'ai suppliée de revenir chez nous. Tu as refusé. Pomme et Maëlle avaient déménagé à Locmaria pour l'été, pourquoi ne pas rester avec moi au bourg ? Tu t'es entêtée. En Italie, pour souhaiter bonne chance, on dit : *in bocca al lupo*, dans la gueule du loup. La personne répond : *crepi il lupo*, que le loup meure. Je parle mal italien, j'ai dû souhaiter « que Lou meure ».

Je ne t'ai jamais trompée, Lou. Est-ce que la réciproque est vraie ? J'arrive dans la rue du foutu hôtel où tu as rendez-vous ce matin à 9 h 30 pour le brkfst. C'est qui, ce Dan ? Je ne pouvais pas rester à trépigner sur mon île sans savoir.

J'entre dans une salle à manger aux murs ocre avec un grand buffet au centre. Des familles empilent de la nourriture sur leurs assiettes, des touristes cachent dans leur serviette des viennoiseries qu'ils grignoteront quand ils auront un creux. Je m'installe près d'une fenêtre. Je commande un expresso. J'attends. Un type de mon âge se pointe, cheveux gominés lissés en arrière, costume cintré, chaussures pointues. Je veux rabattre mes épis sur mon crâne mais c'est peine perdue. Il s'installe, regarde sa montre, consulte son téléphone. Il t'attend, lui aussi ? Il ignore que tu t'es éclipsée ? Il a faim, il salive en contemplant le buffet mais il est poli, le lascar, il continue à patienter.

Il envoie un SMS. Tu ne risques pas de lui répondre. Il grimace. Il n'aime pas les femmes en retard. Pour un peu, il t'engueulerait. Il était où il y a un mois quand on t'a enterrée, ce con ? Tu l'as connu comment ? C'est un de tes ex, un vieil amant que tu retrouves tous les ans à la même date dans le même hôtel ? Il te fait l'amour avec ou sans préliminaires ?

Dans quelles positions ? Il se tait, il parle, il grogne, il commente ? Il n'a pas d'alliance. Est-ce que tu as songé à me larguer pour lui ? Ma main tremble et je renverse mon café sur la table et sur mon pantalon. La serveuse se précipite. Ton connard s'en fiche, je vais le bousiller avec une joie sadique. Je me lève, grotesque, la cuisse tachée de café. Mes pieds pèsent des tonnes. Je marche dans sa direction. Je vais me pencher sur lui en souriant et appuyer fort sur ses carotides avec mes pouces. Ça va ralentir son cœur et diminuer la perfusion de son cerveau. Je gueulerai «je suis médecin, écartez-vous», et je le retiendrai dans sa chute. Puis j'aviserai. Concentré sur son téléphone, ton gominé ne me voit pas arriver. Je tends mes bras en avant, j'ai l'air d'un Playmobil. Une femme anguleuse en manteau rouge avec un nez pointu et une voix de crécelle me contourne pour se jeter dans ses bras.

— Il y avait un «accident voyageur» dans le métro, un emmerdeur s'est jeté sous la rame !

— J'allais partir, grogne le gominé. J'ai galéré ce matin, ma femme ne me lâchait pas.

— Mon mari aussi me fliquait, grince le nez pointu.

— Ils sont chiants ces suicidés, ils ne pensent qu'à eux !

Belle épitaphe. Comment ai-je pu croire que tu me trompais avec ce minable ?

— Docteur ?

Je me retourne, surpris. Une jeune femme aux seins somptueux, en robe moulante et escarpins à talons hauts, me sourit.

— Je vous présente mes condoléances, docteur.

— Nous nous connaissons ?

— Je devais voir votre femme ce matin. Je suis Dany.

Mes neurones moulinent. Dan signifie Dany. Je t'ai soupçonnée à tort. Elle désigne la chaise vide en face de moi.

— Je peux ?

J'acquiesce. Qui est-ce ?

— Comment m'avez-vous reconnu ? dis-je, intrigué.

Elle désigne le Joseph orange sur mes épaules.

— Votre marque de fabrique. Et vous ressemblez à Cyrian. Enfin, c'est lui qui vous ressemble.

Elle connaît donc notre fils. La serveuse se matérialise devant nous et lui parle à l'oreille.

— Un souci avec un client, je reviens.

Je demande à la serveuse :

— Cette jeune femme travaille ici ?

— C'est la directrice, monsieur.

— Pouvez-vous m'indiquer son nom ?

Je sors mon portable et je tape ce nom accolé à celui de Cyrian. Google me propose un lien. Je clique dessus. C'est un *think tank*, un groupe de professionnels qui mettent leurs idées en commun. Le club se réunit chaque mois dans cet hôtel. Je fais défiler des photos d'hommes en costume cravate. Une femme en tailleur strict participe aux réunions. Une autre femme figure également sur les photos, en robe moulante et décolletés vertigineux. C'est Dany. Je navigue d'une photo à l'autre, et soudain je comprends. Dany a la jambe collée à celle de notre fils. Ce n'est pas toi qui avais un amant, Lou. Je regarde le visage de Cyrian. Il est transfiguré. C'est pour ça que tu as voulu que je lise ton agenda ? Pour que j'aide Cyrian à quitter Albane et à être heureux avec cette Dany ? Quand je pense au cirque qu'il m'a fait quand le notaire a annoncé que je t'avais trahie !

— Excusez-moi, dit Dany en se rasseyant.

Son sourire et ses seins sont irrésistibles. Albane et elle ne jouent pas dans la même cour.

— Vous aimez mon fils ?

— Vous êtes du genre direct.

— Je suis médecin.

— Les médecins sont indiscrets ?

— Par la force des choses, ils vous questionnent d'emblée sur votre intimité. Je suis cardiologue, spécialisé dans les affaires de cœur.

— Vous êtes choqué que votre fils trompe sa femme ?

— Je suis surpris. J'ai une question à vous poser.

— Est-ce que je suis une briseuse de ménages ?

— Est-ce que mon fils est heureux ?

Je donnerais cher pour qu'elle réponde oui. Elle secoue la tête.

— Il est écartelé entre moi et sa femme. Les hommes mariés ont des maîtresses depuis que le monde est monde. Ça ne leur rend pas la vie meilleure, mais plus excitante. Je n'ai pas envie d'épouser Cyrian ni de tenir sa maison. Je suis une femme libre. Pas de fil à la patte, pas de promesses, pas d'engagements, et surtout pas d'enfants. Mais j'aimerais qu'il soit disponible pour moi.

— Donc il va rester malheureux ?

— C'est une obsession, dit Dany avec un rire de gorge d'une sensualité étudiée.

— Non, c'est une mission, dis-je en me levant.

Sarah, Paris, rue de Sévigné

Mon appartement est un ancien atelier situé dans le quartier du Marais. La banque n'a pas voulu m'accorder de crédit à cause de ma maladie, j'ai dû souscrire à une assurance spéciale. Je gagne plus que papa quand il sauvait des vies, ça me gêne. Je ne fais pas d'économies puisque je n'aurai pas d'enfants. J'habite au dernier étage. L'ascenseur est assez large pour mon fauteuil roulant. Je reçois papa assise dans mon nouvel engin pailleté customisé. Aujourd'hui est un mauvais jour, j'ai du mal à marcher.

— Je m'entraîne pour ma prochaine soirée jeux vidéo, regarde !

Je lui montre le pavé numérique futuriste avec lequel je pilote ce prototype *made in USA*. Il n'en existe que deux exemplaires, le mien et celui d'un célèbre acteur américain atteint de Parkinson. Quand on se voit aux oscars, on se lance des défis à qui exécutera les figures les plus sophistiquées.

— Je ne peux pas t'inviter à dîner, papa, j'attends un amant.

— Ton amoureux ?

— *Number is safety*. Il vaut mieux en avoir plusieurs, amusants et charmants, qu'un seul, jaloux et ponctuel.

— Tu n'aimes pas les gens ponctuels ?

— Non. J'aime les imprévus, les échappées belles. Je suis sérieuse, je ne revois jamais un homme plus de deux fois. Je ne dis pas « je t'aime », tu m'as appris à ne pas mentir.

— Tu fais ce que tu veux, tu es adulte.

Ma tenue moulante le choque. Il a débarqué sans prévenir, tant pis pour lui. Tu n'aurais jamais fait ça, maman. Je lui sers un single malt que m'a offert un réalisateur japonais.

— Tu sais que ton frère a une maîtresse ? dit-il brusquement.

— Et toi, comment tu sais ?

— J'ai lu les agendas de ta mère. Et j'ai fait la connaissance de Dany ce matin.

— Elle a casté des hommes brillants et en vue. Elle a retenu Cyrian pour le rôle.

— On caste les hommes de nos jours, comme pour un film ?

— Tu as fait la même chose au mariage où tu as rencontré maman. C'est une question de vocabulaire. Tu as scanné les jeunes filles présentes et tu as flashé sur elle.

— « Ah ! qu'en termes galants ces choses-là sont mises ! »

— Courteline ? Labiche ?

— Molière, *Le Misanthrope*. Cyrian est amoureux ? Dany le rend heureux ?

— C'est compliqué. Il n'a pas casté Albane, elle l'a

sauvé, elle s'est retrouvée enceinte, il lui est reconnaissant. Ils couchent rarement ensemble.

— Sarah !

— C'est toi qui m'as demandé ! Chacune lui offre ce que l'autre n'a pas. Albane adore Charlotte et déteste Pomme. Dany ne veut pas d'enfants et se fiche de ceux des autres. Cyrian aime ses filles.

— Ça ne se voit pas.

— Il ne sait pas exprimer ses sentiments. Ce n'est pas ton fils pour rien.

On ne s'est jamais parlé aussi franchement.

— Et toi, Sarah ? Pour toi aussi c'est compliqué ?

— Tu as de l'avenir, papa. Moi j'ai un présent et je fais avec.

— Tu es heureuse dans ce présent ?

Je lève mon verre.

— Mon bonheur est comme ce whisky : branché, et il coûte une blinde. Ton bonheur avec maman était traditionnel, vieilli en fûts de chêne. Je suis la coqueluche du petit monde du cinéma français. Dès que je me flétrirai, je serai balayée, alors j'en profite. Cette merveille dans mon verre sort d'une distillerie aux cheminées en forme de pagode. Je suis une pagode en fauteuil *high-tech*.

— Jolie métaphore. Tu ne m'as pas répondu.

— Tu ne sauras pas être heureux sans maman. Elle a emporté un morceau de toi avec elle. Mais tu vivras de bons moments. Patrice a brisé quelque chose en moi. Ce n'est pas lui que je regrette, mais l'insouciance, la certitude d'être aimée, la confiance. Avant lui, j'avais le cœur léger, maintenant je suis une femme légère. Mon cavalier de ce soir ne va pas tarder. Il m'invite à souper dans un restaurant éphémère où l'on dîne dans le silence absolu. On paie une fortune pour ne communiquer qu'avec les yeux. Tout Paris s'y rue, il y a des mois d'attente.

— Les gens sont fous. Il travaille dans le cinéma ? C'est un acteur ?

— Je ne sors pas avec des mecs qui couchent pour tourner, question d'éthique.

— Ta moralité est parfaite, ma fille.

4 décembre

Jo, île de Groix

Dans le train qui me ramène à Lorient, je lis qu'un homme qui perd sa femme augmente ses chances de mourir dans l'année qui suit. C'est valable aussi si on se casse le col du fémur. Un veuf qui se casse la jambe est doublement mal parti, j'ai intérêt à faire gaffe.

Mon portable sonne alors que le bateau accoste.

— Papa ?

— Ça fait plaisir de t'entendre, Cyrian.

— Je compte sur ta discrétion vis-à-vis d'Albane.

— C'est pour ça que tu m'appelles ?

— Oui.

Je le connais, il a pris une feuille de papier, tiré un trait pour la séparer en deux colonnes : Oui j'appelle mon père, Non je ne l'appelle pas. Oui l'a emporté.

— Tu peux compter sur moi. Tu peux toujours compter sur moi, Cyrian. Ta mère aussi a pu compter sur moi.

Il refuse que je l'amène sur ce terrain.

— Ma vie privée ne te regarde pas, papa.

— Absolument.

— Tu ne parleras pas à ma femme de Dany ?

— De qui ?

— La directrice de l'hôtel de la rue Monge.

— Qui ça ? Où ça ? Je l'ai déjà oubliée, Cyrian.

— Merci.

Et il raccroche.

Dans la Bible, mon homonyme Joseph, fils de Jacob, interprète les rêves du pharaon. Dans la réalité, je ne suis pas fichu de réaliser les tiens. La rumeur de la capitale a masqué ton absence. Le manque de toi me submerge tandis que je traverse le port à pied en chaloupant.

Maëlle sourit en me voyant, Pomme se jette dans mes bras. Mon couvert est mis, je mange la soupe avec appétit, je refuse le vin. Je leur raconte la ville et les lumières de Noël, je fais illusion. Je dormirai avec ma tristesse, au moins on sera deux. Quand Pomme va se coucher, je prends Maëlle entre quatre z'yeux.

— Le jour où tu auras envie de vivre ailleurs, à Locmaria ou dans une autre maison au bourg, ne te sens jamais coincée par moi. C'est clair ?

— Tu veux qu'on s'en aille ?

— Je ne veux pas être un poids pour vous. Je ne suis ni ton père ni ton beau-père.

— Tu es le grand-père de Pomme. Mes parents sont morts. On n'a plus que toi.

5 décembre

Pomme, île de Groix

Je croyais que je n'arriverais jamais à monter le saxo, maintenant c'est un automatisme. Je travaille mon embouchure. Je cale mes dents sur la pastille, je baisse mes épaules, je ne gonfle pas mes joues. Pour émettre un son, je prononce «tû» en retirant la langue. Je connais les notes du haut à la main gauche – *do*, *si*, *la*, *sol* – mais j'ai du mal à les jouer. Mes dents glissent, ma langue me gêne, je mets trop de bec, je rentre trop ma lèvre inférieure. Et puis parfois le son sort, clair et vibrant, et je voudrais ne plus faire que ça, jouer, encore et encore.

Je rentre à la maison en dansant. Je passe par le cimetière et je fais «tû» pour te montrer à quel point c'est compliqué. Les chanteurs ont leur voix. Les pianistes posent leurs doigts sur les touches. Les saxophonistes jouent avec leur corps. Je suis mordue. J'y arriverai. Ça me rend trop heureuse quand ça joue juste, je deviens une émotion aussi bouillonnante que l'océan aux marées d'équinoxe.

Jo, île de Groix

J'ai reçu de nouvelles alertes Google. Un type du *think thank* de Cyrian est mis en examen. J'espère que notre fils n'a rien à se reprocher. Sarah est aussi sublime sur les photos des soirées de premières que les stars des films qu'elle produit.

Quand tu étais petite, le 6 décembre, dans le château de ton père, les enfants sages recevaient des sucreries et les enfants rebelles des fouets en osier. Le bon saint Nicolas arrivait sur son âne en passant par la cheminée flanqué de son méchant compère, le père Fouettard. Tes quatre grandes sœurs mangeaient leur saint Nicolas en pain d'épice. Toi, tu jetais ton fouet à la poubelle, triste et vexée. Ce jour-là, vous plantiez des lentilles sur du coton et la nuit de Noël vous les placiez près de la crèche. Tes sœurs arrosaient leurs lentilles sans en verser une goutte à côté. Ta soucoupe à toi débordait sur le napperon de dentelle. Le guéridon marqueté était trempé, l'eau coulait sur le parquet ancien. Tu as continué la tradition avec Cyrian et Sarah, mais en éliminant le père Fouettard et ses fouets sadomasos. Nos enfants plantaient leurs lentilles dans une assiette ébréchée posée sur le plan de travail qui ne risquait rien. Je décroche du mur une assiette bretonne de collection et j'y éparpille les lentilles de Pomme pour te provoquer.

Je vais donner un sens à cette journée. Mon projet tient la route. Pomme est à l'école. Maëlle travaille. Il y a de la brume, une mer agitée, des conditions musclées, un temps à ne pas mettre un marin dehors. Je vais défier ton Dieu, lui proposer un *deal* équitable. Les chevaliers jetaient leur gantelet à leurs adversaires, Dieu acceptera le duel. Il t'a prise en otage. Je me propose à ta place. Je lui livre ma piètre existence en échange de la tienne. Je ne me suicide pas, je m'offre. Je prends un aller simple pour là-haut et tu redescends continuer ta vie. Du zénith au nadir, en ligne droite, l'équilibre n'est pas modifié. J'ai promis de te protéger en t'épousant, je tiens parole. Tu es plus utile à notre famille que je ne le suis. Ils se sont plantés là-haut, ils t'ont enlevée à ma place. Je corrige leur erreur. Tu vaux tellement mieux que moi. J'étais ton chevalier au stéthoscope, sans ma blouse blanche je ne sers à rien.

Je chausse mes bottes – si je passe par-dessus bord, le poids de l'eau m'entraînera au fond fissa – et je pose un Joseph rayé sur mes épaules. Je glisse une carte plastifiée à mon nom dans ma poche pour faciliter mon identification. Un adulte en bonne condition physique peut tenir vingt minutes dans une eau à huit degrés. Mon cœur en hypothermie ralentira. À cause des courants et du dessin de la côte, les corps remontent au bout de neuf ou quinze jours. Je tiens à ce qu'on me retrouve. Je ne suis pas mon père.

Je descends au port et je me gare exprès loin de *L'Escale*. Je pense à l'hommage de Jacqueline Tabarly à son mari en 1998, le matin du solstice d'été, face à l'océan : « La mer n'est pas méchante, la mer l'a pris, elle ne l'a pas volé. »

J'ai choisi mon jour et mon horaire pour ne croiser ni le roulier, ni les pêcheurs, ni les voileux. La lumière baisse, le port est désert, le brouillard s'étend. J'emprunte le canot d'un copain, je glisse des billets dans une enveloppe à son nom que je coince dans mon volant, on ne ferme pas les voitures ici hors saison. Le canot tangue sur le clapot, ce sera pire dehors quand la houle le malmènera. Je vérifie que personne ne m'a vu : je ne suis pas de ces inconscients qui sortent par mauvais temps et mettent en péril les sauveteurs.

Il n'y a pas âme qui vive. Je ne suis plus très sûr d'être vivant moi-même. Je godille vers la sortie du port. Un plaisancier monte sur son pont alors que je passe sur son tribord. Je retiens ma respiration. Il pisse à bâbord puis réintègre son carré. C'est mon père qui m'a appris à godiller en huit. Il m'attend sous l'eau. Hors de l'abri du port, je bataille avec la mer. Mon canot n'est plus qu'une coquille de noix sur les vagues. Je m'éloigne de la digue. Le courant m'entraîne au large de Port-Lay. Les fenêtres de nos amis Gildas et Isabelle sont éclairées, leur cheminée fume. Je les imagine dans le salon, je vois les gros fauteuils, la table basse avec les canapés à l'araignée de mer disposés sur l'assiette, j'entends le rire d'Isabelle et les musiques de Gildas. Tout ça continuera sans nous, sans toi hier, sans moi demain.

J'ai vu repartir des cœurs que je croyais foutus. J'ai vu sortir de réa sur leurs pieds des patients dont j'aurais juré qu'ils n'avaient aucune chance. Les miracles existent. Je lance un cri sauvage dans le vent. Je me mets à chanter, hachée par l'effort, une chanson de Barbara. Je gueule par-dessus les vagues :

— « Quand ceux qui vont s'en vont aller, eux qui n'avaient rien demandé, mais qui savaient s'émerveiller, d'être venus sur terre. Qu'on leur laisse choisir au moins le pays, fût-il lointain, de leur heure dernière. »

Je me tais, essoufflé, pantelant. Dans la brume, mon frêle canot heurte une pointe de roche. Je n'ai pas le temps de me rattraper, je passe par-dessus bord en décrivant une courbe pataude.

Je ne me suicide pas. J'ai conclu un marché. J'espère que là-haut ils respecteront le *deal*, ma vie contre la tienne. Ma tête émerge de l'océan. C'est une mer d'hiver, conquérante, glacée. Enfant, je me réveillais la nuit en voulant savoir comment ça s'était passé pour mon père. Quand j'étais interne des hôpitaux de Paris, j'ai eu droit aux noyés des piscines municipales et aux désespérés de la Seine. Je préfère finir dans mon océan, ça a plus de gueule. Je préfère mourir et te laisser vivre.

Pomme, île de Groix

Mon grand-père était bizarre ce matin. Je sors de l'école la première sans saluer personne et je file à la maison en pédalant de toutes mes forces. On doit planter les lentilles aujourd'hui. L'assiette est prête sur la table de la cuisine. Jo n'est ni dans son bureau ni dans sa chambre. Son scooter est là, mais pas sa voiture. Je file au cimetière. Tu y es, pas lui. Des vieilles dames parlent à leurs vieux maris qui ne répondent pas. Des mamans fleurissent leurs enfants qui ne grandiront pas. Je disperse une poignée de lentilles sur ta pierre et je continue à chercher Jo.

Je pédale jusqu'à sa plage préférée. Elle est déserte. Je descends jusqu'au port. Sa voiture est là, ouf. Je rentre chez Soaz, qui n'a pas vu Jo. Je vérifie à la gare maritime, à la capitainerie, à l'office du tourisme. Les magasins de vêtements, le glacier et les loueurs de vélo sont fermés. Je retourne à sa voiture, je remarque l'enveloppe coincée dans le volant. Le canot de son copain est sorti. Si Jo n'est pas sur le quai, c'est qu'il est en mer. Je t'ai perdue, Lou, je n'ai rien pu faire pour t'aider. J'ai aussi perdu papa qui ne reviendra plus. Je ne supporterai pas de perdre encore quelqu'un que j'aime.

Le courant va vers Port-Lay. Je cours jusqu'au bout du quai, je plisse les yeux, j'inspecte la mer. Rien. Là, peut-être ? Non, c'est une bouée de casier. Là ? Non, c'est un oiseau. Là ! Un canot flotte, au loin. Je ne vois aucune silhouette à bord. Mon grand-père a fait un malaise ? Il est couché dedans ou bien il est tombé à l'eau ? Je me précipite vers le café de Soaz, mais je pile avant d'entrer. Jo serait furax. Les sauveteurs en mer sont ses amis. Leur vedette *Notre-Dame du Calme* a été mise à l'eau l'année de ma naissance. Je dois me débrouiller autrement. Si je les alerte, il ne me le pardonnera pas. S'il meurt, je ne me le pardonnerai pas.

Un cri strident me fait sursauter. Deux goélands jouent dans le vent. Boy ? Lola ? Ils tournent en rond au-dessus de moi puis mettent le cap vers la maison du grand-père des jumeaux et de Johana.

— J'ai compris ! Merci !

Je fonce, debout sur les pédales. Je suis en rage, en nage. Si mes poumons éclatent, je ne jouerai plus de saxo. Mes cuisses et mes mollets brûlent. Je dévale le sentier qui surplombe le port, je dérape, je glisse et je manque piquer une tête dans l'eau sombre ou m'écraser sur un bateau en contrebas. Je redresse le guidon d'un coup sec. J'arrive devant la maison, je cogne la porte, hors d'haleine. Gildas m'aperçoit par la fenêtre et sort.

— Le canot… Jo… Là-bas…

Trop essoufflée pour parler, je gesticule. Je n'ai pas retrouvé ma respiration que Gildas et Isabelle courent déjà vers leur bateau. La nuit tombe, je ne vois plus le canot. Le vent froid me glace. Je m'assieds à l'extrémité de la digue, les jambes dans le vide.

Jo, île de Groix

Mes doigts sont givrés. Mon corps est congelé. Je me récite de mémoire la question d'internat sur la noyade. Le corps humain se refroidit vingt-cinq fois plus vite dans l'eau que dans l'air. La température centrale chute. Les vaisseaux se contractent pour réduire les pertes caloriques. Le sang périphérique reflue vers l'intérieur du corps, ce qui augmente la tension artérielle. Le cœur ralentit pour lutter contre l'hypertension. Le cerveau est moins irrigué et on perd conscience. Après, soit on fait un arrêt cardiorespiratoire et on meurt par submersion-inhibition – on devient un chouette noyé blanc. Soit on avale de l'eau et on meurt par submersion-asphyxie – on devient un chouette noyé bleu.

Seul dans l'eau, je pense à mon père sombrant au milieu de poissons qui ne parlaient pas sa langue. Je le chasse de ma mémoire, ma dernière pensée sera pour toi. Mes doigts gourds n'ont plus prise sur le rocher, ils ne répondent plus aux injonctions de mon cerveau embrumé. Je repars loin dans le passé, jusqu'à cette soirée de mariage où je t'ai annoncé que j'allais recoller tes yeux bleu cassé. Je vais couler et tu te réveilleras à ma place dans le canot. Je ne tiens plus à la roche que par le pouce et l'index, pince dérisoire. Mes doigts, au moment de lâcher prise, effleurent la pierre comme s'ils caressaient ta peau.

Un bruit de moteur couvre le clapot. Sûrement un mirage dû au bas débit d'oxygène dans mon cerveau. Je m'écarte du rocher, mon bras descend le long de mon corps, je deviens un soldat de la mer, le petit doigt sur la couture du pantalon, la bouche au ras des vagues, mes yeux brûlés de sel fixés sur la ligne bleue des eaux. Le courant va m'emporter, mon amour. Là-haut, tu boucles ton sac, tu dis au revoir à tes nouveaux amis. Tu as rencontré mon père ? Tu as revu notre ami Jacques ? Tu as retrouvé ta mère ?

— Jo, nom de Dieu !

On blasphème au paradis ?

— Jo, tu m'entends ? Attrape la gaffe ! Chope-la !

Ça ne vient pas du ciel. Gildas pilote son bateau, Isabelle me tend une gaffe.

— Foutez… moi… la p…

Ils vont tout faire capoter. Je t'imagine prête à enjamber le parapet. La voie est libre, Lou, descends !

Gildas se déshabille et entre dans l'eau en frissonnant. Il me rejoint en deux brasses puissantes. Je balbutie :

— Je veux… sauver… Lou… J'ai fait… un pacte…

— Si tu résistes, je t'assomme, Jo ! hurle-t-il dans les vagues.

Il m'attrape sous les bras. Je n'ai plus la force de résister, je me laisse aller comme une poupée de chiffon. C'est flambé. Tu ne descendras pas. Dieu a refusé l'échange. Gildas me remonte sur le bateau. Je m'écroule sur le pont. Isabelle m'enroule dans des couvertures.

Ils me soutiennent pour débarquer et marcher vers leur maison. Je m'endors d'épuisement pour me réveiller couché sur le canapé devant la cheminée. Je porte des vêtements qui appartiennent à Gildas. Isabelle me tend un mug fumant.

— Bois, ça va te réchauffer.

J'obéis. Le grog me redonne des couleurs. Pomme est assise à côté de moi, ses yeux écarquillés lui mangent le visage. Je bredouille :

— Qu'est-ce que tu fais là ?

— Elle t'a sauvé la vie en nous prévenant, dit Gildas.

— J'ai eu si peur, grand-père !

C'est la première fois qu'elle m'appelle grand-père. Je lui tends la main et elle se love contre mon épaule. Ses yeux d'enfant m'amarrent au présent, le regret de toi file sur son erre. Ton Dieu a marché sur les eaux, pas dans ma combine. J'ai tenté le diable, il m'a récusé. L'Ankou avait mieux à faire. Je devrais être un grand-père rassurant pour Pomme, un calme retraité jouant aux boules. J'ai été un mauvais père, je suis un exécrable aïeul.

— Tu l'as fait exprès ? demande-t-elle d'une voix voilée.

— Non.

Gildas se tait parce que Pomme est là. Je devine ce qu'il pense. « Tu peux y retourner chaque matin et chaque soir, jusqu'à ce que l'océan t'engloutisse. On ne force pas quelqu'un à vivre. Je peux aussi prévenir tes enfants et appeler le médecin de garde. On te prescrira des antidépresseurs, on t'hospitalisera. Puis tu reviendras et la mer te tentera. »

— Je n'ai pas voulu en finir.

« Pourtant ça y ressemblait », hurlent les yeux d'Isabelle.

— J'ai fait un pacte. Vous m'avez sauvé. Le *deal* tombe à l'eau.

Tu aurais apprécié mon humour.

— Promettez-moi que personne d'autre ne saura. Ni mes enfants, ni Maëlle, ni Charlotte. Je peux compter sur toi, Pomme ?

Elle acquiesce avec une gravité qui n'est pas de son âge. Je me tourne vers nos hôtes.

— Ni aucun de nos amis de la bande du 7, d'accord ?

Ils acquiescent.

— Boy et Lola savent puisqu'ils m'ont prévenue, mais ils garderont le secret, dit Pomme. Jure que tu ne recommenceras jamais !

— Je le jure.

Pomme, île de Groix

Gildas nous a raccompagnés au bourg en voiture. J'irai rechercher mon vélo demain. Jo se réchauffe devant le feu après avoir pris un bain chaud. Maman n'est pas encore rentrée. Ce soir, elle fait l'inventaire à la librairie.

— Tu m'as sauvé la vie, Pomme. Je suis ton débiteur, dit Jo.

— Comme le petit garçon de l'Himalaya ?

Le jour où Jo m'a raconté cette histoire, on dînait dans la cuisine. Il a posé ses mains à plat de chaque côté de son assiette et il a dit :

— Un jour, j'ai sauvé un petit garçon de ton âge grâce à un instrument présent sur cette table.

— Un couteau ?

— Non.

— Une fourchette ? Une cuillère ?

Il m'a tendu ses paumes et il m'a expliqué. Quand j'étais bébé, Jo t'a emmenée, Lou, en voyage au Bhoutan, le pays du BNB, le bonheur national brut, entre la Chine et l'Inde. Vous rouliez en 4 × 4 avec un chauffeur et un guide. Vous vous êtes arrêtés pour assister à une joute de tir à l'arc, leur sport national. Les Bhoutanais en kimonos rayés, chaussés de baskets modernes, brandissaient leurs arcs traditionnels en bambou et tiraient sur des cibles au loin. Vous êtes restés à l'écart, admirant les archers. Un pont suspendu décoré de drapeaux de prière se balançait au-dessus de la rivière asséchée, un yack vous regardait, tout le monde était joyeux. Et puis le drame est arrivé. Un petit garçon a reçu une flèche en pleine poitrine. Il est tombé à la renverse. Les villageois l'ont entouré, sa maman s'est précipitée et a tendu la main vers la flèche fichée dans le corps de son fils.

Jo a beuglé pour l'en empêcher mais vous étiez trop loin. Elle ne comprenait pas le français, elle a terminé son geste. La maman n'aurait jamais dû retirer la flèche, elle empêchait l'hémorragie. Il fallait la laisser en place et transporter l'enfant avec la flèche dans son cœur, le chirurgien l'aurait enlevée sur la table d'opération.

Jo a couru près de l'enfant dont le cœur commençait à saigner. Il a enfoncé ses doigts dans la plaie. Les Bhoutanais, des bouddhistes qui croient au karma, ont poussé un cri horrifié. Jo a réussi à stopper l'hémorragie. Alors tu es intervenue, Lou. Tu as parlé à la maman de l'Himalaya en demandant au guide de traduire, tu lui as expliqué que ton mari était docteur, qu'il empêchait le cœur de son fils de se vider. Elle t'a dit qu'il s'appelait Tachi et elle vous l'a confié. Vous l'avez transporté à l'hôpital dans votre 4 × 4, avec les doigts de Jo à l'intérieur de sa poitrine, jusqu'au bloc opératoire. Le chirurgien a opéré Tachi et il l'a sauvé. Vous recevez chaque année une carte postale du pays du Dragon Tonnerre. Tachi vient d'avoir dix-huit ans.

Aujourd'hui, je n'ai pas sauvé Jo avec mes doigts, je l'ai sauvé avec mes jambes en pédalant vers Port-Lay presque aussi vite que la lumière.

Lou, là où on va après

Comment as-tu pu, Jo ? Les autres s'y laissent peut-être prendre, mais moi, je te connais trop bien. Un échange entre la terre et le ciel, foutaises ! Tu es médecin, tu connais le déroulement logique : le sang coagule, les fluides s'écoulent, la chair quitte les os, tout se désunit. Et tu veux me faire gober que tu ne voulais pas en finir ? Si je n'étais pas morte, ça me flanquerait un ulcère à l'estomac. Tu prends nos amis et notre petite-fille pour des cons. Je t'ai chargé d'une mission et tu t'es défilé. Tu as fait passer ton chagrin avant le bonheur de nos enfants. Ce n'est pas une preuve d'amour. Au Bouthan, tu m'as dit que j'étais ton BGB, ton bonheur groisillon brut. Je ne me suis pas éclipsée, je ne suis pas passée de l'autre côté du miroir, je suis morte. C'est mon karma, mon destin, on ne peut pas revenir là-dessus. Toi tu dois vivre.

7 décembre

Jo, île de Groix

Mes lunettes sont parties à la baille. Je fonce chez Bruno et Florence, les opticiens multicolores que tu surnommais les optîliens. Florence a des cheveux rouges dressés sur la tête, des lunettes bariolées avec un verre rond et l'autre carré, et des vêtements flashy. Avant leur arrivée, il fallait aller à Lorient pour voir clair. Depuis qu'ils sont là, les Groisillons voient la vie en couleurs.

— J'ai besoin de votre aide, mes yeux sont au fond de l'eau.

Ils croient que je me suis baigné avec mes lunettes. Je ne les détrompe pas.

— On va faire le plus vite possible.

Bruno me prête une paire de dépannage. J'ai pris froid hier. Je n'ai pas attrapé la mort, mais une saloperie de rhume. Je feuillette ton agenda. Une annotation du printemps me glace le sang. Tu as dessiné un arbre généalogique pour représenter les liens entre toi, moi, nos enfants et nos petites-filles. Ta maladie était avancée à ce point ?

Tu m'as pris de court, Lou. Tu as commencé à avoir des absences. Tu as oublié où tu avais garé la voiture. Tu as payé plusieurs fois les mêmes factures et omis d'en régler d'autres. Tu n'es pas montée dans le bon train pour la délibération du jury du prix Clara à Paris. Tu as répondu à quelqu'un que tu n'avais pas d'enfants, puis devant l'expression de mon visage, le circuit s'est reconnecté et tu as prétendu que tu plaisantais. Puis il s'est passé ce qui s'est passé. Tu as déménagé, tu es devenue une autre.

J'ouvre tes anciens agendas et nos copains disparus reprennent vie. Notre ami Jacques retrouve son humour pince-sans-rire. Beudeff tire la bière. Jean-Luc repart en reportage. Jean-Louis trie ses cartes postales. Michel peint à l'aquarelle. Manu règle une télévision. Le père de Véronique barre son bateau. Marion traverse le bourg. Florent promène son chien Olaf. Les deux maris de Jeanne bricolent.

Je tourne les pages, je rembobine le temps. Sarah ne réveillonne plus avec nous le 24 décembre au soir depuis qu'elle est adulte, elle nous rejoint le 25. Je ne lui ai jamais demandé ce qu'elle faisait la veille. Toi, tu le savais sûrement. L'an dernier, à cette date, tu as écrit « Sarah Princ » et tu l'as entouré de rouge. Sarah passait les fêtes à l'université de Princeton dans le New Jersey ? En tailleur prince-de-galles ? Avec un prince ? Je regarde les années précédentes. Encore Princ. Sarah ne voit jamais un homme plus de deux fois. C'est peut-être l'exception à la règle, l'amant de Noël ? En tout cas, ce n'est pas Patrice. Le 23 décembre, tu as noté « Cyr + Dan ». Le 24 décembre, tu as écrit « Cyr

+ Alb ». Laquelle des deux rendra notre fils heureux ?
On n'a qu'une vie, Lou. Il n'arrive pas à choisir. Je ne
peux pas décider pour lui. Je ne peux pas décider
pour Sarah. Tu veux quoi ? Que je retrouve Patrice ?
Que j'élimine Albane ? Donne-moi un indice !

J'arrive chez Fred avec le gros de la troupe pour
mon second dîner du 7 sans toi. JP me demande si
j'avance avec les alertes, je lui raconte ma rencontre
avec Dany. Je rends discrètement ses vêtements à
Gildas. Je mange, je bois, je recommence à casser les
pieds des copains.

— Comment savez-vous si vos enfants sont tombés
sur les bons compagnons ?

— Encore !

— Sérieux, j'ai besoin de votre aide.

Ils se mettent tous à parler en même temps.

— On n'interfère pas dans leur vie privée.

— On les a protégés petits, ensuite ils font leur vie.

— Le mari de ma fille est un type bien.

— La compagne de mon fils est charmante.

Les conjoints de leurs enfants sont tolérants, bien-
veillants, généreux. De gauche, évidemment. Ou de
droite, forcément. Ni antisémites ni racistes. Pas cons,
quoi.

Fred apporte un plat de curry. La conversation
s'interrompt et les assiettes se tendent. Je repense
à la façon dont mon père parlait de son équipage.
L'important n'était pas d'être le meilleur pêcheur,
mais d'être un homme sur qui compter les jours de
tempête, quand il n'y a pas de soleil, pas de poisson
et pas de paye. Je me souviens de mon internat.

L'important n'était pas d'être le plus doué, mais le plus humain. C'est ça que tu veux, Lou ? Que je découvre si Albane, Dany et Patrice sont des gens bien ? Tu m'envoies cueillir des pâquerettes au pays des Bisounours ?

10 décembre

Dany, Paris, rue Monge

Je suis gérante de l'hôtel, je ne compte pas mes heures. Mon travail porte ses fruits, mon chiffre d'affaires est en progression malgré la crise. Je suis présente sur les réseaux sociaux, j'organise des soirées à thèmes, je chouchoute les clubs et les associations qui se réunissent chez moi, je suis sur le pont H24. Je m'accorde peu de répit, mais ce soir mon amant m'a invitée à dîner dans l'ancienne patinoire Molitor. Je dois le retrouver là-bas.

En poussant la porte sur la rue, je percute un homme de plein fouet. Je réussis à rester sur mes jambes, un exploit avec mes talons aiguille. L'homme s'effondre.

— Je suis désolée, je ne vous ai pas vu arriv…

J'espère que ce n'est pas un client procédurier qui va me réclamer des dommages et intérêts. Le type est grand et maigre, barbu, impossible de lui donner un âge. Ses vêtements ruisselants puent. Ce n'est pas un client, mais un SDF. Quel soulagement ! Il reste prostré sur le sol mouillé.

— Ça va, monsieur ? Relevez-vous, s'il vous plaît, vous bloquez le passage.

Il n'a pas vu une baignoire depuis des siècles.

— Je me suis fait mal à la jambe, gémit-il.

Il pue l'alcool.

— Essayez de vous mettre debout.

Je recule pour que mon manteau n'effleure pas son pardessus râpé qui empeste.

— Je ne peux pas poser mon pied.

— Ne restez pas là, dis-je d'une voix ferme.

Mon réceptionniste est occupé. Le hall de l'hôtel est vide. La rue Monge est déserte sous la pluie battante. Personne ne nous a vus nous caramboler.

— Je crois que ma jambe est cassée, dit le type en grimaçant.

— Non, c'est une simple entorse. L'hôpital de la Pitié-Salpêtrière est juste à côté.

— Je ne peux pas marcher, je vais y aller comment, en volant ? grogne le type.

Je m'énerve. Cyrian déteste quand je suis en retard.

— Écoutez, je vais appeler police secours et ils vous conduiront aux urgences.

— Je vais les attendre au sec, à l'intérieur de l'hôtel.

Je secoue la tête. Sa crasse me révulse.

— Impossible, monsieur, ce n'est pas un espace public.

Je lui montre, plus loin sur le trottoir, un restaurant fermé aujourd'hui.

— Allez vous abriter sous cet auvent.

— Je vais demander à l'hôtel si je peux entrer me réchauffer, je suis gelé !

— Je les connais, ils refuseront. Relevez-vous…

Il se remet debout et se plante devant la porte sur une jambe comme un grand héron blessé. Son regard bleu perçant me déstabilise. Je distingue mal les traits de son visage sous la barbe en friche mais il devait avoir du charme avant de tomber aussi bas. Il clopine péniblement jusqu'au restaurant. J'ouvre mon sac, je sors un billet de dix euros et un de cinq.

— Tenez.

— Je ne vous ai rien demandé ! dit-il en refermant les doigts dessus.

— Je vous offre le taxi pour aller aux urgences.

— Ils n'accepteront pas de me charger, c'est trop près.

Ils n'accepteront pas parce qu'il est trop sale. Ma petite Fiat 500 rouge décapotable est garée de l'autre côté de la rue, mais pas question de dégueulasser mes sièges.

— Je me sens seul, soupire-t-il. Avant j'avais un chien. Depuis que je suis allé à l'hosto, je ne sais pas ce qu'il est devenu. Il a été renversé ou un labo l'a volé pour des expériences horribles.

Je déteste les chiens et les clients qui tartinent mon hall après avoir piétiné leurs merdes.

— Les chiens salissent les trottoirs et ils sont pleins de puces. Si vous sortez de l'hôpital, ce n'est pas à cause de votre chute que vous avez mal à la jambe ? Vous vous foutez de moi ?

— Non, j'étais en cardio, mon cœur danse la java. Ils voulaient m'ouvrir la poitrine et me découper, je leur ai dit bas les pattes. Mais j'ai des crises de plus en plus rapprochées. Là, par exemple, ça serre…

Il change de visage, crispe sa main droite sur la partie gauche de son torse.

— Je n'arrive plus à respirer, je vous jure !

Il s'appuie au mur, glisse par terre. Je m'écarte, je fouille dans mon sac.

— Je ne vous crois plus. J'ai un rendez-vous important. Je vous donne dix euros de plus et je m'en vais. D'accord ?

— Mon cœur s'emballe. J'ai peur. Ne me laissez pas seul !

Il joue au petit garçon affolé, mais il ne m'aura pas. Je mets le billet dans sa main.

— Je ne suis pas médecin, monsieur. Je vous promets d'appeler police secours, ils vont arriver vite.

Je tourne les talons et je traverse la rue en vérifiant qu'il ne me suit pas. Je me réfugie dans ma voiture, je verrouille les portières, je démarre et je prends la première rue à droite. Je me gare devant une porte cochère, je me désinfecte les mains avec une lingette et j'appelle le 17.

— « Vous avez appelé la police, ne quittez pas. »

— Bonsoir, un homme vient de faire un malaise rue Monge. Je suis dans le bus, vous devriez envoyer police secours.

Je précise l'adresse du restaurant puis je raccroche. Personne ne peut me poursuivre pour non-assistance à personne en danger, puisque je suis dans le bus.

Je trace vers Molitor, la conscience en paix. J'ai prévenu les secours, le type n'est pas un client de mon hôtel, il était probablement ivre et plein de vermine. Je ne suis pas l'Armée du salut, j'ai été hyper-généreuse avec mes vingt-cinq euros. Je décide de taire l'épisode à Cyrian. On va passer une soirée en amoureux, hors du temps, en respectant les règles instaurées depuis deux ans qu'on sort ensemble : interdiction de parler de mon hôtel, interdiction de parler de sa femme ou de ses filles ou de ses parents. On ne s'intéresse qu'à nous. Le reste du monde n'existe pas.

Thierry, Paris, rue Monge

La Fiat 500 rouge décapotable a tourné au coin de la rue. J'attends cinq minutes avant de me relever. Je croise mon reflet dans la glace d'une devanture, j'ai du mal à me reconnaître avec cette barbe de bûcheron. Je m'éloigne en marchant à grands pas, je sors de ma poche un sac poubelle jaune destiné aux déchets médicaux, je retire mon pardessus râpé crasseux qui pue la bibine et je le fourre dedans. Je me désinfecte les mains au gel antiseptique. J'ai acheté ce pardessus à un SDF hospitalisé pour un hématome extra-dural dans le service de neurologie dont je suis le patron. Arrivé subclaquant, il est reparti debout avec un gros manteau chaud que je lui ai offert. La surveillante m'a pris pour un fou en apprenant la transaction.

J'entre dans un café plus bas sur la rue. À travers

la vitrine, je vois arriver un camion de police secours, gyrophares tournants et sirène allumée. Je souris aux habitués accoudés au comptoir. Je tends les vingt-cinq euros au barman.

— Pour offrir à boire à ces messieurs !

11 décembre

Albane, Le Vésinet

— Hopla, promenade, c'est l'heure !

Le jeune chien va chercher sa laisse et me l'apporte, la gueule souriante. Charlotte est couchée. J'ai faim, je suis lasse de dîner seule devant ma télévision. Je ne peux pas en vouloir à Cyrian de travailler autant. La France est en crise, chacun doit se donner à mille pour cent. Mais on se voit de moins en moins, j'ai un mari fantôme. Hier soir, je dormais quand il est rentré de sa réunion avec les représentants des syndicats. Il ne me fait plus l'amour, j'ai acheté des sous-vêtements affriolants, il ne les a même pas remarqués.

Je vais juste aller au bout de la rue. Hopla est si bien dressé que je pourrais lui ordonner de se soulager dans le caniveau devant la maison et rentrer tout de suite, Hopla number two ! Mais il a besoin de se dépenser. Cyrian ne va pas tarder. J'ai mis du retsina au frais, comme autrefois. J'espère que ça lui donnera des idées. Il est déboussolé depuis la mort de sa mère. Une silhouette sort de l'ombre. Je sursaute.

— Faut pas avoir peur, ma p'tite dame !

— J'ai été surprise. Bonsoir monsieur.

L'homme est élancé, il a des iris bleus ronds comme des Smarties, une barbe épaisse et sale. Il ne s'est pas lavé depuis belle lurette. Je suis bénévole dans l'association locale d'aide aux SDF, mais je ne le connais pas.

— C'est dangereux de se promener la nuit.

Son ton n'est pas menaçant, pourtant sa phrase me met mal à l'aise.

— Ne vous approchez pas de mon chien, il est agressif, dis-je alors que Hopla ne ferait pas de mal à une mouche.

L'homme se retient au mur.

— J'ai faim, dit-il d'une voix rauque.

— Je n'ai pas pris mon porte-monnaie.

— J'vous demande pas d'argent, je veux bouffer. Je me sens seul. Avant j'avais un chien. J'ai fait un infractus, on m'a envoyé à l'hosto, je viens de sortir, je sais pas ce qu'il est devenu. Il a été renversé, ou bien une saleté de labo s'en sert pour des expériences dégueulasses.

Je frémis à cette idée.

— Il n'a pas une médaille, une puce, un tatouage ? Vous avez contacté la SPA ?

— Des puces, il en a mille… Vous avez pas des restes à me donner ?

Il grimace soudain, crispe sa main droite sur son torse.

— J'ai mal. J'arrive plus à respirer, ça serre !

Il titube. Il glisse le long du mur, s'assied par terre.

— Ça ne va pas, monsieur ?

— Mon cœur bat la breloque. Les gars de l'hosto

voulaient m'ouvrir la poitrine et me découper, j'leur ai dit bas les pattes.

Son visage devient un masque de souffrance. Les Smarties bleus de ses yeux roulent, paniqués. Je m'agenouille près de lui sans le toucher, il est quand même répugnant. Je n'ai pas pris mon portable. Je regarde les séries télé médicales en attendant que mon mari rentre.

— On ne vous a pas prescrit de Trinitrine en cas de crise ?

— Avec quel fric je l'aurais achetée ? murmure l'homme.

— Je vais appeler du secours, j'habite juste au coin.

On dirait un petit garçon affolé.

— M'abandonnez pas… J'veux pas crever ! J'ai peur.

— J'en ai pour une minute et je vous jure que je reviens.

Je me hâte dans le noir, je vais téléphoner au 15, ils enverront le Samu et je reviendrai l'attendre près de lui.

Thierry, Le Vésinet

Dès qu'elle s'éloigne, j'attrape le chien par son collier pour l'empêcher de le suivre. Je lui file le biscuit que j'ai dans ma poche. Le labrador s'assied sur son arrière-train en espérant d'autres gourmandises. Je lui souffle sur un ton persuasif :

— Number one, Hopla ! Number one, Hopla, bon chien !

Il ne bouge pas. Sa maîtresse s'aperçoit qu'il ne suit pas. Elle l'appelle sans voir que je le retiens.

Je retente le coup :

— Number one, Hopla ! Tu es sourd ?

— Hopla, à la maison ! crie sa maîtresse.

J'ai une illumination. L'ordre des mots ! Je les ai inversés.

— Hopla, number one ! Maintenant ! Hopla, number one !

Bien dressé, le chien se soulage. Je me décale pour m'asseoir dans la flaque d'urine en maudissant mon copain Jo.

— Eh, ça va pas ? Madame ! Vot' clébard m'a pissé dessus !

— Quoi ? dit-elle, horrifiée.

Elle retourne sur ses pas et avise la flaque.

— Mais… Hopla, tu es fou ?

Je me relève péniblement. Mon manteau dégouline de pisse. Hopla agite la queue en fixant ma poche qui sent le biscuit.

— Mon cœur bat moins fort, la crise est finie. J'me tire. Il aime pas les clodos, votre chien.

— Je suis navrée, vraiment, il va vous présenter ses excuses !

Albane, Le Vésinet

Cet homme est malade. Il est seul, aussi abandonné que moi depuis que mon mari me délaisse. Je ne peux pas le faire entrer dans notre maison où Charlotte dort. Je ne peux pas le laisser sur le trottoir. Je n'ai d'autre solution que de retourner dans notre chalet de jardin.

— J'habite juste à côté, monsieur. venez avec moi.

Son manteau infect pue, l'urine coule le long de son pantalon.

— Vous n'avez plus mal ?

— Ma crise d'angor est finie.

— Votre quoi ?

— À l'hosto, ils l'ont appelée comme ça.

On avance de guingois jusqu'à la grille. J'ouvre, on contourne la maison, je le guide jusqu'au chalet.

Je déglutis avec peine en balayant la pièce du regard : le fauteuil défoncé, la table, le lavabo dans l'angle, le haïssable vélo d'appartement de Cyrian contre la fenêtre. J'allume le radiateur électrique. Il s'effondre dans le fauteuil.

— J'ai la tête qui tourne, rien mangé depuis hier.

— Je vais chercher de quoi vous nourrir et vous changer.

J'emmène Hopla à la maison, je referme à clef derrière moi. Le trousseau de Cyrian n'est pas sur la console, il n'est pas encore rentré. Je tombe sur sa messagerie. J'entrebâille la porte de la chambre de Charlotte, qui dort. J'ouvre une armoire, j'attrape un pantalon de bateau acheté à la coopérative du port de Groix. J'ajoute une veste Barbour que Cyrian ne met plus. Je prends une serviette dans le placard de la salle de bains. Je passe dans la cuisine, je fourre dans un cabas une baguette, du beurre, une plaque de chocolat, une banane et le jambon espagnol de Cyrian. Il n'a qu'à être là, ça lui fera les pieds. Pas d'alcool, il ne faut pas tenter le diable. J'ouvre le tiroir des couverts, j'hésite à prendre un couteau. L'homme pourrait m'agresser, mais il en aura besoin pour tartiner. Je retire le beurre, du coup pas besoin de couteau. Je glisse quarante euros dans une enveloppe et j'écris une adresse dessus.

— Hopla, on y retourne !

Le chien me suit, fasciné par le contenu du cabas. Je traverse le jardin et frappe à la porte du chalet.

— Monsieur ?

L'homme est assis dans la même position. Il tente de se réchauffer. Je pose les provisions, les habits et la serviette de bain sur la table en évitant de regarder cette saloperie de vélo.

— Je vous demande encore pardon pour la conduite intolérable de mon chien. Vous pouvez vous changer, et manger. Je reviens. Comment va votre cœur ?

— Ben, ça va comme ça peut, et ça peut peu, lâche-t-il.

Humour de clodo. Je m'assieds dans le jardin sur un fauteuil en teck qui a coûté la peau des fesses. Les premières années, avec Cyrian, on passait ensemble le mobilier de jardin à l'huile spéciale, au pinceau, en s'arrêtant pour s'embrasser. Puis je m'en suis chargée seule, au spray. Avant de laisser tomber, comme notre couple. Les fauteuils se sont patinés. Personne n'en prend plus soin. Comme notre couple.

J'ai été inconsciente de faire entrer cet inconnu chez nous. J'imagine la une des journaux : « Une mère de famille vésigondine assassinée, aucune trace d'effraction. » C'est ce que je suis, une mère de famille du Vésinet qui s'occupe de sa fille au lieu de travailler parce qu'elle craint pour elle. Pomme fait aussi partie de notre famille. J'ai su dès le départ qu'elle existait. J'ai trouvé ça touchant, un jeune père, je ne me suis pas rendu compte. Quand j'ai annoncé à Cyrian que j'étais enceinte, il a dit : « Oh non, pas encore ! » Une cuirasse de glace m'a congelé l'âme. Mon mari et Maëlle se détestent d'une force proportionnelle à l'amour qui les unissait. Il ne m'aimera jamais autant qu'il l'a aimée. Nous n'irons plus à Groix et je m'en réjouis. L'été prochain, nous prendrons Pomme avec nous dans le Midi. Je l'aurais étranglée quand j'ai découvert qu'elle avait emmené Charlotte sur son porte-bagages ! Elle ne pouvait pas savoir. Elle m'a prise pour une folle, ce qui n'est pas loin de la vérité.

Je retourne au chalet. L'homme a entamé la baguette et la plaque de chocolat. Les vêtements de mon mari lui vont comme un gant. S'il se rasait la barbe, on croirait un participant à une émission de *relooking*.

— Je vous renouvelle mes excuses, mon chien s'est mépris…

Je me tais, j'ai compris : le SDF sent si mauvais que Hopla a perdu ses repères.

— Il m'a confondu avec un réverbère ?

— Oh, non ! Bon appétit, monsieur.

— Ô ministres intègres, dit l'homme qui a des lettres.

« Bon appétit messieurs, ô ministres intègres ! Conseillers vertueux ! Voilà votre façon de servir, serviteurs qui pillez la maison. » *Ruy Blas*, de Victor Hugo. Dans mon association d'aide aux SDF, j'ai rencontré d'anciens enseignants en situation précaire. Autrefois, les clochards étaient parfois des marginaux qui choisissaient ce mode de vie, aujourd'hui personne n'est à l'abri de la dégringolade.

— Comment va votre cœur ?

— Je suis vivant.

Il désigne le vélo d'appartement.

— Excellent pour le palpitant. C'est le vôtre ?

Mon visage se ferme.

— Je déteste les deux-roues.

— Vous êtes tombée de patinette quand vous étiez petite ?

— C'est à mon mari. Le jambon aussi. C'est du *pata negra*, je vous le recommande.

— Je mange casher.

— Ah ? Pardon, excusez-moi.

— Pouviez pas savoir, répond l'homme.

— Votre chien a sûrement été recueilli par

quelqu'un qui l'aime et prend soin de lui, dis-je pour le rassurer.

— Vous êtes une femme bien. Il a de la chance, vot' mari.

— Il va bientôt rentrer, dis-je, comme je l'affirme au facteur, aux livreurs, aux employés du gaz et de l'électricité pour leur signifier que je ne suis pas seule, il y a un homme à la maison.

— Il va pas croire que je vous fais du gringue ?

Je secoue la tête. Il ne s'est pas regardé ! De toute façon, Cyrian ne tient plus assez à moi pour être jaloux.

— Mon beau-père était patron d'un grand service de cardiologie. Vous devriez y consulter. Je vous ai noté l'adresse.

Je lui tends l'enveloppe avec l'argent pour la consultation.

— C'est un chic type, vot'beau-père ? demande l'homme.

— Il est spécial. Mais il aime ma fille, alors tant pis s'il ne m'aime pas, moi. C'est un insupportable type bien.

Mon regard tombe sur cette merde de vélo et je frissonne en détournant la tête.

— Ils vous ont fait quoi, les deux-roues ?

— Mon petit frère…

Je tousse, j'ai du mal à reprendre mon souffle, ça bloque encore, après tant d'années.

— Il a eu un accident. Il était à vélomoteur, un camion l'a renversé. Il est mort sur le coup. Par ma faute.

Cyrian sait, mais pas Charlotte. Mes parents ne

prononcent plus le nom de Tanguy, c'est comme s'il n'avait pas existé.

— La famille était réunie pour l'anniversaire de ma mère. Tanguy avait dix ans. J'en avais quinze, je venais de me payer ce vélomoteur avec mes économies de baby-sittings. J'ai frimé avec devant mes grands cousins. Chacun a fait un tour dessus, mais j'ai refusé ce plaisir à Tanguy, de peur qu'il l'abîme. Il m'a vue actionner la manette des gaz pour accélérer. Quand on est passés à table, j'ai laissé ma clef de contact dessus. Je n'ai pas mis mon antivol…

Je ferme les yeux, je revois la scène, mes larmes sèches m'étouffent, ma voix s'étrangle.

— Après le plat, les enfants se sont levés de table pour aller jouer. On a servi le fromage, débouché le vin rouge. Quand on a apporté le gâteau avec les bougies, on a rappelé les petits. Tanguy était introuvable. On l'a cherché partout. Puis on a entendu la sirène du Samu plus bas dans la rue. Ma mère ne m'a jamais pardonné d'avoir tué mon frère.

— Vous n'y étiez pour rien.

— J'aurais dû retirer la clef de contact et mettre l'antivol.

— C'était un accident.

— Ma mère avait besoin d'un coupable. J'aurais dû accepter que Tanguy l'essaie comme mes cousins. Je lui aurais montré comment on freine ! Le chauffeur du camion l'a vu accélérer et foncer sur lui.

Évoquer cette scène me fracasse avec autant de violence qu'à l'époque.

— Ma fille ne fera jamais de vélo ni de scooter. Mon mari avait une moto quand je l'ai connu, il l'a

148

vendue. Il travaille son endurance ici, je refuse cet engin dans la maison.

Tanguy était le préféré de ma mère. On était proches. Le soir de son enterrement, ma mère est sortie avec moi dans le jardin et avec une haine vibrante a craché : « Je te souhaite de connaître un jour dans ta chair ce que je vis par ta faute. Je te souhaite d'avoir un enfant et de le perdre. »

Je ne l'ai pas répété à mon père, il ne m'aurait pas crue. Je vois mes parents le moins possible. Je ne leur confie jamais Charlotte. Ma mère a perdu son enfant, je comprends qu'elle soit dévastée, mais je la déteste. Charlotte me croit fille unique. Je suis surprotectrice. L'idée qu'il puisse lui arriver malheur m'épouvante. J'ai eu envie de tuer Pomme en apprenant qu'elles étaient parties à bicyclette. La nuit suivante, à l'hôtel de la Marine, j'ai fait un cauchemar atroce. J'étais au volant du camion, je voyais Tanguy se précipiter vers moi sur un vélo rouge, je n'essayais même pas de l'éviter. Il riait aux éclats avant de retomber près du vélo couleur sang. Ma mère et Charlotte sortaient en courant du jardin. Charlotte se précipitait vers le corps désarticulé de mon petit frère. Ma mère lui hurlait : « Tu as tué mon fils, je t'avais interdit de lui prêter ton vélo, tu mérites de mourir » et elle étranglait ma fille pour se venger. J'assistais à la scène depuis mon camion, pétrifiée, les mains raidies sur le volant. Ce rêve m'a poursuivie jusqu'à notre embarquement dans le bateau taxi. Je n'aurais pas tenu une minute de plus sur l'île.

— Eh, ça va pas ? Vous êtes toute pâle !

L'homme me tend la plaque de chocolat entamée :

— Mangez, ça vous f'ra du bien, vous êtes en hypoglycémie.

Mon clochard aime Victor Hugo et le vocabulaire médical. Je casse quatre carrés et je les mange, ça me requinque. L'homme se lève, lui aussi va mieux, il ne titube plus.

— J'y vais. Merci.

C'est moi qui lui suis reconnaissante. Il m'a tenu compagnie, je me suis confiée à lui parce que je ne le reverrai jamais. Pendant quelques minutes, il m'a fait oublier l'épée de Damoclès qui pend au-dessus de nos têtes, ma terreur que Charlotte ne dépasse pas l'âge de Tanguy, dix ans. Quand j'ai rencontré Cyrian, je lui ai avoué que ma mère avait jeté un mauvais sort à mes futurs enfants. Il a ri, il ne croit pas aux malédictions.

— Au revoir, le chien, dit le SDF.

Il caresse la tête de Hopla, pas rancunier. Il faudra que je recontacte le psychologue canin.

— Je m'appelle Albane, dis-je avant de refermer la grille.

— Moi, David Anderson.

Puis il s'éloigne dans la nuit.

12 décembre

Jo, Paris

Mon meilleur ami m'épate et ça ne date pas
d'aujourd'hui.

— David Anderson ? D'où tu sors ce nom ?

— Si j'avais eu un fils, je l'aurais appelé David.
J'adore la petite sirène d'Hans Christian Andersen.
J'ai paniqué quand ta belle-fille m'a demandé mon
nom. J'ai failli me trahir en employant le mot angor. Je
ferais un mauvais espion.

— Mais tu aurais été un excellent acteur !

— Je préfère la neurologie, dit l'éminent professeur Thierry Serfaty en finissant la gougère que le
« Mini Palais » sert en amuse-bouche. Tu ne manges
pas la tienne ?

— Je te la laisse.

La vie est injuste. Il est mince comme un fil, alors
que j'ai dû me priver pour ne pas devenir un gros mari
bedonnant.

— Elle trouve que tu es « un insupportable type
bien », ajoute mon ami en consultant le menu. Tu

savais, pour son petit frère ? Je prends le velouté de potimarron écume de cèpes aux noisettes.

— C'est la première fois que j'entends cette histoire. Je prends la mousseline d'œuf de poule à l'écume d'oursin.

J'ai encore le réflexe de chercher ce que tu choisirais. Un carpaccio de coquilles Saint-Jacques aux huîtres ? Je dors encore de mon côté du lit. Je laisse le dentifrice débouché pour toi.

— J'ai gagné une veste de chasse et un pantalon de pont, mais je ne m'attendais pas au jambon espagnol, poursuit Thierry.

— J'aurais juré que Dany serait compatissante et qu'Albane se montrerait insensible. Pour ta gouverne, le *pata negra* est le meilleur jambon du monde.

— Si tu le dis.

On s'est connus à Paris dès la première année d'internat. J'arrivais de Rennes, lui de Strasbourg. On découvrait la capitale. Il avait une botte secrète, ses yeux bleus auxquels aucune fille ne résistait. On bossait dans le même service. Thierry mangeait casher et observait le sabbat, moi je n'avais qu'une idée, cumuler mes gardes pour retourner à Groix. On se remplaçait, on s'épaulait, on se remontait le moral quand on perdait un patient, on exultait quand on en sauvait.

Je parie que tu étais au courant pour le frère d'Albane, Lou. Et que tu savais que la gentille de l'histoire n'était pas Dany. Maintenant je fais quoi ?

— Maintenant on dîne et tu oublies ta famille, décrète mon ami.

Alors on boit, on mange, on parle des confrères.

L'un d'eux vient de tout plaquer pour vivre dans un ashram en Inde. Un autre est mort pendant qu'il auscultait un patient. Le type le plus laid de la promo a huit mômes. La fille la plus sexy est devenue sexologue. Je commande un tartare d'ananas, Thierry un baba au rhum.

— Je vois Albane sous un nouveau jour depuis que tu m'as parlé de son petit frère.

— Ça te rapproche d'elle, toi qui portes le poids de la maladie de Sarah. Je peux te conseiller un bon ostéopathe si tu veux porter le monde.

— Je suis médecin, avoir une fille malade c'est une cicatrice béante. Ne pas pouvoir la guérir me donne envie de hurler !

Tu te souviens, Lou, il y a vingt ans, on était allés voir le film *Professeur Holland* où Richard Dreyfus joue un compositeur de musique dont le fils unique est sourd ? À l'époque, Sarah sautait comme un cabri. En sortant du cinéma, on avait remercié le ciel d'avoir des enfants si parfaits. On n'a pas remercié assez fort.

— Qu'est-ce que je peux lui dire quand elle en a gros sur la patate d'avoir les guibolles qui flageolent ?

— Que tu l'aimes.

— Elle ne sait plus ce que ça veut dire depuis que ce connard de Patrice s'est défilé. Je vais débusquer ce pleutre dans son trou.

Je sais désormais à quoi m'en tenir pour Dany et Albane. Mais peut-être que Cyrian sera plus heureux avec une Dany égoïste qu'avec une Albane secourable ? Tu m'as demandé de les rendre heureux, pas de leur changer la vie. Mon métier m'a habitué à faire

des choix : si c'est une bactérie, je prescris des anti-
bios ; si c'est un virus, non. Pourtant là, je te l'avoue, je
patauge. À l'adolescence, Cyrian s'est mué en étranger
pour moi. Je me lève.

— Number one ou number two ? dit Thierry.

Je ris de bon cœur, Lou. Je ris encore sans toi, mais
moins longtemps.

Thierry repart faire de la neurologie. Je téléphone à
Groix. JP vient de rentrer du karaté. Je lui demande
de créer une alerte Google pour Patrice. J'épelle son
nom de famille qui aurait dû être celui de notre fille.

Je passe devant le Grand Palais où je t'ai souvent
traînée à contrecœur. Tu m'accompagnais pour me
faire plaisir. Toi, tu aimais les gens et les histoires. Je
t'en veux pour les expositions que j'ai ratées, pour ton
accusation mensongère et cette mission absurde que
tu m'infliges. Je suis fâché béton, mon amour.

Le Joseph sur mes épaules est blanc. Quand on
s'est rencontrés à ce mariage, je portais un pull marin
par-dessus ma veste. Tu m'as donné le numéro de
téléphone du château de ton père, à l'époque les 06
et les 07 n'existaient pas. Je t'ai emmenée manger un
banana split au Pub Renault sur les Champs-Élysées
la semaine suivante. Tu as regardé mon pull rayé. Tu
m'as demandé si j'en portais toujours, si c'était une
tradition de mon île. Je t'ai caché que le soir où le
bateau de mon père est revenu sans lui, j'ai mis son
gros pull sur mes épaules, ça m'a réchauffé pour la vie
que j'allais affronter seul.

On est sortis ensemble du Pub Renault. J'étais à
Solex. Tu conduisais une vieille Autobianchi que tu

partageais avec tes sœurs, mais tu as prétendu être à pied pour ne pas m'humilier. Alors on s'est promenés dans la nuit, on a marché sans but en entrechoquant nos enfances. Tu as frissonné. J'ai enlevé mon pull pour le poser sur tes épaules. Je me suis mis à nu. Je n'avais plus froid, ton regard me dégelait enfin.

Lou, là où on va après

Vous avez fait fort, les garçons. Chapeau. La grande classe ! Quand vous étiez internes, vous avez déliré, bizuté, ridiculisé des confrères que vous trouviez inhumains avec les patients. Vous avez versé du laxatif dans leurs cafés, plâtré les roues d'une moto, glissé dans une poche une oreille volée en cours de dissection.

Thierry est un neurologue respecté, élégant en dedans et au-dehors. Quand tu lui as annoncé que nous partions vivre à Groix, il a eu une vraie réaction d'ami : il a été heureux pour nous. Dany ne le connaissait pas. Albane ne l'avait vu que deux fois, à son mariage et à mon enterrement. Elle ne l'a pas reconnu avec sa barbe en broussaille et ses hardes. Il en a fait des caisses, mais il s'en est bien tiré.

Cyrian m'avait parlé de la mère haineuse d'Albane, pas de son petit frère. Nous gardons tous nos secrets. Est-ce que je l'aurais mieux comprise et un peu aimée, si j'avais su ?

Je n'ai pas oublié le Pub Renault, mon piroche. Tu n'as pas utilisé la mort de ton père pour me faire tomber dans tes bras. Pendant des années, tu as espéré qu'il reviendrait, amnésique, blessé. Ce chandail, c'était ta couverture de survie, ton costume de Superman, ta voiture de Batman. Tu l'as partagé avec moi et avec les patients que tu as sauvés. Tu as abrité notre famille dessous.

Parfois on referme son parapluie alors qu'il pleut, on refuse sa protection, on se mouille exprès. C'est ce que j'ai fait en emménageant à l'Ehpad. J'ai retiré ton chandail de mes épaules. Je t'ai laissé seul sous l'abri. Je ne voulais pas vous entraîner avec moi sous la pluie, Pomme, Maëlle et toi. Ne sois pas fâché béton contre moi, mon amour.

14 décembre

Dany, Paris, rue Monge

Le père de Cyrian pousse la porte de l'hôtel alors que je traverse le lobby.

— C'est une bonne surprise, docteur.

— Je suis pourtant porteur de mauvaises nouvelles.

Je l'entraîne dans mon bureau.

— Cyrian va bien ? Vous me faites peur !

— Il est en pleine forme, ce qui n'est pas le cas de mon patient. Je soigne un grand cardiaque depuis des années. Un original, collectionneur d'art, qui vit dans un château au Danemark. On le prend régulièrement pour un sans-abri alors que c'est un riche mécène.

— Vous voulez qu'il descende dans mon hôtel ? Je suis flattée, nous ne sommes pas le Ritz mais…

— Il est rentré en collision avec vous ici même, devant votre porte.

J'attrape un trombone et je le tords nerveusement. Le docteur poursuit :

— Il a voulu s'abriter dans l'hôtel, vous l'en avez dissuadé. Il a eu une crise cardiaque, le Samu l'a transporté dans mon ancien service. Je suis allé le voir, il m'a tout raconté.

— Vous ne lui avez pas donné mon nom, j'espère ? Rien ne prouve que c'est moi ? dis-je, affolée.

— Il y a vos empreintes sur les billets de banque que vous lui avez donnés.

Mon trombone se casse avec un bruit sec.

— Je ne suis pas médecin, ce n'était pas à moi de le soigner !

— Depuis la Seconde Guerre mondiale, la loi française qualifie cette situation de non-assistance à personne en danger. Votre responsabilité pénale est engagée.

— Mais j'ai appelé police secours !

— Vous ne les avez pas attendus. Vous avez refusé de le faire entrer à l'abri.

— Il avait l'air d'un clochard, il puait !

— Tuons les clochards et les ennemis du déodorant. Vous avez raison, ça nettoiera les trottoirs parisiens, lâche-t-il, sarcastique.

— J'étais en retard pour mon dîner avec Cyrian, fais-je d'une voix blanche. Comment va ce monsieur, maintenant ?

— Assez bien pour raconter son histoire en détail. Assez mal pour que son pronostic vital soit en jeu.

Un espoir fou m'envahit. S'il meurt, il ne témoignera pas contre moi.

— Ses enfants comptent porter plainte. Vous aurez bientôt des nouvelles de ses avocats.

— Je l'ai pris pour un escroc, un simulateur !

— Que vous ne l'ayez pas aidé alors qu'il était blessé, ce n'est déjà pas reluisant. Mais abandonner quelqu'un qui fait un infarctus, c'est tout de même fort !

— Et si vous disiez que vous étiez avec moi ailleurs ?

— Vous voulez que je me parjure ? Au détriment de mon propre patient ?

— Cyrian pourrait témoigner en ma faveur ?

— Vous voulez que mon fils soit inculpé de complicité ?

Je me frotte les yeux, paniquée.

— J'espère que vous n'avez pas appelé police secours depuis votre portable ? Ils enregistrent tous les numéros. Vous êtes dans de sales draps, Dany.

Je suis catastrophée. Il est médecin, son patient est sa priorité. Cyrian faisait passer sa mère avant moi. Elle lui prenait trop de temps. Ses filles et sa femme aussi priment sur moi, mais ça ne durera pas. J'y mettrai bon ordre.

Jo, Paris

Dieu, que je me suis amusé ! L'idée des empreintes de Dany sur les billets, c'est grâce à nos soirées devant *Les Experts*. Le coup du portable tracé quand on appelle police secours, je le dois à Thierry. J'avance mes pièces stratégiquement. Je fais monter la pression. Pour le coup suivant, ta filleule Esther va m'aider. Elle vient d'avoir dix-huit ans et elle a oublié d'être bête.

Je relève mes e-mails sur l'iPad. Ce qui demandait autrefois des semaines aux détectives privés se règle aujourd'hui en trois clics. Humphrey Bogart n'aurait pas besoin d'enfiler son imper mastic pour boire des whiskies dans des bars glauques, il pourrait bosser devant son écran en commandant des sushis. Je reçois des alertes Google à propos de Patrice. Je le vois sur les photos, costume bien coupé, cravate élégante, cheveux prématurément poivre et sel, pas d'alliance. Il ne sourit jamais. Il dirige une campagne marketing. Il assiste à un cocktail. Il anime une soirée caritative. La dernière fois que je l'ai vu, il y a dix ans, il était en tee-shirt et bermuda au retour du GR 20. J'aurais dû marcher dans l'église avec Sarah à mon bras et la conduire jusqu'à lui. J'avais commencé à apprendre la valse pour ouvrir le bal avec ma fille. J'y ai repensé lors du bal silencieux sous la halle de Groix, en tournant croché à elle comme un naufragé le jour où tu t'es fait la malle.

Je remonte les traces informatiques de mon ex-futur gendre. Par un étrange jeu de miroirs, je saute d'un lien à l'autre, chacun reflétant une facette de l'homme. Il milite pour Le Relais Enfants Parents. A-t-il adopté un enfant ? Je clique. Ce garçon, patron de l'énorme entreprise héritée de son père, est bénévole dans une association qui emmène les enfants voir leurs parents incarcérés. Attitude généreuse, mais les PDG que je connais ne sont pas des enfants de chœur. Qu'est-ce qui le touche au point de consacrer son peu de temps libre à cette cause ?

Patrice s'est conduit comme un salaud avec Sarah, est-ce pour se racheter qu'il épaule ces gosses ? Je me souviens d'une conversation en voiture entre Paris et Groix. Il voulait plusieurs enfants pour qu'ils n'éprouvent pas sa solitude de fils unique. Il parlait de son amour pour Sarah avec de jolis mots, je l'ai cru.

15 décembre

Jo, La Défense

J'arrive devant une tour de verre et de métal. À l'accueil, je demande à voir le président.

— Vous avez rendez-vous ?

Je tends ma carte de visite avec mon titre de docteur, ça ouvre souvent les barrières. Pas ici. Le cerbère déguisé en ravissante réceptionniste ne se laisse pas impressionner.

— C'est à quel sujet ?

— Je suis son ex-beau-père.

Son visage s'éclaire. On ne badine pas avec la famille.

— Vous pouvez monter.

Patrice fronce les sourcils en me reconnaissant.

— Joseph ? Je m'attendais à voir mon véritable ex-beau-père, le père de la femme dont j'ai divorcé. Je ne suis pas fait pour le mariage.

Il se souvient que je suis un pauvre veuf affligé.

— J'ai appris, pour Lou. J'ai voulu écrire à Sarah, puis j'ai pensé qu'elle balancerait ma lettre.

— C'est fort probable.

— J'ai eu envie de vous écrire.

— C'eût été poli de ta part.

— Votre femme était une grande dame.

— Tu as cinq minutes ?

Il jette un coup d'œil à sa montre.

— Non. Mais pour vous, oui.

Nous nous asseyons dans des fauteuils Starck pivotants. La vue sur la grande arche est époustouflante.

— Toujours vos fameux chandails, remarque Patrice. J'espère que Sarah me déteste, qu'elle a tourné la page et qu'elle est heureuse ?

— Elle te déteste. Elle a tourné la page. Et toi ?

— J'ai épousé une Anglaise qui ressemblait à Sarah. Nous avons eu un fils, elle a voulu divorcer, elle a emmené John à Londres. Mon entreprise est ici, je le vois une fois tous les deux mois. Il appelle le nouveau compagnon de sa mère *daddy*.

— Ne m'en veux pas si je ne compatis pas.

Son pied tressaute nerveusement comme s'il passait un entretien d'embauche.

— J'aimais Sarah. Je n'avais pas les épaules assez solides pour nous porter tous les deux. Je rêvais d'une famille, mais elle ne voulait pas prendre le risque d'avoir des enfants. C'était rédhibitoire. Le fauteuil roulant, j'aurais pu l'accepter.

— Tu aurais pu l'accepter ? dis-je, effaré.

— Ce n'est pas son handicap qui m'a fait reculer. Je voulais un héritier pour reprendre la boîte. C'est une tradition, j'ai été élevé comme ça.

— Je comprends. Moi c'est différent, j'ai élevé ma fille pour qu'elle fasse la course en fauteuil à roulettes.

— Arrêtez avec votre humour à deux balles ! grogne-t-il.

— Tu ne l'aimais pas assez, tu as agi en couard. Je ne te pardonne pas de l'avoir abandonnée quand elle avait tant besoin de toi. Un type avec des couilles serait resté. Tu t'es défilé comme un pleutre…

— Vous êtes venu m'insulter au bout de dix ans ?

Je secoue la tête.

— Tu me dois une faveur.

— Je vous écoute, fait-il, méfiant.

— Je veux que tu invites Sarah à dîner. Buvez, mangez, donnez-vous des noms d'oiseaux, tapez-vous dessus, affrontez-vous.

— Elle n'acceptera jamais. Elle n'est pas mariée ?

— Au moins tu auras essayé. Elle vit seule.

Je lui tends la carte de visite de Sarah. Il la prend comme un type qui a soif saisit un verre d'eau.

— J'ai souvent eu envie de la revoir, avoue-t-il.

— Surtout depuis que ta femme t'a plaqué, je parie ?

Je me lève. Je précise :

— Je nierai t'avoir rencontré, même sous la torture. Si tu parles de notre conversation à Sarah, je te casse la gueule.

— Et si elle demande comment j'ai ses coordonnées ?

— Internet, les réseaux sociaux, les anciens de l'X, tu as l'embarras du choix. Pourquoi es-tu aussi impliqué dans ce Relais Enfants Parents ?

— Les enfants n'ont rien fait de mal, ils ne doivent pas être punis pour les erreurs de leurs parents.

— Tu connais quelqu'un en prison ? Pourquoi t'investis-tu dans cette cause ?

Patrice soupire.

— La loi anglaise me prive de John. Alors j'aide les autres pères, ceux qui ne peuvent même pas prendre l'Eurostar pour embrasser leurs gosses.

16 décembre

Sarah, Paris

Mon frère m'a invitée à petit-déjeuner au «Polo».
Il ne joue pas au polo, mais il donne ses rendez-vous
dans ce club où il entretient son réseau. Assis au bar
ou en terrasse, il aime lever une main nonchalante
pour saluer une connaissance. Il se sent aussi rassuré
en ce lieu que papa sur le port de Groix ou moi sur un
plateau de tournage.

Le taxi me dépose. Cyrian a donné mon nom à l'accueil. Je marche lentement, c'est un bon jour, on pourrait prendre ma canne pour un accessoire de mode.
Je rejoins mon frère à une jolie table en bordure du
terrain. Je porte une veste classique, il approuve de
la tête. Parfois mes tenues sont trop fantaisistes à son
goût.

— J'ai un cadeau pour toi, dis-je.

— Je n'ai pas le temps d'aller aux soirées de premières, mais c'est gentil. Café ? Les croissants sont tip-
top !

— Tip-top ?

— Tu voulais me voir, Sarah ?

J'ai trop chaud, je retire ma veste. Il m'aide, c'est un homme galant, il ouvre la portière des voitures aux dames, il pénètre en premier dans un lieu public et s'efface devant elles dans un appartement privé. Je suis bras nus, on voit mes tatouages. Cyrian se crispe.

— Tu diras que tu me connais à peine. Tu as l'heure ?

— Oui.

— Tu l'auras doublement, dis-je en sortant la montre que m'a confiée papa.

Il caresse le cadran en or.

— C'est celle de maman ?

— Celle de son père.

— Systole te l'a donnée ? Tu as de la chance !

— Il voulait te l'offrir avant ton départ de Groix, mais tu as filé sans le saluer.

— Maman voulait me la léguer ?

— Non. Papa t'en fait cadeau.

Il ne veut rien accepter de papa, mais il adore cette montre.

— Si c'est lui qui me l'offre, il peut se la garder.

— Ne fais pas l'imbécile.

Je la lui mets d'autorité dans la main. Le serveur arrive, nous passons commande.

— Où en es-tu, entre tes deux femmes ? dis-je une fois qu'il s'est éloigné.

— Je suis déchiré, je ne veux faire de peine à aucune.

— Et baiser les deux ?

— Le sexe intéresse peu Albane, on fait chambre à part.

— Alors que Dany est obsédée ?

167

— Elle est insatiable et inventive.

— Et elle ne te demande ni de sortir le chien, ni d'appeler le plombier, ni d'assister aux réunions de parents d'élèves.

— Elle rêve de danser avec moi sur des plages exotiques jusqu'au bout de la nuit. Elle veut qu'on aille aux Maldives pour la Saint-Valentin.

— Les petites filles croient au prince charmant. Elles déchantent en grandissant. Elles partent sac au dos avec un baba à dix-huit ans, puis elles épousent un bobo qui a un boulot. Mais les petits garçons fantasment toute leur vie sur Jessica Rabbit.

— Dany m'admire, Sarah. Je me sens le roi du monde avec elle, Di Caprio à l'avant du *Titanic*. Avec Albane, je suis un type responsable, un père de famille, un homme banal. Je me suis marié trop jeune. On n'a qu'une vie. Je veux vivre, vibrer, escalader des volcans, me baigner dans des cascades. Moi aussi j'ai droit au bonheur, merde !

Je pourrais presque être attendrie si la mise en scène n'était pas si éculée.

— Di Caprio meurt à la fin du film, Cyrian. Ton rêve ressemble à une pub de chewing-gum. Je ne te fais pas la morale, tu sais ce que je pense d'Albane. Si tu es heureux avec une autre, je danserai la samba.

Il finit son croissant tip-top.

— Il y a un problème. Dany ne supporte pas les enfants. Si je divorce et qu'on emménage ensemble, je ne pourrai jamais accueillir Charlotte. Il faudra que je l'emmène ailleurs en week-end. Elle déteste aussi les chiens, je laisserai Hopla à Albane.

— Elle est exquise, cette fille !

— Elle me met la pression pour que je quitte Albane. Je suis navré pour Charlotte, mais elle est à l'abri dans son monde enfantin. Si je quitte sa mère, je la verrai en tête à tête et ça renforcera nos liens.

— Tu oublies quelqu'un, non ?

— Hopla est plus proche d'Albane, c'est elle qui le nourrit.

— Je ne parlais pas de ton chien.

— Pomme est pleinement heureuse à Groix.

— T'avoir pour père n'est pas une chance, Cyrian.

Le coup porte. J'enfonce le clou.

— Tu en veux à papa d'avoir été absent, mais il s'est plus occupé de nous que toi de ta fille. Ce que tu reproches à Systole, tu l'as infligé au centuple à Pomme.

— Je suis un bon père, proteste-t-il. Je mets un point d'honneur à venir pour son anniversaire, à Noël et à Pâques. Si elle était malade, je sauterais dans le premier train.

— C'est ça être père ?

— Ce n'est pas de ma faute si Maëlle a refusé de vivre à Paris avec moi. Tu n'aimes pas Albane, pourquoi tu la défends ?

— Je ne défends personne. Dans huit ans, tes filles prendront leur envol, tu ne pourras plus revenir en arrière.

La sonnerie de mon portable me coupe la parole.

— Excuse-moi, j'attends un appel pour un casting. Allô ?

Ma main qui tient le téléphone se crispe. Mon autre main devient un poing fermé, une arme de guerre, hérissée de douleur et de peine. J'ai souhaité son malheur, j'ai rêvé de la voiture qui le renverserait et le clouerait dans un fauteuil roulant d'où je le toiserais avec morgue, debout, verticale, triomphante, tandis qu'une aide soignante bombasse essuierait sa bave et changerait ses couches souillées. J'ai dépassé ce stade, mais l'escarre ne s'est toujours pas refermée. On voulait faire le GR 20, se marier, avoir des enfants, on voulait prendre une année sabbatique à Groix pour aider la communauté avant d'enfiler nos uniformes de polytechniciens et de coiffer nos bicornes à cocarde. Mais mon amoureux s'est barré la queue entre les jambes. Alors j'étreins d'autres hommes. Je chéris Pomme. Je me gare gratos sur les places pour handicapés. Les gens s'effacent devant moi dans les files d'attente.

Cyrian, Paris

Ma sœur a pâli.

— Tu me déranges, mais dis-moi… lâche-t-elle d'une voix rauque.

Je fais mine de ne pas écouter, sans en perdre une miette.

— Comment as-tu eu mon numéro ?

— …

— Je suis débordée en ce moment, *overbooked*.

170

— ...

— Juste un verre à la *happy hour* alors. Dans mon quartier. J'habite le Marais.

— ...

— C'est près de chez moi. Dix-neuf heures. Tu me reconnaîtras, j'ai un fauteuil roulant.

Elle raccroche, fait signe au serveur.

— Un cognac, s'il vous plaît.

Le serveur hausse un sourcil. C'est une commande rare à neuf heures du matin. On dirait que Sarah revient de la guerre, qu'elle émerge d'un cauchemar.

— C'était lui, dit-elle.

18 décembre

Pomme, île de Groix

Jo est rentré de Paris, l'île lui manquait. J'ai aidé le recteur à faire la crèche dans le transept gauche de l'église du bourg, avec les santons, la mousse, l'eau qui coule, les pierres. Les commerçants ont décoré leurs devantures en rivalisant d'imagination. J'ai discuté avec maman, on a décidé de ne pas imposer l'arbre et les guirlandes à Jo, c'est trop tôt. On n'a aucune nouvelle de papa, donc *a priori* il ne viendra pas. D'habitude, tante Sarah nous rejoint le 25, mais cette année elle arrivera début janvier parce que Jo réveillonne chez des amis à Lorient. Il sera moins triste qu'ici.

Tante Sarah se charge toujours de ma tenue de Noël. Elle m'a envoyé une jolie robe noire H&M et des ballerines à paillettes. Je suis allée chercher le paquet à la gare maritime. Tous les paquets arrivent au port. Quand les touristes ou les résidents secondaires commandent des trucs sur Internet, ils attendent désespérément devant leur boîte aux lettres jusqu'à ce qu'une bonne âme leur explique qu'il faut se déplacer. Je n'ai pas dit à tante Sarah que je serai à Locmaria avec maman sans chauffage. Je mettrai sa robe, on lui enverra la photo, puis je m'emmitouflerai dans ma polaire, mes leggings et mes bottes fourrées.

Tu me manques, Lou, mais tu m'as appris à aimer Noël, alors je l'aimerai pour deux cette année. Je fais des progrès en saxo, ça me donne la pêche. Je décolle et je plane quand l'instrument se réveille. Les notes de la main gauche, *do si la sol*, n'ont plus de secret pour moi. J'apprivoise celles de la main droite, *fa mi ré* et le *do* du bas. Ywes m'a joué *Fly Me to the Moon*, c'est trop beau.

Avant tu m'aidais à trouver mes cadeaux de Noël, cette année je me débrouille seule. Papa m'a envoyé un chèque. J'aurais préféré une surprise, alors j'ai tout dépensé. J'ai acheté des sabots de jardin pour Jo, une trousse en voile de bateau pour maman et un cahier avec des dessins de l'île, une polaire pour Charlotte. J'ai fabriqué le cadeau de papa, j'ai peint deux cadrans d'horloge sur une planche et j'y ai collé des aiguilles en papier pour la pleine mer et la basse mer.

En revenant de l'école, je trouve Jo et maman accroupis devant l'évier de la cuisine. Jo a sa boîte à outils. Je m'agenouille à côté de lui.

— La fuite est là. Ta maman va rouvrir la vanne. Prends le torchon, ça empêchera tes doigts de glisser. Dès que tu verras l'eau gicler, appuie sur l'endroit d'où ça fuit. D'accord ?

Maman rouvre l'eau qui jaillit du tuyau depuis un trou invisible à l'œil nu. J'appuie dessus le plus fort que je peux. Elle referme. On vidange. Jo répare. Maman rouvre, ça ne fuit plus.

— Je ferai un don à la Société d'aide aux femmes de maris défaillants, dit maman en riant.

Je proteste instinctivement :

— Papa n'est pas défaillant !

Maman et Jo, décontenancés, échangent un regard. J'ai parlé trop vite.

— Tu es un bon bricoleur, dis-je à Jo pour alléger l'atmosphère.

— La cardiologie, c'est de la plomberie, une histoire de pression et de fuites, de clapets et de valves. Mais les cardiologues hospitaliers sont moins bien payés que les artisans plombiers, soupire-t-il.

Lou, là où on va après

Où est le sapin, Jo ? Où sont les boules, les guirlandes clignotantes, les biscuits au gingembre, le calendrier de l'Avent avec les vingt-quatre portes et les vingt-quatre chocolats derrière ? Où est passé ton esprit de Noël ? Il suffit que je disparaisse et tu laisses tout tomber ?

Je vois tous les vivants en bas commander la dinde, pêcher les coquilles Saint-Jacques, acheter les marrons, repasser les nappes de fête, mettre le champagne au frais. Tous, sauf Sarah, évidemment.

24 décembre

Jo, île de Groix

Tu as emporté Noël avec toi, Lou. Il n'y a pas de sapin chez nous cette année. Pomme et Maëlle réveillonneront à Locmaria au coin du feu en faisant griller des marshmallows dans la cheminée. Je ne veux pas leur plomber la fête, j'ai prétendu être invité chez des amis à Lorient. Je prendrai le bateau ce soir, je passerai la nuit à l'hôtel et je rentrerai demain. Maëlle, pas dupe, m'a répété que mon couvert serait mis. Pomme a glissé un cadeau dans ma valise.

Je relève mes e-mails. Je reçois une alerte Google à propos de Cyrian qui a assisté à une réunion du Lions Club, une autre à propos de Sarah. Et je découvre avec stupéfaction où notre fille passe ses réveillons. Tu ne devineras jamais ! Non, je suis stupide. Tu savais, puisque tu as écrit « Princ » dans tes agendas chaque 24 décembre devant son prénom. Le lien m'a renvoyé sur un groupe de volontaires qui animent le Noël à l'hôpital. J'ai cliqué et je suis tombé sur une photo de notre fille, en chaise roulante, avec un nez rouge en plastique.

Notre princesse Sarah réveillonne au Vésinet avenue de la Princesse. Pas chez des amis, mais dans un bâtiment du second Empire destiné à l'origine à accueillir les ouvrières convalescentes du département, où elle a été hospitalisée pour une rééducation après une poussée de sa maladie. Nous y avions passé un Noël, elle dans son lit, toi et moi assis à ses côtés. Cyrian, qui habitait pourtant tout près, était resté avec Albane, elle a la phobie des hostos. Tu nous avais préparé un repas de fête, immangeable et si tendre, arrosé de champagne que tu avais planqué au fond de ton sac besace. Des volontaires passaient dans les chambres pour égayer les patients alités, Sarah s'était juré de revenir un jour sur ses deux jambes pour remercier. Elle ne m'en a pas reparlé. Elle a tenu parole.

Je me connecte sur le site de l'hôpital en espérant trouver un confrère que je connaisse. Bingo ! Le monde médical est un mouchoir de poche. J'envoie un mail à Thomas Defyves, un spécialiste du rachis avec lequel j'étais interne au Samu 75. Je me rappelle nos bagarres à la mousse d'extincteurs dans les couloirs de l'hôpital Necker, nos barbecues l'été sur la zone d'atterrissage des hélicoptères, les brochettes improvisées avec des drains médicaux, les bébés mis au monde, les gens en morceaux sous le métro, les pendus, les écrabouillés, les sauvés, les réanimés, les morts, les survivants, et les copains de garde beuglant *J'aimerais tant voir Syracuse* autour du piano désaccordé dont Thomas jouait comme une évidence. Il me répond en moins de temps qu'il ne faut pour poser une perf.

« Salut vieux, toujours sur ton île ? »

«J'ai un service à te demander.»

Il n'opère pas aujourd'hui, il me promet de se renseigner. Il a trois enfants dont deux étudiants en médecine et une en véto. Pourquoi je n'ai pas donné aux nôtres l'envie de suivre ma voie ? Est-ce que Pomme mettra vraiment ses pas dans les miens ?

Il me répond une heure plus tard. Sarah fait une animation ce soir au Vésinet sur le thème du cinéma. Je trouve de la place dans le bateau pour Lorient, mais les trains pour Paris sont complets. J'appelle la bande du 7 à l'aide. Certains laissent une voiture d'appoint de l'autre côté en cas d'urgence. Un ami me prête une BMW hors d'âge. Je fonce au port, je traverse, je m'assieds derrière l'antique volant en bois verni. Et je mets le cap sur Ves.

Jo, Le Vésinet

Je me sens chez moi dans les hostos. Les pilotes sont familiers des aéroports, les boulangers des boulangeries, les avocats des palais de justice, le parfum d'un hôpital est ma madeleine de Proust.

Il règne une atmosphère de fête dans le service de rééducation. Les portes des patients sont ouvertes, les télévisions diffusent des programmes joyeux, les infirmières ont des petits chapeaux rouges, il y a un sapin sur le palier.

Ceux qui me croisent sourient, c'est l'esprit de

177

Noël, une trêve, une parenthèse illuminée de guirlandes clignotantes. Les volontaires ont roulé les patients jusqu'à la chapelle pour l'office du soir avant de servir le dîner. La dinde aux marrons embaume. Des pères Noël miniatures montent à l'assaut des barreaux de lits, des bonshommes de neige s'accrochent aux blouses blanches du personnel, les déambulateurs sont décorés de papier crépon. Il n'y a pas d'enfants dans les chambres, seulement des adultes, et pas des perdreaux de l'année. C'est là que Sarah a choisi de venir, m'a renseigné Defyves après enquête, chez les moins festifs, les plus fatigués. Certains n'ont que les bénévoles de ce soir qui taillent une bavette avant de ramasser le plateau où il ne reste que les os de dinde.

Ils ont une petite télévision dans chaque chambre et un écran géant dans la salle commune. C'est là qu'ils sont réunis pour écouter Sarah. Je reconnais de loin son timbre voilé, sexy disent les hommes. Je suis mal placé pour juger, Sarah est mon bébé, j'ai assisté à ses premiers pas, je lui ai appris à faire du tricycle puis du vélo, à lacer ses chaussures, à lire l'heure. Elle est assise dans son fauteuil roulant orné de guirlandes et de grelots tintinnabulants. Elle porte la même combinaison de cuir que Diana Rigg, celle qui jouait Emma Peel dans *Chapeau melon et bottes de cuir*, si ce n'est que la sienne est rouge. Ses manches longues couvrent ses tatouages. Elle a mis tes perles autour de son cou. Elle est installée sur une estrade, à la droite du grand écran, devant un ordinateur portable. La salle est pleine, je me glisse au fond sans qu'elle me repère.

Les aidants sont debout, agiles, souples. Les aidés sont couchés ou assis, lents, ankylosés. Tous boivent ses paroles.

— Vous connaissez *Cinema Paradiso* ? lance-t-elle à la cantonade.

C'est son film fétiche. Des mains se lèvent, moins que je n'aurais cru. Sarah pilote son MacBook aussi adroitement que son fauteuil. L'affiche du film surgit sur l'écran géant tandis que la musique d'Ennio Morricone s'élève dans la salle et prend les spectateurs en otage et aux tripes, même ceux qui sont durs d'oreille. La bande-annonce du film est sous la couleur de l'émotion. Le temps est suspendu, les yeux brillent. Les appareils auditifs «larsènent». On s'en fout, c'est la fête.

— J'ai une surprise pour vous, tonne Sarah. Pas une montre en or ni une Ferrari, quelque chose de plus personnel. Vous êtes ici en rééducation. Nous partageons le même combat. Nous sommes frères.

Je retiens ma respiration. Jamais notre fille n'a abordé ce sujet devant nous. Je me sens soudain voyeur, intrus, mais je ne peux plus quitter la salle sans qu'elle me remarque. Je me fais tout petit derrière une dame aux cheveux blancs à reflets bleus.

— *Tutto a posto ?* Ça ne va pas, monsieur ? s'inquiète l'inconnu assis à côté de moi.

— Ça va, juste un méchant torticolis, dis-je en me massant le cou.

— J'ai cru que vous alliez tomber, *scusi*.

Ce n'est pas un patient, il accompagne un homme âgé qui porte une chemise de bûcheron à carreaux rouges et noirs – sans doute son père. Si on m'hospitalise un jour, Cyrian ne me rendra pas visite. C'est de bonne guerre, je n'ai pas assisté à ses compétitions de natation, j'étais toujours de garde. Tu me représentais, je pensais que ça suffisait.

La musique s'arrête. Sarah reprend son micro.

— Le film se passe à la fin des années 1940. Un petit garçon nommé Toto devient l'ami d'Alfredo, projectionniste dans un cinéma du sud de l'Italie. Alfredo, joué par Philippe Noiret, fait des coupes dans les films en censurant les scènes de baisers qu'il juge trop osées. À sa mort, il lègue tous ces bouts de pellicule à Toto, adulte, qui les visionne dans une scène culte. Regardez !

Elle lance l'extrait. Jacques Perrin qui incarne Toto s'assied dans un cinéma moderne et découvre son héritage. Les bancroches et les boiteux, dans la salle commune de l'hôpital du Vésinet, tendent le cou pour voir ce que la fée en combinaison de cuir rouge – une fée aussi brinquebalante qu'eux, détériorée, détraquée, belle à se damner avec ton collier – a choisi pour eux.

Les baisers de cinéma se suivent en noir et blanc. Je reconnais certains acteurs, Vittorio Gassman, Silvana Mangano, Charlie Chaplin, Vittorio De Sica, Totò, Jean Gabin, Marcello Mastroianni, Maria Schell, Cary Grant, Clark Gable, Alida Valli, Farley Granger, Anna Magnani, Gina Lollobrigida, Greta Garbo, Ingrid Bergman, Gary Cooper, je me trompe peut-être. Je plonge mon visage dans mes mains sans me couvrir les yeux pour continuer à regarder. Jacques Perrin fait le même geste. Je suis frère du type sur l'écran comme ma fille est la sœur des malades ici assemblés.

À la fin de l'extrait, la lumière se rallume. Tout le monde parle en même temps. Sarah leur laisse quelques minutes avant de reprendre la parole :

— Nous sommes tous des super-héros. Nous avons quelque chose de plus que les autres, les valides, les marathoniens, les simples mortels. Nous disposons d'armes fatales : cannes, roues, déambulateurs ou béquilles, c'est un as dans la manche, une chance merveilleuse ! Nous avons des cœurs vaillants et du courage à déplacer les montagnes, des cerveaux et des bras. Nous ne nous laissons pas abattre par une lésion de la moelle épinière, un canal rachidien étroit, une prothèse du genou ou un col du fémur flageolant. Vous avez déjà été amoureux ? Vous avez embrassé un homme ou une femme comme ces stars l'ont fait sur l'écran, et c'était magnifique ? On n'a pas besoin de jambes pour embrasser !

Les sourires affleurent sur les visages fatigués.

— Le cinéma fait partie de ma vie, poursuit-elle avec feu. Nous sommes tous les acteurs de scénarios improbables, de séquences drôles ou tragiques. Les gens normaux – ces malheureux qui n'ont que des jambes – tournent leur vie en *steadycam*. Ils avancent avec la caméra. Alors que nous filmons en travelling, sur nos roues, sur les rails de notre destin.

Le public est fasciné.

— Dans la vie, nous n'avons droit qu'à une seule prise. Nous avons réussi le casting des émiettés, des abîmés, des disloqués. Nous remportons mieux que la Palme d'or à Cannes, nous gagnons notre indépendance !

Elle s'arrête. Les applaudissements crépitent dans

la salle, enflent et déferlent comme une ola. Il n'y a pas de standing ovation parce que la majorité ne tient pas debout. Le public rayonne, les paumes s'entrechoquent. Et mon cœur explose d'émotion.

— J'ai mis bout à bout pour vous ce soir des extraits de films dont les héros ont du mal à marcher ou sont en fauteuil. Attention… moteur !

L'obscurité envahit la salle. Des acteurs valides s'asseyent dans des fauteuils le temps d'un tournage. James Stewart dans *Fenêtre sur cour*. Tom Cruise dans *Né un 4 juillet*. Daniel Day-Lewis dans *My Left Foot*. Gary Sinise dans *Forrest Gump*. John Savage dans *Voyage au bout de l'enfer*. Jack Nicholson dans *Vol au-dessus d'un nid de coucou*. Mathieu Amalric dans *Le Scaphandre et le Papillon*. Denzel Washington dans *Bone Collector*. Fabien Héraud dans *De toutes nos forces*. Sophie Marceau dans *L'Homme de chevet*. Sam Worthington dans *Avatar*. François Cluzet dans *Intouchables*. Elle a choisi chaque fois une scène frappante – un uppercut au creux de l'estomac. Pour finir par celle culte du film *L'Éveil*, adapté d'une histoire vraie, dans lequel Robin Williams, médecin neurologue, ramène à la vie Robert de Niro après des années de coma et lui fait découvrir des sentiments comme la peur, la joie, l'amitié et l'amour.

La lumière revient. Alfred Hitchcock les a catapultés dans le passé. Ils ont sur la langue le goût des bonbons qu'on vendait jadis à l'entracte, ils ont dans les oreilles le jingle de publicité de Jean Mineur avec l'enfant balançant un pic au centre d'une cible dont le 1000 se retournait pour former le numéro de téléphone Balzac 0001.

— J'ai un dernier cadeau, dit Sarah.

La lumière s'éteint de nouveau dans la pièce. Et des extraits de films dont l'action se déroule à Noël défilent sur l'écran.

Il y a cela, des comédies et des drames. *Le père Noël est une ordure* avec la bande du Splendid côtoie *L'Arbre de Noël* avec William Holden, Bourvil et Virna Lisi. *La vie est belle* avec ton idole James Stewart côtoie *Un Noël à Alexandrie* avec Steve McQueen et Roger Moore. *White Christmas* avec Bing Crosby côtoie *Maman j'ai raté l'avion* avec Macaulay Culkin. *Miracle sur la 34e Rue* côtoie *Le Drôle de Noël de Scrooge*. Et enfin *Joyeux Noël* avec Guillaume Canet, Diane Kruger et Dany Boon, dont l'action se déroule dans les tranchées. Le film, romancé à partir de l'histoire vraie de la trêve de Noël en 1914, parle aux patients dont les grands-pères ont vécu la Première Guerre mondiale.

La salle est de nouveau éclairée. Ces hommes et ces femmes qui souffraient seuls derrière leurs portes partagent leurs émotions comme des copains de chambrée.

— J'allais au ciné sur les grands boulevards avec ma femme…

— Quand j'étais môme, on se faufilait par la sortie !

— Se payer une toile, c'était le rêve…

— Et le seul endroit où on pouvait se peloter dans le noir !

— Mon mari m'a demandée en mariage pendant une projection.

— Je ne supporte plus les films d'amour depuis que je suis veuve.

— Ni ceux avec des acteurs jeunes et beaux alors que je suis vieux et moche.

— Nous aussi on a été jeunes et beaux ! proteste l'homme à la chemise de bûcheron.

Le jeune Italien qui s'est inquiété pour moi rigole. Il a un chandail sur les épaules, c'est assez rare pour que je le remarque, un cachemire du même vert mousse que ses yeux.

— Maintenant, place à la musique !

Notre fille roule hors de la scène. Une femme avec un chignon gris la remplace. Elle s'assied au piano et se met à jouer avec entrain *Petit papa Noël*, mais la magie ne fonctionne plus. La fée aux cheveux d'or n'est plus là.

— Virez la vioque et rappelez la blonde bandante, grogne un crétin en fauteuil roulant avec une haleine de chacal. Je ferais bien mon quatre-heures de ses deux-roues !

— Je vous signale que vous parlez de ma sœur, monsieur, gronde l'Italien au chandail vert mousse.

— Merde, je pouvais pas savoir. C'est un sacré beau brin de… Elle est bonne, quoi !

— On ne vous a pas appris à respecter les femmes ?

Le crétin fait pivoter son fauteuil et bat en retraite.

— C'est vraiment votre sœur ? dis-je au type.

Il secoue la tête.

— C'est la première fois que je la vois. Mais j'ai une sœur jumelle. Si un balourd lui manque de respect, je serai heureux que le frère de quelqu'un d'autre monte au créneau pour elle.

Je hoche la tête, je comprends.

— Je n'ai jamais vu une femme aussi irrésistible, murmure-t-il. Si elle n'était pas hospitalisée, je l'inviterais à dîner !

— Elle n'est pas hospitalisée, dis-je. C'est une bénévole.

— *Questa donna è stupenda*, souffle-t-il, conquis.

— Ma femme aussi était belle, soupire le bûcheron.

— La mienne était superbe, dis-je avec conviction. Ça me fait du bien de parler de toi à ces inconnus. Tu devrais être avec moi à saboter une pauvre dinde qui ne t'a rien fait, au lieu de bouffer les pissenlits de mon île par la racine.

— Je m'appelle Éric, dit le bûcheron.

— Moi, Joseph.

Il me présente son acolyte.

— Federico est mon voisin de palier. Il vit à Venise et vient régulièrement à Paris pour son travail. On t'attend sûrement, mon garçon, ne te mets pas en retard.

— Je rejoins des amis à Chatou. Vous êtes plus en forme qu'il y a quinze jours !

— Je me suis cassé le col du fémur dans l'escalier de mon immeuble, m'explique Éric. Je suis resté par terre dans le noir, à attendre qu'un voisin arrive. C'est tombé sur Federico.

— Vous avez le même prénom que Fellini, dis-je.

— Ce n'est pas un hasard, mon grand-père a été figurant dans ses films. Mon père travaillait dans les studios de Cinecittà. Ma jumelle s'appelle Giulietta. Nous sommes cinéphiles dans la famille. Je m'occupe du ciné-club de l'université où j'enseigne.

C'est une de tes blagues, Lou ? Tu m'as envoyé un mirage ?

— Votre femme vous accompagne dans vos déplacements ?

— Je ne suis pas marié. Je vis à cheval entre l'Italie et la France, je ne serais pas un cadeau.

— J'en ai un pour vous, dis-je. Joyeux Noël Federico. La *donna stupenda* que vous avez envie d'inviter à dîner. Elle a Fellini et Giulietta tatoués sur ses avant-bras. Si vous lui dites que votre famille les a connus, je parie qu'elle acceptera.

Jo, Le Vésinet

Je n'ai pas envie de rentrer boulevard Montparnasse où tu ne m'attends pas. Les programmes télévisés de Noël sont une escroquerie. Les animateurs en tenue de soirée font semblant de réveillonner avec nous alors que l'émission est enregistrée. Ils trichent. Et je triche en cachant à tes enfants la mission que tu m'as assignée.

La porte du bâtiment s'ouvre. Sarah sort enfin. Elle ne peut pas me voir, j'ai garé la vieille BMW dans l'ombre. Enveloppée dans un manteau rouge qui la transforme en Mère Noël, elle dirige son fauteuil avec agilité sur la rampe. Federico la suit en parlant avec les mains. Elle ouvre sa voiture avec son bipper, se lève, replie son fauteuil sous les yeux éberlués de Federico.

Il l'aide à ranger le fauteuil à l'arrière. Elle se met au volant. Il monte à côté d'elle.

Je n'irai pas à la messe de minuit. C'est mon premier Noël sans toi, Lou, je suis paumé. On ne fait pas d'études pour devenir veuf, on se jette à l'eau et on boit la tasse.

Federico, Chatou

Le « Via 47 » est complet, mais je réussis à convaincre le maître des lieux dans la langue de Dante. Antonio ajoute une chaise et un couvert. Mes amis accueillent Sarah avec chaleur, *una bella ragazza così* réjouit les yeux et l'âme.

— Vous vous êtes connus comment ? demande Milan.

— Le *maestro* nous a présentés.

— Lequel ? demande sa femme Paola.

J'échange un regard complice avec Sarah.

— Fellini.

— Vous aviez quel âge ?

Fellini est mort en 1993, je fais le calcul.

— Une dizaine d'années, non, Sarah ?

Elle joue le jeu. Nous trinquons au *prosecco*, savourons le risotto à la truffe. Mes amis font des blagues que Sarah ne peut pas comprendre. J'ai peur qu'elle se sente exclue. J'ai une idée subite :

— 1 2 3 ?

Milan fronce les sourcils. Sarah capte tout de suite et répond, imperturbable :

— 1 2.

— 1 2 3 4 ?

Elle rétorque du tac au tac :

— 1 2 3 !

Paola croit avoir mal entendu et penche la tête vers nous.

— 1, dis-je avec assurance.

— 1 2 ? fait-elle en désignant le *maglione* vert sur mes épaules.

C'est complètement démodé de porter son pull ainsi.

— 1 2 3 4, dis-je.

Fellini disait à ses figurants de jouer ainsi, en comptant à voix haute, puis de vrais acteurs les doublaient. Ce langage nous est aussi familier que si nous communiquions grâce à lui depuis l'enfance. Il nous permet de tisser un lien spécial, une complicité de chiffres, une vibration de prunelles. Le dîner se poursuit au milieu des rires. On s'est reconnus, on sait. Les mots sont superflus, les lettres de l'alphabet inutiles, le code crypté du *maestro* nous réunit mieux qu'une étreinte.

Pomme, île de Groix

Le premier Noël de ma vie sans mes grands-parents. On va dormir dans des sacs de couchage devant la cheminée, on fait griller des marshmallows sur la pique-à-feu. Maman a pris une photo de moi dans ma robe de fête, on l'a envoyée à tante Sarah, puis je me suis changée. On a un rite pour le réveillon. Chaque année, Lou nous repassait *La vie est belle* de Frank Capra. Je connais les répliques par cœur. Je revois le film avec maman. Je n'ai pas froid, elle m'a offert un sweat à capuche molletonné, rouge parce que c'est Noël et pour rendre hommage au courage des Groisillonnes d'autrefois.

Des bateaux anglais menés par l'amiral Cook croisaient au large, ils ont voulu aborder pour piller l'île. En 1703, les hommes étaient à la pêche, il ne restait à Groix que les femmes, les enfants et les vieillards. Mais le recteur de l'époque a eu une idée géniale. Il a ordonné aux Groisillonnes de s'habiller en rouge, de retrousser leurs jupes, d'empoigner des fourches et des pieux. Les Anglais, depuis leurs bateaux, ont cru voir une troupe de soldats français en uniforme. Ils ont dévié leur trajectoire pour ne pas tomber dans le piège. L'île a été sauvée.

Jo, Paris

Je n'ai pas faim, j'étais toujours affamé avec toi. J'écoute la *Passion selon saint Matthieu* de Bach. Je déchire le papier du cadeau de Pomme. Tu m'offrais chaque année un nouveau pull marin. J'avais beau te répéter que mon armoire en était pleine, que mon père en avait trois dans son tiroir et que ça lui suffisait, tu protestais : « Tu n'en avais pas de cette nuance. La couleur de tes yeux change selon ce que tu portes et j'aime les regarder, laisse-moi ce plaisir égoïste. » Je m'attendais cette année à n'avoir aucun pull à ajouter sur la pile, mais Pomme m'en a dessiné un dont les rayures ont les couleurs de l'arc-en-ciel.

— Joyeux Noël, ma tarte aux pommes !

— Toi aussi, Jo. Tu as ouvert mon cadeau ?

— Je l'adore ! Il ira avec tout.

— Tu ne peux pas le mettre sur tes épaules, mais j'ai pensé…

Elle s'interrompt, arrêtée dans son élan. La délicatesse ne se dissèque pas.

— Tu as magnifiquement pensé, ma Pommette. J'ai caché une surprise à l'angle de ta maison.

— Au bourg ?

— Non, à Locmaria.

Je l'imagine enfiler sa veste, mettre son bonnet, chausser ses bottes fourrées. C'est juste une babiole, mais je suis venu exprès la cacher là hier.

— Tu es dehors ? Fais le tour de la maison par la droite. Arrête-toi sous la gouttière. Compte trois pas en diagonale vers les hortensias. Tu y es ? Puis quatre pas vers le muret. Il y a une souche. Ton cadeau est à l'intérieur, dans un plastique.

— J'ai trouvé !

Elle rit de plaisir en découvrant un petit bracelet avec un lien rouge. J'ai envoyé le même à Charlotte avec un lien bleu. La petite plaque de métal est ovale, le relief de l'île se détache en creux.

— Je l'adore, merci ! s'écrie Pomme. On a regardé *La vie est belle*. L'ange Clarence a encore obtenu ses ailes. J'étais triste à cause de Lou et puis je me suis dit qu'on a eu de la chance de l'avoir. Sans elle, je n'existerais pas. Papa, tante Sarah et Charlotte non plus.

— Sans elle, personne ne m'aimerait et je détesterais tout le monde. J'aurais baptisé mon chien Imbécile et les gens se retourneraient dans la rue quand je l'appellerais : « Eh, Imbécile ! Non, pas vous, je parle à mon chien ! »

Elle glousse.

— Ils habitent où à Lorient, tes amis ? Tu vois Groix d'où tu es ?

— Je te vois. J'agite la main. Tu m'aperçois ?

Elle pouffe. Je raccroche et je cesse d'agiter la main bêtement devant le flot de voitures sous mes fenêtres boulevard Montparnasse. Tu aimais tant cette fête, je parie que le père Noël t'a fait une place à côté de lui sur son traîneau, le bougre, et que tu l'aides à distribuer les cadeaux cette nuit. J'espère au moins qu'il te paie double et qu'il te déclare.

— Joyeux Noël, Sarah !

— Joyeux Noël, papa ! Tu es où ?

Je mens sans vergogne.

— Chez des amis à Lorient.

— Elle nous manque, hein ? dit Sarah d'une voix étranglée.

— Mais on mange mieux, dis-je pour la dérider.

L'humour n'est pas la politesse du désespoir, c'est la

bouée des noyés qui n'ont pas enlevé leurs bottes pour couler plus vite.

— Je dîne avec un Italien dont le grand-père a été figurant dans les films de Fellini, c'est incroyable !

— Ah oui ?

Mon ton a sans doute été plus inquisiteur que je ne voulais. Elle précise à voix basse :

— Ne t'emballe pas. Je ne déroge pas à ma règle : *Number is safety*.

— *Buona sera* chérie, dis-je en souriant au haut-parleur de mon portable.

Je m'exerce plusieurs fois de suite à dire d'un ton égal « Joyeux Noël Cyrian ! », puis je compose le numéro de notre fils.

— « N'hésitez pas à me laisser un message, je vous rappellerai dès que possible. »

— Joyeux Noël, mon fils, pour toi, Albane, Char-lotte, et aussi pour Hopla. Ta mère t'aurait appelé, mais elle ne peut plus... alors c'est moi...

Exactement ce qu'il ne fallait pas dire.

— Donne-moi de tes nouvelles...

Stupide. S'il en avait envie, il l'aurait fait.

— Bon, je vous embrasse tous, enfin non, pas Hopla, et je vous souhaite, du fond du cœur, un joyeux No...

— « Biiiiiiiip ! »

Putain de répondeur. J'ai envie de balancer mon portable par la fenêtre. Quand j'ai fait tomber mon antique iPhone dans le port l'an dernier, c'est toi qui as configuré le nouveau. Je l'avais commandé par la poste, j'ai passé des heures à m'énerver dessus en vain.

Tu es arrivée, tu m'as dit en te bidonnant «Si tu ne valides pas ta carte, tu peux toujours courir», tu as tapé le code de sécurité et tout a fonctionné. Tu as tapé mon code le jour où je t'ai rencontrée, Lou. Sans toi je suis déconnecté.

Mon portable sonne. Cyrian accepte ma trêve de Noël. Je prends l'appel en souriant.

— Cyrian?

— Joyeux Noël Grampy! Merci pour le cadeau, je l'ai reçu ce matin!

— Je suis content de t'entendre, ma charlotte aux poires.

— Mes parents m'ont offert un iPad mini, il est super.

— Tu me montreras!

— Quand? Maman dit que maintenant on n'ira plus à Groix.

Ne pas lui montrer que cette phrase anodine fore un trou dans mon cœur.

— La prochaine fois qu'on se verra. Vous êtes au Vésinet au coin du feu?

— Oui, mais il n'est pas allumé. Maman trouve ça dangereux.

Le contraire m'aurait étonné. Quelqu'un parle bas derrière elle.

— Papa et maman te souhaitent joyeux Noël, dit Charlotte.

— Tu peux me passer ton papa?

Elle transmet ma demande.

— Il est occupé.

— Bonne soirée à vous trois, dis-je.

Et je raccroche avant que ma voix flanche.

Joyeux Noël, ma Lou. J'espère que tu as accroché l'étoile au sommet du sapin sans te casser la gueule du haut de l'échelle de Jacob. Que les représentants de ton champagne préféré ont conquis le marché céleste. Et qu'aucun archange à la noix ne te drague. Méfie-toi mon amour, ces types baratinent et puis s'envolent. On ne peut pas compter sur eux. Ce qu'il te faut c'est un mec comme moi, solide, fiable, les pieds sur terre, même si cette terre est une île.

Lou, là où on va après

Tous ceux que j'aime écoutent de la musique ou en jouent. Pomme et Maëlle chantent *Douce nuit* au bord de l'océan. Cyrian, Albane et Charlotte sont bercés par *I'll Be Home for Christmas* de Barbra Streisand au coin de leur cheminée éteinte. Hopla savoure le son mélodieux du morceau de dinde qu'Albane fait tomber dans sa gamelle. Sarah écoute *Bianco Natale* interprété par Mina dans le restaurant italien où elle passe le réveillon. Boy, Lola et Julie écoutent les vagues se briser sur la digue de Port-Lay. Les copains de la bande du 7 et ceux de Pat et Mimi font sauter les bouchons. Ma copine de l'Ehpad pose des lettres de Scrabble sur le mot compte triple. Mon ami Gilles qui déteste Noël se passe en boucle *Le Soleil noir* de

Barbara. Les anges dans nos campagnes entonnent l'hymne des cieux. Minuit Chrétien c'est l'heure solennelle. Mais ici c'est le silence total.

Federico, sur la route entre Chatou et Paris

Sarah offre de me déposer en rentrant à Paris. J'accepte. Nous continuons le jeu dans la voiture.

— 1 2 3, soupire-t-elle sur le pont de Chatou.

— 1 2, dis-je sur l'A 86.

— 1, ajoute Sarah porte Maillot.

— 1 2, dis-je en lui donnant mon adresse. J'enseigne à l'université de Padova, vous dites Padoue. Je vis à Venezia, vous dites Venise.

— Je vis et je travaille dans le cinéma à Paris, vous dites Parigi. Vous mettez toujours un chandail sur vos épaules ou c'est juste ce soir ?

— 1, dis-je en souriant.

Sarah se gare devant chez moi sur une place handicapés. Je lui fais remarquer que c'est interdit.

— 1 2, dit Sarah en désignant le macaron collé à son pare-brise.

Si je l'invite à monter, acceptera-t-elle ? J'ai du Barbera d'Asti au frais, ce n'est pas du champagne mais il est bon.

195

Je me penche et je l'embrasse avec fougue – une étreinte de Noël, lumineuse, gourmande, intense, joyeuse. Elle pense qu'on finira la nuit ensemble. Je lui prends la main et je caresse l'intérieur de sa paume avec une lenteur affolante. Puis je secoue la tête.

— 1, dis-je en guise d'explication.

Elle hausse les sourcils, ne pouvant croire que je vais la planter là. Son visage se ferme et elle est encore plus jolie. Notre jeu complice et original se mue en rempart, mais on ne peut plus revenir en arrière. Si j'utilise les mots au lieu des chiffres, la magie sera brisée.

— 1 2, dis-je pour appuyer mon propos.

Je descends de voiture. Je ferme la portière. Elle démarre sans me regarder et je me traite de *stronzo*, vous dites connard.

25 décembre

Jo, Paris

J'aurais aimé qu'il neige ou qu'il pleuve, mais le ciel est bleu. La lumière appelle les familles normales à se promener après avoir fait bombance. Elle me rend triste parce que tu ne la vois pas. Je suis à la gare Montparnasse. Le téléphone vibre dans ma poche. C'est Sarah.

— Il fait beau à Lorient ?

— Il fait toujours beau quand j'entends ta voix, dis-je, bottant en touche.

— Mon Italien d'hier soir portait un chandail sur les épaules, c'est rare.

— Les femmes se maquillent, les hommes mettent des pulls. Le cachemire assorti aux yeux, c'est imparable.

— Irrésistible, tu veux dire…

Elle s'interrompt.

— Comment tu sais qu'il a les yeux de la même couleur ?

Aïe, la gaffe. Vite, trouver une réponse.

— J'ai dit ça au hasard. Je parie qu'il a les yeux

197

bleus ou verts ? Les yeux clairs font rêver les filles.
Ta mère ne m'aurait pas regardé si j'avais eu des yeux
marron.

— N'importe quoi !

— Au mariage où je l'ai rencontrée, elle avait un
garçon à ses basques. Il avait une chevelure crantée,
une chevalière à armoiries et il valsait à la perfection,
mais ses yeux étaient couleur châtaigne. J'ai gagné !

Elle rit, elle ne se méfie plus, ouf.

— Mon Italien s'appelle Federico en hommage
à Fellini. On s'est parlé toute la soirée en comptant
comme le *maestro*. On aurait dit deux sourds commu-
niquant en langue des signes devant une assemblée
d'entendants.

— En comptant, tu dis ?

— Papa ! s'exclame Sarah, atterrée par mon incul-
ture. Fellini choisissait ses figurants à leurs têtes. Ce
n'étaient pas des acteurs professionnels. Ils ne pouvaient pas apprendre par cœur leurs rôles. Alors il
avait imaginé un système, il les faisait compter tout
haut, comme s'ils parlaient. Ensuite, des acteurs professionnels les doublaient. Tout le monde sait ça !

— Pas moi. Tu vas le revoir ?

— Jamais plus de deux fois. Ma règle est
immuable.

26 décembre

Sarah, Paris, le Marais

J'arrive en retard au bar alors que je suis prête depuis dix ans. J'ai envie de me venger, de l'insulter. Personne ne m'a blessée aussi profondément que cet homme avec lequel je pensais passer ma vie.

Je ne suis pas venue en fauteuil, c'est un jour à canne. J'ai remis ma combinaison collante en cuir rouge. Le salopard se lève. Ses cheveux poivre et sel sont trop longs dans le cou, son costume est élégant mais ses chaussures anglaises sont mal cirées. Il ne porte pas d'alliance. Il a des rides profondes autour des yeux et de la bouche. La vie l'a malmené et je m'en réjouis. Nous avons si souvent fait l'amour, ma haine va de peau à peau, de tremblements en frémissements, des orteils à la racine des cheveux.

— Tu es toujours aussi belle Sarah, dit-il.

Le premier film de mon enfance, c'étaient *Les 101 Dalmatiens*. Papa travaillait, comme d'habitude. Mon frère s'est endormi au début, moi j'ai fait des cauchemars pendant des semaines. Je rassemble mon courage pour jouer les Cruella ce soir. Je me persuade que l'homme en face de moi cache le rottweiler qui m'a déchiquetée autrefois.

— Champagne ? propose-t-il. Je ne suis pas certain qu'ils aient le préféré de ta mère…

— Elle est morte, dis-je brusquement.

— Je sais, je t'ai écrit.

— Je n'ai rien reçu.

— Je n'ai pas envoyé la lettre, j'ai pensé que tu la déchirerais.

— Pas faux.

On nous apporte deux coupes. Il lève son verre, hésite.

— À quoi allons-nous boire, Sarah ?

— À notre rupture ? Je veux te remercier, Patrice. Grâce à toi, j'ai un métier que j'adore et une vie trépidante. Si tu n'avais pas été si trouillard, on se serait mariés et j'aurais mené à tes côtés une existence morne et fade. Mon orgueil en a pris un coup, mais je te suis reconnaissante de ta lâcheté abyssale.

Contre toute attente, il se met à rire.

— Morne et fade. Ma femme est de ton avis. C'est ce qu'elle m'a reproché devant les avocats le jour de notre divorce.

— Buvons à ta femme !

Nous trinquons à son ex-femme. Dans le geste, la manche de ma combinaison remonte le long de mon avant-bras gauche, dévoilant Giulietta.

— C'est un vrai ?

Je remonte ma manche droite pour lui montrer Federico.

— C'était douloureux ?

— Moins que ta dérobade. Désolée, c'était trop

tentant ! On t'applique un anesthésique local avant. Je ne l'ai pas fait dans une boutique crasseuse mais dans un jardin toscan avec un tatoueur californien. Je n'ai rien senti quand il a dessiné les contours noirs, j'ai morflé quand il a ajouté la couleur, l'écharpe rouge et les rayures du maillot.

— Ça ne te pose pas de problèmes au travail ?

— Je suis dans le cinéma, c'est monnaie courante. Tu as repris la boîte de ton père ?

— Comme prévu. Tu vis seule ou avec quelqu'un ?

— J'ai un compagnon, dis-je en mentant avec aplomb.

— Buvons à sa santé !

Nous vidons nos coupes, nous en commandons deux autres. Le serveur nous prend pour des amoureux.

— Merci d'être venue ce soir, Sarah.

— Je voulais voir si tu me regarderais dans les yeux.

— Je n'étais qu'un gamin, j'ai eu peur.

— Tu crois que je n'étais pas terrifiée ? Ma vie s'écroulait. Je comptais sur toi. Non, tu voulais une fiancée livrée avec un certificat de conformité, garantie en bon état de marche, deux bras, deux jambes !

Le serveur apporte les coupes. Je lève la mienne.

— Aux joyeux enfants que nous n'avons pas eus !

— Je n'ai plus jamais été heureux sans toi. Je me suis marié avec une Londonienne qui te ressemble. Je l'ai épousée en Angleterre pour lui plaire. Nous avons vécu à Paris. Notre fils John est né à Londres, ma femme voulait être près de sa mère. Nous y avons divorcé, c'était plus simple. Ma femme est repartie là-bas en m'enlevant John, le juge lui a donné raison. Mon fils appelle son beau-père *daddy* alors qu'il m'appelle Patrice. C'est pire qu'être en prison, il me gomme, il m'efface.

— Je suis navrée pour lui. Très peu pour toi. Ça ne se fait pas d'être méchant avec une handicapée. C'est un gros vilain péché et le ciel punit les valides qui font des crocs-en-jambe aux bancals.

Patrice repousse son fauteuil.

— Tu te sens mieux ? Tu as craché ton venin ? Le champagne est pour moi. Restons-en là.

Il prend la note puis se lève. Je lui attrape le poignet.

— Tu ne vas pas encore te défiler !

Il se rassied. Il vide sa seconde coupe cul sec. Je l'imite.

— Tu es aussi ravissante qu'avant, mais tu as changé.

— Je me suis endurcie.

— Je t'envie.

Nous commandons une troisième coupe. Je le connais, il pense qu'on aurait mieux fait de commander la bouteille, ça serait revenu moins cher.

— Quand tu m'as proposé de boire un verre, j'ai compris où tu me situais, Sarah. Tu as changé, mais tu raisonnes comme autrefois. Tes proches, ceux du premier cercle, tu dînes avec eux. Tes amies, tu déjeunes avec elles. Les seconds rôles, les autres, tu leur fais l'aumône de l'apéro.

— Tu étais au centre du cercle. Tu en es sorti volontairement.

— J'étais jeune et con.

— Vieillir ne t'a pas rendu intelligent.

On trinque. On vide nos coupes jusqu'à la dernière goutte.

— On s'arrête ou tu as encore soif ? demande Patrice.

— Tu cales déjà ?

Il hèle le serveur qui nous guettait et se précipite pour nous resservir.

— Comment va ton frère ?

— Il a eu une petite fille délicieuse avec une Groisillonne extra. Puis il a épousé une imbécile et ils ont eu une môme infâme qui se bonifiera avec le temps. Tu as une photo de John ?

Il me tend son portable. Patrice junior a des taches de rousseur et un air *so british*.

— Nous avons bu à mon ex-femme, à ton homme du moment, à nos enfants fantasmés. Pour qui le prochain toast, Sarah ?

— À notre ultime verre ensemble, dis-je. C'est la dernière fois que nous nous voyons.

— Buvons plutôt à notre ultime soirée, propose Patrice. Passons-la ensemble, finissons en beauté.

Je me réjouis de revoir mon Italien cinéphile ce soir. Je ne comprends pas pourquoi il ne m'a pas proposé de monter chez lui après le réveillon. Il n'est pas marié, j'ai des antennes pour les hommes non disponibles. Je lui plais, ça se sent. Certains hommes sont gênés ou au contraire excités par ma différence. Il n'en fait pas partie, je démasque les pervers. Alors pourquoi ? Je suis intriguée. C'était inattendu d'échanger en code. Enfant, à l'école de voile de Groix, j'avais une connivence dingue avec mon frère. On s'était inventé un langage. Je bordais ou choquais la voile sur une onomatopée, il remontait au vent ou abattait sur un idéophone. On était sur la même longueur d'onde.

Je me prépare donc à renvoyer Patrice dans ses buts en lui disant que j'ai rendez-vous avec Federico, et je m'entends avec effarement répondre :

— Je bois à notre ultime nuit !

Il est aussi surpris que moi. Je précise :

— Tu partiras demain matin et on ne se reverra jamais.

— C'est ta façon de me punir ? Un peu sadique, non ?

— J'ai une règle d'or, je ne revois aucun homme plus de deux fois.

— Je n'ai droit qu'à une seule ?

Je repose calmement ma coupe.

— Nous avons un passé.

— Tu ne me pardonneras jamais ?

— Non.

Il hésite. L'atmosphère autour de nous est électrique et aphrodisiaque.

— À notre ultime nuit, dit mon salopard d'ex en vidant sa quatrième coupe.

Pendant qu'il règle les consommations, j'attrape mon téléphone. Je clique sur le contact Federico. Mes pouces dansent en rédigeant mon SMS. Je m'y prends à plusieurs reprises à cause du champagne. Le correcteur automatique fait encore des siennes. Mon doigt dérape et envoie le SMS avant que j'aie pu le relire. J'ai voulu écrire «Désolée pour ce soir, suis coincée par une réunion ». Mais j'ai envoyé « Désolée pour ce soir, suis coincée par une union ».

Federico, Paris, le Marais

Je suis arrivé en avance et je me suis assis à une terrasse chauffée pour boire un *espresso* et lire le *Corriere della Sera*. Je découvre le SMS de Sarah au moment où elle passe rue de Sévigné sur le trottoir d'en face, sans me voir.

Le couple rentre dans la cour intérieure d'un ancien hôtel particulier. Elle s'appuie sur sa canne et sur lui. Ils n'ont pas bu que du jus de pomme. La lourde porte cochère se referme. Je suis déçu. Elle était trop éblouissante pour n'avoir personne. Elle m'a menti, je ne m'en offusque pas, elle n'est pas *la mía fidanzata*, ma petite amie. Je la désirais comme *un pazzo*, un dingue, la nuit du réveillon, mais je ne voulais pas fausser la relation en profitant de la nostalgie des soirs de fête. Je voulais lui faire l'amour un jour normal, un jour juste pour nous. J'aurais dû la sauter sans me poser de question. Ce type aux cheveux poivre et sel serait sur ce trottoir à ma place.

Je suis un professeur d'université célibataire, je pourrais passer chaque nuit de la semaine avec une étudiante différente, mais j'ai une règle immuable : pas d'étudiante. Je dors parfois avec Chiara, une collègue enseignante en physique. Nous ne sommes pas en couple. C'est une liaison tendre et amicale. Son compagnon a été muté en Sicile. J'ai les pieds sur terre et pourtant je suis souvent dans la lune. Galilée a enseigné vingt ans à Padoue, il a chronométré les oscillations des lustres de la cathédrale de Pise en se basant sur son pouls, puis il a passé sa vie la tête dans les étoiles. Mon pouls est régulier et je plane. Je pianote sur mon portable. Je réponds au SMS de Sarah : « Bonne union. »

Pomme, île de Groix

L'île est remplie de touristes et de résidents secondaires qui se garent mal. Les restaurants sont pleins, les commerçants sont contents. Le calme reviendra dans huit jours, à la fin des vacances. Il restera les Groisillons de naissance, les retraités devenus résidents, les arrivants qui rêvaient d'une île, les poètes et les randonneurs.

Je fouille dans le carton des décorations de Noël qu'on n'a pas ouvert cette année et je prends trois guirlandes. J'entre dans le cimetière. Je passe devant le monument des marins péris en mer, je dis bonjour à la grande dame de pierre à genoux qui pleure et prie pour les noyés. Les gens morts il y a longtemps reposent dans la partie ancienne. Les jeunes dorment dans la partie nouvelle, là où on trouve sur les tombes des objets qui déchirent le cœur, une guitare sculptée, un bateau, des photos. Je dispose avec soin mes guirlandes sur la pierre où sont gravés ton nom et ceux des parents de Jo, même si on n'a jamais retrouvé le corps de son père noyé en mer d'Irlande. Je te montre mon bracelet de Groix et mon sweat molletonné rouge.

Je suis inscrite avec maman au prochain Café Mémoire, je vais découvrir la vie quotidienne au siècle dernier à bord des bateaux de pêche. Je dois faire un exposé pour l'école. Je viendrai le tester devant toi avant, tu ne vas pas y échapper.

J'ai appris les dièses et les bémols au saxo. Ma note préférée c'est le *do* dièse médium, elle se fait sans rien appuyer du tout, c'est cool.

Je suis sûre que tu m'entends, mais c'est pas juste, je te raconte tout, tu ne me racontes rien.

Dany, Paris, rue Monge

Paris est une destination prisée pour les fêtes, l'hôtel est complet. Cyrian m'a invitée à dîner. Albane croit qu'il a une réunion pendant la trêve des confiseurs, il faut vraiment être barge pour gober ça. Ma robe argentée a un décolleté à flanquer le vertige à un alpiniste chevronné. J'ignore où mon amant m'emmène et je m'en contrefous du moment que c'est loin. Je ne supporte plus mes étrangers mal dégrossis et les arrêts maladie de mon personnel. La mélodie *C'est mon homme* d'Édith Piaf s'élève de mon sac à main.

— Je suis en double file, tu es prête ?

— J'arrive !

J'enfile mon manteau de fourrure. Je prétends que c'est du synthétique pour être politiquement correcte, mais c'est de la vraie. Je donne mes instructions au réceptionniste de nuit. Un client me déshabille du regard dans le hall, puis détourne les yeux dès que sa femme sort de l'ascenseur. Elle a une bouche en canard et un cul de percheron, bien fait pour lui. Je me raidis en prévision du froid mordant qui s'est abattu sur la capitale. Je me fige en apercevant la gamine à la tignasse flashy devant la porte.

— Vous ne pouvez pas rester là, lui dis-je, agacée.

La fille a des cheveux roses, verts et bleus, des lèvres maquillées de noir. Elle porte un jean, un caban et des Dr. Martens. Elle a cette grâce insolente de la jeunesse. Elle a posé par terre un sac orné d'une tête de mort au fond duquel j'aperçois des pièces. Sur le trottoir, elle dessine à la craie un foutu oiseau blanc sur une merde de fond bleu. Les passants s'écartent pour ne pas marcher sur son barbouillage.

— La rue est à tout le monde, rétorque-t-elle.

— Vous dissuadez les gens d'entrer chez moi !

— Je les fais rêver, dit-elle en continuant à dessiner.

— Vous importunez mes clients et vous salopez le sol.

— J'ai besoin de fric pour payer mes études. J'espère que vos clients sont plus sympas que vous et qu'ils se laisseront attendrir.

— Parce que vous comptez rester ?

— Vous avez bien chaud dans votre manteau en peau de bête assassinée ? On gèle aujourd'hui. Les étrangers culpabilisent de me voir frissonner dans le *so romantic gay Paris*. J'ai besoin de gentils mécènes.

— Si vous ne partez pas, j'appelle la police.

— Ils sont débordés. Vos clients ont été des enfants, ils ont lu *La Petite Fille aux allumettes*. Ils ont pleuré en la voyant imaginer le poêle puis l'oie rôtie avant de mourir de froid. Je suis comme les fleuristes à la Saint-Valentin ou les chocolatiers à Pâques. Je travaille. Vous me gênez.

Elle commence à me chauffer, cette crétine.

— Vous allez me débarrasser le plancher ou je vous flanque dehors moi-même, dis-je d'un ton menaçant.

Elle relève la tête, surprise. Elle est jolie malgré son look de perroquet.

— Ne me touchez pas ou je porte plainte !

Depuis que le père de Cyrian m'a alertée, j'attends tous les jours l'appel des avocats de son patient. Je ne dors plus, j'ai des plaques rouges sur le cou, un bouton au coin de la bouche et des brûlures d'estomac. Alors c'est la goutte d'eau qui fait déborder le vase. Je rentre dans l'hôtel, j'avise le bouquet de roses qui trône au centre du hall, j'empoigne les fleurs dégoulinantes et je les tends au réceptionniste hébété.

— Trouvez un autre récipient pour les mettre.

Puis je sors, le vase à la main. Dans mon énervement, j'ai oublié Cyrian qui assiste à notre altercation à travers les vitres fumées de son monstre noir. Il sort de sa voiture et me rejoint.

— Qu'est-ce qui se passe ?

— Je vais pousser mademoiselle à exercer son art ailleurs. Elle mérite une vraie galerie. Mon humble trottoir n'est pas à sa hauteur.

D'un geste ample, je renverse toute la flotte sur le dessin à la craie. Le fond bleu, ciel ou mer, se brouille puis ruisselle en rigoles sales. L'oiseau blanc tremble une seconde avant de se volatiliser. La fille, pétrifiée, ne bouge pas. Dans la foulée, j'attrape ses craies et je les balance dans la rue sous les roues d'un bus qui les écrase et en éparpille les morceaux sur la chaussée. Le bitume devient arc-en-ciel. Cyrian demande à la fille :

— Vous avez lu *Jonathan Livingston* quand vous étiez enfant ? C'était lui, n'est-ce pas ?

Puis il se tourne vers moi.

— Tu es folle, qu'est-ce qui t'a pris ?

— Je veux qu'elle gicle !

La fille sort de sa torpeur et s'écrie :

— Casse-toi pauvre conne, c'est ça ? Je suis une racaille ? Moi, présidente de la rue Monge, je vous ordonne de dégager ?

Une colère venue du fond des âges me submerge. J'en ai avalé des couleuvres pour parvenir là où j'en suis. J'ai bossé, j'ai couché, j'ai suivi un régime drastique, j'ai rompu avec ma famille, oublié mes rêves. Je joue les Parisiennes alors que j'ai grandi à la campagne. Mes parents avaient du mal à joindre les deux bouts et pas le temps de m'aimer. Mon père voulait un fils, il m'a appelée « la pisseuse inutile » toute mon enfance. Maintenant j'ai les moyens de descendre dans des palaces où ils ne mettront jamais les pieds, mais je n'ai personne avec qui petit-déjeuner en peignoir molletonné de *Relais et Châteaux*. Cyrian part en vacances avec sa famille. Je m'approche de la fille, qui n'est sûrement pas cardiaque vu son âge, et je hurle :

— Du balai !

— Qu'est-ce qui t'arrive ? s'interpose Cyrian. Vous devriez partir, mademoiselle. Je vous présente mes excuses…

Sa formulation surannée me rend dingue. Je crie à la gamine :

— Vous avez intérêt à ne plus être là à mon retour, sinon c'est vous que je balancerai sous le bus.

Cyrian m'entraîne vers sa voiture.

— Je vous plains si c'est votre femme, monsieur, lui lance la fille. J'espère, pour eux, que vous n'avez pas d'enfants !

Je me retourne, folle de rage. Cyrian me pousse dans la Cayenne et claque la portière pour m'empêcher de répondre.

Cyrian, sur la route entre Paris et Levallois

Je conduis, les mâchoires crispées, près de cette femme sensuelle dont j'apprécie d'habitude la sérénité, et qui vient de se transformer en gorgone. Si je n'étais pas intervenu, elles se seraient battues ! Les derniers mots de la jeune fille tournent en boucle dans ma tête. Dany n'est pas ma femme et c'est une chance. Nous n'aurons pas d'enfants et c'est une béné-

211

diction. Je viens de la voir sous son vrai jour. L'oiseau de Richard Bach m'a servi d'électrochoc. Je ne crois pas au hasard, ma Diastole. Tu m'as offert *Jonathan Livingston le goéland* pour mes dix ans. J'ai adoré l'histoire de cet oiseau différent des autres que sa passion pour le vol entraîne dans une quête d'absolu. J'ai été aussi libre que lui. Puis j'ai atterri en catastrophe en perdant des plumes et mes illusions.

Je voulais l'offrir à Pomme pour son anniversaire. Il est encore dans mon bureau. J'allais demander à ma secrétaire de le poster le jour où Systole m'a téléphoné pour m'annoncer ta mort. Il pleurait, alors qu'il s'est débarrassé de toi en te foutant à l'Ehpad comme Dany voulait se débarrasser de la barbouilleuse des rues.

Je n'ai plus envie ni de dîner ni de coucher avec elle. Je veux redevenir le gosse qui rêvait d'embarquer sur un voilier et de suivre la route des oiseaux migrateurs. Quand Sarah a eu dix ans, tu lui as offert *Mon bel oranger* de José Mauro de Vasconcelos. Chacun son livre, chacun sa complicité. Systole ne lisait pas, il n'avait pas le temps, il rafistolait les cœurs de patients qui lui importaient plus que ses propres enfants.

— Cette gamine salopait mon trottoir. Merci d'être venu à mon secours, dit Dany.

— C'est elle qui était en danger, pas toi. Tu avais l'air d'une harpie, dis-je sans quitter la route des yeux.

Elle pose la main sur ma cuisse et glisse vers mon entrejambe.

— Retire ta main s'il te plaît, on va avoir un accident.

— Tu ne vas pas en faire un fromage. Cette fille

était dissuasive d'un point de vue commercial. Oublions-la.

Comment peut-on désirer une femme le matin et la trouver repoussante le soir ?

— Ta réaction était disproportionnée.

— C'est une emmerdeuse. Son dessin était moche.

— Moi je l'ai trouvé beau.

Je pense à la péniche de Levallois où j'ai réservé une table pour ce soir. Je pense à l'école de voile à Groix autrefois avec ma sœur Sarah qui m'a traité de mauvais père, à mes deux filles avec lesquelles je suis si mal à l'aise alors qu'elles sont ce que j'ai réussi de mieux dans ma vie, à Systole qui t'a trompée comme je trompe Albane.

— Tu fais du boudin ? dit Dany sur un ton enjôleur.

— Quoi ?

— Tu boudes ?

Cette femme squatte mes pensées depuis deux ans. Je dirigeais ma boîte en pensant à ses seins, je dormais à côté de ma femme en pensant à son cul. Dany me faisait bander et planer, j'avais besoin de cette légèreté pour ne pas imploser. Je me raisonne. Nous allons boire, manger, baiser, oublier cette scène désagréable.

Notre table surplombe l'eau. Un homme heureux pêche sur une barque à moins d'une encablure. Les beaux yeux de Dany reflètent la lueur du feu dans la cheminée du « Ô Restaurant ». Sa peau est dorée. Sa robe argentée la moule à la perfection. J'ai de la chance.

— Tu connais Jonathan le goéland ? dis-je doucement en mettant ma main sur la sienne.

Elle a son rire de gorge si excitant.

— Je ne suis pas fana des piafs, ils chient partout, dit-elle.

Le miroir se fendille. Sa robe trop serrée est vulgaire. Elle a un bouton d'herpès au coin de la lèvre. Son bronzage est artificiel. Elle n'aime ni les enfants, ni les dessins à la craie, ni les chiens, ni les oiseaux. Elle n'aime qu'elle.

Jo, Paris

On ne savait pas quand Cyrian reverrait Dany. Dans le doute, ta filleule a décidé de se poster devant l'hôtel chaque soir. Hier, ça n'a rien donné. Elle a attendu en vain. Aujourd'hui, elle a tiré le gros lot.

— Mission accomplie ! s'écrie-t-elle.

— Comment ça s'est passé ?

Esther a des yeux extraordinaires, un humour subtil et elle pige au quart de tour. Elle a été fan de *Tokio Hotel*, elle a voulu devenir chirurgien puis véto puis journaliste, elle a eu des lapins, des cobayes, des chiens, des chats. Elle vient de réussir son bac avec mention. Elle aime la philosophie, la sociologie, les gens.

— Je l'ai poussée à bout, elle a pété les plombs d'enfer !

— Raconte !

— J'ai dessiné un oiseau de mer sur le trottoir juste en face de sa porte. Elle a disjoncté. Je m'étais fait du *hairchalk*, du maquillage lavable pour les cheveux, et j'avais mis du noir à lèvres gothique. Aucune chance que Cyrian me reconnaisse, je ne l'avais pas revu depuis des années. La dernière fois, c'était au mariage de Marie-Albéric, j'avais dix ans. Je regrette de ne pas être venue à l'enterrement de Lou. Je l'aimais.

— Je sais.

Ta filleule a mis du cœur dans son rôle. Elle a réussi le casting de son adieu pour toi.

— Ta Dany tremblait de rage. Si ses yeux avaient été armés, son regard m'aurait pulvérisée. Elle a noyé mon dessin et balancé mes craies sous le bus. Elle m'y aurait jetée aussi si Cyrian n'était pas intervenu.

J'imagine la scène. La pression sanguine de Dany augmente. Son pouls s'accélère. Son hypothalamus est stimulé. Son amygdale, la partie de son cerveau qui gère ses émotions (rien à voir avec les amygdales de sa gorge), se met un quart de seconde en pilotage automatique. Le sang qui afflue dans son lobe frontal la pousse à se battre ou à s'enfuir. Les hommes des cavernes réagissaient déjà ainsi, il n'y a rien de nouveau sous le soleil. Puis elle reprend le contrôle d'elle-même. La réaction neurologique à un épisode de colère prend deux secondes. Pendant ces deux secondes, on peut tuer quelqu'un, s'enfuir après avoir renversé un piéton, ou gérer la pression et réagir avec raison.

— J'en ai marre de Paris, j'ai envie d'être sur la

plage au Cap-Ferret, poursuit Esther au bout du fil. J'ai dessiné un oiseau de mer survolant l'océan. Cyrian m'a demandé si j'ai lu un livre de John quelque chose quand j'étais petite mais ça ne me dit rien.

John ? Je ne vois pas, ça ne me rappelle rien. Mon boulot de chef de service m'accaparait. Cyrian et Sarah lisaient des livres d'enfants. Tu les suivais de près, je te faisais confiance. Cyrian, petit, était fasciné par les oiseaux migrateurs. Tu lui avais offert *Le Merveilleux Voyage de Nils Holgersson à travers la Suède*, l'histoire d'un petit garçon qui vole sur le dos d'un jars. Il a dû se la rappeler en voyant le goéland d'Esther.

27 décembre

Patrice, Paris, le Marais

Nous avons vécu ensemble, je sais ce que Sarah
aime. Je pousse la porte de sa chambre avec le pied et
j'annonce :
— Madame est servie !
Elle s'étire, s'assied dans son lit. Elle est magnifique
avec les cheveux ébouriffés. Je pose le plateau sur
ses genoux. On est tous les deux nus. Je n'irai pas au
bureau ce matin.
— Thé, toasts, beurre salé, marmelade d'oranges.
— C'est gentil. Je ne bois plus de thé depuis des
lustres.
J'espérais une nuit blanche, acrobatique, joyeuse-
ment crapuleuse, mais Sarah avait trop bu et elle est
tombée comme une masse. Je me suis contenté de la
regarder dormir, elle est encore plus irrésistible qu'autrefois.
— Pardonne-moi, dis-je.
— Pour le thé, oui. Pour le reste, non.
Elle est fabuleuse. Et je l'ai laissée tomber.
— Comment vas-tu, Sarah ?

— Pas mal, et toi ?

— Je parle de ta santé. Où en es-tu ?

Elle a un rire moqueur.

— Je ne t'ai pas dit ? Ces idiots se sont trompés. Ils ont d'abord cru que j'avais une maladie neurodégénérative qui évoluerait par crises, un gros truc sans traitement connu. Finalement, c'est beaucoup moins grave. J'ai juste une jambe raide, d'où la canne, et encore, je ne la prends que certains soirs. Je me porte comme un charme.

— Pourtant, quand je t'ai eue au téléphone, tu m'as parlé d'un fauteuil roulant ?

— C'était pour plaisanter.

— Donc tu n'es pas malade ? Tu ne l'as jamais été ?

— Je ne suis pas malade, dit-elle en souriant.

J'ai abandonné la femme que j'aimais par lâcheté, par frousse. Je l'ai trahie pour rien ! On s'est gâché la vie pour rien ! Je la dévore du regard.

— Tu aurais pu me prévenir !

Elle nappe son toast de marmelade puis réplique :

— Parce que tu serais revenu ?

— Évidemment. Tu peux avoir des enfants alors ?

— Affirmatif.

— Tu ne seras pas paralysée ?

— Non.

J'attrape son plateau, je le pose sur la commode, je l'embrasse avec fougue. Elle me repousse. Je crois à un jeu, je recommence. Elle se dégage.

— Fiche le camp, Patrice.

— Tu veux rire ?

— J'en ai l'air ? Sors de chez moi.

Elle agite la main comme pour se débarrasser d'un insecte gênant.

— Tu plaisantes, comme pour le fauteuil roulant ?

— Non.

— Mais puisque tu n'es pas malade…

— Oui ? fait-elle d'une voix glaçante. Continue, ça va me plaire.

Désarçonné, je lâche :

— On pourrait se remettre ensemble, fonder une famille, donner un frère ou une sœur à John…

Elle éclate d'un rire grinçant qui la rend moins belle.

— Tu me donnes envie de vomir.

Elle ouvre le tiroir de sa table de nuit, attrape une petite bombe d'autodéfense.

— Elle est au poivre. Je compte jusqu'à cinq. Si tu es encore là quand j'ai fini, tu auras les yeux épicés.

— Tu es dingue ! dis-je, horrifié.

— Un…

— C'était un piège ? Tu as voulu te venger, c'est ça ?

— Deux…

— Non, laisse-moi t'expli…

— Trois…

J'enfile mes vêtements à la hâte, caleçon, pantalon, chemise, j'arrache un bouton dans ma précipitation, je fourre mes chaussettes dans mes poches. Où sont mes chaussures ?

— Quatre…

Elle n'osera tout de même pas ?

— Cinq.

Elle me vise avec le spray et elle appuie. Je me précipite vers la porte, aveuglé.

Sarah, Paris, le Marais

— Ton père est un salaud ! hurle Patrice en claquant la porte.

Je repose la bombe lacrymogène. Je n'ai pas appuyé,
pourtant je parie qu'il a les yeux qui piquent. Je
tremble mais je suis libérée, contente d'avoir démas-
qué cette limace baveuse que je prenais pour un type
bien. Qu'est-ce que papa vient faire dans l'histoire ?
Sans lui, sans toi, je n'existerais pas. Merci pour ma
vie, maman. Même si mes guibolles flageolent. Même
si votre ami Thierry ne s'est pas trompé de diagnostic.

Je m'approche de la fenêtre. Je vois Patrice débouler
dans la cour intérieure, écumant, pieds nus. Papa dit
qu'on prend froid par les pieds. J'attrape les superbes
chaussures anglaises cousues main par un bottier de
renom et je les balance dans le vide. Je suis nulle aux
fléchettes et au jeu de la grenouille, je vise comme un
pied, c'est de circonstance. La chaussure droite décrit
une boucle et atterrit sur le toit de la loge de la gar-
dienne. La gauche est amortie par la tête de Patrice
qui pousse un glapissement.

— Tu es folle à lier ! rugit-il en la ramassant. Où
est l'autre ?

Je désigne le toit. Il essaye de sauter, c'est trop haut. Il faut passer par le velux à l'intérieur. Il tambourine à la loge. Il peut toujours essayer, Josefina et Evaristo sont au Portugal pour les fêtes. Je referme la fenêtre. Je souris à ma canne.

— Je ne t'ai pas trahie, dis-je au morceau de bois sculpté. Nous deux, c'est pour la vie, hein ?

Je consulte mon portable, pas de nouvelles de Federico. Je tape : « Vous êtes libre ce soir ? Ma réunion est finie, ouf. » Puis je me ravise, j'efface et j'écris : « Vous êtes libre ce soir ? Ce n'était pas une réunion mais une libération. » Je supprime. J'écris : « J'ai envie de vous voir. » Je supprime « voir ». Il reste : « J'ai envie de vous. » J'efface.

J'écris : « Vous repartez quand ? » Je supprime. J'écris : « 1 2 3 ? » J'envoie.

Pour la première fois depuis des années, j'attends la réponse d'un homme.

31 décembre

Jo, île de Groix

J'ai reçu un cadeau par la poste ce matin. Notre fils est un garçon brillant qui va à l'essentiel, Lou. Il ne m'écrit pas à la main, il dicte son courrier à sa secrétaire. Sa lettre ne commence pas par «cher papa», «mon cher père», «vieux con», «docteur», le *Papaoutai* de Stromae ou «mon vieil emmerdeur de père je te réserve un chien de ma chienne». Elle commence sèchement par «papa». Elle ne finit pas par une formule affectueuse ou une politesse, mais par sa signature. Et elle m'achève.

«Papa. Nul n'est tenu de rester dans l'indivision d'après l'article 815 du code civil. Je ne souhaite pas conserver la part, héritée de maman, de la maison de Groix. Nous ne comptons pas y retourner. J'en ai parlé avec Sarah. Elle me la rachète. Nous signons le 3 janvier, chez le notaire de maman qui, étant déjà en charge de la succession, dispose des documents nécessaires. Nous dormirons à Lorient. Je consacrerai cette somme à l'achat d'un studio quand mes filles feront leurs études à Paris. Maman aurait approuvé. Rien ne m'oblige à te le dire, mais c'est plus correct.» Et ce morveux, ce merdeux, a signé.

Eh ben mon colon, c'est une affaire rondement menée. S'il était en face de moi, je te lui salerais son verre d'eau à mille pour cent. Petit con, gougnafier, grotesque prétentieux, ridicule petit chef, sournois, fourbe. Tu lui as légué la moitié de ta part avec confiance, Lou. Tu n'as pas imaginé une seconde qu'il voudrait s'en défaire. C'est ça qui me fout en rogne. Il n'a pas besoin d'argent, mais il retire ses billes. Il ne reviendra plus dans l'île s'occuper de Pomme. Il coupe les ponts avec le caillou. Il tranche dans le vif. Et il ose justifier son acte en tablant sur ton approbation posthume. Les Groisillons surnomment «doryphores» les citadins qui souillent exprès les plages et les sentiers. Ton fils est un doryphore. Dis-moi que tu m'as trompé, que ce pouacre n'est pas de mon sang. Je t'en supplie, mon amour, dis-moi qu'il est le fils du facteur.

Mon portable sonne.

— Eh ben alors, on t'attend à Port-Lay pour réveillonner ? s'inquiète notre ami Jean-Philippe à l'autre bout du fil.

Il est acteur, il ressemble à d'Artagnan, il a une voix rare, basse, envoûtante. J'avais peur que tu craques pour lui. Je reste hébété, mon téléphone en main. On est déjà le soir ? Je n'ai pas vu passer la journée. Maëlle et Pomme réveillonnent chez des amis. La maison est silencieuse.

— On a déjà débouché le champagne. Il ne manque plus que toi. Gildas et Isabelle, Bertrand,

Fred, Jean-Pierre et Monique, Gus et Silvia, Renata, Anne-Marie sont là. Qu'est-ce que tu fiches?

— Dis à la belle Mylane que je suis fatigué et que je suis une andouille frite, je vais rester à la maison...

— Je viens te chercher par la peau du cou si tu n'es pas là dans dix minutes.

Je fonce sous la douche. J'enfile les vêtements qui me tombent sous la main, je mets un Joseph jaune sur mes épaules. J'ai honte de notre fils, Lou. Dans son château, ton père était digne, droit dans ses bottes de cavalier. Dans sa maison de pêcheur, mon père était digne, droit dans ses bottes de marin. C'étaient deux hommes honnêtes. Cyrian m'atteint dans ce que j'ai de plus précieux, de plus vital, de plus organique. Il me cible au cœur. Si tu étais là, tu me calmerais, tu me dirais qu'il est malheureux. Je te répondrais qu'il n'est plus un gamin. Il coupe Charlotte de ses racines, il crache sur la tombe de ses ancêtres.

— Aaaaah, enfin! Jo-seph! Jo-seph!

Le noyau dur de la bande du 7 m'accueille avec chaleur. Il fait toujours bon chez Mylane. À Paris où elle était visiteuse médicale, les prescriptions de son labo explosaient grâce à son sourire. Elle est née ici comme Gus et comme moi. Elle a rencontré Jean-Philippe dans une soirée, elle lui a confié qu'elle n'aimait pas les grandes fêtes parce qu'elle était née dans une petite île bretonne. «Laquelle?» a demandé Jean-Philippe. Elle a répondu «Groix», persuadée qu'il ne connaissait pas. Il a dit «L'île de Yann-Ber Kalloc'h»? Il venait de jouer un spectacle où il récitait les poèmes du barde groisillon mort à la guerre en 1917.

Il a déclamé : «Je suis né au milieu de la mer, trois lieues au large, j'ai une petite maison blanche là-bas, le genêt croît près de la porte et la lande couvre les alentours.» Mylane n'a pas résisté.

On mange, on boit, on se serre les coudes. À minuit plein, les couples s'embrassent et les amis s'étreignent. Anne-Marie me regarde. Là où on va après, j'espère que tu souhaites une bonne année céleste à son Jacques.

Sarah, aéroport d'Orly

Mon taxi s'arrête devant le terminal. Je relis pour la vingtième fois le SMS que Federico m'a envoyé ce matin : «Rendez-vous Orly terminal 3. Avec passeport, sac cabine et de la lingerie rouge. Retour demain matin. Prenez un pull chaud.» La première fois que je l'ai lu, j'ai cru à une blague. La seconde fois, j'ai trouvé ça drôle. La troisième, j'ai été intriguée. La quatrième, j'ai annulé mon réveillon, mis des sous-vêtements amarante, bouclé mon sac.

Le cachemire sur ses épaules est bleu roi. Il me prend le sac des mains.
— J'ai imprimé nos cartes d'embarquement.
— On va où ?

— Surprise !

— Vous jouez à *Rendez-vous en terre inconnue* ?

— Pardon ?

— C'est une émission de télévision dont l'animateur emmène un *people* au bout du monde sans lui dire où.

— Je vous emmène réveillonner dans un lieu culte.

Je voyage beaucoup pour mon travail. Je vais à venise pour la Mostra, aux festivals de Cannes, Deauville, Berlin, Toronto, à Sundance dans l'Utah. Est-ce dans une de ces villes ?

— On sera nombreux ? Réveillon classique, huîtres et foie gras ? Réveillon pour ados, McDo ? Réveillon bobo, plats ethniques ?

— Vous verrez, dit-il, mystérieux.

Le pilote nous souhaite la bienvenue et annonce que nous décollons pour Rome. On réveillonne au Colisée ? Devant la fontaine de Trévi ? Dans les ruines du centre historique ?

— Vous repartez pour Paris demain par l'avion de sept heures, moi je prendrai le train pour Venise, j'ai une réunion à l'université l'après-midi.

— Le 1er janvier ?

— On commence avec des bonnes résolutions, après ça se tasse.

L'atmosphère est joyeuse, les passagers se préparent à la fête, on demande du vin blanc.

— Il faut se regarder dans les yeux en trinquant, dis-je.

Je n'ajoute pas « sinon c'est sept ans sans sexe » comme toi, maman, mais j'y pense.

226

Le taxi roule dans la nuit romaine. Je regarde les publicités, les sapins, les décorations clignotantes. Il fait moins froid qu'à Paris.

— Vous êtes de service toute la nuit ? dis-je au chauffeur en compatissant.

— Vous êtes mes derniers clients, je tiens à ma voiture !

Federico m'explique qu'à minuit ce soir, les Italiens jettent de vieux objets par la fenêtre pour se débarrasser de l'année finie. Chaque fois il y a des accidents, des voitures abîmées, des inconscients assommés. Et des fous qui se brûlent en maniant des feux d'artifice.

— Pourquoi la lingerie rouge ?

— C'est la tradition, toutes les femmes en portent.

Le taxi s'arrête devant un bâtiment ocre surmonté de neuf lettres qui font battre mon cœur plus vite. Nous sommes devant Cinecittà, la ville du cinéma construite en 1937 sous Mussolini pour concurrencer Hollywood. Tous les grands réalisateurs y ont tourné, Visconti, Rossellini, De Sica, Leone, Bertolucci, Scorsese. Fellini y a tourné vingt ans dans le célèbre Teatro 5. Les studios sont fermés, évidemment. Je m'attends que le taxi poursuive sa route, mais nous descendons là. Un jeune premier de cinéma vient à notre rencontre, baraqué comme un gladiateur, un trousseau de clefs à la main.

— Je m'appelle Rio, dit-il. Bienvenue !

— C'est le petit-fils de Serena, l'assistante de réalisation de Bertolucci, me souffle Federico.

Nous avançons dans l'obscurité, guidés par la

lampe de poche de Rio. Une tête géante surgit du sol, les yeux au ras des pâquerettes. Je reconnais un décor du film *Casanova*. Puis nous arrivons là où tout a commencé.

C'est un simple hangar avec un chapeau de tôle ondulée. Avec un 5 au pochoir au centre d'un cercle noir au-dessus de la porte, et « TEATRO N° 5 » écrit sur le mur sale. Rio tend à Federico un panier duquel dépasse le goulot d'une bouteille. Il choisit une clef, déverrouille la porte, rentre, allume. Le mythique studio du *maestro* est une coquille vide, un immense hangar glacial au sol nu, éclairé par des rangées de rampes lumineuses. Ses murs ont vu naître la magie, aimer et mourir les acteurs, tomber la neige, naviguer un paquebot, rouler des trains, patiner des ecclésiastiques, couler la fontaine de Trevi. Surgis des rêves d'un homme pour nous bouleverser à l'écran, les films défilent en rangs serrés bruissant d'émotion, *Les Vitelloni*, *La Dolce Vita*, *Huit et demi*, *Satyricon*, *Les Clowns*, *Fellini Roma*, *Amarcord*, *Le Casanova de Fellini*, *Répétition d'orchestre*, *La Cité des femmes*, *Et vogue le navire*, *Ginger et Fred*, *Intervista*.

J'avance avec respect, main crispée sur ma canne, souffle court, entourée de fantômes fardés et affairés. Mastroianni me salue d'un coup de chapeau. Anita Ekberg caresse un petit chat. Anthony Quinn bougonne. Giulietta Masina s'enveloppe dans sa cape. Le hangar vide se peuple de figurants qui marchent de long en large en psalmodiant des chiffres. Quand le *maestro* est mort, la foule a défilé pendant trois jours pour s'incliner devant son cercueil encadré par deux carabiniers. Ils sont tous venus, Mastroianni, Scola, les anonymes, les figurants, les spectateurs, les acteurs, les producteurs, les voisins de Rimini, de Rome et de Fregene.

— 1 2 3, dit Federico en étalant un plaid sur le sol.

— 1, dis-je. C'est le réveillon le plus fou de ma vie.

Il fait froid dans le Teatro 5, mais j'ai mon gros pull marin. Rio a disparu. Federico sort du panier une bouteille de prosecco frais, deux verres, un panettone aux marrons glacés, deux parts de tarte, un Tupperware fumant et une assiette dont le contenu est recouvert de papier alu. Il ôte le papier, annonce le menu :

— *Vitello tonnato*, veau froid au thon avec une sauce aux câpres. Petits roulés aux aubergines. Boulettes à la chicorée. Et en plat chaud, *cotechino*, saucisse aux lentilles.

Je ris de la blague. Il y a quoi dans la boîte en plastique ? Federico ôte le couvercle. Il était sérieux. Les Italiens en mangent ce soir pour avoir de la chance toute l'année.

Il règle au maximum le volume de son portable et le pose sur le sol. Les musiques de Nino Rota envahissent l'entrepôt abandonné.

— Vous dansez ?

Il est inquiet, il ne sait pas si je peux. Le rock non, les slows oui. Je le rassure d'un hochement de tête et je commence à tourner avec lui sur *La Strada*. La dernière fois que j'ai dansé, c'était avec papa le jour de l'enterrement de maman sous la halle.

— Merci, dis-je en renversant la tête pour fixer les rampes de lumière dans les cintres.

Les pétards et les feux d'artifice éclatent à minuit. On se précipite dehors. On marche à travers Cinecittà en remontant le temps. On traverse les rues du Broadway de *Gangs of New York*, les ruines de la Rome antique, le Florence du Quattrocento. Les décors de carton-pâte s'illuminent de bleu, de rouge, de jaune, de vert. Et on s'embrasse comme on s'est embrassés dans ma voiture la nuit de Noël alors que le bouquet final illumine la nuit.

Le niveau dans la bouteille de prosecco descend vite. Le dîner est délicieux.

— Tout vient du restaurant de ma tante Mirella, « Al Cantuccio ».

Federico me parle de sa famille. Ils sont huit enfants, quatre garçons et quatre filles, sa jumelle et lui sont les petits derniers. Il enseigne à Venise au nord du pays, Giulietta enseigne dans les Pouilles au sud. Les autres ont des prénoms d'acteurs célèbres. Il n'est qu'à moitié italien. Leur mère était irlandaise, elle est morte il y a quatre ans. Je lui dis que tu viens de t'éclipser, je raconte la maison de Groix. J'explique que je rachète la part de mon frère pour en faire donation à mes nièces parce que je n'aurai pas d'enfants. Je ne veux pas risquer de transmettre ma maladie.

— Vous auriez préféré ne pas vivre, Sarah ?

— Je ne veux pas infliger ça à un innocent.

— Un innocent c'est le contraire d'un coupable, non ? Un coupable a commis une faute. C'est une faute d'être malade ?

— C'est une faute de faire peut-être souffrir ceux qu'on aime.

— Peut-être que le Teatro 5 va s'effondrer. Que votre avion explosera. Que mon train déraillera. Qu'on se voit pour la dernière fois. Ou qu'on passera notre vie ensemble.

Je suis déstabilisée. Je savoure la tarte ricotta poires amandes. Federico plonge la main au fond du panier et me tend des cartons portant des numéros.

— La *tombola*, c'est un mélange de bingo et de loto. Tout le monde y joue cette nuit.

Quel étrange réveillon. Mes amants français en costumes sur mesure chipotent leur foie gras en sifflant du champagne millésimé et en regardant l'heure à leurs montres suisses. Je suis assise par terre dans un hangar glacial avec des sous-vêtements rouges et un pull marin, je me pinte au mousseux en jouant au bingo après avoir mangé du petit salé aux lentilles. Et c'est le plus joyeux réveillon de ma vie. La température est trop basse pour faire l'amour. Est-ce que Fellini, Mastroianni et Gassman jouaient à la *tombola* ? Est-ce que Claudia Cardinale, Gina Lollobrigida ou Sophia Loren portent encore de la lingerie rouge et servent des lentilles le 31 décembre ?

— J'ai commandé votre taxi pour cinq heures. Votre avion décolle à sept heures, les suivants étaient complets.

Est-ce que les hôtesses de l'air portent des sous-vêtements cramoisis sous leur uniforme ?

— J'espère que mon vol ne sera pas agité et que je ne serai pas déroutée sur Mastorna.

— Marcello y a peut-être laissé son violoncelle ?

Federico connaît son sujet. Fellini, après avoir triomphé avec *Huit et demi*, rêvait de tourner *Le Voyage de G. Mastorna*, mais le film n'a pas pu se faire. Il reste le scénario, écrit avec Dino Buzzati, et les essais où Mastroianni en bras de chemise, chapeau sur la tête, cigarette au bec, joue du violoncelle. Il reste aussi les photos du décor, une carcasse d'avion, des trains aussi hauts que des immeubles.

— Certains films sont maudits. Marcel Carné a tourné à Belle-Île un film qui n'a jamais vu le jour : *La Fleur de l'âge*, avec Arletty, Anouk Aimée, Martine Carol, Paul Meurisse et Serge Reggiani, dis-je.

— Carné en a monté vingt-cinq minutes, mais les bobines ont été perdues.

— Vous savez tout ! fais-je, admirative.

— Je m'occupe du ciné-club de l'université. La passion est contagieuse.

Tu disais que le bonheur est contagieux, maman.

1ᵉʳ janvier

Pomme, île de Groix

On a réveillonné avec les collègues de maman et
leurs familles. On a dansé, on a chanté, c'était trop
bien. Je verse du lait sur mes céréales. Les touristes
croient que les Bretons ne mangent que des galettes
et que les Bretonnes naissent avec une coiffe en tuyau.
Jo me rejoint dans la cuisine, un Joseph violet sur les
épaules.

— Tu viens sur la plage écouter à la radio le
concert du nouvel an à Vienne, tarte aux pommes ?

J'acquiesce. D'habitude vous mettiez des gros man-
teaux et vous y alliez tous les deux, Lou. Le téléphone
sonne. Jo se détend.

— Bonne année, ma Sarah !

— …

— Tu étais à Rome ? Magnifique !

— …

— On t'attend avec joie évidemment !

— …

— À Pomme ? C'est très généreux de ta part.

— …

— Ton frère dormira à Lorient. C'est plus prudent, j'aurais eu du mal à me retenir de balancer ce pouacre à la flotte.

Tante Sarah va venir, je suis trop contente. Qu'est-ce qui est généreux ? Pourquoi papa ne dormira pas à la maison ? Ça veut dire quoi, pouacre ?

Charlotte, Le Vésinet

Je les ai entendus parler hier. Ils ont imprimé la réservation de l'hôtel de Lorient. Papa est sorti faire son jogging. Maman est dans son bain, elle en a pour un moment.

J'allume l'ordinateur. Je me connecte au site. Je clique sur « gérer votre réservation ». Ils ont réservé une chambre Deluxe avec lits jumeaux et une chambre d'enfant attenante. On aura Internet, une télévision à écran plat, un coin salon séparé, un coffre-fort. Les chiens sont acceptés, Hopla sera du voyage. La chambre est non fumeur, remboursable, l'annulation est gratuite, les petits déjeuners sont inclus.

Il me suffit d'un clic pour annuler la réservation. Ils m'envoient une confirmation d'annulation automatique. Je la jette à la poubelle virtuelle. Puis je vide la poubelle en mode sécurisé. C'est *good*. On n'a plus de chambre. Je n'ai laissé aucune trace.

2 janvier

Jo, île de Groix

J'aimais boire avec toi, Lou. En l'honneur d'un rayon de soleil ou d'un arc-en-ciel après la pluie, pour une nouvelle joyeuse ou une annonce triste, un tête-à-tête amoureux, une visite, une réunion de famille. Je passe ma commande annuelle au club des amateurs de bons vins créé par nos copains Georges et Geneviève. Certains veufs achètent des petites bouteilles pour boire moins. Mon chagrin est total, tu me manques tout le temps, ça me donne le droit de boire pour deux, mais modérément. La leçon a porté.

Une baignade est organisée aujourd'hui. Si tu étais là, on pataugerait ensemble. Les Groisillons ne s'ennuient pas, ils fédèrent des événements et créent des associations pour peindre, nettoyer les fontaines, préserver les abeilles noires, soigner et stériliser les chats errants, chanter, jouer de la musique, sauver le *Biche*, dernier thonier à voiles de Groix, et le *Corbeau des mers*, dernier sloop langoustier symbole de la résistance des pêcheurs bretons. On était bénévoles au Fifig, le Festival international du film insulaire de

Groix qui se déroule fin août. Je reste seul comme un con, président, trésorier et unique membre de l'association Lou.

Groix est connue dans le Morbihan pour la course à la godille à Port-Lay, la traversée des Courreaux à la nage au départ de Port-Tudy et la baignade de janvier sur la plage du VVF. Jean-Louis du « Cinquante » et son copain Jacky ont initié l'idée après être sortis indemnes d'un bain du nouvel an. Ils ont choisi une plage abritée des vents dominants. Le deuxième jour de l'année, pour que les organismes aient éclusé l'alcool du réveillon. Le rendez-vous est fixé à midi. Si les nuages s'en vont, j'irai encourager les copains. Sinon, je resterai au coin du feu. Le soleil pointe à 11 h 45. Pomme déboule, maillot et serviette à la main.

— On se baigne, Jo ?

— Pas cette année.

Elle pile, déçue.

— Oh ! c'est vrai qu'il faut faire attention à ton âge.

— Tu me prends pour un vieux ? dis-je, vexé.

— Tu répètes tout le temps que tu n'as plus vingt ans.

— Je n'en ai pas non plus quatre-vingts.

J'attrape mon maillot et une serviette, je cherche les clefs de mon scooter, je tends son casque à Pomme. Pour qui me prend cette morveuse ?

Il y a du monde sur la plage. Je repère les maîtres nageurs sauveteurs à leurs torses triangulaires, épaules larges, taille fine, abdominaux en tablettes de chocolat. Des enfants se courent après, des chiens galopent, des ados fument, le bout incandescent des cigarettes grésille dans le froid. Une touriste belge, Françoise de Mol, s'est baignée chaque matin depuis Noël. Les mineurs doivent être encadrés par un adulte. Jean-Louis et Claire ont apporté le vin chaud. Les baigneurs se déshabillent. Pomme frissonne dans son bikini. Pour s'échauffer, on fait des mouvements qui augmentent notre rythme cardiaque.

— Ça existe, les hommes sirènes, Jo ?

— Je suis un homme poisson, un triton. Un triton senior.

Même si je me noie, tu ne seras jamais veuve. On donne le signal. Je cours vers l'océan en tenant la main de Pomme. Je m'immerge jusqu'au cou sans la lâcher. Le froid coupe le souffle.

— Une fois qu'on y est, elle est bonne ! crient les baigneurs, gelés jusqu'à la moelle.

— Mettez-vous en ligne pour la photo !

On se tient par les épaules en claquant des dents. Je me sens vide sans toi, mais cailler en bande me réchauffe. Brigitte d'*Ouest-France* et Bernard du *Télégramme* nous mitraillent. Le vin chaud nous brûle l'œsophage. Pomme y trempe ses lèvres, puis je la frotte avec ma serviette pour la réchauffer. Tu devrais être là, tu me bouchonnerais comme un cheval fourbu et tremblant, je te chuchoterais une tendresse salace à l'oreille. Je me rhabille en grelottant, je mets mon Joseph bleu ciel sur mes épaules. J'ai la chair de poule et les cheveux mouillés. J'entends ta voix murmurer : «Tu vas attraper la mort, c'est malin.» Il faut que j'aie des projets, sinon je suis fichu.

— Je vais acheter un bateau, dis-je à Pomme. Je

l'appellerai *Lou de mer* et les cons diront que je suis nul en orthographe.

Ce bain m'a rafraîchi les idées. Loup de mer, avec un *p*, se dit en breton *bleimor*. C'était le pseudonyme de barde de Yann-Ber Kalloc'h. Je dois me réparer, redevenir vivant. Et me débarrasser de ce qui me pèse. Je n'aime ni le golf ni la chasse, c'étaient des accessoires de mon déguisement de cardiologue. Je vais offrir mon fusil à un copain chasseur. J'ai hérité le Verney-Carron de mon père, mais je ne m'en servirai plus. La dernière fois que je l'ai manipulé, c'était pour te l'arracher.

3 janvier

Cyrian, Lorient

J'entre dans l'hôtel, Hopla sur mes talons.

— J'ai réservé deux chambres pour ce soir.

La jeune réceptionniste a le regard d'un lapin pris dans les phares d'une voiture.

— C'est que… euh… nous sommes complets.

— Ça m'étonnerait.

Je lui tends ma réservation. La jeune fille pianote sur son clavier.

— Votre réservation a été annulée.

Elle tourne son écran pour que je vérifie ses dires.

— C'est sûrement une erreur.

— Nous avons envoyé une confirmation d'annulation.

— Je ne l'ai jamais reçue. Je suis un client régulier de votre chaîne, réglez ce problème, s'il vous plaît.

— Nous n'avons aucune chambre disponible.

— Vous pouvez m'en trouver deux dans un autre hôtel ?

— Beaucoup d'établissements sont fermés après les fêtes, et il y a un événement à la base de sous-marins.

Un taxi s'arrête devant l'hôtel. Ma sœur qui a pris le bateau pour me rejoindre en descend. Je sors.

— Ils se sont foutus dedans avec nos réservations. On est à la rue.

— Viens donc dormir au bourg, il y a de la place.

— Pas question !

— Papa ne va pas te manger.

— Parce que tu crois que j'ai peur de lui ?

L'île n'est peut-être pas une si mauvaise solution. Je passerai au cimetière voir Diastole.

— On ira à l'hôtel de La Marine.

— C'est fermé pour l'hiver. Il n'y a plus que la maison. Toujours aucun regret de me la vendre ?

— Au contraire, c'est un soulagement.

On monte dans ma voiture avec Hopla et on se dirige vers l'étude du notaire.

— Groix était notre paradis autrefois. Qu'est-ce qui a changé ? demande Sarah.

— Maman est morte. L'île est son tombeau. Systole l'a tuée. Je la vois partout. Je ne vends pas ma part à un promoteur véreux, mais à toi.

— J'en fais donation à Pomme en payant les frais de succession en amont.

— Tu fais ce que tu veux. Comment va papa ?

— Tu lui as brisé le cœur.

— Il est indestructible. Il a l'air gentil comme ça, un gros nounours attendrissant. L'ours est l'animal le plus féroce de la planète, il boufferait pour le goûter toute une classe de gosses serrant leurs nounours en peluche dans leurs petits bras grêles.

— Comment va ton amie Dany qui aime tant les enfants et les chiens ?

— On fait un break.

— Qui en a pris l'initiative ?

— Moi. Elle a hurlé sur une jeune artiste qui dessinait à la craie sur le trottoir devant son hôtel, mes yeux se sont dessillés.

Albane a donné mon vieux Barbour à un clodo. Je n'ai pas cru une seconde à son histoire de chien pissant sur le type, mais je préfère sa générosité à la violence de Dany.

Je crèverais plutôt que de l'avouer, mais finalement je suis heureux de dormir pour la dernière fois dans la maison de mon enfance. Je continuerai à prendre des nouvelles de Groix grâce au blog d'Anita sur lequel les Groisillons se connectent pour respirer l'air de l'île. Mais ce ne sera plus pareil. Je serai un ex-îlien exilé.

Pomme, île de Groix

J'attends au port. J'aperçois le bateau de loin, blanc sur la mer grise. Je souhaite bonne année à l'antiquaire coiffeur qui s'appelle comme mon grand-père et finit ses phrases par *kenavo*.

Le bateau accoste. Marie-Aimée descend la première avec leur petit-fils Côme. Charlotte marche calmement près de sa maman, mais ses yeux ont envie de courir. Est-ce qu'Albane m'a pardonné l'histoire du vélo ? Papa et tante Sarah vont chez le notaire cet après-midi. Charlotte a fait le forcing pour me voir. On se souhaite bonne année. Jo nous a offert le même bracelet avec des couleurs différentes. Je suis heureuse de revoir ma sœur. Albane me dit bonjour du bout des lèvres. Mon bras se crispe en la reconnaissant.

Jo nous accueille dans la cuisine. Il est tout bizarre aujourd'hui. Je cours chercher mon cadeau de Noël pour Charlotte. Elle déchire le papier et déballe la polaire orange assortie à ses cheveux carotte.

— Tu pourras la laisser ici, tu la retrouveras chaque fois et ça t'évitera d'abîmer tes vêtements, dis-je.

— Elle est chou, j'adore la capuche, s'écrie-t-elle. Je vais l'emporter et la mettre en classe.

— Je doute que dans ton école ils apprécient les capuches et cette matière, fait Albane sèchement.

Est-ce qu'elle me déteste parce que je suis la fille de papa, ou parce que je suis celle de maman ? Maman dit qu'on n'est pas forcé d'aimer les gens, mais qu'on a le devoir d'être loyal envers eux.

— Regarde le mien ! s'exclame Charlotte, fébrile.

J'enlève le Scotch, je plie le papier parsemé d'étoiles en pensant aux arbres blessés pour le fabriquer. C'est un iPad, beaucoup plus cher que ma polaire.

— C'est trop trop bien ! Merci !

— Je voulais un téléphone portable, mais maman a dit que ça forcerait ta mère à payer un abonnement alors qu'elle est pauvre, poursuit ingénument Charlotte.

Jo fronce les sourcils. Albane est gênée, je la fixe droit dans les yeux en profitant de mon avantage.

— Ma mère travaille et elle gagne notre vie sans rien devoir à personne. Je peux aller me promener avec Charlotte ? À pied, c'est promis. On rentrera tôt. On traversera dans les clous.

Jo sourit à cette blague pour initiés. Petite, il me disait de traverser dans les clous, mais il n'y a plus de clous sur les passages piétons, il y a des bandes blanches peintes sur le sol.

— Je préférerais que vous jouiez tranquillement ici, dit Albane.

— Elles ne risquent rien, intervient Jo. Leur père a grandi ici, il ne lui est rien arrivé. Si vous leur faites confiance, elles s'en montreront dignes.

Albane me menace du regard.

— Je te confie Charlotte.

J'acquiesce. J'enfile une polaire bleue, elle garde la sienne, et on s'en va.

Je suis seule avec ma sœur pour la deuxième fois. C'est comme si j'avais une nouvelle amie. Peut-être qu'un jour on sera une vraie famille recomposée.

— On devait passer la nuit à Lorient, mais j'ai annulé la réservation d'hôtel de papa, avoue Charlotte en rigolant. J'espère qu'on dormira à Groix. On prend ton vélo ?

— J'ai promis à ta mère qu'on marcherait.

— Et alors ? Elle n'en saura rien !

— Je lui ai donné ma parole. Pourquoi est-ce qu'elle était si en colère la dernière fois ? Vous en avez reparlé ?

— On ne se parle pas, elle me donne des ordres et j'obéis pour avoir la paix.

Elle a vu la pointe des Chats et Pen-Men. On peut aller se promener à Port-Saint-Nicolas, à la pointe du Grognon, au Trou de la Sécu ou au Trou de l'Enfer.

— Il y a un endroit qui s'appelle le Trou de la Sécu ?

— Pas officiellement. Jo a donné ce surnom au quartier qui surplombe le port, là où beaucoup de ses confrères ont construit des maisons modernes.

— Il y a un râleur à la pointe du Grognon ? Qui habite au Trou de l'Enfer, le diable ?

— La légende dit qu'autrefois un triton monstrueux à visage d'homme y vivait, il criait la nuit pour que les bateaux se brisent sur les rochers. Il était roux, comme toi, mais il avait un torse couvert d'écailles et un dos recouvert de moules et de berniques. Il dévorait des tonnes de poisson et rotait pendant la sieste. Quand il ouvrait la bouche, les goélands lui nettoyaient les dents. Ses jambes étaient des nageoires, ses ongles des coquilles d'ormeaux. Il imitait les voix des capitaines pour couler les navires.

— Tu l'as vu ?

On leur apprend quoi, à Paris ?

— C'est une superstition, Charlotte. La vraie histoire, c'est que dans le temps, après un mariage, on demandait au marié de prouver sa valeur en sautant par-dessus la faille du Trou de l'Enfer. Quand il ratait son coup, la mariée se retrouvait veuve le jour de ses noces. On avait le choix entre épouser un lâche et pleurer un brave toute sa vie.

— Tu crois que papa a sauté par-dessus ?

— Il s'est marié en Normandie.

— Tu y étais ?

Elle est première partout à l'école, mais elle pose des questions débiles.

— J'avais huit mois et maman n'était sûrement pas invitée. Tu veux voir le Trou de l'Enfer ?

Rien n'est loin à Groix, l'île mesure huit kilomètres sur quatre. Les randonneurs en font le tour dans la journée en partant tôt. Je mets les choses au point :

— On marche sur le bon côté de la route, là où on voit arriver les voitures. Tu ne fais pas l'imbécile là-bas, tu laisses les oiseaux tranquilles. Tu ne sautes pas par-dessus la faille.

— Je le jure, dit-elle en tendant la main à l'horizontale.

La pancarte est bilingue breton-français : *Beg an Ifern*, pointe de l'Enfer, *Kumun Enez-Groe*, commune de l'île de Groix. La vue depuis le haut de la falaise est extraordinaire. L'écume des vagues vole dans le vent, les goélands planent. Mais Charlotte est déçue. Aucun diable à barbiche pointue, corps rouge, queue fourchue et sabots acérés ne nous accueille en brandissant son trident. Le trou n'est qu'une longue faille dans la falaise, avec un joli petit sentier qui descend vers la mer. Une saloperie de piège qui a fait des morts. Il y a eu des accidents ces dernières années. Des pères de famille, des hommes jeunes, en pleine forme, n'ont pas respecté la pancarte interdisant d'emprunter le sentier. Ils se sont crus plus vaillants que l'océan, ils ont glissé et la mer les a écrasés sur les rochers. J'ai vu leurs photos dans le journal. J'ai vu l'hélico tourner devant la falaise, les pompiers, les plongeurs, la vedette du secours en mer.

— Ça ne peut pas être si dangereux, sinon le sentier n'existerait pas.

La lueur dans l'œil de ma sœur m'inquiète.

— Tu m'as promis de ne pas faire l'imbécile.

— J'ai juré de laisser les oiseaux tranquilles et de ne pas sauter, dit-elle en s'avançant vers la faille. Je ne m'approcherai pas des vagues, je ne suis pas folle, mais je ne risque rien à descendre un peu admirer le paysage.

— Le sentier est glissant, on atterrit direct sur les rochers. Ces hommes dont je t'ai parlé sont morts, Charlotte.

Comment je vais l'empêcher si elle veut y aller ?

— On reviendra ensemble avec papa. Il te confirmera que c'est dangereux.

— Tu sais pourquoi il est à Lorient avec tante Sarah ?

— Ben oui, pour l'héritage de Lou.

Elle prend son air arrogant de mademoiselle je-sais-tout.

— Papa ne remettra plus les pieds à Groix. Il vend sa part de la maison à tante Sarah.

Je reste clouée d'émotion. Charlotte désigne sa polaire neuve.

— C'est pour ça que je ne peux pas laisser ton cadeau ici. Il n'y aura pas de prochaine fois.

— Mais il y a Lou au cimetière ! Et puis Jo ! Et moi !

— Je l'ai entendu discuter avec maman. Il fera dire des messes pour Granny. Il est fâché avec Grampy. Ils vont t'inviter dans le Midi cet été.

J'ai la tête qui tourne. Mon papa veut m'inviter, oui. Loin de maman, non. Dans le Midi, pourquoi pas. Loin de l'île, non. Avec Charlotte, oui. Avec Albane, non. Je ne peux pas abandonner Jo. Ni maman. Si je refuse, papa pensera que je ne l'aime pas. Si j'accepte, maman pensera que je ne l'aime plus.

— Tu portes le bracelet de Jo, dis-je en désignant la plaque de métal. Et tu trahirais Groix ?

— Je suis une petite fille, ce n'est pas moi qui décide. Maman me l'a fait mettre aujourd'hui par politesse pour Grampy. Elle me le retirera dès qu'on rentrera au Vésinet.

— Pourquoi ?

— Parce qu'elle est jalouse de toi, de ta maman, de Grampy. Parce qu'elle nous veut papa et moi pour elle toute seule. Je n'aurai plus l'occasion de voir où mène ce sentier, Pomme. C'est maintenant ou jamais.

Elle avance vers le trou. Je l'attrape par le bras, elle se dégage en force, je m'accroche, elle me bouscule, je vacille avant de retrouver mon équilibre. On va tomber toutes les deux et maman n'aura plus personne pour s'occuper d'elle.

— Ce n'est qu'un sentier, Pomme, tu exagères. Si tous les mariés d'autrefois étaient morts, il n'y aurait plus d'habitants dans l'île, dit-elle en riant.

— Ils sautaient, ils ne descendaient pas !

Je panique. Elle est ingérable.

— Il y a peut-être un trésor en bas comme aux deux extrémités de l'arc-en-ciel, dit-elle. Ta pauvre maman pourrait payer l'abonnement de ton portable.

Elle est redevenue Janus aux deux visages.

— J'ai d'autres endroits super à te montrer. Viens.

Elle est au bord du vide. Affolée, je souffle :

— J'ai un secret. Personne ne le connaît.

— Je t'écoute ?

— Je te le dirai si tu me jures de ne pas descendre.

Je vais tromper ta confiance pour sauver ta petite-fille, Lou. Le jeu en vaut la chandelle.

— D'accord, dit Charlotte en s'écartant.

Je suis si bouleversée que mes genoux tremblent. Je m'assieds par terre. Elle s'installe à côté.

— Tu as failli mourir, dis-je.

— La mort ne me fait pas peur.

— Tu n'aimes pas la vie ?

— Pas tant que ça. C'est quoi ton secret ?

— Il concerne Lou. Et le jour où on a été brûlées.

— Le chat a renversé la grek. Ça n'a rien de passionnant.

— J'ai menti, dis-je, la gorge sèche. Ce n'était pas le chat.

Ma sœur croit deviner.

— C'était ta faute ? Granny a été brûlée à cause de toi ? Jo ne t'aurait plus aimée s'il l'avait su !

Je secoue la tête.

— Jo continuera à m'aimer quoi que je fasse. Ce n'est pas moi qui l'ai renversée.

— Qui alors ?

— Lou, dis-je en baissant la tête. Elle a perdu la boule, elle ne m'a pas reconnue et je lui ai fait peur. Elle a fait un grand geste pour me repousser. Et la cafetière s'est renversée.

— C'est vrai ?

Je hoche la tête, honteuse. Je suis une traîtresse, j'ai révélé ton secret. Mais Charlotte est en vie alors que tu es morte. J'ai fait le bon choix. Je me relève. Ma sœur ne risque plus rien, Albane la récupérera saine et sauve.

— Allons à la pointe du Grognon, dis-je.

Charlotte se redresse aussi et s'approche de nouveau de la faille.

— Merci de ta confiance. Je garderai ton secret. Et je descendrai seulement la moitié du chemin.

Je suis stupéfaite.

— Tu m'as promis ! Je t'ai crue, j'ai trahi ma parole…

— Parce que tu es naïve, dit-elle en éclatant de rire. J'en ai assez d'être la parfaite petite fille qui obéit à sa maman. À partir d'aujourd'hui, je fais ce que je veux.

Elle pose un pied sur le début du sentier.

— Tu vois, il ne s'effondre pas, la terre tient bon.

— Tu vas glisser, dis-je. Et je ne pourrai rien faire. Comme avec Lou quand elle a voulu me repousser.

— Dans une minute, je te ferai coucou d'en bas. Si c'était dangereux, ils auraient mis une barrière ou une chaîne.

— Ils ne peuvent pas clôturer la falaise entière ! La pancarte ne te suffit pas ?

— C'est pour intimider les gens.

— Qu'est-ce que je dirai à papa ?

Elle me toise avec un air de défi.

— Que je suis la plus courageuse. Tu es l'aînée mais je suis la plus brave.

Et elle s'engage sur le sentier.

Je ne veux pas voir ça. Je l'ai prévenue, elle sait ce

qu'elle risque. Sa maman va me tuer. Papa m'aimera
encore moins. Une vilaine pensée me vient. Papa
n'aura plus qu'une seule petite fille. Il apprendra à
me connaître. Il reviendra dans l'île pour moi. On
jouera du saxo ensemble sur la falaise. On fera comme
si Charlotte n'avait jamais existé. Je secoue la tête. Je
repousse la tentation. Je m'interdis de penser à ça.
Papa a deux filles.

— Ohé, je suis toujours vivante et c'est super joli !

Charlotte a disparu dans la faille, sa voix me par-
vient assourdie. Je lui tourne le dos et je commence à
partir. Moi aussi je suis capable de mentir. Je dirai à
Albane que sa fille m'a faussé compagnie, que j'ignore
où elle est. La mer ne rejettera pas son corps avant
neuf jours. Il n'y a aucun témoin. Papa ne saura rien.
Je ne suis pas la nounou de ma sœur. Je ne veux pas
mourir avec elle. J'aime la vie, moi.

— Ohé, rejoins-moi, c'est trop beau ! claironne la
voix.

— Je rentre au bourg.

— Hé ! Ne pars pas ! s'inquiète la voix.

J'aurais dû y penser plus tôt. Le seul moyen de la
dissuader, c'est de la laisser. Sans public, la provo-
cation n'a plus d'intérêt. La baudruche se dégonfle.
Je souris, soulagée. Je ne serai jamais fille unique. Je
tiens à ma sœur. Papa m'aime un tout petit peu. Pas
Albane, mais on ne peut pas plaire à tout le monde.
J'ai maman et Jo. J'aurai toujours maman et Jo. Et toi,
Lou, même si je ne te vois plus.

— Je remonte, attends-moi !

— Je m'en fous ! À tout à l'heure !

Charlotte n'est pas tombée, on va rentrer ensemble, tout est bien qui finit bien. Je vois le haut du crâne de ma sœur émerger du sentier, puis son visage rougi par l'effort. Elle est essoufflée parce qu'elle est remontée vite.

— J'arrive, Po…

Son pied glisse. Elle bat des bras, elle essaie de se rattraper. Sa tête disparaît. Elle pousse un long cri qui s'achève dans un fracas de branches cassées. Je hurle son nom. Je me précipite au bord de la faille. Je ne la vois pas. Je hurle encore :

— Charlooooootte !

Après d'interminables secondes de silence, elle répond d'une voix hachée :

— Po… mme…

— Tu es vivante, merci, merci, oh merci !

Ma gratitude va à Poséidon, à Neptune, aux dieux de la mer qui n'ont pas voulu d'elle.

— Je suis… pas dans l'eau…

— Heureusement ! Tu t'es fait mal ?

— Je suis… pas loin du bord… Ça glisse… Tu avais raison…

Je ne peux pas descendre l'aider. Si je glisse aussi, personne ne saura où nous sommes. Je m'allonge par terre et je me penche. Ma tête dépasse du bord. Et je l'aperçois, tache orange au milieu d'une tache verte. Elle est tombée à plat ventre sur un buisson qui a amorti sa chute. Elle peine à se retourner sur le dos. J'ai un haut-le-cœur. Je vomis de la bile. Ma sœur n'avait pas fermé sa polaire. Une branche cassée qui a traversé son tee-shirt est fichée en plein milieu de sa poitrine.

— Y a un mor… ceau de bois… planté dans moi…

Je n'ai jamais vu de film d'horreur mais ça doit ressembler à ça. Je vois flou un instant puis je me reprends. Ce n'est pas le moment de flancher.

— Ne bouge pas ! Je vais chercher du secours !

Elle avance lentement sa main vers la branche.

— Ne m'aban… donne… pas ! Je vais l'enlever…

— Non ! N'y touche pas !

Je me rappelle l'histoire de Tachi et Jo au Bhoutan. Il faut que Charlotte me fasse confiance. Je m'efforce de paraître calme malgré ma voix qui chevrote. La sueur me dégouline dans les yeux.

— C'est très très très important, Charlotte, surtout ne retire pas la branche !

— Je vais pas… rester avec ça… toute ma vie ! dit-elle, terrorisée. Je veux pas… qu'un arbre… me pousse dans le corps !

— Tu connais l'histoire de Jo et du petit garçon bhoutanais ?

— Non…

— Il avait reçu une flèche dans la poitrine. Elle bouchait le trou. Sa maman ne savait pas, elle l'a enlevée. Jo a mis sa main dans la blessure et il a arrêté la fuite avec ses doigts. Il a emmené Tachi à l'hôpital. Le chirurgien l'a opéré. Il est guéri. Il écrit à Jo chaque année pour le remercier.

— Alors… va chercher… Grampy…

Elle a compris.

— Je reviens le plus vite possible. Jo va te sauver. Ne touche pas à cette branche !

— Si je meurs… je vais revoir Granny ?

Je ne dois pas pleurer. Je crie :

— Si tu meurs, tu seras obligée de manger sa cuisine tous les jours, alors tiens bon !

Je me précipite sur la route en essayant de me souvenir des dessins de mon grand-père. Il y a les poumons sous les côtes. Il y a l'os qui ressemble à une cravate, dont j'oublie toujours le nom. Et il y a le cœur.

Jo, île de Groix

Je suis seul. Nos enfants sont chez le notaire au croco. Le Joseph sur mes épaules est ocre. Maëlle travaille, Albane fait du shopping au bourg en évitant la Librairie principale pour ne pas la croiser. Des freins crissent dans la rue, une Xsara Picasso blanche s'arrête devant la maison, une portière claque. Je regarde par la fenêtre. Véronique, la fille de Lucette du *tchumpôt*, entre dans le jardin, l'air bouleversé. J'ai beau être retraité, mes réflexes de médecin ne sont pas émoussés. Qui est malade ? Sa mère ? Son frère ?

— Pomme… dit-elle, hors d'haleine. Au Trou de l'Enfer…

Mon cœur se déchire.

— Elle est tombée ?

— J'ai prévenu les pompiers mais je n'avais pas ton

numéro, continue Véronique. C'est Charlotte qui est tombée, elle a une branche dans la poitrine ! Pomme a dit de te préciser « comme Tachi ».

Pardonne-moi, mon amour, ma Lou. Parce qu'une seconde, j'ai remercié Dieu que ce soit Charlotte et pas Pomme. J'ai honte. Si Pomme était morte, toutes les étoiles se seraient éteintes. Sans elle, j'aurais baissé les bras. Je devrais aimer mes petites-filles avec équité mais je ne suis pas un saint. Je vois l'une grandir tous les jours, je connais trop peu l'autre. Ne m'en veux pas, Lou. Je vais sauver Charlotte.

— On fonce, dis-je.

Véronique est au volant. Je parviens, au milieu des cahots, à envoyer un SMS à Maëlle : « Pom OK, Chrltt tombée trou enfer ». Je transpire malgré le froid. Véronique évite adroitement un nid-de-poule sur le côté de la route.

— C'est le docteur remplaçant qui est de garde, m'annonce-t-elle.

Mes confrères Alexis et Faustine sont en vacances. Merde. Pomme a dit « comme Tachi ». Si le remplaçant a déjà bossé aux urgences, c'est bon, il ne touchera pas à la branche. Le chirurgien s'en chargera au bloc. Personne ne doit la retirer avant que Charlotte soit sur la table d'opération, sinon elle se videra de son sang. Un enfant en a moins de trois litres, ça va à une vitesse incroyable. Je repense à Pierre Desproges disant : « J'ai pas de cancer j'en aurai jamais je suis contre. » Je dois sauver Charlotte. Ma petite-fille ne peut pas mourir, je suis contre.

Albane, île de Groix

Il n'y a que quelques magasins. Rien à voir avec les soldes à Paris... Mais comme il y a moins de clients, je trouve mon bonheur. Une veste pour remplacer le Barbour que Cyrian ne mettait plus, mais qui évidemment lui manque maintenant. Un chandail pour Charlotte. Une vareuse de marin couleur framboise que je porterai les soirs d'été dans le Midi. Je regarde ma montre. Mon mari et sa sœur ont dû signer, nous sommes enfin libres. Les filles vont revenir. On va retraverser ce soir, dormir dans un bel hôtel, visiter la Cité de la voile Éric-Tabarly demain matin, puis reprendre la route. C'est la dernière fois que je fous les pieds ici. J'aurais aimé cette île s'il n'y avait pas Maëlle et Pomme. J'aperçois le mur du cimetière de l'autre côté de la halle. Je vais prier sur la tombe de ma belle-mère. On n'avait pas d'atomes crochus, mais c'est grâce à elle que Cyrian et Charlotte existent.

À l'entrée du cimetière, une sirène troue le silence. Ce n'est pas la trompe du bateau, mais la sirène à deux tons des pompiers. Les sacs de courses au bout de mes bras pèsent brusquement des tonnes. Il y a un peu plus de mille habitants en hiver sur ce caillou posé au milieu de l'eau, trois cent cinquante familles, mais je sais. À cette seconde précise je sais, comme j'ai su pour Tanguy.

Mon sang se fige. Je lâche mes sacs. Les gens dans la rue se meuvent au ralenti. Ils pivotent pour suivre du regard le camion rouge. Une femme sort de la Librairie principale. Elle court vers moi, je reconnais Maëlle. Je ne l'ai vue qu'une fois, à l'enterrement de ma belle-mère. J'ai tout de suite compris à quel point elle était encore dangereuse. Cyrian m'a épousée parce que j'étais enceinte. Il aimait Maëlle qui avait refusé de le suivre. Il n'a jamais cessé de l'aimer. Il se console dans les bras d'autres femmes. Je sais pour sa liaison avec la pétasse de l'hôtel où se réunit son *think tank* depuis le début. Elle n'est pas la première. Avant, il y a eu la salope de l'association des parents d'élèves. Il baise avec elles, mais il revient au Vésinet le soir. Mon père aussi trompait ma mère. Elle m'a expliqué que c'était normal, que les hommes pensaient avec leurs caleçons, qu'il ne fallait pas s'en offusquer sinon on perdait tout. J'aurais juré que Joseph était fidèle à Lou, mais je me berçais d'illusions. Je croyais que Cyrian, Charlotte, Hopla et moi étions un quatuor invulnérable. Jusqu'à ce que la sirène des pompiers me vrille les oreilles et m'arrache la peau.

Maëlle me rattrape juste avant que je m'effondre. Je n'ai plus de mots, je n'ai plus de larmes, je ne suis plus que de la peur. Elle m'entraîne, je la laisse faire. Une gracieuse adolescente ramasse mes sacs à terre. Maëlle murmure : « Merci Azylis, garde-les pour l'instant. » Chaque pas est une torture. Elle me fait monter dans sa Twingo. Elle boucle ma ceinture. Ma tête ballotte, mon cou ne la porte plus. Je ne pense pas à ma fille, mais à ma mère. Je vois son visage haineux, ses yeux hallucinés, j'entends ses mots fielleux : « Je te souhaite d'avoir un enfant et de le perdre. » J'ai toujours su que Charlotte ne dépasserait pas l'âge de Tanguy. Je suis punie. J'ai laissé la clef de contact sur le vélomoteur. Je n'ai pas mis l'antivol. En tuant mon frère, j'ai tué ma fille.

Maëlle conduit, les yeux rivés sur la route. Elle est moins belle que Sarah, mais plus lumineuse. J'ai eu une petite fille magnifique, la vie va me l'arracher. Maëlle verra Pomme grandir, aimer, s'épanouir, choisir sa voie. Charlotte restera à jamais une enfant.

Goulven, île de Groix, Trou de l'Enfer

C'est mon premier remplacement, ça s'est plutôt bien passé. J'ai soigné toute la semaine les patients des lendemains de fêtes. Mes confrères Alexis et Faustine rentrent demain. Je n'ai qu'une envie, retrouver ma copine à Rennes, rouler avec elle sous la couette et dormir douze heures. Je n'ai pas encore déjeuné, l'hypoglycémie me flanque mal à la tête. Les pompiers m'ont appelé alors que j'allais mordre dans mon sandwich.

Je me gare, j'attrape ma mallette et je cours vers le lieu de l'accident. Des pompiers encore encordés viennent de remonter la malade et de découper son tee-shirt. Bordel, c'est bien ma veine. La gamine rouquine, polaire orange sur les épaules, torse nu, a une branche plantée dans la poitrine. Elle est embrochée comme une dinde de Noël.

— Je suis le docteur, je m'appelle Goulven. Tu t'appelles comment ?

— Char... lotte..., souffle-t-elle d'une voix faible.

Le bout de bois dépasse de son thorax en bas du sternum. Je pense plaie soufflante, affaissement du poumon, collapsus. Je pense plaie du cœur, hémorragie interne, tamponnade aiguë, état de choc. Je demande une évacuation sanitaire par hélicoptère vers l'hôpital de Lorient. J'enfile une paire de gants stériles. J'ausculte l'enfant, je prends son pouls et sa tension. Quand je suis de garde aux urgences, je porte la poisse : ça se calme dès que j'arrive, du coup je ne vois jamais les polytraumatisés et j'apprends que dalle. Ma copine est un mouton noir, elle a du bol, les patients affluent quand elle est de garde, elle a plus d'expérience.

Secondé par un jeune pompier très efficace, je lui pose une perfusion pour contrebalancer les pertes sanguines en cas d'hémorragie et éviter de désamorcer le cœur. C'est la galère de piquer les mômes... Hippocrate est avec moi, je réussis du premier coup. Je pousse un soupir de soulagement. Pour l'instant, j'assure.

— C'est ta sœur ? dis-je à la gamine brune en polaire bleue qui ne perd pas une miette du spectacle. Où sont vos parents ?

— Notre grand-père va arriver, fait-elle d'une voix blanche.

Les pompiers m'annoncent que l'hélico décolle. Ma patiente est consciente. Elle respire normalement. Sa tension est stable, son pouls rapide parce qu'elle balise. Ma perf coule impec. Tout roule. Si ce n'est qu'il y a de la terre et de la mousse sur la branche. Ça va infecter la plaie. Je pense septicémie, péricardite, pneumopathie. Je tends la main. La gamine en bleu se met à hurler.

Pomme, île de Groix, Trou de l'Enfer

Le docteur Goulven a peur, je l'ai deviné à son regard. Il ne connaît pas l'histoire de Jo et Tachi. Je dois protéger ma sœur. Je hurle et je m'interpose entre elle et lui sous les yeux des pompiers ébahis.

— Attendez mon grand-père ! Ne retirez pas la branche !

— Écarte-toi, petite.

— Non ! Elle bouche le trou comme les marins colmatent leurs barques !

— Enlevez-moi cette gamine, elle me gêne.

Alexandre, le jeune pompier, me fait reculer et me retient en appuyant ses mains sur mes épaules. Je me débats en criant :

— Écoutez-moi, il faut laisser…

Tout se passe en une seconde. La main du docteur

se referme sur la branche. Il tire délicatement le bois hors de la blessure. Il se retrouve avec la branche à la main, marron en haut, rouge sang en bas. Au début, il ne se passe rien. Le docteur Goulven pose une compresse stérile sur la plaie, puis saisit un rouleau de sparadrap. Charlotte a l'air rassuré de ne plus voir la branche. Je tremble en pensant à Tachi. Je me rappelle quand Jo m'a demandé de l'aider pour la fuite sous l'évier. La cardiologie, c'est de la plomberie : une histoire de pression et de fuites, de clapets et de valves. Je me rappelle ta bibliothèque, Lou, et ton livre *Les Patins d'argent* avec l'histoire du petit garçon hollandais de Haarlem qui met son doigt dans le petit trou de la digue pour empêcher les eaux d'inonder la ville.

Soudain, la compresse blanche devient rouge. La branche n'empêche plus l'hémorragie. Un filet de sang jaillit comme quand la maman de Tachi a ôté la flèche. Alors je sais. Le pompier Alexandre relâche sa pression un instant. C'est ma chance. Je me glisse près de Charlotte et je pose l'index et le majeur sur la compresse pour l'enfoncer dans le petit trou laissé par la branche, sous les regards horrifiés de l'assistance. Alexandre pousse un cri étranglé. Le docteur Goulven se fige.

Le sang s'écoule en un petit ruisseau depuis la compresse imbibée. Je tâtonne comme sous l'évier, je cherche la fuite invisible. Il faut que je bouche le trou de la digue. La compresse empêche mes doigts de glisser sur le sang visqueux. Je n'ai pas le temps d'avoir peur. Je ne veux pas que le cœur de ma sœur se vide et qu'on soit obligés de le masser en chantant *Staying Alive*.

260

Des voitures s'arrêtent. Maman et Albane jaillissent de l'une, Jo et Véronique de l'autre. Jo voit ma main dans la blessure. Albane aussi, ses genoux se dérobent et maman la retient. Je crie à Jo sans bouger mes doigts :

— Le docteur ne m'a pas écoutée, il a retiré la branche.

Jo rugit :

— Quel con !

— Le sang ne coule plus ! s'exclame le pompier Alexandre.

J'ai trouvé la fuite, Lou ! J'échange un regard avec Jo. L'hélicoptère surgit dans le ciel au-dessus de nous et son vrombissement emplit l'air.

Jo, île de Groix, Trou de l'Enfer

Pomme fait un point de compression direct au bon endroit. Le cœur est un muscle. Comme tout muscle agressé par un corps étranger, il est tonique et il se contracte. Charlotte ne saigne plus. C'est fantastique !

L'assistance est atterrée. Je suis radieux. Pomme est blême. Je ne crois pas aux miracles, Lou. Je ne crois pas que tu nous regardes, que tu as des ailes blanches duveteuses, que tu joues à saute-mouton sur

261

les nuages. Je suis scientifique, concret, pragmatique. Nous allons tous mourir, c'est le lot des humains. Mais personne ne va mourir aujourd'hui. Je gueule :

— Je suis cardiologue. Ne les touchez pas ! Pomme vient de sauver la vie de Charlotte !

Mon jeune confrère comprend qu'il a fait une énorme connerie et devient livide. Les pompiers sont là avec leur VSAV (véhicule de secours et d'assistance aux victimes) et leur VLHR (véhicule de liaison hors route). Ils me connaissent, je les ai souvent épaulés. Je rassure Charlotte qui respire mal et Pomme qui rougit d'émotion.

Le Dragon 56, l'hélico de la Sécurité civile de Lorient, se pose. Une consœur médecin du Samu 56 et un infirmier en descendent et courent vers nous. Mon jeune confrère s'efface et me passe la main. Je me présente, ma consœur transmet le bilan par radio à son régulateur. On ne peut pas remplacer Pomme. Si elle retire ses doigts, le sang va jaillir, Charlotte se videra.

Ma consœur du Samu s'occupe de ma petite-fille. Elle lui met un masque qui lui délivre de l'oxygène à haute concentration. Elle règle le débit de la perf. Elle colle des électrodes sur sa poitrine pour vérifier son tracé cardiaque. Une plaie du cœur, ça saigne. Soit partout dans le thorax et autour des poumons, soit dans le péricarde, l'enveloppe qui entoure le cœur. S'il y a une grosse plaie par arme à feu, le patient meurt très vite de choc hémorragique. Si la plaie est petite, un coup de couteau ou la branche de Charlotte, le patient saigne moins, mais risque de mourir de tamponnade, parce que le cœur est comprimé par le sang coincé entre le péricarde et le cœur. Les doigts de Pomme bouchent le trou. Charlotte est pâle, un peu essoufflée, il faut la transporter à demi assise. Si on l'allonge, le sang va appuyer sur son cœur et elle risque l'arrêt cardiaque.

— Tu ne bouges pas d'un millimètre, dit ma consœur à Pomme. Tu vas monter dans l'hélicoptère avec ta sœur et moi. Tu tiens bon jusqu'à l'hôpital, d'accord?

Pomme, courageuse, hoche la tête. Elle n'a jamais pris l'avion.

— Je remplace la flèche de Tachi, me souffle-t-elle.

— Je lui ai fait confiance, voilà le résultat! gémit Albane.

L'hélicoptère redécolle avec à son bord deux petites filles qui sont sœurs de sang au sens propre du terme. J'étreins Albane pour la seconde fois de ma vie. La première, c'était à son mariage avec mon imbécile de fils.

— Dites-moi qu'elle va s'en sortir, supplie Albane.

— Pomme a évité la catastrophe. Ils vont opérer Charlotte à Lorient. Il faut prévenir Cyrian, on le retrouvera là-bas.

Elle panique, se tourne vers Maëlle.

— Vous pouvez vous en charger?

Tu te rends compte, Lou? Albane demande à Maëlle de téléphoner à son mari!

Mon chandail est tombé dans la voiture de Véronique, je ne m'en suis même pas aperçu. Je frissonne sans lui, un vrai syndrome de manque. Je le récupère.

Je passe des coups de fil. Gildas et Isabelle sont injoignables, mais Jean-Pierre va nous emmener sur la grande terre dans son Zodiac.

Maëlle nous dépose au port de Locmaria où JP fait déjà tourner le moteur de son *Maï-Taï*. Il nous force à enfiler des grosses vestes et met le cap sur Lorient. Albane a les yeux creux, elle n'arrête pas de trembler. On nage en plein cauchemar. Pomme n'a pas mesuré les conséquences, elle a agi par réflexe et ça a payé. Mais on est loin d'avoir gagné. Pomme maintient Charlotte en vie. Tout dépend maintenant du confrère qui la prendra en charge quand l'hélico sera posé. Un chirurgien orthopédique ou digestif peut être excellent dans sa spécialité, mais infoutu de gérer une plaie du cœur. Pour que Charlotte ait toutes ses chances, il faut tomber sur un chirurgien cardiovasculaire et thoracique aux doigts d'or.

Cyrian, Lorient

— Il ne nous reste plus qu'à vous remercier, maître. Nous ne nous reverrons plus, dis-je en serrant la main du notaire.
— Nous, si ! dit Sarah.
Elle fait allusion à la donation pour Pomme, mais il prend sa phrase pour une invitation à la drague et il fonce bille en tête.

— Nous pourrons déjeuner ensemble la prochaine fois, susurre-t-il avec un sourire gluant. Le chef du *Jardin gourmand* est une femme. J'adore les femmes.

— C'est très aimable à vous, maître. Je viendrai avec mon ami Federico, il adore les restaus français, dit-elle.

Le notaire se rembrunit et nous prenons congé.

— Federico? dis-je, l'œil pétillant, en montrant son avant-bras gauche. Giulietta sera là aussi?

Elle secoue la tête.

— Je parlais du vrai, enfin, du vivant. Un cinéphile.

C'est à ce moment-là que le téléphone sonne. Je reconnais la voix de Maëlle à qui je n'ai pas parlé depuis dix ans. La terre s'ouvre sous mes pieds.

— Qu'est-ce qui se passe?

— Charlotte a eu un accident. Elle est partie pour Lorient en hélicoptère avec Pomme. Jo traverse en bateau avec Albane.

J'entends ce qu'elle dit. Les mots ne s'impriment pas dans mon cerveau. Ma fille cadette s'est embrochée sur un bout de bois. Ma fille aînée empêche son cœur de se vider. Je suffoque. Je dois les rejoindre à l'hôpital. Je donnerais ma vie pour mes filles. Si je n'avais pas fui Groix, si je n'avais pas voulu me débarrasser de ma part de cette maison, Charlotte ne serait pas allée sur l'île aujourd'hui. C'est ma punition.

— Jo a pris les choses en main. Je t'aime, dit Maëlle.

Ses derniers mots ne m'étonnent pas.

— Je t'aime aussi, dis-je d'une voix brisée avant de couper la communication.

Notre amour ne s'est pas dilué avec le temps. Mais elle est un poisson de mer, moi un poisson d'eau douce, on ne nage pas dans les mêmes eaux.

— C'était Albane ? suppose Sarah.

— Non, Maëlle. Charlotte est blessée, c'est grave. L'hélico l'évacue sur l'hôpital.

On va opérer ma petite fille, la soigner, la sauver. Je vais lever le pied au boulot pour être présent. Ça prendra le temps qu'il faudra, je m'en tape. Elle va guérir. Je ne veux même pas envisager le contraire.

Sandrine, Lorient

J'ai cavalé pour tout préparer. C'est bon, je suis OK. L'hélico s'est posé. La sœur aînée a maintenu la compression pendant le transport. Je la félicite pour son geste et son sang-froid. Je lui explique que je suis l'anesthésiste et je lui demande encore un peu de courage. Elle doit nous accompagner jusqu'au bloc opératoire sans cesser d'appuyer. On lui enfile des surchaussures avant de rentrer en salle d'op. On a opté pour une procédure bloc direct sans passer par la case urgences. On fera les examens biologiques, dont le groupe sanguin, au bloc, et une échographie rapide.

La sœur aînée frissonne de peur, ses boucles sont

collées par la sueur du stress. Je souris pour la soutenir. C'est flippant pour une enfant, un bloc. On gèle, c'est grand, plein de gens avec des masques sur la bouche et des charlottes sur la tête, plein de câbles bizarres et de machines qui font bip-bip. Des scialytiques éclairent la table où on installe sa cadette. Je pense à mes trois filles en sécurité à la maison avant de les chasser de mon esprit pour me concentrer sur ma patiente. Elle a de la chance de tomber sur Claude. C'est un chirurgien qui a bourlingué et rien ne lui fait peur. Il a prévu une thoracotomie gauche qui lui permettra, primo, d'ouvrir le péricarde pour libérer le sang qui comprime le cœur, secundo, de contrôler rapidement la plaie par des sutures en faisant attention à ne pas lier les artères coronaires.

Claude, en tenue verte, calot et surchaussures, se nettoie les ongles et se lave les avant-bras au savon. Il se rince puis se sèche et se désinfecte avec une solution hydro-alcoolique avant de rentrer dans le bloc sans rien toucher. Une infirmière de bloc l'aide à enfiler sa casaque stérile. Elle lui tend des gants qu'il enfile sans toucher l'extérieur, l'aide à finir de nouer les lanières de la casaque. Je prépare ma petite patiente en lui murmurant à l'oreille que tout va bien se passer, je lui dis de ne pas faire attention au bruit autour de nous, je lui fais respirer de l'oxygène au masque en lui caressant la joue.

Claude, prêt, me donne le top. On demande à la sœur aînée d'arrêter la compression et de reculer sans rien toucher. Elle vérifie qu'elle a compris, que son rôle est terminé, puis elle lâche le cœur de sa cadette et retire doucement sa main. Une infirmière la fait sortir et passer par le lave-mains des chirurgiens pour nettoyer ses doigts ensanglantés.

Pendant ce temps, au bloc, c'est la course. Au top du chirurgien, j'injecte rapido mes deux seringues. Ma petite patiente s'endort alors que je l'intube. Claude badigeonne la peau avec une solution anti-septique et dispose les champs opératoires. Je n'ai pas encore branché le respirateur qu'il a déjà incisé. Il met en place un écarteur entre les côtes de l'en-fant. Du sang apparaît, moins que ce qu'on aurait pu craindre grâce à l'intervention inespérée de l'aînée, mais quand même. L'aspiration le ramène avec un bruit de succion. Claude m'annonce ce qu'il fait et l'état des lésions :

— Péricarde décomprimé.

— Petite plaie de la pointe du cœur, 2 à 3 cm.

— C'est bon, je contrôle l'hémorragie.

— Le poumon n'a rien.

— Comment elle va ?

Je lui réponds :

— La tension remonte. Je vais tout de même la transfuser vu ce qu'il y a dans les bocaux.

Mon infirmier anesthésiste a prélevé le sang de l'enfant pendant qu'on préparait la table. Par sécurité, j'ai commandé plusieurs poches de O négatif avant d'avoir ses résultats de groupe. Le geste chirurgi-cal en lui-même ne dure pas plus d'une heure. Mais l'organisme de la petite fille a reçu un gros choc. Je surveille son hémodynamique en mesurant sa pression artérielle invasive grâce à un cathéter dans l'artère radiale du poignet. Je vais la maintenir endormie pour contrôler sa coagulation, continuer les transfusions, la réchauffer, mettre son cœur au repos, vérifier l'absence de complications au niveau cœur, poumons et reins, m'assurer qu'elle ne ressaigne pas. Si tout va bien, je la réveillerai dans les prochaines vingt-quatre heures.

Jo, Lorient

Être médecin est à double tranchant. On sauve la vie et on côtoie la mort. On protège les patients, mais on connaît le pronostic des maladies, les nôtres et celles de ceux qu'on aime.

Claude, le chirurgien qui l'a opérée, nous explique que Charlotte avait une plaie de la pointe du cœur avec entrée au niveau du creux xiphoïdien et trans-fixiance du diaphragme. Je décrypte son jargon médical, ce langage universel qui sépare les médecins initiés des patients profanes. Il nous résume ses gestes chirurgicaux et énumère les complications possibles. Il n'est pas spécialisé en cardio. C'est un type de la vieille école, expérimenté. Il a fait de l'humanitaire. Là où un jeune chirurgien aurait flippé et transféré Charlotte dans un service spécialisé en perdant un temps précieux, Claude, chirurgien généraliste, n'y est pas allé par quatre chemins. Il a ouvert le thorax pour suturer la pointe du cœur qui saignait. Juste la pointe. Elle a eu une chance incroyable, son poumon n'a pas été touché.

— Ma fille est vivante ? vérifie Albane, le teint crayeux.

— Oui, madame, répond Claude avec douceur.

Il a refermé la poitrine de Charlotte. Son cœur est réparé. Maintenant il faut attendre. Si tout se passe bien, elle restera hospitalisée une semaine et on lui enlèvera ses points de suture au bout de dix jours. Si tout se passe bien. S'il n'y a pas de complications, elle aura une convalescence de six semaines avec de la kiné respiratoire. S'il n'y a pas de complications.

— Ma fille est vivante ? répète en boucle Albane.

Pomme, le visage chiffonné, tremble. Cyrian la serre contre lui sans lâcher la main de sa femme.

— Ta sœur dort encore, explique Claude à Pomme. Tu devrais emmener ta maman manger quelque chose. Je vous donnerai des nouvelles tout à l'heure.

Pomme acquiesce sans préciser qu'Albane n'est pas sa maman.

Je commande des chocolats chauds au café du coin. Personne ne les boit. J'écoute trois conversations simultanées grâce à mes oreilles de Dumbo. Cyrian téléphone à Maëlle et lui donne des nouvelles. Sarah téléphone à un ami. Albane répète comme une scie que sa fille est vivante et reproche à Pomme d'avoir mis sa sœur en danger.

— Tu devrais plutôt la féliciter d'avoir arrêté l'hémorragie, dis-je doucement.

— La féliciter, beau-papa ? hoquète Albane. Alors qu'elle a forcé Charlotte à descendre ce sentier interdit ? Alors qu'elle a voulu tuer ma fille ?

Pomme renverse sa chaise en se levant et sort en courant. Sarah se lève pour la rejoindre.

— Je m'en occupe.

J'ai essayé de changer les choses, je n'ai réussi qu'à les empirer. Maintenant Charlotte en pâtit dans sa chair et Pomme souffre. Je suis un piètre chef de famille. Tu aurais dû épouser le type aux cheveux crantés et aux yeux couleur châtaigne. Mon portable sonne. Les conversations cessent.

— Vous pouvez venir la voir, annonce Claude.

Lou, là où on va après

Je n'ai rien pu faire pour t'aider. Je suis restée là, pétrifiée, frustrée, à vous regarder vous démener. J'ai eu si peur pour Charlotte. J'ai applaudi l'audace de Pomme. Tu es excellent dans le rôle du patriarche, mon piroche. Grâce à toi, nos enfants commençaient à aller mieux, jusqu'à ce que Charlotte tombe. Elle n'a que neuf ans, elle va se battre, elle est en pleine forme, elle va s'en tirer, n'est-ce pas ?

Jo, Lorient

Charlotte est endormie et intubée. Cyrian et Albane se lavent les mains avant de revêtir une blouse verte, un masque, des gants, des surchaussures. Ils entrent dans le box sur la pointe des pieds, pétris d'angoisse. Habillé comme eux, je reste en retrait. Sandrine, ma consœur anesthésiste, est rassurante. Elle précise la fonction des tuyaux qu'ils regardent avec terreur : perfusion, sonde urinaire, pression artérielle, intubation. Les yeux de Charlotte sont maintenus fermés pour qu'ils ne s'abîment pas. Elle a de gros pansements sur le côté gauche dont sortent des drains thoraciques qui pour ses parents sont de gros tuyaux remplis de sang. On la maintient endormie artificiellement pour mettre son cœur au repos. Elle ne souffre pas. Elle ne peut pas leur répondre, mais elle les entend peut-être. Sandrine leur conseille de lui parler normalement, de la toucher et de la caresser.

— N'hésitez pas à me poser toutes les questions que vous voulez, dit-elle avec douceur.

— Ma fille est vivante ? répète Albane comme une somnambule.

Sandrine lui réexplique tout. Mais Albane n'écoute pas et Cyrian ne se souvient de rien au bout de cinq minutes. C'est trop affolant. Les premiers examens de retour de bloc sont OK. La coagulation de Charlotte est presque normalisée après transfusion, ses gaz du sang sont bons, elle n'a aucun trouble de la contraction à l'échocardiographie de contrôle postbloc.

Albane, vieillie de vingt ans, prend la main de sa fille endormie. Cyrian se place de l'autre côté du lit. Je les laisse. Je vais retrouver Sarah et Pomme. Les enfants de moins de seize ans ne sont pas admis en réa postop.

Chaque matin à mon réveil dans l'île, je cherche la mer. On la voit de presque partout, on l'entend de partout quand elle hausse le ton et que le vent lui donne la réplique. Chaque matin à Paris, je voyais un fleuve de voitures naviguer boulevard Montparnasse. J'écoutais les klaxons au lieu de la corne du bateau. Quand je suis dans une gare, je me laisse bercer par les vagues de passants ; au lieu du bruit des haubans, j'entends les valises à roulettes qui grincent. Quand je suis dans un hôpital, les sons et les odeurs me sont familiers, je me sens chez moi.

Sarah m'a envoyé un SMS, elle est dehors avec Pomme.

— Charlotte ne va pas rejoindre Lou ? me supplie Pomme.

— Nous allons unir nos forces pour qu'elle guérisse vite. Heureusement que tu étais là !

Pomme s'appuie contre mon épaule et se tait. On attend.

— Tout s'est bien passé chez le notaire ? dis-je à Sarah parce que le silence devient trop écrasant.

— On a préparé les papiers pour Pomme.

— Pour moi ? s'étonne Pomme en regardant sa tante.

— Imagine que la maison du bourg est une tarte. Cette tarte appartenait à Jo et Lou. Jo a encore sa part, mais celle de Lou a été divisée en deux, la moitié pour ton père, la moitié pour moi. Ton père m'a vendu sa moitié. Et je te la transmets. Tu me suis ?

— Tu me donnes la moitié de papa qui était la moitié de la part de tarte de Lou ?

— Tu as tout compris.

— Tu aurais dû la donner à Charlotte pour l'obliger à revenir.

Sarah se tourne vers moi :

— J'ai revu Patrice, papa.

— Ah ! bon ? dis-je en prenant l'air surpris.

— On a rompu avec dix ans de retard. On s'est séparés gentiment. Je me sens enfin libérée.

— C'est à lui que tu téléphonais ?

— Non, à l'ami italien avec lequel j'ai passé les réveillons.

— Si tu t'en tiens à ta règle immuable, tu l'as vu deux fois, donc c'est fini ?

— On est dans un autre cas de figure. Je ne le connais pas encore, euh… bibliquement. Donc je peux le revoir. Il ne ressemble pas à mes… amis habituels. Il a une bobine de cinéma dans le cœur. Avec lui, je joue dans le film, je ne suis pas reléguée dans les coulisses avec la prod. Charlotte sera rapatriée au Vésinet quand elle aura repris des forces ?

— Ses parents décideront en accord avec le chirurgien. Les premiers jours seront déterminants. Quand elle sortira, elle ira en maison de repos. Elle serait

274

mieux à Groix, avec du bon air et un cardiologue personnel à demeure, mais ils choisiront sûrement de rentrer chez eux.

— Je devais voir Federico à Paris demain. Je préfère rester jusqu'à ce que Charlotte soit hors de danger. Du coup, je l'ai invité trois jours à Groix, ça ne te dérange pas ? dit Sarah.

Techniquement, Sarah est autant chez elle au bourg que moi, elle peut inviter qui lui chante. Charlotte a failli mourir. Ce n'est pas le moment d'avoir un invité. Je m'apprête à le lui expliquer quand son téléphone sonne. Elle s'éloigne, très droite, sans s'appuyer sur sa canne.

— Elle est allergique, Jo, m'explique Pomme.

— À quoi ? Elle a des boutons ? Des plaques qui grattent ?

— Elle est allergique aux hôpitaux, à cause de sa maladie. Pour les supporter, elle a besoin d'un ami. Papa a Albane. Maman et moi on t'a, toi. Mais Sarah n'a personne.

Pomme n'a pas fait dix ans d'études de médecine, mais elle me surpasse en finesse.

— Tu crois que son ami est prêtre ? poursuit-elle pensivement.

Je hausse les sourcils.

— Pourquoi crois-tu ça ?

— Elle a parlé de la Bible.

Charlotte a failli mourir d'exsanguination. Pomme l'a sauvée. Elle aurait pu faire un arrêt cardiaque dans l'hélico ou au bloc. Le chirurgien et l'anesthésiste l'ont sauvée. Ce n'est plus qu'une question de temps et de patience. Et c'est la première fois, depuis Patrice, que Sarah amène un homme dans l'île. Je me sens moins mal un millième de seconde. Puis soudain, je me raidis !

Federico va me reconnaître, se souvenir que je lui ai parlé des tatouages de Sarah au Vésinet et que je l'ai encouragé à l'inviter à dîner. Sarah se sentira manipulée. Elle rompra avec l'Italien. Elle coupera les ponts avec moi. J'aurai perdu nos deux enfants.

Pomme, Lorient

Je vais prendre le dernier bateau avec mon grand-père, tante Sarah et Hopla. Jo a prévenu la bande du 7 que Charlotte est à l'hôpital. Certains ont un pied-à-terre à Lorient, papa et Albane ont trouvé où dormir. Nous, on rentre sur l'île parce que j'ai école demain et que les chiens sont interdits dans les hôpitaux. Jo a parlé avec les médecins, puis il a tout traduit pour papa qui était si épuisé qu'il lui a dit « merci Systole ». Jo a froncé les sourcils. Sarah a souri. Papa a avoué qu'il le surnommait comme ça depuis des années.

Dans la salle d'attente, Albane me foudroie du regard. Elle est persuadée que j'ai forcé Charlotte à descendre. Je ne peux pas dénoncer ma sœur, je ne suis pas une balance. Je m'approche d'elle et je murmure :

— Charlotte est super forte, elle va guérir vite.

Elle me répond sur le même ton :

— Tout est de ta faute.

Papa, qui ne l'a pas entendue, met son grand bras sur mes épaules comme si son corps était le chandail de Jo et il m'entraîne à l'écart.

— Tu as eu un courage exceptionnel, Pomme. Demande-moi ce que tu veux, j'exaucerai ton vœu.

J'hésite alors que ma réponse est prête.

— Qu'est-ce qui te ferait plaisir ? Un voyage ? Une télé ? Un téléphone portable ?

— Je veux que Charlotte vienne en convalescence à Groix avec nous. Jo pourra la surveiller. On sera ensemble.

Papa fait un bruit comme une chambre à air de vélo qui se dégonfle.

— Ah ! mais non, je te parle d'un cadeau qui s'achète. Charlotte retournera au Vésinet dès qu'elle sera en état d'être transportée. J'irai au bureau tous les jours, mais je rentrerai tôt pour être avec elle. Tu viendras passer les vacances de février chez nous si ta maman est d'accord.

— Tu as dit que je pouvais te demander ce que je voulais. Charlotte ne retournera pas à l'école tout de suite. Jo est cardiologue, il s'occuperait d'elle. Elle respirerait le bon air.

— Albane ne voudra jamais, Pomme. Trouve autre chose. Je dois gérer mon entreprise, je ne peux pas rester ici.

— Tu nous rejoindrais chaque week-end ?

— Je doute que Systo... que ton grand-père accepte. Nous sommes en froid. Il ne voudra pas de nous chez lui.

Je tente le tout pour le tout.

— Je crois que j'ai compris ce que tante Sarah m'a expliqué. Tu lui as vendu ton morceau de tarte de la maison et elle me le transmet. Donc je serai un peu chez moi au bourg. J'ai le droit d'inviter ma sœur.

Papa ouvre la bouche, mais aucun son n'en sort.

— Si c'est maman qui te gêne, on ira à Locmaria. Tu as dit que je pouvais choisir, papa. C'est ça que je veux.

J'ai envie de l'embrasser, mais il a les bras ballants comme le jour de ton enterrement, Lou, alors je n'ose pas le toucher.

4 janvier

Jo, Lorient

J'entre dans le sas de la réa en pensant au cierge que j'ai allumé pour Charlotte ce matin à l'église du bourg. Ma mère perpétuait ce rite chaque fois que mon père s'en allait en campagne de pêche. Elle a continué quand le bateau est revenu sans lui, comme si la flamme pouvait le réchauffer.

Charlotte a passé une mauvaise nuit, c'est normal, les trois premiers jours sont les pires. Jean-Pierre m'a conduit à Lorient dans son Zodiac avec Sarah. Elle a sorti deux flacons de son sac.

— C'est un cadeau de Pomme pour Charlotte. Elle a pris des flacons stériles à la pharmacie et les a remplis de sable et d'eau de mer.

L'idée est poétique et l'intention louable, Pomme a retenu la leçon sur les risques d'infection. Ils ne rentreront pas en réa, mais Charlotte les aura dans deux jours quand elle sera transférée en cardio. Si tout se passe bien. S'il n'y a pas de complications.

L'anesthésiste nous rejoint dans le sas pendant qu'on met nos blouses, nos masques et nos surchaussures.

— Charlotte a été extubée ce matin. À cause de la thoracotomie, elle a eu mal en reprenant conscience, mais elle est dégourdie pour son âge et le référent douleur a bien évalué sa capacité de compréhension. Elle a une pompe à morphine avec infusion de base et bolus à la demande. Elle doit avoir faim, elle réclame une pomme, c'est bon signe !

J'éclaircis le malentendu. Charlotte ne veut pas de fruit, elle demande sa sœur.

On ne peut pas être plus de deux à la fois dans le box. Je rejoins Cyrian, Albane sort et Sarah l'emmène boire un café. J'échange un regard avec mon pouacre de fils. Nos rancœurs sont temporairement oubliées parce que la mort nous a frôlés de son aile. Je vérifie les appareils, le scope, la perf, les drains. Charlotte respire seule. Elle flotte entre deux eaux, shootée à la morphine.

— Ce monde t'est familier, chuchote Cyrian. Albane et moi sommes catapultés sur une autre planète.

Il ne peut pas dire devant sa fille qu'il est fou d'angoisse, mais je le vois sur son visage. Je le rassure : j'ai vu l'anesthésiste et tout va bien. Je m'approche du lit.

— Ma charlotte aux poires, Pomme n'a pas le droit de venir te voir, alors elle travaille comme un cochon à l'école parce qu'elle pense à toi. Hopla est avec nous, il te cherche partout. Tu as compris comment marche la pompe ? Si tu as mal ?

Ma petite-fille n'ouvre pas les yeux, mais elle remue les doigts, elle m'a entendu.

Cyrian sort et s'effondre sur le banc dans le sas. Il arrache son masque et ses gants et s'essuie les yeux avec la manche de sa blouse verte. Il sanglotait dès qu'il tombait quand il était petit, alors que Sarah plus jeune serrait les dents. Mais je ne l'avais plus vu pleurer depuis des lustres, sauf le jour où tu es partie.

— Dieu me punit, c'est ça ? J'ai fauté en revendant ma part de la maison, le destin se venge sur ma fille ? C'est fini avec Dany, papa. Pourquoi ça nous tombe dessus ? Qu'est-ce que Charlotte a fait de mal ? Elle n'a que neuf ans ! À son âge, on se couronne les genoux ou on se casse une dent. On n'a pas de blessure au cœur !

— Elle est vivante, Cyrian.

— Si Pomme n'avait pas été là… Je n'ai jamais été présent pour elle. Je suis un père nul et un mari merdique.

— Occupe-toi de tes filles et de ta femme au lieu de battre ta coulpe.

— Ils disent que s'il n'y a pas de complications, Charlotte sortira de réa après-demain. Elle pourra aller en maison de convalescence quatre jours après. Tu te souviens de là où était Sarah, au Vésinet, avenue de la Princesse ?

— Très vaguement, dis-je.

— Tu penses que Charlotte y serait bien ?

— Sûrement.

— Elle s'en sortira ? On a déjà perdu maman…

Je pose ma main sur son épaule. On ne s'est pas

touchés depuis des siècles. On ne s'est même pas étreints le jour où tu t'es éclipsée.

— Elle s'en sortira. Elle a du sang breton dans les veines.

Il remonte la manche de sa veste, il porte la montre de ton père.

— Sarah me l'a donnée de ta part.

On ne se remercie pas dans notre famille, on s'entrechoque.

Albane, Lorient

— Tu veux quoi ? propose ma belle-sœur en comptant sa monnaie. Expresso ? Capuccino ? Avec ou sans sucre ?

— Potage à la tomate.

Notre vie a volé en éclats acérés. Nous devrions être rentrés au Vésinet. Charlotte devrait être à l'école. Cyrian devrait être au bureau ou occupé à tringler sa poufiasse. Je devrais prévoir le dîner, préparer le goûter de Charlotte, sortir le chien, Hopla, number one, Hopla, number two.

— Pomme m'a donné un cadeau pour Charlotte, dit Sarah.

Elle me montre deux flacons et une lettre truffée de fautes d'orthographe.

« Ma chère sœur, même si papa n'a pas fait le test

de paternité. Je panse tout le temps a toi. Je n'ai pas le droit de te voir. J'espère que tu n'as pas trop mal. Jo dit qu'ils te chouchoutent à la morphine. Et qu'il n'y a pas de télé en réanimation. Pour remplacer je t'envoie cette plage portative. Je garde le souvenir, encré dans ma mémoire, de toi dans le buisson. Tu me manques. Je vais envoyer Boy et Lola te dire bonjour. Pomme. »

— Ses erreurs sont des trouvailles, commente Sarah. Elle panse sa sœur malade avec un *a*. Chouchouter à la morphine, quelle beauté ! Nous aussi, ce souvenir restera encré, avec un *e*, de façon indélébile dans nos mémoires. Qui sont Boy et Lola, des amis lorientais ? C'est quoi cette histoire de test de paternité ?

Je saisis les flacons et je les jette rageusement dans la poubelle près de la machine à café.

— Je te rappelle que Pomme a failli tuer Charlotte !

— Je te rappelle qu'elle l'a sauvée !

— Tu la défends parce que tu n'as pas d'enfants. Tu ne… peux pas ? Ou tu ne… veux pas ?

En temps normal, je n'aborderais pas un sujet si intime avec ma belle-sœur.

— Je ne prends pas le risque de rendre un enfant malheureux, dit-elle. Sans compter que je n'ai pas trouvé le papa.

— Moi j'ai osé, en connaissance de cause, avoir un enfant qui risquait de mourir.

— Je ne comprends pas ?

— Mon petit frère Tanguy a été tué par un camion. Il m'avait emprunté mon vélomoteur. Je porte le poids de sa mort. Ma mère, folle de chagrin, m'a lancé un mauvais sort. Elle m'a souhaité d'avoir un enfant et de connaître, comme elle, la douleur de le perdre.

— Quoi ?

Je me brûle le palais avec le potage à la tomate et la douleur me prouve que peut-être je ne suis pas tout à fait morte.

— J'entends la voix de ma mère dans mes cauchemars. Depuis la naissance de Charlotte, tous les soirs avant de m'endormir j'entends ses mots. Avant, je m'abandonnais dans les bras de Cyrian. Maintenant j'ai peur tout le temps, je reste en éveil. La malédiction plane sur nous. J'ai bravé le destin, Sarah.

— L'amour est plus fort que la haine, puisque le mauvais sort a été neutralisé par Pomme qui a sauvé Charlotte ! argumente ma belle-sœur.

Je refuse de l'écouter plaider la cause de celle par qui le malheur est arrivé.

— Pomme est vénéneuse, dangereuse. Elle a emmené Charlotte à vélo à la Toussaint. Et elle l'a contrainte à descendre sur ce sentier hier. Ma fille n'aurait pas eu cette idée, elle est trop pusillanime. Ma mère lui a porté malheur, la jalousie de Pomme l'a achevée. Je ne lui pardonnerai jamais. Je ne me le pardonnerai jamais.

Cyrian, Lorient

Nous n'avons faim ni l'un ni l'autre. Quand Albane et moi avons quitté la réa, Charlotte dormait, assommée par la morphine. Nous l'avons laissée après avoir vérifié dix fois qu'ils avaient nos numéros de portable. J'aurais voulu la serrer contre moi, mais je n'ai pu qu'effleurer sa joue avec ma main gantée et sourire derrière mon masque.

— Je veillerai sur elle. Je sais faire avec les petites filles, j'en ai trois à la maison, nous a dit Sandrine, l'anesthésiste.

Je me laisse tomber sur le lit. Nous avons déjà dormi là hier soir, chez des amis de Jo, si épuisés que nous n'avons pas échangé trois mots avant de sombrer. Albane s'assied sur le canapé. Elle a l'air d'une parente en visite, coincée, gauche, étrangère. J'ai envie de m'endormir contre sa peau et de me réveiller pour découvrir que tout cela n'est qu'un horrible rêve.

— Il faut qu'on parle, dit-elle d'une voix sourde. On aurait dû le faire depuis ta première pétasse.

Je la regarde, déconcerté.

— J'ai su pour la pute de l'association des parents d'élèves qui avait la voix de Minnie. Je sais pour la radasse de l'hôtel du *think tank*.

Du fond de mon angoisse pour ma fille, du fond de mon épuisement, le mot me choque. Charlotte est branchée à des appareils, pendue à des fils, nous l'avons abandonnée à des inconnus. Je n'ai pas envie de mêler Dany à ça.

— Ce n'est vraiment pas le jour pour...

— Notre couple a volé en éclats depuis longtemps, dit-elle d'un ton las. Battons-nous pour Charlotte. Après, nous aviserons.

— Qu'est-ce que ça signifie ?

— Que le moment est venu de baisser le rideau. La comédie est finie.

Hier, j'avais une famille, une femme que je croyais aimante, une jolie petite fille. Ce soir, j'ai tout perdu. Ma fille a le cœur qui saigne. Ma femme m'éjecte de sa vie. Tu as écrit dans ton testament que Systole t'a trahie, maman. Pourquoi tu ne l'as pas viré ?

— Vous êtes, Charlotte et toi, ce que j'ai de plus précieux, dis-je.

Avec Pomme, mais le moment est mal choisi pour la mentionner. Et avec Hopla qui me manque plus que je n'aurais cru.

— Tu dormiras sur le canapé et moi dans le lit. Cette conversation est terminée. Nous la reprendrons quand Charlotte sortira de l'hôpital. Si elle est vivante.

Je frémis. Albane a le regard de quelqu'un qui se noie.

— J'ai tué mon frère, Cyrian.

Je proteste :

— Tu sais que c'est faux…

— Et notre fille a failli mourir à cause de la tienne. Ta gueule ! hurle Albane. Nous allons continuer à cohabiter et élever Charlotte si Dieu ne nous la reprend pas. Mais tu n'existes plus pour moi.

— C'est fini avec… la personne dont tu parlais. Je te jure.

— Je m'en fous.

Elle va dans la chambre. Je reste là comme un crétin, à fixer le canapé vide. J'attrape une bouteille de gin dans la cuisine et je m'en verse un verre que je siffle, pur, sans glaçons, sans plaisir. Puis je la range dans le placard. Je veux pouvoir conduire si l'hôpital nous appelle.

Si j'avais Baz avec moi, je jouerais jusqu'au petit matin. Il faut que je demande pardon à Albane. Pardon d'avoir cessé de jouer du sax, cessé d'être un type bien, cessé de l'aimer. Quand Charlotte sera sauvée, je retournerai chez le notaire, j'assurerai l'avenir de mes filles et de leurs mères. Ensuite je me barrerai très loin.

5 janvier

Jo, Lorient

J'arrive dans le sas d'entrée quand Cyrian sort de la réa. Il jette ses surchaussures dans la poubelle. Son visage est froissé, il a le teint gris.

— Charlotte a mal, ils ont augmenté la morphine.

— C'est la thoracotomie. La douleur va céder.

Il souffre avec elle, les ailes de son nez palpitent.

— J'ai eu une explication avec Albane hier soir. Je l'ai écoutée sans me défendre.

— Elle sait pour Dany ?

Il hoche la tête.

— Elle veut divorcer ?

— Elle veut me nier.

Le seul avantage à être veuf, c'est qu'on échappe aux scènes de ménage.

— J'ai voulu remercier Pomme pour son courage, dit Cyrian. Je lui ai proposé de choisir ce qui lui ferait plaisir. Je m'attendais à une télé, un téléphone, un voyage…

— Elle t'a demandé de venir plus souvent ou de te réconcilier avec sa mère ?

— J'aime toujours Maëlle, papa. Mais on n'est pas miscibles, exactement comme l'eau et le pétrole après le naufrage de l'*Erika*. J'espérais que Maëlle changerait d'avis, qu'elle me rejoindrait à Paris. Toi tu as osé partir, tu as fait tes études à Rennes, tu as laissé tomber ton île.

— Parce que, jusqu'à preuve du contraire, il n'y a pas de fac de médecine à Groix, mon petit vieux.

— Tu aurais pu y retourner après, au lieu de parader dans ton hosto parisien.

— J'ai voulu épater ta mère. Alors, Pomme a choisi quoi comme cadeau ?

— Elle ne veut pas de télé ni de voyage, mais que Charlotte aille en convalescence à Groix, sous ta houlette. J'ai réfléchi. Je vais rester à Lorient tant qu'elle sera à l'hôpital. Ensuite elle partira chez toi, où elle sera en sécurité. Elle me manquera mais je reviendrai chaque week-end.

Je n'en crois pas mes grandes oreilles de Dumbo.

— Je serais heureux de veiller sur elle. Qu'en pense Albane ?

— Elle ne me parle plus, je suis l'homme invisible. Elle sera d'accord si le chirurgien juge que c'est une bonne idée. Je vous rejoindrai le vendredi soir en train.

— Je viendrai te chercher. Je vais acheter un petit bateau, j'en ai vu à vendre au port.

— Je participerai aux frais.

— Cesse d'étaler ta fiche de paye, c'est agaçant ! Je viendrai te chercher, point barre. C'est dommage que ta mère ne soit plus là, elle aurait requinqué Charlotte avec ses bons petits plats.

Je me dis que j'y suis allé fort, Lou. Mais Cyrian me prend dans ses bras. Alors on reste là comme deux cons, agrippés l'un à l'autre. Pleins de rires et de larmes et de mauvais souvenirs culinaires et de chagrin et d'amour pour toi.

Pomme, île de Groix

J'ai rêvé que je serrais trop fort le cœur de ma sœur et qu'il éclatait comme un ballon de baudruche. J'ai travaillé mon saxo tous les jours depuis début novembre, sauf celui où Charlotte est tombée. Aujourd'hui, c'est ma première répétition avec la fanfare des Chats-Thons. Ils sont une trentaine, plus de femmes que d'hommes. Les enfants jouent de la trompette et du trombone. Fred, l'amie artiste de Jo qui reçoit pour les dîners du 7, joue du cornet à piston. Ywes passe du saxo au piano. Ils répètent *Bésame mucho* que je ne connais pas, puis *Ain't She Sweet* qui swingue good dirait Charlotte. Je joue avec eux *Saint James Infirmary*, une chanson folk américaine.

Certains airs du répertoire sont gais : *Tequila, Mirza* ou *Titine*. D'autres me donnent la chair de poule et me transpercent : *Le Temps des fleurs* et surtout *Amazing Grace*, que j'ai étudié toute seule. Alors je pense à Lou et l'émotion me submerge. Je pense à Isabelle qui habitait à Groix. Son mari l'a tuée avec sa carabine.

Elle avait écrit des histoires jolies et drôles, *La Tribu des grands pieds et autres contes*. Les élèves de l'école ont fait des dessins pour illustrer ses textes. Je pense aux jeunes du continent qui étaient venus passer la nuit sur la plage des Sables rouges et dont le feu de camp a fait exploser une munition datant de la guerre. Il y a eu un mort et un blessé.

La musique me renforce. Je n'ai plus peur du regard assassin d'Albane qui me croit coupable. Quand ma main gauche joue au saxo les notes du haut, j'aide le cœur de Charlotte à battre. Quand ma main droite joue au saxo les notes du bas, j'aide ses poumons à respirer. Quand je souffle dans le bec en faisant vibrer l'anche, elle court après Hopla. Le soir où papa m'a dit de choisir ce que je voulais, j'ai failli répondre «un saxo».

Je rentre à la maison. Maman croit que j'étais à la chorale. J'ai mal au ventre depuis les accusations d'Albane. Si j'ai une crise d'appendicite, peut-être qu'on me transportera en hélico et qu'on me mettra dans la même chambre que ma sœur ?

Jo et Sarah reviennent de Lorient. J'explique à Jo qu'il faut m'opérer. Il me dit de m'allonger, il frotte ses mains pour les réchauffer, il les pose sur moi en appuyant fort. Il me demande de replier ma cuisse contre mon ventre, de marcher. Il énonce son diagnostic : crise de cafard aiguë. Traitement : une crêpe au Nutella. Je donne le bord de ma crêpe à Hopla. Le jour de l'accident, il est resté enfermé jusqu'au soir dans le char d'assaut de papa, sans boire ni manger, il a fait pipi sur la banquette en cuir, mais personne ne l'a grondé.

Maëlle, île de Groix

Pour vérifier que j'étais d'accord, Ywes m'a prévenue tout de suite que Pomme voulait faire une surprise à son père en apprenant le saxo. Je respecte la discrétion de ma fille. Je ne lui pose pas de questions quand elle revient soi-disant de la chorale. J'espère que Cyrian ne la décevra pas une fois de plus. Je l'ai aimé pour ce qu'il était, je retrouve ses traits chez Pomme – son courage, sa loyauté, ses coups de tête. Nous avons été amoureux deux ans. J'ai cru qu'il resterait, mais il voulait surpasser Jo. J'ai craint qu'il fasse une bêtise après son échec au concours de l'X, Albane est arrivée au bon moment. Elle a beau être mariée, elle est aussi seule que moi pour élever sa fille. Son mari est un fantôme en costume sur mesure.

— Federico arrive ce soir, annonce Sarah. Il restera trois jours.

— Je suppose que vous dormirez dans ta chambre ?

— On a refait le monde aux deux réveillons, mais il ne s'est rien passé. Je vais préparer la chambre bleue.

Elle soupire.

— J'ai répété à Albane que Pomme a sauvé Charlotte, mais elle ne m'écoute pas.

— Pomme ne veut pas se disculper en trahissant sa sœur, dis-je.

— Quand Cyrian et moi étions petits, on se faisait punir l'un à la place de l'autre. J'ai revécu cette fusion quand on jouait de la musique ensemble avec cet imbécile de Patrice. Cyrian était doué.

J'acquiesce. Il a joué du saxo pour moi sur la falaise avant de me demander de l'épouser et de le suivre à Paris. Il n'a pas imaginé une seconde que je pouvais refuser.

Federico, île de Groix

Je n'ai pas eu le mal de mer, pourtant je chaloupe en mettant pied à terre. Qu'est-ce que je fais là ? Qu'est-ce que Sarah a de plus que les autres ? Elle a un visage de madone et un corps de déesse. Elle est bouleversante de fragilité. Elle est fascinante, intense, passionnée de cinéma. À Rome, j'ai eu l'impression de la connaître depuis toujours. On était censé dîner à Paris ce soir, et me voici sur cette *isoletta*. Je me suis tapé quatre heures de train et cinquante minutes de bateau. *Sono pazzo*. Je suis fou. *Pazzo di lei*. Fou d'elle.

Le ferry sur lequel j'ai traversé domine les voiliers et les bateaux de pêche amarrés, mais il est ridicule par rapport aux paquebots géants qui passaient sous mes fenêtres à Venise dans le canal de la Giudecca. J'ai fourré des vêtements dans un sac aux couleurs de l'AS Roma qu'un ami a oublié chez moi. Ils vont croire que je m'intéresse au foot.

— Ohé ! 1 2 3 !

— Sarah !

Je la serre contre moi, puis je la lâche à regret.

— Voilà Groix ! dit-elle en écartant les bras à l'instar des guides présentant la *piazza San Marco* aux touristes asiatiques.

Je salue avec gravité les quatre points cardinaux.

— Federico, *piacere*, enchanté.

— Hello tout le monde ! crie Sarah à la cantonade.

Une brune bouclée sort de la cuisine et me tend la main. Son clone, version enfant, désigne mon sac de foot.

— Gryffondor ?

— Il y a deux *squadra* à Rome, la *Lazio* qui est bleu clair et la *Roma* qui est orange et rouge. Le sac n'est pas à moi.

— Pomme est une fan de Harry Potter, m'explique Sarah pour dissiper le malentendu. Au collège pour sorciers de Poudlard, Harry est à Gryffondor qui a les mêmes couleurs que ton sac.

— Oh ! Grifondoro. Chez nous, le collège s'appelle Hogwarts, comme en Angleterre.

Pomme ouvre de grands yeux.

— Harry s'appelle Harry ? Et Ron ? Et Hermione ?

— Oui.

— Albus Dumbledore, le directeur du collège ?

— Albus Silente.

— Minerva Mc Gonagall, la prof principale de Harry ?

— Minerva Mc Granitt.

— Je vais voir si mon père est dans son bureau, dit Sarah.

Elle monte l'escalier lentement. J'ai terriblement envie d'elle. Alors qu'elle atteint le palier, la porte d'entrée s'ouvre dans mon dos. Je pivote.

Je le reconnais tout de suite. C'est l'homme que j'ai vu à Noël au Vésinet quand j'ai rendu visite à mon voisin Éric. Je m'apprête à le lui rappeler, mais il secoue la tête. Sarah redescend. L'homme secoue encore la tête et je comprends que je ne suis pas censé le connaître.

— Papa, je te présente Federico, comme le *maestro*.

Ça y est, je me souviens. Je croyais que Sarah était une patiente. Il m'a détrompé et m'a parlé de ses tatouages. C'est grâce à lui que je l'ai invitée à dîner. Pourquoi ment-il à sa fille ? Nous nous serrons la main en nous jaugeant.

— Vous avez tous les deux un Joseph, dit Sarah.

Elle se tourne vers moi.

— La famille surnomme ainsi le chandail que mon père porte en permanence sur ses épaules.

— Vous vous êtes rencontrés où ? questionne le père qui connaît la réponse.

À ma grande surprise, Sarah affirme en me fixant :

— Dans un restaurant italien de Chatou.

D'accord. Donc, tout le monde ment dans cette famille.

6 janvier

Charlotte, Lorient

J'ai eu une échocardiographie de contrôle ce matin. Ils ont l'air contents. Je vais quitter mon box de réa pour être transférée dans une chambre en cardiologie. Mes parents disent que c'est une bonne nouvelle. Je ne décide plus rien, je dors, j'ai mal, j'ai peur. Je me souviens que Pomme a essayé de m'empêcher de m'approcher du Trou de l'Enfer. J'étais pétrifiée dans l'hélico. L'oxygène m'asséchait la gorge. J'avais froid, je flottais. Ils vont me retirer la pompe à morphine. Est-ce que la douleur va revenir ? Ils vont aussi m'enlever les drains, ça va faire hyper mal.

— Comment tu te sens, ma pauvre chérie ? demande maman qui a plus mauvaise mine que moi.

On dirait qu'elle n'a pas dormi depuis ma chute.

— Pourquoi Pomme n'a pas le droit de venir ?

— C'est à cause d'elle que tu es clouée dans ce lit.

Je m'agite et je grimace. Ça me brûle dès que je bouge.

— Mais elle m'a sauvé la vie ! dis-je, au bord des larmes.

— Elle a failli te tuer, tu veux dire.

Maman est assise au bord de mon lit. J'attrape sa main et je la serre même si l'effort me coupe le souffle. Elle n'a pas compris que Pomme a remplacé la flèche de Tachi.

— Elle a empêché mon cœur de se vider !

— Elle t'a obligée à descendre dans ce sentier dangereux. Tu n'aurais pas eu une idée aussi absurde.

— Elle voulait m'en dissuader. Je l'ai repoussée. Tout est de ma faute.

Maman pâlit.

— Je l'ai accusée et elle ne m'a pas détrompée !

— Ce n'est pas une rapporteuse.

— Elle aurait dû se disculper !

— En me dénonçant ? C'est ma sœur, elle m'a protégée.

Je m'énerve, ça tire sur mes côtes et ma cicatrice.

— Grampy aussi m'a sauvée. Il a empêché le docteur de bousculer Pomme qui bouchait le trou de mon cœur.

Maman se tord les mains.

— J'ai accusé Pomme comme ma mère m'a accusée. Sarah a raison, Pomme a neutralisé le mauvais sort. Elle a dix ans, l'âge de Tanguy…

Je ne sais pas de qui elle parle. Mes yeux se ferment.

— Je vais dormir, maman. J'ai de la chance d'avoir une sœur. Vous êtes fille unique, vous, alors vous ne pouvez pas comprendre !

Le regard de maman brille bizarrement. Elle dit

qu'elle a un truc urgent à faire et elle se précipite dehors.

Je me réveille quand Catherine l'infirmière entre en portant un plateau avec du matériel médical.

— Je vais te retirer tes drains et ensuite tu vas monter en cardio, m'annonce-t-elle gaiement.

— Je préfère les garder, ça va faire mal de les enlever.

— C'est vrai, je ne veux pas te prendre en traître, mais on n'a pas le choix. Je vais te donner un bolus de morphine, tu vas flotter un peu. Et je reviens dans six minutes. Tu auras la télé dans ta nouvelle chambre et ta sœur pourra venir te voir.

C'est long six minutes quand on flippe. Je suis contente que maman ne soit pas là, ce serait pire avec elle. Catherine revient à côté de mon lit. Elle a mis des gants, préparé des pansements.

— J'y vais, Charlotte. Tu prends une grande inspiration, et tu bloques. D'accord ? Tu es prête ? Allez, inspire !

J'inspire. Je bloque ma respiration. Et elle tire très vite. Ça me coupe le souffle, ça fait très très très mal. Je voudrais lui crier d'arrêter mais je n'ai plus de mots. Ça fait hyper hyper mal, je vais tomber dans le Trou de l'Enfer, ça fait très très…

— C'est fini. Tu as été courageuse, bravo.

— C'est fini, dis-je, trempée de sueur.

Je m'endors comme une masse.

Cyrian, Lorient

Charlotte n'est plus en réa, mais dans une chambre blanche. Je m'assieds dans un fauteuil en plastique qui couine chaque fois que je remue une fesse. Elle ouvre un œil, puis l'autre, et regarde autour d'elle, étonnée.

— Ils m'ont déménagée pendant que je dormais ?

— Oui.

Elle suit du regard le tuyau de sa perfusion et ne voit pas la pompe à morphine au bout.

— Et si j'ai mal ?

— Ils ont mis des antidouleurs dans le flacon. Si ça ne suffit pas, on leur demandera de t'en donner plus. Mon train pour Paris part dans quarante minutes. Je fais un saut au bureau et je reviens. Ta maman reste avec toi. On ne te quitte pas.

Elle hoche la tête. On dirait un oiseau tombé du nid.

— Tu as eu très mal quand ils ont ôté les drains ?

L'infirmière m'a dit qu'elle a dégusté bravement.

— Un peu. Vous allez revenir, papa, c'est promis ? Vous ne me laissez pas ?

— Je te le jure.

— Et si vous changez d'avis ? Si votre travail est plus important ?

— Rien n'est plus important que ma petite fille.

— Mais vous avez abandonné Pomme, alors vous pouvez faire pareil avec moi ?

Je vacille sous le choc. Les enfants ciblent au cœur.

— Je n'ai pas abandonné Pomme, je ne vis pas au même endroit. Et elle me manque. Mais j'ai la chance de vivre au même endroit que toi.

Elle a les yeux creux. On lui a ouvert la cage thoracique. On lui a incisé les côtes. On a cousu son cœur.

— J'ai été méchante avec Pomme, avoue Charlotte, penaude. Elle voulait m'empêcher de descendre le sentier interdit, mais ça m'amusait de la provoquer.

— Pourquoi ?

— Vous préférez Maëlle à maman, même si vous ne lui parlez plus. Pomme ressemble à Maëlle. J'avais peur que vous l'aimiez plus que moi.

Je suis surpris et navré de sa jalousie.

— J'ai juré à Pomme que si elle me révélait le secret de Granny, je ne descendrais pas le sentier, précise-t-elle.

Quel secret ? Je me frotte le visage. Mon train pour Paris part dans trente minutes.

— Elle m'a tout raconté. Je suis descendue quand même. Je l'ai trahie. Et elle m'a sauvé la vie, souffle Charlotte, livide.

J'ai peur, soudain.

— Raconte-moi le secret de Granny, dis-je à ma fille.

Les secrets sont un poison. Chaque goutte de secret devient un acide qui ronge et détruit.

— Vous avez vu la cicatrice près de l'œil de Pomme ?

— Oui, le chat a renversé la grek.

— Non, papa. Elles vous ont menti. La cafetière s'est renversée, mais pas à cause du chat. Granny a perdu la tête, elle n'a pas reconnu Pomme, elle a paniqué, elle a fait un geste pour la repousser. Et la grek a valsé et les a brûlées.

Mon train part dans vingt-deux minutes. Tu as perdu la tête, ma belle Diastole, et ma fille a failli être défigurée. Elle a tenu sa langue. Elle a été loyale. Tu étais dangereuse, tu le savais. Tu nous l'as caché.

D'abord je suis atterré, désolé pour toi. Comme tu as dû souffrir ! Ensuite je t'en veux de ne pas avoir eu confiance en nous et la colère m'envahit. J'aurais pu t'aider ! Je grince des dents, Systole était au courant ? La jalousie me serre le ventre. Tu as foi en lui, pas en moi. Je me crispe. Tu as compris ce qui t'attendait, maman. Tu n'as pas voulu risquer que ça se reproduise. C'est donc vrai ? C'est toi qui as voulu emménager à l'Ehpad ? Systole ne s'est pas débarrassé de toi ? J'ai cru, au cours de ces six derniers mois terribles, devenir ton protecteur, mais tu es restée ma mère jusqu'au bout, jusque dans ta mémoire trouée. Systole ne t'a obligée à rien. Tu as fait jurer à Pomme de garder ton secret, par fierté, par orgueil. Tu as été une grande dame jusqu'à la dernière seconde.

Mon train part dans dix-neuf minutes.

— Je dois foncer à la gare, ma chérie. Je te jure que je serai là à ton réveil demain.

— C'est moi qui ai annulé la réservation de l'hôtel à Lorient, papa. Je vous demande pardon.

Charlotte n'est plus en réa. Je ne suis plus obligé

de porter des gants, je peux la toucher, effleurer sa joue. Sa peau est chaude sous mes doigts. Ses côtes blessées sont trop fragiles pour que je l'étreigne, mais je caresse son visage.

Cyrian, TGV Lorient-Paris

Je saute dans le train de justesse. Une femme à lunettes vertes me demande d'échanger nos places pour être dans le sens de la marche. J'accepte, je m'en fous.

Je regarde mes SMS. Dany me harcèle. Ses messages ont changé de ton. Nous sommes deux adultes consentants, mais je suis le sale type marié qui largue sa maîtresse. Je ne la désire plus, le charme est brisé. J'ai prétexté ma famille pour rompre, accepté le mauvais rôle qui m'était échu pour la dégoûter de moi. Elle s'obstine parce qu'elle est vexée. Elle m'a envoyé un long message ce matin :

« Je sais que ta femme fait pression sur toi en te menaçant de ne plus te laisser voir ta fille. Mais je te rendrai plus heureux que tu ne l'as jamais été. Les enfants grandissent et s'en vont. Oublie tes filles avant qu'elles t'oublient. Elles ne t'aiment pas. Je suis bien placée pour le savoir, je suis une fille. Mon père peut crever. »

Si elle était au courant de l'accident de Charlotte,

elle serait aux anges. Je réponds : « Mes filles passeront toujours en premier. »

Je supprime son contact de mon carnet d'adresses et je donne ma démission du *think tank*.

Tu savais, ma Diastole. La maladie t'a emportée, mais pas vaincue. Tu l'as défiée avant qu'elle te ravage le cerveau. J'ai besoin de savoir la vérité. Une seule personne me la dira. Je lui envoie un SMS :

« Charlotte va mieux. Pomme s'est brûlé le visage comment ? »

J'attends, les yeux rivés sur les barrettes du réseau.

« Le chat a renversé la grek. »

« C'est la version officielle. Tu y crois ? »

« Non. Lou et Pomme ont fait un pacte. »

Mes doigts tremblent en posant la question cruciale :

« Qui a décidé pour l'Ehpad ? »

Le train s'engouffre dans un tunnel. Je bous jusqu'à ce que le réseau revienne. Maëlle a répondu :

« Lou. Le lendemain du jour où elles se sont brûlées. Jo ne voulait pas. »

Le train roule dans la riante campagne bretonne.

— Ça ne va pas, monsieur ? demande la femme à lunettes vertes qui a pris ma place.

Mes joues sont trempées de larmes.

Jo, île de Groix

On a retiré les drains de Charlotte. Il y a toujours un risque de pneumothorax, mais ça s'est bien passé. Du coup, moi aussi je respire mieux. L'ancien propriétaire de mon nouveau bateau, un Groisillon qui a jadis navigué avec mon père, me tend les clefs de contact.

— Je te souhaite autant de plaisir qu'il m'en a apporté. Je n'ai pas envie de donner à manger aux poissons. Ils ont boulotté mes copains. Moi, je préfère mourir dans mon lit. On boit un coup pour fêter ça ?

— Une autre fois. Je dois aller à Lorient voir ma petite-fille à l'hôpital.

Je m'occuperai du changement de nom ce soir. Le *Lou de mer* a fière allure. Je ne serai jamais seul à bord grâce à ton nom sur la coque.

Federico, île de Groix

— Ce cinéma ne te rappelle rien ? me demande Sarah.

Au carrefour de deux routes, entre un restau, l'atelier du « Rouquin marteau » et un loueur de vélos, une façade grise tranche sur le ciel. Les lettres bleu clair CINÉMA DES FAMILLES décorent le fronton. Une affiche est collée sur la double porte vitrée.

— C'est la même façade que Cinema Paradiso ? dis-je.

— Bravo !

Le cinéma de l'île est le jumeau de celui du film de Tornatore. Il fonctionne pendant les vacances scolaires et en ciné-club à l'année. L'affiche annonce la Fête de la soupe ce soir à l'ancienne usine de Port-Lay.

— Chacun apporte sa soupe et goûte celles des autres. Ça te plairait d'y aller ? propose-t-elle.

Depuis hier nous nous tutoyons, mais nous avons dormi dans deux chambres séparées. Pomme aimait tant mon sac aux couleurs de Grifondoro que je le lui ai offert. Elle a voulu le porter dans ma chambre pour rendre service et a demandé :

— Federico dort où ?

Le père de Sarah écoutait. Sarah a répondu :

— Dans la chambre bleue.

Je me suis couché, seul, en l'imaginant avec ses sous-vêtements rouges du réveillon. Puis sans.

— Je t'ai attendue dans ma chambre bleue cette nuit, Sarah.

— Je t'ai attendu dans ma chambre pêche.

— Comment veux-tu que je devine où tu dors ?

— Au bout du couloir. Il y a un S dessus, c'était ma chambre d'enfant.

Je l'enlace brusquement et je l'embrasse devant la façade mythique. Pas un baiser de cinéma, un vrai, qu'aurait censuré Philippe Noiret dans le film. Si on n'était pas chez son père, on passerait la journée au lit. Si on n'était pas sur une île où tout le monde se connaît, on prendrait une chambre d'hôtel.

Il faut patienter jusqu'à ce soir. Dans la Rome ancienne, on comptait le temps de six heures du matin à midi et de midi à dix-huit heures. Les heures de la nuit ne comptaient pas. Elles compteront double pour nous.

J'aime cuisiner, j'ai été à bonne école avec ma mère et mes quatre sœurs.

— Tu veux qu'on prépare la soupe d'hiver de ma tante Mirella pour la fête?

— Tu as besoin de quoi?

J'envoie un SMS à ma cousine Carla. Elle a fait du doublage de films avec sa voix inimitable, maintenant elle épaule sa mère au restaurant. Elle me répond *subito*.

— Haricots à écosser, cèpes, châtaignes pelées, oignon, céleri, carottes, ail, piment, jambon cru et huile d'olive.

— Pas de problème.

Il y a vingt soupes inscrites, plus la nôtre, et cent cinquante participants. Les Groisillons vident leurs bols avec appétit. Notre fait-tout embaume. Pomme assure avec son grand-père la première partie du service. On goûte une soupe au chou rouge. Puis une seconde à base de poulet, potimarron et patates douces. Les hommes se retournent sur Sarah.

— C'est la fille de Jo, Co?

Leur accent chantant est comme une cantilène. Mon

voisin de bol me raconte qu'au Moyen Âge la soupe était une tranche de pain rassis qui servait d'assiette, sur laquelle on posait la viande ou les légumes. Après le repas, les nobles la donnaient aux pauvres ou aux animaux. Quand les premières assiettes en terre cuite sont arrivées, on a posé le pain au fond et versé le bouillon en gardant le nom de soupe. Le potage, très différent, était à base de légumes cuits dans un pot, sans pain.

On savoure une soupe à base de christophines et Kiri. Une autre à base de moules de Groix. Une dernière avec du cresson, des poires, des croûtons tartinés au bleu de Bresse, et une épice que Sarah appelle *kari Gosse*.

Nous remplaçons Jo et Pomme, le fait-tout est aux trois quarts vide. Jo retrouve ses amis, Pomme filme la fête avec son iPad.

— J'ai du goût pour ta soupe, Co ! me dit une Groisillonne.

La cuisine de ma tante Mirella est unique. Elle était couturière avant d'ouvrir «Al Cantuccio». Elle touche les aliments comme s'ils étaient de la soie.

Des dîneurs se lèvent et entonnent un chant de marins :

— «À moi, forban, que m'importent la gloire, les lois du monde et qu'importe la mort. Sur l'océan j'ai planté ma victoire, et bois mon vin dans une coupe d'or.»

Des voix se joignent aux leurs. On applaudit. Quelqu'un crie :

— Maintenant, une chanson de Michel Tonnerre ! Une chanson de Michto ! *Mon p'tit garçon !*

307

Sarah se redresse en s'appuyant sur la table et chante d'une voix rauque :

— « Dans la côte à la nuit tombée, on chante encore sur les violons. Chez Beudeff sur l'accordéon, c'est pas la bière qui t'fais pleurer. Et l'accordéon du vieux Jo, envoie l'vieil air du matelot. Fout des embruns au fond des yeux, et ça t'reprend chaque fois qu'il pleut... »

Elle continue en me fixant et en appuyant sur la première phrase :

— « Allez Joe, fais-nous l'Irlandais, qu't'as appris quand tu naviguais. Pendant ton escale à Galway, du temps où t'étais tribordais. »

Je soutiens son regard. D'autres voix s'élèvent, mais je n'entends qu'elle. Un type en vareuse délavée m'interpelle.

— À ton tour camarade ! dit-il en remplissant mon verre de vin.

Ma mère nous envoyait tous les huit à la chorale irlandaise pour souffler. Je me lève, je m'éclaircis la gorge. J'entonne le classique *When Irish Eyes Are Smiling* :

— « *There's a tear in your eye, and I'm wondering why, for it never should be there at all...* »

Je termine la chanson puis je me rassieds, essoufflé. J'ai perdu l'habitude.

— Continue, mon gars, dit la Groisillonne qui a du goût pour la soupe de Mirella.

— Tu connais *Danny Boy* ? dit le type en vareuse.

Tous les Irlandais la connaissent, on la chante à la Saint-Patrick et aux enterrements. Je hoche la tête lentement.

— Ben qu'est-ce que t'attends, gast ? Que la marée remonte ?

— Mon frère la jouait au saxo autrefois, souffle Sarah.

La dernière fois que j'ai entendu cet air, je portais le cercueil de ma mère avec mes trois frères.

— Oh ! s'il vous plaît, allez-y ! supplie Pomme.

Alors j'y vais, pour elles deux.

— « *Oh Danny Boy, the pipes, the pipes are calling, from glen to glen and down the mountain side, the summer's gone and all the roses dying…* »

Les conversations cessent. Pomme et Sarah ne me quittent pas des yeux.

Je me rassieds, vidé. Le type en vareuse croit que Sarah est ma femme. Je ne lui dis pas qu'on s'est vus trois fois. Cyrian téléphone de Paris. Il revient à Lorient par le premier train demain. Albane appelle, Charlotte va mieux. La salle entonne une autre chanson de Michel Tonnerre : « Quinze marins sur le bahut du mort, hop là ho ! une bouteille de rhum. À boire et l'diable avait réglé leur sort, hop là ho ! une bouteille de rhum. » J'ai l'impression de connaître cette île depuis toujours.

Nous montons vers la maison dans la nuit avec le fait-tout vide. Sarah, Pomme, Jo et Maëlle chantent :

— « Nous étions trois marins de Groix, ah ah ah ah ah. Embarqués sur le *Saint-François*, ah ah ah ah ah. Il vente, il vente. C'est le vent de la mer, qui nous tourmen-en-te. C'est le vent de la mer, qui nous tourmen-en-te. »

Tout le monde se couche. J'avance dans le couloir jusqu'à la chambre pêche.

— J'ai une règle immuable, murmure Sarah. Je ne revois jamais personne plus de deux…

Mon baiser l'interrompt. C'était excitant d'attendre. Nous sommes déjà un couple : le baiser de Noël et celui du 1er janvier ont scellé notre pacte. Nous roulons et tanguons ensemble, c'est évident, nous entamons la folle danse des corps éblouis. On reste serrés, amusés, comblés, enfin au port. Le vent de la mer ne nous tourmen-en-tera plus. Danny Boy ne se penchera sur aucune tombe. Je lui fais l'Irlandais. J'ai des embruns au fond des yeux, mais il fait soleil dans la chambre pêche. Je m'endors sur le flanc, face à Sarah, mes bras comme amarre autour de sa taille.

7 janvier

Pomme, île de Groix

La fanfare donne bientôt un concert. Ywes veut
que j'y participe.

— Je ne suis pas prête.

— Si. Tu es douée, Pomme.

— Vous connaissez la chanson de l'ami de ma
tante Sarah, *Danny Boy* ? C'est trop difficile pour une
débutante ?

Ywes rigole dans sa barbe. Il fouille dans sa bibliothèque, prend un livret, le feuillette.

— À l'origine, ça s'appelle *The Londonderry Air*.
J'ai la partition pour saxo alto et piano.

Il s'assied au piano et la déchiffre. Puis il prend son
saxo et joue. C'est déchirant et superbe. La musique
poignante et tendre répond aux questions que je n'ose
pas poser.

— On peut le jouer ensemble au concert si tu
veux, propose Ywes.

— Mais je ne le connais pas !

— Qu'est-ce que tu attends pour le travailler ? Que
la marée remonte ?

Albane, Lorient

Charlotte dort. Les analyses et les contrôles sont bons. La porte s'ouvre. Sarah entre sur la pointe des pieds. Joseph est avec le cardiologue, c'est un soulagement d'avoir un médecin dans la famille. Tout est plus facile, il connaît les codes.

— Tu es seule ? dis-je. Charlotte m'a avoué que Pomme a tout fait pour l'empêcher de descendre. Tu avais raison, l'amour a été plus fort que la haine. Le terrible vœu de ma mère a été annulé. Dis à Pomme de venir demain.

Sarah plonge la main dans son sac et en sort deux flacons que je reconnais.

— Je croyais les avoir jetés…

— Je les ai récupérés. J'espérais que tu finirais par comprendre. J'ai aussi la lettre. Tu les lui donneras ?

J'acquiesce.

Sarah, île de Groix

Papa dîne chez Fred avec la bande du 7. J'étais invitée avec Federico, mais nous avons préféré rester en tête à tête. «L'Ocre marine» à Locmaria a fermé définitivement. Leur crêpe «camembert et caramel au beurre salé» tenait du miracle. J'emmène Federico dans une autre crêperie. Ça ne manque pas sur le caillou.

— Tu as envie de quoi ?

— De poisson grillé.

— C'est une crêperie…

— Bon, je prendrai des pâtes.

— On ne mange que des crêpes dans une crêperie, dis-je.

— On ne mange pas que des pizzas dans une pizzeria !

— Tu ne veux pas rester quelques jours de plus ?

— J'aimerais. C'est idiot, j'ai deux heures de cours après-demain à Paris, puis une semaine libre.

— Il y a une solution. Quand j'étais petite, j'ai volé une feuille de l'ordonnancier de mon père pour sécher l'école. J'ai tout bien écrit : «Je soussignée, certifie avoir examiné ce jour la petite Sarah dont l'état nécessite le repos strict au domicile. Certificat établi à la demande de l'intéressée et remis en mains propres pour faire valoir ce que de droit. »

— Et ça a marché ?

— Non. Mon texte était parfait. Sauf qu'au lieu d'imiter la signature de papa, j'ai signé de mon nom. C'était ballot ! Il a repris deux fois de ta soupe. Si on le lui demande gentiment, il te fera un certificat médical. Tu as mauvaise mine. Tu manques de sommeil. Ton état nécessite le repos strict au domicile.

9 janvier

Pomme, Lorient

J'ai traversé avec Jo sur le *Lou de mer*. Même s'il me répète qu'Albane a souhaité ma présence, je suis inquiète. Heureusement, elle n'est pas là quand on entre dans la chambre. Ma sœur a maigri et elle parle bas, comme en classe quand on bavarde pendant le cours.

— Merci pour la plage, murmure-t-elle en désignant les flacons sur sa table de nuit. Boy et Lola ne sont pas venus.

— Ils ont dû se tromper d'étage.

Je m'assieds sur la chaise en plastique qui couine.

— Je vous laisse, les filles, dit Jo.

Il s'en va discuter avec le docteur. Je raconte à Charlotte la Fête de la soupe et lui montre le petit film tourné sur mon iPad. Elle voit la déco de la salle, elle entend Federico chanter.

— Papa a demandé à Jo que tu viennes te reposer à Groix quand tu sortiras.

— C'est vrai ?

— Il m'a dit de choisir un cadeau pour me remer-

cier de t'avoir aidée, j'ai choisi ça. Tu auras ton médecin privé à domicile. C'est cool, non ?

— Je ne rentre pas au Vésinet ? T'es trop forte !

— Papa viendra les week-ends. Tu prendras ma
chambre au rez-de-chaussée, ça t'évitera d'avoir à monter l'escalier. Y a du *stal*, mais je la rangerai pour toi.

— Du quoi ?

— Du *stal*, du bazar en groisillon. Maman dit
qu'on se croirait à la *strouilh*.

— La quoi ?

— La déchetterie. Là où les conserveries déver-
saient autrefois les restes de thon.

— Au rez-de-chaussée je serai loin de maman ! se
réjouit Charlotte.

— On parle de moi ? dit Albane en poussant la
porte.

Elle a entendu ? Charlotte rougit. Je me lève en faisant couiner le fauteuil moche et je recule vers le mur.
Son regard n'est plus assassin, mais je me méfie.

— Je te dois des excuses, Pomme, dit-elle d'emblée.

J'espère que Jo va arriver.

— Je te demande pardon, poursuit-elle. Charlotte
m'a raconté. J'ai été injuste. Je t'ai accusée à tort. J'avais
si peur…

— Je t'ai apporté un truc, dis-je à Charlotte pour
détendre l'atmosphère.

Je lui tends la petite boîte de conserve que j'ai achetée à L'Escargoterie de Kerbus.

— Charlotte doit manger les menus de l'hôpital,
intervient Albane.

— Ce qu'il y a dans la boîte n'est pas comestible.

Charlotte lit l'étiquette : « Air iodé, origine : île de Groix ».

— Elle est remplie d'air ? C'est chou !

— Je te remercie du fond du cœur, Pomme, insiste Albane.

Ses compliments me gênent, alors je la mets à l'aise.

— J'adore mon cadeau, je n'ai besoin de rien d'autre.

— Quel cadeau ?

— Charlotte vient en convalescence à Groix.

— Grampy me soignera. J'aurai mon docteur privé comme les stars de Hollywood, souffle Charlotte, ravie.

Albane nous dévisage pendant de longues secondes. Puis elle sort de la chambre.

— Elle ne savait pas, murmure Charlotte.

Pourquoi papa ne lui a rien dit ?

Albane, Lorient

Il pianote sur son ordinateur portable, assis à la table du café. Je remarque les tasses vides devant lui, la tache sur sa manche, ses sourcils froncés, les ongles de ses pouces rongés, sa pâleur, son charme, les nouvelles rides sur son front. J'aime encore cet homme malgré tout.

— Cyrian ?

Il lève la tête et se souvient qu'il n'existe plus pour moi. Son sourire s'efface. Il regarde sa montre, étonné.

— C'est déjà l'heure de te relayer ?

— Pomme est avec Charlotte.

Il ferme son ordinateur, pousse ses dossiers, se lève, gentleman. Je m'assieds.

— Charlotte semble penser qu'elle va passer sa convalescence à Groix, dis-je d'un ton sec.

— Je voulais t'en parler. Le chirurgien trouve que c'est une bonne idée. Systo… mon père aussi.

— Je croyais que tu avais tout organisé avec l'hôpital du Vésinet ? Tu comptais me l'annoncer à la dernière minute ? Me mettre devant le fait accompli ?

— Tu seras débarrassée de moi la semaine. L'air est plus pur à Groix. La présence de papa te rassurera. Celle de Pomme stimulera Charlotte. Au Vésinet, elle aurait été seule la nuit. À Groix, elle restera avec toi, argumente Cyrian.

Ne plus voir mon mari me soulagera, c'est vrai. Joseph est un éminent cardiologue, c'est certain. Quand je suis entrée dans sa chambre, Charlotte souriait grâce à Pomme.

— Je vais réfléchir, dis-je. J'ai été injuste envers Pomme. J'espère qu'elle me pardonnera.

— Tu me manques, Albane.

Je quitte le café sans lui répondre.

10 janvier

Pomme, île de Groix

Je répète régulièrement avec la fanfare et je prends de l'assurance. C'est plus facile parce que si je me trompe ça ne s'entend pas et j'ai compris le truc pour rattraper les autres. Je progresse sur la partition de *Danny Boy*. En accompagnant Ywes au piano, je chevauche l'écume des vagues. Cet air est aussi magique que le gâteau de Martine. Quand je le joue, mon cœur bat au rythme du saxo, comme si Groix ne risquait plus jamais de se détacher du fond de la mer, comme si papa vivait avec nous à l'année, comme si Lou n'était pas morte.

Federico reste quelques jours de plus. Tante Sarah marche plus légèrement depuis qu'il est là. Charlotte et Albane arrivent demain. Maman déménage à Locmaria, mais je la verrai tous les jours. Papa nous rejoindra vendredi soir et dormira dans sa chambre. Albane s'est installée dans la chambre bleue parce qu'il ronfle, ça la gêne pour dormir. C'est le jeu des chaises musicales chez nous. J'ai échangé ma chambre avec celle de Charlotte. Federico a quitté la chambre bleue pour dormir avec tante Sarah dans la chambre pêche. Il n'y a que Jo qui reste dans la sienne.

12 janvier

Charlotte, île de Groix

Je suis venue en Cayenne, assise à l'avant à la place de maman. Papa m'a dit que j'étais comme un coq en pâte. Si le coq va être mangé en pâté en croûte, pourquoi il se sentirait bien ? Grampy n'aime pas la voiture – il l'appelle le char d'assaut –, mais cette fois il n'a pas fait de remarque. Dans le bateau, j'ai pris l'ascenseur au lieu des escaliers, je ne suis même pas sortie sur le pont. Je suis installée dans la chambre de Pomme. Il y a une petite photo de notre papa collée sur le côté de l'étagère, on ne la voit que du lit. Je ne lui en ai pas parlé.

J'avais tant rêvé de mon retour ici. Rien n'est comme je croyais. J'ai l'impression d'être une vieille de trente ans. Je ne peux ni courir ni me promener, même pas porter une assiette. Il faut m'aider pour me laver, je panique quand Hopla s'approche de moi pour jouer. J'ai du mal à respirer, quand je tousse c'est l'horreur. Je me réjouissais de retrouver Pomme, mais je la déçois, je suis plus fragile que Grampy. Il va retirer mes points de suture externes dans deux jours. Les points internes sont résorbables, ils se dissoudront.

Grampy a la main sûre. Je flipperai, mais je resterai stoïque. Pomme m'a appris ce mot, stoïque. J'aime les trémas, c'est mieux d'être deux points ensemble qu'un idiot de point seul. Je suis mieux avec Pomme que seule au Vésinet.

Jo m'a offert des caramels de Groix au chocolat du Pérou et aux pistaches, trop bons ! Il me donne des médicaments pour supprimer la douleur. Le kiné est gentil, je suis sa plus jeune patiente sur l'île. Il m'apprend à cracher pour évacuer mes sécrétions et éviter une infection. Il dit que je récupérerai une fonction respiratoire normale dans six semaines. J'ai respiré depuis ma naissance sans m'en rendre compte, maintenant c'est un effort. J'apprends plein de trucs grâce à lui, on ne respire pas tous pareil, ça dépend des âges. Les bébés respirent plus vite que les enfants qui respirent plus vite que les adultes. Je ne retournerai pas à l'école avant un bon moment. Je suis tout le temps fatiguée. J'ai peur de ne plus jamais courir ni crier ni danser. Je me demande si c'est ça que ressent tante Sarah quand les autres galopent. Si Granny était là, je lui en parlerais. Elle comprenait tout. Je crois bien que j'ai failli la rejoindre.

J'aide Pomme à réviser sa poésie pour l'école. « La route est faite pour aller, puisqu'elle est plate. La route est faite pour rouler, puisqu'elle est ronde. As-tu jamais vu le soleil dire : je suis las ? As-tu jamais vu sous un toit dormir la lune ? » J'ai une bonne mémoire, j'apprends par cœur et je récite d'une traite. Pomme fait des gestes et elle mime l'histoire à un public invisible. Tout bouge dans son poème, la route, le soleil, la lune. Moi je suis coincée dans ma chambre comme un papillon épinglé sur une planche de liège.

22 janvier

Cyrian, île de Groix

J'ai de nouveau le cœur serré en voyant le nom du bateau de Systole sur la coque : *Lou de mer*. Je ne suis pas meilleur père que lui, mais il a été un meilleur époux que moi. Il a protégé maman jusqu'au bout. Je commence même à me demander s'il l'a vraiment trompée.

Charlotte n'a pas le moral. Pomme se démène pour la distraire. Hopla lui apporte ses jouets et ne comprend pas pourquoi elle ne les lui lance plus.

— Tu veux piloter ? me propose Systole.

— J'en serais incapable.

— Tu as ton permis bateau, non ? Il n'y a plus de roulier à cette heure. Ne me dis pas que tu as la trouille ?

Alors c'est reparti comme autrefois, quand je plongeais du plus haut plongeoir ou que je me mettais au rappel en voilier pour lui prouver que je n'étais pas un lâche. La vitesse est limitée à trois nœuds dans le port. J'accélère dans le chenal, puis je mets la gomme dans les Courreaux une fois qu'on s'est assez éloignés de la côte. Le bateau vibre sous mes pieds. Je surfe sur une vague, j'accélère. Le *Lou de mer* se cabre, je mène le jeu.

— C'est bon, hein ? gueule mon père.

Je hoche la tête en me concentrant pour reconnaître les balises. La cardinale Nord a les deux flèches vers le haut, la cardinale Sud les deux flèches vers le bas, facile. La cardinale Est a ses flèches vers le haut et le bas. La cardinale Ouest les a pointées vers le centre. Systole ne m'aidera pas, je le connais, il me laissera planter son bateau et il m'agonira d'injures après.

— Tu avais raison pour l'Ehpad, dis-je en hurlant pour couvrir le bruit du moteur. C'est maman qui a voulu y aller.

Il est derrière moi, je ne vois pas sa réaction. Je pilote, dans la nuit, vers son île. Mes bras sont ankylosés à force de serrer le gouvernail. Je me retourne en approchant de Groix. Je me rappelle : « En entrant au port on met un tricot vert et deux bas si rouges. » Tricot vert, balise avec un cône vert à tribord. Bas si rouges, balise avec un cylindre rouge à bâbord.

— Je te laisse accoster, papa.

— Démerde-toi.

— Ça fait dix ans que je n'ai pas manœuvré dans un port, tu ne crois pas que ce serait plus raisonnable ?

— Tu as peur, mon fils ?

Rebelote. Je grince des dents. Je décélère. Je vise le quai avec un angle de 45 degrés. Je me mets au point mort pour être parallèle, je redresse un brin, j'enclenche un coup de marche arrière pour arrêter le bateau.

— Et voilà le travail.

Systole débarque avec une souplesse étonnante pour ses soixante ans et amarre le bateau.

— Tu n'as rien oublié, dit-il.

— Comment ça se passe avec Albane ?

— Elle est souriante, serviable, sympa, je ne reconnais pas ta femme. Lou et Thierry savent juger les gens.

— Qu'est-ce que ton copain Thierry Serfaty vient faire là ? Il la connaît à peine !

Mon père ne va pas perdre la tête lui aussi ?

— C'est un fin connaisseur de l'âme humaine, Cyrian. Lou trouvait Albane généreuse. Je suis sûr que Thierry serait d'accord avec elle.

— Vous êtes entourés d'amis, maman et toi. J'ai perdu les miens. Ma femme et ma fille n'en ont pas. Pourquoi ?

— Tu en avais avant. Charlotte découvre l'amitié avec Pomme, ça hâtera sa convalescence.

Du même pas, nous nous dirigeons vers la maison. Nous dépassons le « Ty Beudeff ». Si je n'avais pas tant envie d'embrasser Charlotte, j'inviterais pour la première fois mon père à boire un verre.

Mes filles sont dans la cuisine avec Sarah et Federico. Ils jouent au *burraco*, un jeu italien proche de la canasta. Charlotte sourit en me voyant entrer. Elle esquisse un geste pour se lever puis s'interrompt, le corps contracté. Je l'embrasse sur le front. Elle a encore maigri. Pomme attend son tour. Je l'embrasse aussi sur le front.

— Où est Albane ?

— Elle est allée chanter avec La Kleienn.

Je dois rêver. Mes filles s'aiment. Mon père trouve ma femme sympa. Elle pousse la chansonnette avec des Groisillons qu'elle ne connaît que depuis quelques jours alors qu'elle n'a sympathisé avec personne au Vésinet depuis dix ans qu'on habite la même rue.

— Tu permets qu'on finisse la partie ? demande Sarah.

Je me réjouis de les voir soudées, mais je me sens de trop. J'ai cavalé comme un dingue du bureau à la gare Montparnasse. J'ai passé mon trajet en train à imaginer les retrouvailles. Et j'arrive comme un cheveu sur la soupe. Pomme, écorchée vive et intuitive, s'excuse du regard. Charlotte, le teint gris, est rappelée à l'ordre par ma sœur.

— On est en train de leur mettre la pâtée, concentre-toi ma nièce, sinon ça va chier des bulles !

— On gagne, papa. Tante Sarah dit qu'on a le cul bordé de nouilles ! s'écrie ma petite blessée.

Si elle utilise ce langage devant sa mère, ça va chier des bulles, c'est sûr.

On dînera dans trois quarts d'heure au retour d'Albane. Je marche vers la côte sauvage. Je passe devant l'atelier du souffleur de verre. Damien a réalisé il y a onze ans mon premier cadeau pour Maëlle, un collier de perles translucides de la couleur de ses yeux. Il a créé le bracelet que j'ai offert à Albane le jour où elle a découvert Groix. Ce type a une famille nombreuse et il sourit tout le temps. Je merde avec mes deux filles et je fais la gueule en permanence. Cherchez l'erreur. Une voiture s'arrête à ma hauteur.

— Cyrian ?

Un regard franc, des cheveux roux sous un turban, une femme haute comme trois pommes mais aussi généreuse que des hectares de verger : c'est Martine, ton amie du *magical cake*. Elle vit à Lomener avec son mari guitariste Olivier.

— Je te dépose quelque part ?

C'est Lou qui me l'envoie ?

— Je vais à Locmaria.

— Monte !

Des lapins courent sur les bas-côtés de la route sinueuse. Elle tourne à l'entrée de Locqueltas, dépasse Kermarec, trace vers Locmaria.

— Jo nous a inquiétés, mais il va mieux, dit-elle.

Je me fige.

— Je travaille à Paris, je ne pouvais pas le prendre en charge, fais-je, sur la défensive.

— Bien sûr que non, je disais ça pour te rassurer ! On se serre tous les coudes ici. Lou nous manque. Une année, j'ai écrit sur mes confitures « poire, banane, bisous ». Elle m'a offert des pots de « pommes cramées, cannelle, calva, amitié ».

— Tu les as jetés à la poubelle en prétendant que c'était délicieux ?

— Exactement.

Elle me dépose à Locmaria. Il y a de la lumière au rez-de-chaussée. La cheminée fume. J'ai une palanquée de bons souvenirs dans cette maison. Je revois la grand-mère de Maëlle, donc l'arrière-grand-mère de Pomme, avec ses deux ailettes de béguin en dentelle dans les cheveux. Le dimanche, elle portait sa grande coiffe. Elle nous racontait son enfance, les garçons qui faisaient tomber les brocs d'eau au retour de la fontaine, les gâteaux cuits en commun qui se mélangeaient dans le four du boulanger, les familles nombreuses dans les petites maisons des villages coupe-vent. Elle avait un port de reine. Je me revois, lançant des cailloux contre les vitres de Maëlle pour qu'elle me rejoigne la nuit. Je revois ses parents, disparus dans une avalanche quand Pomme avait quelques mois. C'était la première fois qu'ils mettaient les pieds à la montagne après avoir gagné un concours. Son père a survécu aux tempêtes en mer pour mourir sur les cimes. J'étais déjà avec Albane, mais j'ignorais qu'elle attendait Charlotte. J'ai espéré que finalement Maëlle me rejoindrait puisque ses parents n'étaient plus là pour l'ancrer à Groix. J'avais sous-estimé le pouvoir des fantômes. Vivants, elle les aurait peut-être quittés un jour. Morts, elle ne pouvait plus s'embarquer loin d'eux.

Je frappe à la porte.

Maëlle, île de Groix

Qu'est-ce qu'il fout là ?
— Pomme va bien ? dis-je, inquiète.
— Très bien. Je peux entrer ?
J'ai gardé les meubles du salon de mes parents, mais

j'ai redécoré les chambres et rénové les salles de bains des chambres d'hôtes. Je désigne le fauteuil de mon père.

— Assieds-toi. Il ne va pas revenir te botter les fesses.

Mon père l'avait poursuivi jusque sur la plage pour lui flanquer une dérouillée parce que j'avais découché, mais Cyrian courait plus vite. Ils se sont réconciliés. Ils s'estimaient, alors que Cyrian était en lutte ouverte avec Jo.

— Les filles jouent aux cartes. Albane est à la chorale.

— Et tu te sens délaissé. Qu'est-ce qui t'amène ?

— Je veux qu'on fasse la paix.

— Nous sommes en guerre ?

Il regarde les photos encadrées : mes parents, ma grand-mère en coiffe, Pomme à tous les âges.

— Tu pars du bourg quand j'arrive. Tu refuses mon argent pour élever ma fille. Tu me fuis.

— Si tu étais venu me chercher, je serais retournée au bourg. Pomme n'est pas ta fille, mais notre fille. Si tu avais présenté les choses autrement, j'aurais accepté ton aide. Je ne te fuis pas, j'évite ta femme.

— Tu m'as donné le mauvais rôle. Celui du sale type qui abandonne son enfant.

— Tu n'as abandonné personne, j'ai refusé de te suivre. Pomme est une petite fille extra, tu le saurais si tu la voyais plus de quatre fois par an.

— Elle te ressemble. Je t'ai perdue et j'ai su dès le départ que je la perdrais aussi.

— Tu t'es enfermé dans un donjon avec Albane et Charlotte.

Je lui propose une cigarette. Il renverse la tête en arrière, étend ses longues jambes devant la cheminée, fume avec délectation.

— Je suis aussi venu te remercier. Tu as épaulé Lou et tu t'es occupée de mon père alors que ce rôle m'incombait.

— Ils sont les grands-parents de Pomme, ils m'ont recueillie après la mort de mes parents. C'est moi qui leur suis redevable.

— Ce que je t'ai dit le jour de l'accident – que je t'aime –, je le pense, murmure-t-il.

— Moi aussi. Mais nous sommes incompatibles.

— Je sais. Tu as quelqu'un ?

— Pas en ce moment. J'ai eu, Pomme ne l'a pas su.

— Je vais perdre Albane.

— Tu tiens à elle ?

— Oui. Je ne m'en rendais pas compte, mais oui.

— Bats-toi.

— Je l'ai trompée. Elle le savait, elle l'acceptait. Je ne la trompe plus, mais elle ne me supporte plus. Je croyais qu'elle m'aimait pour toujours.

— Vous êtes extraordinaires, les mecs ! Donne-toi du mal pour la reconquérir au lieu de te plaindre. Séduis-la comme si c'était la première fois que tu la rencontrais. Tu as un as dans ta manche, mon ami, tu es le père de sa fille.

— Je ne suis pas ton ami, réplique Cyrian avec humeur.

Je le considère avec une tendresse nouvelle.

— Il est temps que tu le deviennes. Parce que j'ai un as dans ma manche, moi aussi. Je suis la mère de ta fille.

Charlotte, île de Groix

Federico et Pomme nous ont battues au *burraco*. Tante Sarah est furax.

— Où est passé ton père ? s'étonne maman en rentrant.

Depuis mon accident, elle ne l'appelle plus par son prénom.

— Je suis sorti prendre l'air pendant que mes filles devenaient des piliers de tripot, s'écrie papa en poussant la porte.

Depuis mon accident, il dit « mes » filles, au pluriel. Je fronce le nez.

— Vous avez fumé, papa ?

— Juste une cigarette.

— C'est très mauvais pour Charlotte ! proteste maman.

Papa s'approche pour l'embrasser, mais elle détourne la tête et ouvre le placard aux assiettes. Pomme ramasse les cartes et met le couvert. Je suis un poids mort.

— Je vais chercher un chandail, dis-je.

— J'y vais ? propose Pomme.

— Tu veux lequel ? se précipite maman.

— Elle est convalescente, pas en sucre, intervient Grampy. C'est au rez-de-chaussée, elle ne se fatiguera pas.

Je me lève lentement et marche jusqu'à ma chambre

où je m'assieds sur le lit pour reprendre mon souffle. Je ne porte que des cardigans en ce moment, à cause de mes côtes. Je serais incapable d'enfiler un col roulé ou un ras du cou. Pomme m'a laissé une étagère dans son armoire. J'aperçois la polaire orange que j'avais en tombant. Elle était pleine de terre et d'herbe et de sang, quelqu'un a dû la laver : elle m'attend, propre, pliée, tentante. Je fais un énorme effort pour l'enfiler. On frappe à ma porte.

Papa s'assied à côté de moi.

— C'est dur, hein, ma puce ?

— Je n'ai plus de forces. Le kiné dit que ça reviendra, mais c'est du baratin. Je déçois Pomme, je ne peux même pas sortir. Vous croyez qu'un jour j'arriverai à respirer comme avant ?

— Tu vas te soigner, manger, dormir, reprendre confiance. Et tu retrouveras ta vie. Tu as ton iPad ? Je vais te montrer ce qui m'aide à tenir quand je n'ai pas le moral.

Il pianote sur la tablette, me la tend. Je vois des quais éclairés, deux feux qui clignotent, un vert et un rouge, des voiliers amarrés, des corps-morts.

— C'est la webcam de Cap-Lorient à Port-Tudy, tu as une vue imprenable sur le port de Groix en temps réel.

— Vous la regardez quand vous êtes triste ?

— Oui, et aussi chaque matin et chaque soir. Je vois les rouliers accoster, les passagers et les voitures débarquer, les marins décharger le fret, les voiliers et les bateaux de pêche entrer et sortir. Je vois la pluie ruisseler ou le soleil faire étinceler l'eau. Je vois la vie le jour, l'océan insomniaque la nuit. Une fois, j'ai même vu Pomme et ta Granny se garer pour acheter un billet de passage !

— Vous étiez vert ?

Il me regarde d'un air ahuri.

— Les pommes Granny Smith, papa. Je regrette tellement d'être descendue dans ce trou. Avant j'étais en prison à cause de maman, mais au moins je pouvais respirer.

— En prison ? dit-il, stupéfait.

Il vivait avec nous, pourtant. Il ne s'est rendu compte de rien ?

— Je n'ai pas le droit d'avoir des amies. Ni de déjeuner à la cantine. Je ne peux inviter personne ni aller chez personne. Je suis la poupée de maman.

— Tu n'exagères pas un peu ? dit-il en souriant.

— Maintenant, ça va être encore pire ! Elle va m'enfermer à clef jusqu'à mes dix-huit ans.

— Et après, tu feras quoi ?

— Je partirai si loin qu'elle ne me retrouvera jamais. Je ne donnerai mon adresse qu'à Pomme.

— Pas à moi ?

— Vous vous sentiriez obligé de la répéter à maman.

Le sourire de papa s'efface.

— Il me reste neuf ans pour t'empêcher de disparaître dans la nature, dit-il gravement.

Lou, là où on va après

Au début, vous vous adressiez encore à moi. Maintenant, j'appartiens au passé. Vous ne pensez plus «tu aurais aimé ça» mais «maman, ou Lou, aurait aimé ça». Tu es le dernier à m'interpeller, mon piroche. C'est normal. C'est la vie. Je veux dire, c'est la mort.

Vous êtes réunis à la maison, ça me réchauffe le cœur. Vous vous affrontez, vous vous colletez, vous éprouvez des sentiments violents. Vous êtes piégés au cœur du même labyrinthe qu'avant, mais à présent vous vous tenez la main. Au moins, vous n'êtes plus seuls.

Albane, île de Groix

La porte de la chambre bleue s'ouvre en grinçant et je me réveille en sursaut.

— Qui est là ?

— Cyrian.

J'allume. Le Stilnox m'abrutit.

— Charlotte a mal ?

— Elle dort. Habille-toi. J'ai besoin de te parler.

Mon mari a un bonnet de marin sur la tête et une barbe de trois jours, on dirait le mannequin d'une réclame pour eau de toilette.

— Tu ne parles pas aux gens en pyjama ?

— Je t'emmène dehors.

— En pleine nuit ? Tu as bu ?

— Même pas. Je repars dimanche, tu dormiras tranquille après. Allez, viens.

Il ne me lâchera pas, il est têtu. J'enfile des vêtements en grognant, ralentie par le somnifère.

— Couvre-toi.

Il me tend mon écharpe et ma veste. Nous sortons. Le vent se déchaîne, heureux d'avoir de nouvelles quilles à renverser. Cyrian met son bras autour de mes épaules et m'entraîne vers la rue.

— On descend au port.

Le froid fige mon sang et glace les molécules chimiques censées me faire dormir comme un bébé heureux et pas une maman angoissée. Je titube le long du chemin, soutenue par l'homme que j'aime et que je vais bientôt quitter.

Le port est désert et sonore, les haubans battent les mâts, les coques grincent. Il n'y a pas un chat, pas un marin, pas un goéland, juste deux idiots qui s'asseyent sur le quai, jambes dans le vide. La lumière verte du feu de gauche clignote vaillamment.

— Charlotte n'a pas le moral, Albane.

— J'aurais pu te le confirmer au chaud dans mon lit.

— Elle se sentait en prison avant l'accident. Elle a peur que ce soit pire maintenant.

— Elle a tort, dis-je, sarcastique. Elle nous a prouvé qu'on peut lui faire confiance. Je vais l'inscrire au saut à l'élastique et au deltaplane. Il faut qu'elle déploie ses ailes !

— Son cœur est solide, Albane. Ses côtes se ressouderont. Elle a de l'énergie. Elle a survécu. Ce n'est pas Tanguy.

J'essaie de me relever, mais il a prévu ma réaction et il me retient, alors je retombe. Il me serre contre lui. Je reste assise, furieuse, haletante, navrée, les yeux embués.

— J'aurais aimé connaître ton frère, te rendre heureuse, rendre Pomme et Charlotte légères et libres. Je suis allé voir Maëlle hier soir, à Locmaria, avant le dîner.

— Vous vous remettez ensemble ? demandé-je sur un ton que je m'efforce de rendre indifférent.

— Je ne me mets avec personne, tu es ma femme. Et je t'aime. Il est temps que Maëlle et moi devenions amis.

Il approche son visage irrésistible du mien. Si je voulais, je pourrais le pousser du haut du quai dans l'eau glaciale où il coulerait à pic. Ce serait le crime parfait. Le port est désert. Je remonterais me coucher dans ma chambre et je m'étonnerais avec les autres de son absence demain matin. Sa radasse l'attendrait en vain.

— Donne-moi une seconde chance, Albane. Recommençons de zéro. Je vais changer. Tout est encore possible. Je ne veux pas vous perdre.

— Et ta pétasse ?

— Je t'ai dit que c'était fini.

— Pourquoi tiens-tu à me parler ici ?

Il se retourne et me montre une caméra derrière nous.

— C'est la webcam du port. J'en voulais à Groix d'avoir kidnappé ma mère. J'en voulais à Maëlle à cause de Pomme. Mais je reste attaché à ce caillou. J'ai poussé ici, ce sont mes racines. Chaque matin et chaque soir, je regarde le port et je m'imagine y entrer en bateau. C'est mon havre, mon refuge.

Il écarte largement les bras en V.

— La webcam filme précisément la partie du quai où nous nous trouvons, jusqu'au roulier à droite. On est au premier plan. Ici on ne triche pas. Ici on parle vrai.

— Si je t'avais poussé à l'eau, des centaines d'internautes m'auraient vue ?

Soudain il m'embrasse, comme autrefois. Et je me laisse faire. Parce que Charlotte est en sécurité à la maison. Parce qu'elle a son médecin personnel à demeure. Parce qu'on gèle ici. Et parce qu'on est de nouveau deux.

On remonte la rue vers le bourg et on remonte le temps. Ça ne peut pas être moi, cette femme serrée contre son homme dans l'obscurité insulaire. Ça ne peut pas être lui, cet homme fougueux et tendre. Ça ne peut pas être moi, cette femme impatiente qu'il déshabille.

Il y a cela, ensuite, d'incroyable, d'inespéré, l'ardeur et les embrasements comme si c'était la première fois, avec des maladresses délicieuses et des découvertes incandescentes. On fait connaissance au premier matin du monde. Je n'ai plus peur du mauvais sort lancé par ma mère folle de chagrin. Charlotte a la vie devant elle. Je peux de nouveau m'abandonner. L'amour est plus fort que la haine.

Charlotte, île de Groix

Avant, je dormais sur le côté. Maintenant, je suis obligée de me coucher sur le dos. Du coup, j'ai le sommeil léger. J'entends la porte de la maison s'ouvrir, puis se refermer. Je reconnais la voix de mes parents, ils parlent bas, mais j'ai l'oreille fine. Ils vont où, en pleine nuit ?

J'attends. Ils ne reviennent pas. Maman a demandé à papa de sauter par-dessus le Trou de l'Enfer ? Ils s'entretuent sur la lande ? S'ils meurent tous les deux, je vivrai chez qui ? Granny n'est plus là, Grampy ne peut pas s'occuper de moi. Sarah me trouve infâme. Je ne suis pas parente avec Maëlle. Bonne-Maman, la maman de maman, déteste les enfants. Qui s'occupera d'Hopla ? On le mettra en cage et moi dans un orphelinat ? On le piquera et je n'aurai que mes yeux pour pleurer. C'est idiot cette expression, on ne pleure pas avec les pieds. Pomme ne saura même pas où je suis, on ne se reverra plus. Finalement, ma prison dorée n'était pas si terrible. Maman a trop peur pour moi, mais elle m'aime. Papa n'est jamais là, mais il nous aime bien.

Rien que d'y penser, je sens que mon cœur se met à galoper. Si mes points de suture lâchent, est-ce qu'il se videra par le bas comme une chaussette ? Le chirurgien m'a mis des points de croix ou des points de Groix ? Je dois me calmer. Je teste le truc de papa. Je prends l'iPad et je me mets sur la webcam du port de Groix. Je vois un monsieur et une dame de dos. Ils regardent l'entrée du port, assis côte à côte. L'image se fige, ça ne fonctionne pas en continu. Papa m'a expliqué, les vues durent soixante secondes et sont mises à jour toutes les deux minutes. La dame veut se lever mais le monsieur la retient. Elle me fait penser à… maman ? Le monsieur… c'est papa ? L'image se fige. Il se retourne, elle aussi. L'image se fige. Il lui montre la webcam, je fais coucou de la main mais ils ne me voient pas. L'image se fige. Je les retrouve en train de s'embrasser, beurk. L'image se fige. Et ils s'en vont, collés serrés.

J'ai bien vu ou je débloque ? J'entends la porte de la maison s'ouvrir et se refermer doucement. Leurs chuchotements, leurs rires étouffés. Ils montent l'escalier. Il n'a pas sauté par-dessus le Trou de l'Enfer. Ils ne se sont pas entretués. Je n'irai pas à l'orphelinat. Personne ne piquera Hopla. On va rester tous les quatre ensemble. Papa a raison, sa webcam remonte le moral.

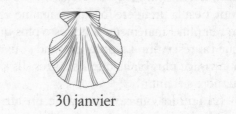

30 janvier

Pomme, île de Groix

J'ai la trouille. On a répété toute la matinée. Le concert était prévu dehors, mais il pleut des cordes donc on s'est rabattus sur la salle des fêtes. Les musiciens et les choristes sont en noir. Charlotte m'a prêté un col roulé super doux. Dans ma famille, personne ne sait que je joue dans la fanfare, ils croient que je fais partie de la chorale.

On sort nos instruments, on se prépare. Les adultes sont aussi nerveux que les enfants. Mon duo avec Ywes sur *Danny Boy* est programmé en cinquième position. Ensuite, j'accompagnerai la fanfare sur le sixième morceau, puis je passerai derrière la scène et je rejoindrai ma famille dans le fond de la salle pour écouter la chorale. Je leur ai réservé des places en scotchant des papiers sur les chaises en plastique. Charlotte a prévu de venir en voiture avec papa au dernier moment pour ne pas risquer d'être bousculée. J'enchaîne de lentes respirations abdominales qui me font bâiller. Je connais les deux partitions par cœur. Les autres enfants se sont déjà donnés en spectacle devant leurs parents, à des fêtes ou des compétitions. Moi, c'est la première fois que papa me verra. La salle se remplit. Finalement, il ne reste plus que les places que j'ai réservées. La porte du fond s'ouvre. Charlotte a le visage plus blanc que les autres. Ils s'asseyent. La lumière s'éteint.

La fanfare ouvre le bal avec un air entraînant : trombones, trompettes, cornet à piston, saxos, tambours, c'est la fête. Je patiente à l'arrière de la scène en regardant jouer les autres. Armelle monte par le côté, parle à l'oreille de Jacote qui transmet à Ywes. Il cesse de jouer et recule dans l'ombre. Il me cherche des yeux, me souffle de monter mon saxo en vitesse, rattrape le groupe pour terminer le morceau, s'approche du micro.

— Mes amis, petit changement de programme. Un de nos fanfarons a crevé un pneu sous la pluie à Port-Mélite, on va aller le chercher. Pourtant on n'avait pas prévu de jouer *Singin' in the Rain* ! Du coup, l'ordre va être modifié. Nous allons passer directement au morceau qui était prévu en cinquième. Un duo piano saxophone alto.

J'écoute à moitié en montant mon instrument.

— Pomme, s'il te plaît ?

J'ai les mains moites, la bouche sèche. Ywes, assis au piano, m'attend. La salle entière nous attend.

Ywes joue les premières mesures de *Danny Boy* seul, comme prévu. Le saxo pèse sur mon cou, le cordon me scie la peau, mes doigts sont chauds, mais la musique va m'aider. Je ne regarde pas ma famille, je ne pense qu'à une chose : le frisson chaque fois renouvelé, la magie de cet air ensorcelant. Les doigts d'Ywes courent sur le clavier, je mets ma bouche sur le bec et les notes familières jaillissent, poignantes... Non ? Non.

Mon cœur éclate. J'ai les doigts sur les bons plateaux. J'entends la musique dans ma tête. Ma bouche est dans la bonne position. Je n'ai pas trop de bec. Je ne serre pas trop les dents. Je souffle et pourtant rien ne vient. Rien de rien de rien du tout du tout. On n'entend que le piano. Mon saxophone fait chhhhhhhh comme le bruit de la mer. Comme s'il était bouché ou cassé. Je m'affole. Quelqu'un m'a fait une mauvaise blague ? Mon saxophone refuse de jouer pour papa ? Je l'ai vexé ? Ywes ne peut pas venir à mon secours puisqu'il est au piano. Tous ces efforts pour rien ? Je suis ridicule. Je souffle de nouveau : chhhhhhhh. Du fond de ma détresse, je regarde papa au fond de la salle. Il parle à Charlotte. Il s'en fout. C'était pour lui, c'était son air. Je ne suis ni Sidney Bechet ni Stan Getz qu'Ywes m'a fait écouter, mais je savais jouer *Danny Boy* ce matin. C'était trop beau.

Ywes fait danser son piano, les autres ne comprennent pas ce qui m'arrive, certains spectateurs croient à une plaisanterie. Je serre les dents, je dégage le cordon de mon cou, je pose le saxo par terre, et je sors de scène. J'ai trop honte. Je me faufile dans le noir jusqu'à la porte, je la referme au moment précis où le piano se tait et où les applaudissements qui ne sont pas pour moi crépitent. Je traverse sans regarder sous la pluie battante. Je manque me faire renverser par une voiture qui voit surgir ma silhouette ruisselante. Et je cours me réfugier auprès de Lou.

Je m'assieds sur sa pierre au cimetière. J'ai voulu faire la maline, j'ai été grotesque. Je vais me cacher jusqu'à ce que papa reparte ce soir. Je m'allonge sur le dos et je regarde le ciel où Lou a déménagé. Je suis trempée et gelée. Je hurle quand une main se pose sur mon épaule.

— N'aie pas peur, c'est moi !

Papa a un grand parapluie qu'il tient au-dessus de nous.

— Tu vas attraper la mort. Retire ton col roulé.

— Il est à Charlotte. Je n'ai rien en dessous.

— Personne ne regarde. Enfile mon chandail à la place.

Je retire le col roulé qui ressemble à une serpillère. Je mets le gros pull de papa dont les longues manches pendent au bout de mes bras. Il n'a plus qu'un polo léger. On frissonne.

— On va rentrer au chaud, mais il faut que tu termines ce que tu as commencé. Tu te souviens de ce que disait Lou ? Quand on tombe de cheval ?

— On remonte aussitôt. Mais le saxo n'est pas un cheval. Je ne suis pas douée, Ywes m'a menti.

— Le saxo est un animal à anche, ma chérie. Tu as oublié de la mettre.

— Quoi ?

Il pose délicatement la mallette sur la tombe d'à côté.

— Tu peux tenir mon parapluie ?

Je nous abrite tous les trois, papa, l'instrument et moi. Papa monte le saxo avec l'assurance que confère l'habitude, sans mettre l'anche. Puis il souffle dedans en jouant. Et ça fait chhhhhhhh. Le bruit de la mer. Exactement comme moi sur scène.

— Tu vois ? Sans anche, pas de vibration, pas de son.

Je comprends. Je pensais avoir tout mon temps, mais le fanfaron a crevé et j'ai été propulsée dans la lumière. Papa me tend la boîte à anches. Puis il s'incline cérémonieusement devant moi.

— Puis-je récupérer mon parapluie ? Tu entres en scène dans deux minutes.

— Je ne veux pas y retourner.

— Tu vas te produire ici, pour Lou et pour moi.

Je reste bouche bée.

— Ne me dis pas que tu as peur ?

Je suis une petite fille trempée, pas une poule mouillée. J'attrape une anche dans la boîte, je l'humecte avec ma langue, je la pose sur le bec, je serre la ligature. Mes cheveux dégoulinants me tombent sur la figure, papa les replace derrière mes oreilles. Il est là, immense, avec le parapluie qui nous protège. Les manches de son pull tire-bouchonnent, il les remonte sur mes bras.

— Nous t'écoutons, dit-il.

Je n'ai pas besoin de la partition. Je place le bec dans ma bouche. *Danny Boy* s'élève dans le silence du cimetière sous le parapluie.

La terre recommence à tourner. Le saxo se fiche que je ruisselle, il est revenu à la vie, il parle d'amour et d'amitié et d'une terre celtique comme la Bretagne. Les marins ensevelis reconnaissent cet air venu du passé, beuglé dans les bistrots de l'autre côté de l'océan. Papa, appuyé contre Lou, écoute.

2 février

Charlotte, île de Groix

Papa est reparti travailler à Paris. Avant, j'étais arrogante et grognon. Maintenant, je me sens vulnérable. L'ennemi est sous ma peau, dans ma poitrine, l'ennemi c'est moi.

— Tu as des cernes, s'inquiète maman.

— Jo pourrait nous conduire à la plage en voiture, tu respirerais le bon air, propose Pomme. Pourquoi tu restes tout le temps enfermée ?

— Si tu t'embêtes avec moi, je ne te retiens pas. Va jouer avec tes copains qui peuvent courir et rigoler.

— Tu n'as pas revu l'océan depuis ton arrivée !

Elle ne sait pas que tous les jours je contemple le port sur la webcam. Ce n'est pas quand mon cœur bat que j'ai mal, c'est quand je respire, à cause des côtes qu'ils ont dû couper pour l'atteindre et le recoudre. Grampy m'a expliqué, c'est comme dans mon armoire où je dois écarter les tee-shirts devant pour atteindre les pulls derrière.

— Ta joie de vivre est tombée de ta poche au Trou de l'Enfer ? demande Pomme pour me faire réagir.

— On dirait la première phrase d'un roman, dit tante Sarah.

Elle est triste parce que Federico s'en va aujourd'hui. Grampy m'ausculte tous les jours, on parle. Depuis mon accident, je m'intéresse à ce qui se passe dans la tête des gens, pourquoi ils ont des amis ou pas, pourquoi on est le roi du monde et la seconde d'après on est embroché dans un buisson, comment on tombe amoureux.

— Ton cœur bat comme une montre suisse, tout ça ne sera bientôt plus qu'un très très très mauvais souvenir, dit Grampy.

— Je me sens seule. Quand Granny était là, tout le monde était seul, sauf vous deux. Même si elle est partie, vous êtes toujours deux. Sarah a Federico. Pomme a sa maman. Papa et maman redorment ensemble depuis qu'ils se sont embrassés au port, elle n'est plus gênée par ses ronflements. Moi je n'ai personne, enfin, sauf Hopla.

— Tes parents ont fait quoi au port ?

Je lui raconte ce que j'ai vu dans la webcam.

— Tu crois que ton papa et ta tante Sarah sont heureux ? demande avidement Grampy.

J'acquiesce. Ça a l'air de lui faire vraiment plaisir. Je précise :

— Vous êtes tous au printemps, moi je suis en hiver.

— Il fait beau dans leur vie mais tu grelottes dans la tienne, c'est ça ?

— Je ne peux pas respirer.

— Oh ! si, tu peux ! Tu as peur de le faire parce que c'est douloureux. Un matin, tu te réveilleras

comme avant, sans te rendre compte que tu inspires
et que tu expires.

Il pose doucement sa main sur ma cicatrice qui fait
peur à maman et qui fascine Pomme.

— Tu seras au printemps bien avant le printemps.

Sarah, île de Groix

Federico a acheté un sac pour remplacer celui qu'il
a donné à Pomme. Il n'aime pas les adieux.

— Va-t'en, Sarah, sinon je ne monterai pas sur ce
bateau et je perdrai mon travail.

— Si tu rêves d'une famille italienne parfaite avec
la *mamma* qui fait la *pasta* aux *bambini*, tu t'es trompé
d'adresse, dis-je pour mettre les choses au point.

— Je n'ai aucun rêve précis, j'étais à la recherche
de la bonne personne. À Rome, les gens dans la rue
sont felliniens sans le faire exprès. Ici, les Groisillons
ne jouent pas à être îliens, ils le sont d'emblée. Qu'ils
soient entourés d'océan change leurs perspectives. Te
connaître change mes perspectives.

— Je ne veux pas que tu te sacrifies !

— 1 2 3, dit Federico. À Venise, les vigiles qui
font leurs rondes collent des petits papiers aux portes
des maisons et aux grilles des magasins pour prouver
qu'ils sont passés. J'ai envie de coller des petits papiers
à ton nom partout dans ma vie. Je reviens à Paris dans
un mois.

346

C'est long, un mois. Je ne tiendrai jamais jusque-là.

— Ta chambre est de quelle couleur ?

— Rouge pompéien.

Pomme, île de Groix

Sur le moment, je n'ai pas prêté attention à ce que nous a dit tante Sarah. Puis ses paroles me sont revenues. J'entre en trombe chez Charlotte.

— J'ai une idée ! dis-je, les cheveux aussi hérissés que Jo parce que je viens de retirer mon bonnet.

Ma sœur, bien coiffée avec ses barrettes dorées, est recroquevillée sur elle-même.

— Je dormais, grogne-t-elle.

— Tu as neuf ans, tu es trop grande pour faire la sieste.

— Je suis en convalescence.

Jo m'a parlé de l'hospitalisme, la dépression des petits enfants hospitalisés longtemps et séparés de leur mère. Ils régressent et se laissent mourir. Charlotte était habituée à ce qu'Albane la traite comme un bébé. Elle s'est sentie protégée en réanimation puis en cardiologie, mais là elle est de nouveau dans le circuit, aussi fragile qu'une coquille d'œuf.

— Mon idée va te plaire ! fais-je gaiement.

— Tu n'aurais pas dû me réveiller. Quand je dors, j'oublie que je suis coincée dans cette chambre.

— Tu as besoin de te dégourdir les jambes.

— J'ai mal dès que je fais trois pas, tu courras seule *La Groisillonne* en mai.

— La balade que je te propose ne te fatiguera pas.

Je déclame :

— « Ta joie de vivre est tombée de ta poche au Trou de l'Enfer. » Tante Sarah a dit que ça ressemble à la première phrase d'un roman. Tu ne peux pas bouger pour l'instant, mais tu peux voyager sur les ailes des mots. On va écrire ensemble une nouvelle à quatre mains comme pour le prix Clara de Lou. Ne me regarde pas avec des yeux de veau, sinon je vais croire qu'ils t'ont transplanté un cœur de bœuf.

— Elle racontera quoi, ta nouvelle ?

— Pas la mienne, la nôtre ! Ce qu'on veut, dis-je.

— Pourquoi pas mon accident ?

Je réfléchis.

— On pourrait le décrire à travers ton regard et le mien, selon deux points de vue différents ?

— Et si mon cœur était le héros de l'histoire ?

Je comprends ce qu'elle veut dire. Quand j'étais petite, Lou m'a offert un livre dont l'héroïne était une goutte d'eau qui racontait son voyage dans les robinets, son arrivée dans une baignoire, sa rencontre avec la mer.

— Un cœur narrateur… Super idée !

— Cool ! dit ma sœur. Grampy m'a expliqué, un cœur est comme une maison de quatre pièces, on entre par les oreillettes et on sort par les ventricules. Il faut trouver un titre.

— *Yolo ! You Only Live Once !*

Les yeux de Charlotte brillent, elle est moins pâle.

Elle esquisse le geste de claquer ma paume pour sceller notre accord, s'arrête en grimaçant.

Albane entrouvre la porte.

— Vous n'avez besoin de rien, les filles ?

— Non merci, dit ma sœur en souriant pour la première fois depuis longtemps.

Albane, île de Groix

Je me perds dans le dédale de rues, je tourne en rond en retombant chaque fois sur l'église Notre-Dame-de-Plasmanec. Locmaria était le village le plus peuplé de l'île avant l'essor de Port-Tudy à la fin du XIXᵉ siècle. Mon beau-père m'a dit de tourner après l'aire de battage, mais à quoi ressemble-t-elle ? Je trouve, enfin.

Je m'assieds devant la cheminée. Maëlle me sert un thé. J'ai une tête à en boire, on m'en offre souvent alors que je n'aime pas ça.

— Nous aurions dû avoir cette conversation il y a dix ans, dis-je en fonçant bille en tête.

— Vous saviez où me trouver.

— Mon mari vous aimait encore.

— C'était une amourette de vacances, pas une histoire pour la vie, Albane. Si nous avions vraiment tenu l'un à l'autre, nous aurions vécu ensemble contre vents et marées. Lou a quitté son château pour Jo. Il a quitté son île pour elle. Cyrian et moi sommes restés sur nos positions.

— Il m'a épousée parce que j'étais enceinte.

— Il m'aurait épousée pour la même raison. Oubliez le passé, Albane. Il vous aime. Il panique à l'idée de vous perdre. Vous l'aimez toujours ?

Je hoche lentement la tête.

— Votre Pomme a été héroïque. Elle a sauvé la vie de ma fille. Je ne la remercierai jamais assez.

— Elle a agi par instinct.

— Je vais proposer un projet à Cyrian. Je voulais votre avis d'abord. On peut se tutoyer ?

— Je t'écoute, dit Maëlle.

5 février

Jo, île de Groix

Je ne sais pas ce que mes petites-filles mijotent, mais Charlotte est de nouveau rose. Elle mange, elle respire sans s'en rendre compte. Pomme et elle pouffent bêtement. Même Hopla a retrouvé sa joie de vivre.

Cyrian arrive par le train, je vais le chercher à Lorient avec Pomme sur le *Lou de mer*. Il saute dans le bateau en portant deux mallettes rectangulaires, une noire et une grise. Il tend la grise à Pomme qui devient couleur pomme d'api.

— C'est un Yamaha d'occasion. Il a roulé sa bosse, il a un son chaud et tendre. Il te cherchait. Je t'ai rajouté un bec Selmer.

Elle se jette dans les bras de son père. Et là, à cette seconde, je me dis, ça y est, Lou. Nos enfants et nos petits-enfants sont heureux. Je ne sais pas si ça durera, mais c'est savoureux.

À la maison, je vais sur mon compte Google et je désactive les alertes. Puis je réunis notre famille dans la cuisine.

— En novembre dernier, le notaire au croco vous a lu une partie du testament de votre mère, puis il vous a fait sortir. La suite me concernait. Il m'a montré une petite bouteille dans laquelle elle a glissé une lettre pour nous. J'irai la chercher demain.

— Tu n'aurais pas pu la prendre tout de suite ? s'étonne Cyrian.

— Non, mais maintenant c'est bon.

— On t'accompagne ? propose Sarah.

Je décline sa proposition. Je dois y aller seul.

La soirée est intense. Pomme étrenne son nouveau saxo et joue en duo avec son père. Ils sont en phase sans avoir répété ensemble. Ils suivent la partition en se surveillant du regard, ils vibrent à l'unisson. Je suis épaté. J'espère que tu les entends là où tu es, ma piroche.

— Comment vas-tu appeler ton saxo ? demande Cyrian en rangeant son instrument.

Pomme consulte Charlotte qui répond aussitôt :

— Clara !

Je sors regarder le ciel. On ne voit rien à Paris à cause de la pollution. Ici, on dort protégés par un caban piqueté d'étoiles. Ton « jardin aux appétits » ne t'a pas survécu, je l'ai négligé et oublié, j'ai un peu honte, tout est foutu, basilic, menthe, ciboulette, persil, sauge, marjolaine, verveine, mélisse, thym citron, et ta plante préférée, les feuilles d'huîtres, *marensa maritima*, qui mangées crues ont le goût exact des huîtres sans leur texture.

Je repense à la nuit où je t'ai trouvée dans mon bureau. Si je ne m'étais pas réveillé en constatant ton absence, si je t'avais attendue en restant dans mon lit, si tu avais eu le temps de mener à bien ton projet, nous ne serions pas là ce soir…

Huit mois plus tôt

Jo, île de Groix

Je pars marcher avec Bertrand, Jean-Luc et Marie-Christine le long de la côte. Quand je reviens au bourg, tes mains et le visage de Pomme sont brûlés. Pomme a eu le bon réflexe de faire couler de l'eau froide sur vos brûlures, mais elle n'a pas pensé à la Biafine. Je vous en tartine en remerciant le ciel que ce ne soit pas pire. J'examine son œil avec mon ophtalmoscope, je bande tes mains, je vous donne des antalgiques. J'engueule le responsable, le chat Tribord, comme du poisson pourri. Il me tourne le dos, humilié.

La nuit suivante, un bruit me réveille. J'allonge la main de ton côté du lit, par réflexe. Tu n'es plus là et les draps sont froids. Je pars à ta recherche à travers la maison endormie. Je te trouve dans mon bureau, en chemise de nuit, grelottante. Assise dans mon fauteuil, tes mains bandées crispées sur mon fusil de chasse. La boîte de cartouches est ouverte sur le bureau. Le canon du Verney-Carron vise ta gorge.

— Qu'est-ce que tu fais, Lou ?

— Qui êtes-vous ?

Une main de glace chiffonne mon cœur.

— Lou, pose ce fusil...

— Ne m'approchez pas !

— Lou, c'est moi, Jo, ton mari.

— Je vous préviens, il est chargé !

Je ne reconnais pas ta voix, basse, terrifiée.

— Je t'en prie, mon amour...

J'avance et l'impensable se produit : tu retournes l'arme vers moi, tu me vises. Je m'immobilise.

— Eh ! Doucement !

Une larme coule sur ta joue tandis que tu raffermis ta prise. Tes bandages te gênent, mais ton index est à deux millimètres de la détente. Si tu tires à cette hauteur, la balle partira droit dans mon thorax et m'explosera le cœur. Si tu tires plus bas, elle se fichera dans mon abdomen, l'hélico m'emmènera à Lorient, je passerai sur le billard, je mourrai probablement sur la table d'opération. Ou elle se logera dans ma moelle épinière, je me retrouverai sur un fauteuil pour le reste de ma vie, je pourrai le customiser et faire la course avec Sarah.

Je te souris malgré ma panique. Et alors il se passe quelque chose. Tu reconnectes. Tes neurones recommencent à fonctionner. Ton cerveau remplit son emploi. Ta mémoire classe, trie et te remet sur la bonne route. Je dis tendrement :

— Lou ?

Il y a de l'horreur dans ton regard. Tu regardes le fusil dans tes mains brûlées, la boîte de cartouches, tu me découvres au bout du canon. Tu diriges aussitôt l'arme vers le plafond. Je te la retire, je casse le fusil et j'ôte la cartouche.

— J'ai perdu la tête, Jo ?

Je m'efforce de continuer à sourire.

— Tu m'as fait perdre la tête la première fois que je t'ai vue, je ne l'ai jamais retrouvée.

— Ce n'est pas Tribord qui a renversé le café bouillant, Jo. C'est moi.

Je change de visage.

— Tu as bien entendu. J'ai failli rendre Pomme aveugle, mon piroche. Je n'ai pas reconnu ma propre petite-fille. J'ai voulu la repousser.

— Tu dormais et elle t'a fait peur ?

— Même pas. J'ai des trous noirs et des gouffres blancs. Je ne sais plus qui je suis ni où je suis. C'est pour ça que j'ai pris le fusil, pour m'assurer que je ne vous ferais pas de mal.

Je m'assieds près de toi et tu te loves contre mon épaule.

— Tu vas passer des examens, on va te soigner, te guérir.

— Tu mens mal, mon amour. Je suis une femme de médecin, tu ne peux pas me baratiner. Je t'ai entendu mille fois dire « c'est malheureusement flambé pour elle » ou « je ne voudrais pas être à la place de sa famille ». Je n'ai pas peur pour moi, mais pour vous.

— Je suis là. Je vais te protéger.

— Ça peut m'arriver n'importe quand, au volant, dans la rue, dans la cuisine avec le gaz allumé, sur le bateau.

— Je ne te laisserai plus jamais seule.

— Tu n'es pas mon baby-sitter ! Je voulais finir en beauté avec ton fusil. Et puis j'ai eu un blanc. Est-ce que je t'ai visé ?

Épouvantée, tu mets tes mains bandées sur ta tête, ça te fait des oreilles de petit lapin. Un joli lapinou fou.

— J'ai failli te tuer ?

Tu ne pleures pas, tu es au-delà de ça, dans un territoire monstrueux où tu t'enlises un peu plus chaque jour et auquel je n'ai pas accès malgré notre amour.

— Et si une nuit, alors que tu rêves à côté de moi, j'oublie qui tu es ?

— Je vais cacher mon fusil.

— Il n'y a pas que les armes qui sont dangereuses. L'eau bouillante, le gaz, les couteaux, les ciseaux, le feu !

— Calme-toi mon amour.

— Un sumo qui dort est aussi vulnérable qu'une fourmi. Il n'y a pas que toi, il y a Pomme ! Et Maëlle ! Il y a Charlotte, Cyrian et Albane quand ils viennent ! Il y a Sarah ! Je ne veux pas me réveiller un jour en m'apercevant que j'ai blessé ou tué l'un de vous.

— Ça n'arrivera pas, dis-je.

— Tu veux me prouver que tu m'aimes ? Rends-moi ce fusil.

— Sûrement pas !

— Il y a une autre solution, mon piroche.

— Bien sûr, te soigner !

— Ne me raconte pas de bobards. C'est trop tard. Je veux profiter du temps qui me reste. Mais à une condition.

— Oui ?

Tu plonges tes yeux dans les miens et tu prononces un mot qui n'aurait jamais dû te concerner à cinquante-six ans.

— L'Ehpad.

6 février

Jo, Lorient

Je t'ai tuée en ne te laissant pas te tuer il y a huit mois, Lou. J'ai accepté le moins pire. Ta raison déménageait et tu as emménagé à l'Ehpad. J'avais fondé avec mes copains la Société d'aide aux femmes de maris défaillants, mais j'ai failli à t'aider, toi.

Aujourd'hui, ton notaire porte un polo sans croco, du même rose que le Joseph sur mes épaules. Je vais à l'essentiel.

— Mes enfants sont heureux, lui dis-je.

Il ouvre son tiroir et me tend la bouteille. Je la fourre dans la poche de mon caban.

Le taxi me dépose devant la gare maritime. La chanson de Jean-Louis Aubert, *Alter ego*, m'obsède depuis ce matin. Je la fredonne en marchant vers l'entrepôt qui jouxte le parking où les voitures embarquent. «Il manque un temps à ma vie, il manque un temps j'ai compris, il me manque toi, mon alter ego.» Je salue les chauffeurs de camions et les marins de la compagnie. Je demande si quelqu'un a une pince. On m'en prête une.

Je m'assieds sur un rocher à l'écart. Je force sur le bouchon. La cire se brise et tombe en morceaux rouge sang. Je débouche la bouteille et je la place aussitôt près de mon oreille. Le souvenir de ta voix me caresse la joue, l'écho de tes mots se dissout dans le vent. Je jurerais que tu viens de me dire que tu m'aimes.

Il y a deux feuilles dedans, notre contrat et ta lettre. J'essaye de les sortir, mes doigts sont trop gros. Je pourrais taper la bouteille sur un rocher pour la briser, mais je me blesserais et les morceaux de verre risqueraient de couper les enfants et les chiens qui se promènent ici.

Je plonge la main dans ma poche pour chercher mes lunettes.

— Et merde !

Je les ai oubliées à Groix. Tu avais une vue perçante, je suis perdu sans mes verres. Je vais vieillir alors que tu ne prendras pas une ride. Je vais devenir un vieux veuf alors que tu seras une jeune disparue. Si je vis encore vingt ans, j'aurai l'âge d'être ton père. C'est le supplice de Tantale, j'ai tes mots à ma portée, mais je ne peux ni les attraper ni les lire. Alors je ferme les yeux et je reviens dix ans en arrière, le soir du solstice d'été…

Dix ans plus tôt

Jo, île de Groix

— À l'amour ! t'avais-je dit en plongeant mes yeux dans les tiens le soir du solstice d'été, aux Grands Sables.

— Regarde-moi en trinquant, Jo, sinon c'est sept ans sans sexe !

J'ai obéi sous la menace. Tu m'as demandé de penser à une chanson pour ce moment précis. J'ai entonné : « Une île entre le ciel et Lou. » Tu as répliqué : « Chante, la vie, chante, comme si tu devais mourir demain. » Tu étais triste. Ton grand-père, un homme brillant et chaleureux, venait de mourir, sénile et agressif. Tu en voulais à ses médecins, tu accusais mes confrères d'acharnement thérapeutique. Tu m'as dit avec gravité :

— Je veux pouvoir compter sur toi, Jo.

— Tu peux. Je donnerais ma vie pour toi.

— Mais est-ce que tu la prendrais ? Tu te bats pour tes patients. Je veux que tu me jures de me sauver si un jour ça devient nécessaire, si je deviens comme mon grand-père.

— Te sauver de quoi ? De cette puce de sable qui va te sucer le mollet ?

Tu as poussé un petit cri en repliant tes jambes.

— Tu sais soigner, Jo, tu sais abréger les souffrances. Tu avais injecté un produit à l'homme sans tête.

J'étais jeune interne au Samu. J'avais pratiqué mon premier accouchement à domicile, je planais. Dans la foulée, je m'étais retrouvé devant une voiture dont le chauffeur, un vieil homme qui n'avait pas bouclé sa ceinture de sécurité, n'avait presque plus de tête. Une bouche, mais plus rien au-dessus, pas de nez, pas de regard, pas de cheveux. Son crâne avait éclaté, sa cervelle était étalée sur le pare-brise. Son cœur battait encore anarchiquement. Son abdomen était enfoncé. Ses jambes étaient broyées dans les tôles. Ses mains tenaient toujours le volant. Il était gros fumeur, gros buveur, ses organes malades ne pourraient servir à personne. Sa femme, qui ressemblait à ma grand-mère, avait été extraite de la voiture, sonnée. Elle émergeait lentement en répétant : «Comment va mon mari ? Il était encore ivre, il s'est endormi en conduisant. Comment va mon mari ?» Je n'ai pas voulu qu'elle garde de lui la vision atroce d'un vieillard sans visage et sans jambes, d'un corps déchiqueté avec un scope qui continuait à faire bip-bip en maintenant une illusion de vie. Le spectacle était insoutenable. Alors je lui ai injecté une ampoule qui en quelques secondes a arrêté son cœur. Théoriquement, je l'ai tué. J'ai tué un mort en sursis, un thorax en fibrillation. Je te l'ai raconté le soir. Puis je me suis saoulé. Sans prendre le volant. En sécurité chez nous. Dans tes bras. Je ne l'ai jamais dit à personne d'autre que toi.

— Je n'en suis pas fier, mais je ne le regrette pas. Et alors ?

— Nous sommes heureux ensemble, mon piroche. Qui sait ce que l'avenir nous réserve ? Si j'ai une maladie incurable, si j'ai mal à crever, ou si je deviens dingue et baveuse, je veux que tu promettes de m'aider à partir.

— Tu es folle !

— Oui, de toi. Et je te jure d'en faire autant si tu me le demandes. Sinon, je te soignerai avec dévouement et des sous-vêtements sexy jusqu'à ta dernière heure. Mais je refuse l'idée que je puisse un jour m'éteindre à petit feu sans me rappeler que je t'aime.

— Je suis médecin, je sauve les gens, je ne les tue pas. L'homme dont tu parlais était déjà potentiellement mort. Si un jour tu es dans le même état que lui, je te promets d'arrêter ton cœur... Ça te va ?

Tu as secoué la tête avec rage, ça ne te suffisait pas. Ton grand-père, la seule personne de ta famille à t'avoir parlé de ta mère, ne méritait pas, selon toi, ce qu'il était devenu. J'ai essayé en vain de te ramener à la raison :

— Pourquoi te préoccuper de ça à quarante-six ans ?

Nous sommes restés tard devant la mer, serrés l'un contre l'autre. Un goéland a fini nos sandwichs. Tu as insisté. Tu as argumenté. Tu t'es mise à pleurer. J'ai craqué en pensant qu'on en reparlerait, que ce n'était qu'une discussion en l'air, que ça ne m'engageait à rien. Tu m'as roulé une pelle magnifique, «la pelle du 21 juin». Tu as pris une feuille de papier dans ta poche, tu as écrit dessus : «Nous soussignés, Jo et Lou, sains de corps et d'esprit, promettons aujourd'hui par ce contrat à effet immédiat de nous délivrer mutuellement si besoin est.» Tu as daté, signé. J'ai contresigné pour sécher tes larmes. Tu as enroulé le contrat autour de ton doigt, tu l'as glissé dans la bouteille vide. Puis tu as posé délicatement ta bouche autour du goulot, tu as chuchoté dans la bouteille des mots que je n'ai pas entendus. Et tu l'as rebouchée en y enfonçant le bouchon de liège. Ensuite tu as gratté l'étiquette jusqu'à ce que les deux dernières lettres ne soient plus visibles. Il ne restait plus que «Merci».

Jo, île de Groix

Le soleil ruisselle du ciel clair sur le roulier, les voiliers, les pêcheurs, les promeneurs, les voitures, les chiens et les goélands. Sarah m'a prêté son iPod, j'ai écouté Didier Squiban jouer *Molène* au piano pendant la traversée, ça m'a aidé. Je retire les écouteurs de mes oreilles, je descends du bateau, la bouteille déforme ma poche.

— Eh, Systole ! Papa !

Je me retourne. Nos enfants sont venus m'attendre.

On s'assied à la terrasse de « L'Escale ». On commande des muscadets, Soaz nous apporte trois petits verres. Je sors la bouteille de mon caban, tu gis au fond tel le génie de la lampe. Les mots que tu as prononcés dedans se sont posés au bord de mon cœur.

— Je n'ai pas réussi à sortir la lettre de votre mère.

— Soaz a sûrement ce qu'il faut, dit Cyrian.

Il revient avec un bout de ficelle qu'il plie en deux. Il rentre la boucle jusqu'au fond de la bouteille, l'incline par le goulot de façon que la boucle passe sous les papiers. Puis il tire doucement la ficelle et les feuilles viennent avec. Je déplie d'abord le fameux contrat que je n'ai pas honoré. Puis je tends ta lettre à Cyrian qui la passe à Sarah et elle nous la lit.

11 août

Je vous écris à tous les trois depuis ma chambre de l'Ehpad. Je sais que tu ne m'aideras pas à partir, Jo, même si tu as signé mon contrat. C'était bien la peine d'épouser un médecin !

Cyrian, Sarah, je vous ai fait une sale blague, pardon. Je vous ai induits en erreur volontairement en vous faisant croire que votre père m'avait trompée. Il m'a trahie, oui, mais il ne m'a pas trompée. Il n'a pas lutiné une autre femme (enfin, pas que je sache), même s'il ne s'est pas gêné pour les regarder. Il y a dix ans, aux Grands Sables, je lui ai fait promettre de m'aider si j'avais un jour une maladie incurable, si je souffrais ou si je devenais folle. Les hommes ne résistent pas aux larmes. Il a promis, ça m'a rassurée. Je savais qu'il ne tiendrait pas parole, mais je me suis sentie plus légère.

Vous êtes nés dans une famille privilégiée. La médaille a son revers, vous avez peu vu votre père. Vous avez chacun vos blessures et vos épreuves, vous les avez affrontées avec courage. J'ai voulu, par ce mensonge discutable, vous conduire au clash et vous obliger à vous découvrir. Si j'ai réussi mon coup, vous avez tissé un lien. Votre père ne voulait pas que j'aille à l'Ehpad, je

364

l'ai forcé. Parce que j'avais failli défigurer Pomme en renversant la grek. J'étais partie ailleurs et je ne l'ai pas reconnue.

J'ai été éperdument heureuse grâce à vous trois. Avec Jo, j'ai appris la joyeuse stupeur de vivre. Je vous souhaite la même aventure. Chaque mauvais plat que je vous ai cuisiné était saupoudré d'amour.

J'espère que Pomme et Charlotte seront des femmes épanouies et libres. Ce ne sont pas les enfants ou les petits-enfants qui rendent heureux, c'est l'amour qu'ils génèrent, dont on les entoure, qui nous imprègne.

On ne sait pas de quoi on meurt, mais on peut décider comment on vit. Jo, je t'ai forcé à mieux connaître nos enfants et ça t'a empêché de baisser les bras et de sombrer. Tu m'as empêchée d'en finir, je t'ai rendu la pareille. Puisque je t'ai précédé là-haut, je vais nous réserver la meilleure table dans un restau étoilé du ciel. T'aimer a été une ivresse, tes paroles m'ont grisée, mais tu ne m'as jamais saoulée.

Merci pour Groix, follement. Le morceau de ciel au-dessus de cette île n'est pas comme les autres. Les flots qui caressent la côte déchiquetée, la terre et les rochers, les genêts et les murets, le thon sur le clocher, les ports les criques et les Groisillons, tout est rare et unique, formidable et puissant. Groix, ça a été la cerise sur le gâteau, pas la cerise sur mes cakes brûlés ni le magical cake *de Martine. La cerise sur le* tchumpôt, Co. *J'ai du goût pour vous, gast.*

Lou

6 février

Jo, île de Groix

Nous remontons ensemble au pas de Sarah. Je viens de devenir père sur le tard. Albane et les filles jouent au Monopoly dans la cuisine. Albane pose un hôtel rouge sur la rue de la Paix et regarde Cyrian, qui hoche la tête, puis déclare :

— Albane et moi avons une nouvelle à vous annoncer.

Je frémis. Ils divorcent ? Ils ont un bébé en route ?

— Nous avons décidé d'acheter une maison à Groix. Pour venir pendant les vacances et être plus près de toi et de Pomme sans t'encombrer, papa.

Pomme sourit d'une oreille à l'autre, elle ressemble à un Pac-Man. Je dis à mon pouacre de fils :

— Tu te fous de ma gueule ?

— On croyait que ça te ferait plaisir...

— Ma maison n'est pas assez bien pour vous ?

Tu verrais sa tête, ma douce. Je rigole.

— Je plaisante, Cyrian. Ta mère n'a pas le monopole des blagues douteuses. C'est une excellente nouvelle. Je ne te demande qu'une chose. Prends une voiture normale pour te déplacer dans l'île, pas ton char d'assaut, d'accord ?

Il acquiesce. La porte d'entrée s'ouvre. Nous sommes pourtant déjà tous là ?

— Nous avons une invitée à dîner, dit Albane en ajoutant une assiette.

Maëlle entre et prend place autour de la table comme si c'était une évidence. Cyrian, manifestement pas au courant, en reste bouche bée.

— Tu as intérêt à reprendre du poids, Charlotte, menace Albane. Parce que, je te préviens, quand tu retourneras à l'école, tu mangeras à la cantine !

Charlotte échange un regard complice avec Pomme. Je songe au dernier morceau que nous avons écouté ensemble à l'Ehpad, *Après un rêve*, de Gabriel Fauré, avec Yo-Yo Ma au violoncelle. Et je me dis que même la cantine est préférable à ta cuisine, mon amour.

Lou, là où on va après

Ce moment de pure joie ce soir dans la cuisine du bourg vaut son pesant de cacahuètes. Un moment aussi éternel qu'une note de saxo tenue à bout de souffle, aussi puissant qu'une marée d'équinoxe. Je peux désormais souffler et me reposer. Vous n'êtes plus seuls. L'avenir vous appartient. Moi j'ai notre passé pour rêver et me souvenir. Et une musique d'une incroyable beauté pour planer. Parce que, là où je suis, le silence vient, enfin, de faire place aux notes.

Je me retrouve au bord d'une falaise sous la voie lactée, avec la mer en contrebas. *Après un rêve*, de Fauré, monte dans la nuit. Je m'approche des musiciens. J'hallucine : Wolfgang Amadeus est au clavecin, Johann Sebastian à l'orgue. Alors que Bach est mort six ans avant la naissance de Mozart, qui est mort cinquante-quatre ans avant la naissance de Fauré ! Barbara la longue dame brune et Reggiani l'Italien sont assis avec Bowie l'Anglais. Mes parents m'ont gardé une place entre eux. Un pêcheur en pull marin qui te ressemble me sourit, Jo. Un petit garçon qui ressemble à Albane écoute, fasciné. Fellini valse avec Giulietta. Moi non plus je ne suis plus seule. Nos routes se séparent maintenant, mon amour. Pourtant ce n'est pas triste. J'appareille sans toi, j'embarque en me rappelant tout. Je suis nulle en calcul, mais j'ai eu du temps libre depuis la Toussaint pour compter sur mes doigts. Je connais le nombre à deux chiffres de nos années passées ensemble. Je sais le nombre à mille chiffres de nos éclats de rire. Le morceau de Fauré se termine. Wolfgang et Johann saluent. Le public se dresse pour danser, chacun sur sa musique. Tu n'es pas là pour m'écrabouiller les pieds, mon piroche. Je n'entends pas sonner une cloche comme Clarence l'ange de Capra, j'entends un irrésistible et joyeux disco : *Ah ha ha ha, stayin' aliiiiiiiiive !*

Paris, île de Groix, Rome, 2015
Kenavo d'an distro, au revoir à bientôt

Musiques

Audite Silete, Michael Praetorius
Musiques de films pour Fellini, Nino Rota
Et puis et *La Chanson de Paul*, Serge Reggiani/Jean-
   Loup Dabadie
Pie Jesu, Gabriel Fauré
Une île, Serge Lama
Chante, la vie chante, Michel Fugain
Staying Alive, Bee Gees
Adagio pour cordes, dirigé par Leonard Bernstein, Barber
Caballitos, Laurent Morisson, sur un poème d'Antonio
   Machado
Concertos italiens, Bach
La Flûte enchantée, Mozart
Message in a Bottle, The Police
Danny Boy, Frederic Weatherly
Amazing Grace, John Newton
Manu, Renaud
Go West, Swing Cajun, Pat Sacaze
La Forza del destino (ouverture), Verdi
Quand ceux qui vont, Barbara
Cinema Paradiso, Ennio Morricone
Passion selon Saint Matthieu, chœurs n°s 1 et 2, Bach

It's a Wonderful Life (musique du film), Dimitri
  Tiomkin
Bianco Natale, Mina
I'll be Home for Christmas, Barbra Streisand
La vie est belle, Frank Capra
Saint James Infirmary, reprise par Louis Armstrong
Le Forban, chant de marins
Mon p'tit garçon, Michel Tonnerre
When Irish Eyes are Smiling, Olcott, Graff et Ball
Quinze marins, Michel Tonnerre
Nous étions trois marins de Groix, chant de marins
Alter Ego, Jean-Louis Aubert
Molène, Didier Squiban
Après un rêve, Gabriel Fauré, avec Yo-Yo Ma au vio-
  loncelle

Recettes

Tchumpôt *de Lucette* :

Ingrédients : 1 kg de farine, 2 œufs entiers, 1 gros pot de crème fraîche et un petit, 2 yaourts nature, 1 paquet de sucre vergeoise (pas du sucre de canne), de la levure, des raisins secs (ou des pruneaux), 100 g de beurre salé

Dans un saladier, mettre la farine et la levure, faire un puits, ajouter un peu de sel, la crème fraîche, les 2 yaourts et les 2 œufs entiers, mélanger tout. Prendre un torchon (lavé sans odeur de lessive), l'étaler sur la table, le saupoudrer d'une couche de farine. Renverser le contenu du saladier et, avec un coin du torchon, travailler la pâte sans mettre les mains (elle est collante). Donner la forme d'un pain à la pâte, puis la partager en 3 morceaux. Aplatir chaque morceau de pâte comme une galette de 15 à 20 cm de diamètre, mettre au milieu l'équivalent en sucre vergeoise de deux barres de chocolat (de 2 à 3 cm d'épaisseur) en laissant 1,5 cm autour sans sucre. Ajouter des lamelles de beurre salé, les raisins secs (ou les pruneaux), mouiller le bord de la galette et la plier en deux comme un

chausson en soudant les bords sans percer la pâte.
Mettre chaque chausson soit dans du papier sulfurisé,
soit dans une feuille de chou, soit dans un torchon
(inodore) sans serrer, sinon il ne gonflera pas. Le fice-
ler comme un bonbon.

Faire chauffer de l'eau, la saler, porter à ébullition,
y immerger le *tchumpôt*, laisser cuire 20 minutes, le
retirer sans le percer. On fait le *tchumpôt* quand les
invités sont arrivés, il durcit vite, on le sert coupé en
tranches. On sert ce qui reste le lendemain, coupé en
tranches, passé à la poêle dans du beurre salé chaud
qu'on laisse caraméliser.

Soupe de Mirella, « Al Cantuccio », Rome :

Ingrédients : haricots (à écosser ou blancs), cèpes,
châtaignes pelées, oignon, céleri, carottes, ail, piment,
jambon cru, huile d'olive, sel et pain complet

Mettre à tremper (le soir pour le lendemain après
les avoir lavés) les haricots en y ajoutant les carottes,
l'oignon, le céleri et l'ail, finement hachés.

Le lendemain, cuire le tout dans l'eau de trempage,
garder à proximité une casserole avec de l'eau bouillante à ajouter au fur et à mesure pour que le niveau
d'eau ne baisse pas. Quand les haricots sont cuits,
ajouter les cèpes qu'on aura juste passés à la poêle avec
de l'huile d'olive et du piment. Prenez les châtaignes,
hachez du jambon ou du bacon au couteau. Mélangez
le tout : haricots, cèpes, châtaignes, jambon haché, et
arrosez d'huile d'olive. Toastez des tartines de pain

complet, servez la soupe dans les assiettes, ajoutez les toasts.

Gâteau breton de Gwénola de Bleu Thé

Ingrédients : 400 g de farine, 200 g de sucre, 300 g de beurre, 4 jaunes d'œuf plus 1 pour la dorure, un peu de levure (1 cuillère à café) à mélanger à la farine pour ceux qui le souhaitent plus gonflé, 2 gouttes d'extrait de bergamote (facultatif).

Sucre et jaunes d'œufs à blanchir plus extrait de bergamote suivant le goût de chacun. Ajouter le beurre pommade et mélanger. Ajouter la farine et la levure d'un coup et mélanger rapidement le tout à la main. Mettre la pâte dans un moule beurré et fariné. Faire des dessins avec les dents d'une fourchette. Mélanger un jaune d'œuf avec un peu de lait et à l'aide d'un pinceau badigeonner le gâteau de ce mélange. Cuisson 40 minutes au four à 180 °C.

POSTFACE

Vous allez où en vacances, vous ?

Enfant, j'allais chez ma grand-mère à Antibes sur la Côte d'Azur et chez des amis à Sainte-Marine dans le Finistère. Adolescente, à Antibes encore, et à Belz dans le Morbihan. Puis ma grand-mère est morte et la lumière du phare antibois de la Garoupe m'a mordu le cœur. Il y a quinze ans, un jour d'hiver, j'ai quitté Lorient pour aborder à Groix. Le soleil sur la lande donnait envie de danser et d'écrire. La pluie mêlée aux vagues donnait envie de boire et de chanter. Le ciel, la nuit, ressemblait à un caban piqueté d'étoiles. La lumière des deux phares de l'île, Pen Men et les Chats, caressait l'océan.

J'avais confié à Nicole, une amie lorientaise, que je rêvais d'écrire dans un phare ou sur une île. Lorsque ses amis ont vendu une petite maison blanche à volets bleus sur Groix, elle a pensé à moi. Je ne connaissais pas l'île, j'ai pris le bateau avec Guinness, mon basset-hound aux oreilles d'un kilomètre, le chien de l'inspecteur Columbo. Au port, j'ai demandé au chauffeur du taxi collectif s'il acceptait les chiens, il a sorti un petit marchepied qu'il a posé devant Guinness pour qu'il puisse monter. J'ai immédiatement senti ce que ce lieu avait d'unique. Six mois plus tard, Guinness s'est éteint et j'ai débarqué dans l'île sans lui. Je le cherchais partout. Puis j'ai croisé l'irrésistible Uriel, un cocker noir et blanc, persuadé que les lapins sont des copains. En me poussant à marcher tout en m'apportant ses balles baveuses, il m'aide à perdre les kilos-écriture stockés en buvant des cafés avec un chocolat.

Mon roman, qui chante le lien entre les hommes et le bonheur toujours possible, puise son inspiration de ce caillou de huit kilomètres sur quatre, planté au milieu de l'océan. Ses tempêtes, sa tendresse et ses goélands, je suis heureuse de les partager aujourd'hui avec vous, lectrices et lecteurs. Les vrais Groisillons se mêlent à mes personnages imaginaires. Loin d'être secondaires, les figures insulaires sont au contraire essentielles et précieuses, car chacune représente un petit maillon de la chaîne d'union de l'île de Groix, *Enèz Groé* en breton, la vraie héroïne du livre. Mais ce n'est pas un paradis à l'eau de rose. Autrefois, la vie y était rude, aujourd'hui elle ne l'est guère moins. Pourtant l'air y a une densité spéciale, les sourires sont larges, les sentiments intenses, la solidarité grande. Cette terre est magnifique. Chaque fois que je prends le bateau pour la quitter, je suis remplie de gratitude et mon cœur se chiffonne comme une boule de papier froissé à l'idée de ne plus la revoir.

Je crois profondément qu'il existe pour chacun d'entre vous un livre qui changera votre vie. Un roman ou un essai, une BD ou un manga, un polar ou un recueil de poésies, un livre technique, scientifique, historique ou de science-fiction, il est là, quelque part, qui vous attend, chez un libraire ou dans une médiathèque. Je vous souhaite de le trouver. Peut-être que grâce à Lou vous aurez envie de vivre sur une île ou de vous réconcilier avec votre famille ? Plusieurs livres ont changé ma vie. L'île de Groix l'a chamboulée, bouleversée, tourneboulée, renversée.

Les Groisillons disent qu'ils ont du *goût à pagaille* pour ce qu'ils aiment. J'ai du goût à pagaille pour cette terre. Je n'y suis pas née, je ne serai jamais Groisillonne, puisque je n'ai pas quatre plaques au cimetière de l'île. Groix, où le thon remplace le coq sur la girouette du clocher, est pétrie du courage des marins qui partaient sur les thoniers-dundées et de la dignité des femmes qui restaient à terre au milieu de l'océan pour cultiver les champs et élever les enfants.

Mon père est mort d'un infarctus un mois après mon bac. J'avais dix-sept ans. Il était solide comme un roc, il est tombé comme un arbre. On a eu le temps de s'aimer, mais pas celui de se parler. Il aimait la Bretagne. Il venait d'acheter un coin de forêt pour construire une maison et écrire son troisième livre. J'aurais adoré partager cette île avec lui comme je la partage avec vous. Je lui aurais présenté mes amis, ceux de la bande du 7 et tous les autres. On aurait été au marché, sous la Halle, là où j'ai vraiment vu le bal silencieux du premier chapitre (mais pas le jour d'un enterrement). Il aurait acheté son journal à la maison de la presse. Il aurait savouré le pâté Gangster de Loïc, le far de Gwénola. Il m'aurait invitée au 50, je l'aurais invité à la crêperie. Lucette lui aurait fait son *tchumpôt*. On serait allés au *Cinéma des familles*. On se serait baladés sur les sentiers côtiers avec Uriel, puis on aurait allumé un feu dans la cheminée et refait le monde, emmitouflés dans de vieux pulls. Heureux, comme un père et sa fille. À l'image de Jo et Sarah dans le livre. J'étais trop jeune quand le cœur de mon père a fait naufrage et l'a embarqué de force là où on va après. Alors je me rattrape dans mes romans. Il est parti un été. J'étais inscrite en fac de droit. Il m'a téléphoné de l'hôpital, il m'a dit que médecin était le plus beau métier du monde. Il est mort le lendemain. Alors je suis devenue urgentiste pour réanimer les papas des autres et faire rebattre leur cœur, systoles, diastoles.

Tout au long du roman, Lou intervient dans de courtes séquences que je pensais supprimer. C'était juste un fil rouge pour l'incarner, que je prévoyais de gommer par la suite. Mais elle a pris le pouvoir et s'est imposée.

Je cuisine aussi mal qu'elle, je ne sais faire que deux choses : écrire des livres, et faire un soufflé au fromage. Au premier soufflé, ça épate, mais on se lasse vite.

Quand j'arrive à Groix désormais, j'ai l'impression de voir Lou et Jo sur la lande. Si vous traversez pour venir dans l'île, vous les rencontrerez peut-être aussi ? Pas besoin de visa, pas de décalage horaire, pas de grève d'avion ni de surbooking. Le ciel est aux oiseaux, la terre aux Groisillons, l'océan aux courageux, la nuit aux amants et aux korrigans. L'amitié ne s'achète pas, elle se donne. Il n'y a pas de feu rouge, les directions sont peintes à même la route ou sur une pierre au bord du chemin. Vous croiserez de belles personnes, des chats mystérieux, des chiens rieurs, des lapins mutins, des faisans dignes, des goélands gourmands et des chouettes mouettes, des homards hautains et des araignées de mer gracieuses. Vous verrez les hortensias exploser de couleurs et les genêts éclater d'or. Vous flânerez en faisant vos courses, vous prendrez le temps. Si vous vous sentez perdu, vous vous retrouverez. On se solidifie sur une île, c'est physique, la force tellurique est contagieuse, on ne m'a pas appris ça en fac de médecine. J'en ai ressenti les symptômes sur place. Vous achèterez le journal en face de la poste, vous entendrez le vent jouer de la harpe sur les haubans des voiliers. Vous comprendrez alors pourquoi *Qui voit Groix voit sa joie*.

Et si vous ne pouvez pas venir, écoutez les chansons : *Mon p'tit garçon* de Michel Tonnerre, *Danny Boy* et *Molène* de Didier Squiban. Ou, comme Pomme et Charlotte, suivez la recette, faites le *tchumpôt* de Lucette ou le gâteau breton de Gwénola. Et surtout dégustez-le avec quelqu'un que vous aimez.

Bon appétit. Bonne traversée.

Kenavo d'an distro, au revoir à bientôt.

LF

REMERCIEMENTS

Merci infiniment à Héloïse d'Ormesson et Gilles Cohen-Solal, Sarah Hirsch, Roxane Defer, Anne-Marie Bourgeois, toute l'équipe EHO, c'est une formidable et pure joie de travailler avec vous.

Merci intensément à Nicole de Pol et Christine Soler pour la maison sur l'île, à Jean-Pierre et Monique Poupée pour avoir partagé leurs amis, à tous ceux de la bande du 7 chez Fred, à Mylane Corvest pour le bracelet, Lucette Corvec pour le *tchumpôt*, Brigitte Adam, Jo *nav*, Jo Le Port, Soaz redevenue Françoise, et au blog d'Anita de Groix.

Merci spécialement à Anne Goscinny pour les retrouvailles avec nos pères, à Éric Frachon pour le Frachon sur les épaules, à ma mère pour les roses de Keryargon, aux docteurs Catherine Ferracci, Claude Fuilla, Sandrine Paquin pour l'expertise médicale,
à Ywes Ballan, Amandine Jendoubi, Renata Parisi, Antoine-Basile Mercier pour l'émotion du saxophone, à Thierry Serfaty pour ses livres où il me trucide, Grégoire Delacourt pour les rires, Évelyne Bloch-Dano pour

Illa, Valérie Lejeune pour pouacre, Caroline Vié pour les tatouages, Sylvie Overnoy pour le bâton de parole, Jean Failler pour Mary Lester, François Boulet pour le grand Charles,

à Yveline Kuhlmey pour les cidres débouchés, Christel Pernet pour piroche, Nausicaa Meyer pour la voix vive, Didier Piquot toujours, Martine Pilon pour le *magical cake*, Mathilde Pouliot pour le *burraco*, Philippe Chambon pour New York, Isabelle Preuvot pour sa délicatesse, Silvia et Alessandro pour ma filleule Livia.

Merci au papillon tatoué sur mon épaule et à mon cocker Uriel qui se fiche que je dise number one ou number two,

à Christian Fouchet, Hughes Ternon, Alberte Bartoli, Isabelle Redier, vous me manquez ; à ma tante Talel qui nourrissait les SDF de Saint-Germain-en-Laye qui clochaient à notre grille la nuit.

Aucun animal n'a été maltraité pendant l'écriture de ce livre, des bouteilles ont été vidées, des musiques ont été jouées et écoutées, j'ai pris un aller simple pour Groix chaque matin en ouvrant mon ordinateur, j'ai du goût pour cette île.

DU MÊME AUTEUR :

Aux Éditions Héloïse d'Ormesson
J'ai rendez-vous avec toi, 2014.

Aux Éditions Robert Laffont
Couleur champagne, 2012.
La Mélodie des jours, 2010. J'ai Lu, 2012.
Le Chant de la dune, 2009.
Une vie en échange, 2008.
Place Furstenberg, 2007. J'ai Lu, 2010.
Nous n'avons pas changé, 2005. J'ai Lu, 2006.
Le Bateau du matin, 2004. J'ai Lu, 2006.
L'Agence, 2003 (prix des Maisons de la Presse 2003). J'ai
    Lu, 2005.
24 heures de trop, 2002. J'ai Lu, 2004.

Aux Éditions Denoël
Le Talisman de la félicité, 1999.

Aux Éditions Flammarion
Le Phare de Zanzibar, 1998. J'ai Lu, 2003.
Château en Champagne, 1997 (prix Anna de Noailles de
    l'Académie française 1998). J'ai Lu, 1999.
De toute urgence, 1996 (prix Littré de l'Académie Littré
    des écrivains médecins 1997). J'ai Lu, 1999.

Aux Éditions J'ai Lu
Taxi maraude, 1992.
Jeanne, sans domicile fixe, 1990.

www.lorrainefouchet.com

Le Livre de Poche s'engage pour
l'environnement en réduisant
l'empreinte carbone de ses livres.
Celle de cet exemplaire est de :
350 g éq. CO$_2$
Rendez-vous sur
www.livredepoche-durable.fr

PAPIER À BASE DE
FIBRES CERTIFIÉES

Composition réalisée par MAURY IMPRIMEUR

Achevé d'imprimer en février 2017, en France sur Presse Offset par
Maury Imprimeur – 45330 Malesherbes
N° d'imprimeur : 215711
Dépôt légal 1re publication : mars 2017
LIBRAIRIE GÉNÉRALE FRANÇAISE – 21, rue du Montparnasse – 75298 Paris Cedex 06

35/1306/1

A REAL SHOT IN

"Oh God," I said aloud, but very quietly. "Oh God!" I'd have to go up and have a look. I wasn't a housewife now, but a reporter, and I'd have to go up there. The metal of the fire escape was warm and flaky, in need of a coat of paint. My legs carried me leadenly upwards, each wooden clump of my sandals carrying me closer. He was hanging from the landing beneath the Clocktower and I stopped opposite him, my hand to my mouth. It was the attractive young man in whom both Sylvester Munroe and the dark-haired girl had been interested. He looked very different now. Blue eyes wide open, fixed, expressionless – mouth crookedly open too, a trickle of dried froth, like a slug's trail, running down the chin. His face was an odd greyish-yellow suffused with purple from the neck up, where the rope held him. Instinctively I waved a fly away from his cheek. Beginning to feel slightly queasy, I forced myself to read his name badge – Michael Stoddart, Teacher. A voice inside my head declared in sombre tones, like those of a railway announcer: "You are looking at the work of a murderer".

'If Sue Townsend ever abandoned Adrian Mole in favour of writing crime or Posy Simmonds put down her cartoonist's pen and took to the bloodstained typewriter, A REAL SHOT IN THE ARM is what might be the outcome'

H.R.F. Keating

'A REAL SHOT IN THE ARM is one of the best crime novels I've read for a long time. It's well plotted, witty, full of vitality, and the central character, Chris, is so likeable one keeps hoping she'll survive all the hazards, both criminal and domestic, and emerge unscathed. Annette Roome is a very talented new writer and deserves great success. I look forward to reading her next book'

B.M. Gill

'I found A REAL SHOT IN THE ARM quite delightful. The family background was so faithfully portrayed that it was almost more horrific than the crimes'

Michael Gilbert

'From its splendid opening sentence, A REAL SHOT IN THE ARM announces the arrival of a welcome new voice in crime fiction. Annette Roome's first book has all the ingredients a good crime novel should — credible interweaving plots, pace, tension, wit, lively characters and dialogue. Above all, it has a completely believable heroine — a fully realised woman of today, in whom the conflicting stresses of marriage, motherhood and the investigative instinct are beautifully balanced. A REAL SHOT IN THE ARM is a terrific read, and I can't wait for Annette Roome's next novel'

Simon Brett

'Whoops of delight for a clever and refreshing newcomer'

The Observer

'Flags should fly for Annette Roome's punchy and punning début, A REAL SHOT IN THE ARM . . . Exhilarating'

John Coleman's choice
in *The Sunday Times*
Christmas roundup

About the author

Annette Roome lives in Guildford. Her hobbies are the usual: gardening, filling her living-room with jungle plants and subjecting her family to cruel culinary experiments.

She won the Crime Writers Association John Creasey Award for the Best First Crime Novel with A REAL SHOT IN THE ARM. Its sequel, which continues the story of Chris Martin, is called A SECOND SHOT IN THE DARK. Out now in Hodder & Stoughton hardcover, New English Library publish the paperback in 1991.

A Real Shot in
the Arm

Annette Roome

New English Library
Hodder and Stoughton

For Jennifer Friend, with gratitude and affection.

Copyright © 1989 by Annette Roome

First published in Great Britain in 1989 by Hodder and Stoughton Ltd

New English Library Paperback edition 1990

British Library C.I.P.

Roome, Annette *1946*–
  A real shot in the arm.
  I. Title
  823'.914[F]

ISBN 0 450 52033 1

Printed and bound in Great Britain for Hodder and Stoughton paperbacks, a division of Hodder and Stoughton Ltd., Mill Road, Dunton Green, Sevenoaks, Kent TN13 2YA (Editorial Office: 47 Bedford Square, London WC1B 3DP) by Cox & Wyman Ltd., Reading.

1

The years had crept up on me while I wasn't looking, and there I was, *forty*, standing in an untidy kitchen, having done very little since I was born but stand in kitchens in varying stages of untidiness and wonder what I was going to do next. It was just after Christmas, and the light filtering in from outside was as grey and as bored with what it touched as I was. I looked in the mirror. There was my face, looking like a weather map just before a particularly windy day: masses of lines running together into converging depressions. My hair, once auburn, was dull as a winter pond, and my eyes, which Keith in youthful passion (and with wild inaccuracy) had described as "traffic-light green for go", were now sunk into dark recesses. It was a bad moment. I looked around the kitchen, festooned with the unappetising debris of family festivities, and was overcome with a raging desire to destroy everything in sight. I didn't do it, of course; I'd have had to clear up the mess.

Instead, I did what I always did to drive away what people call the blues: I got a black plastic sack and started methodically disposing of the rubbish. Then I would set to with a variety of cleaning liquids and powders and several cloths, and after that there would be the rest of the house, Hoovering, washing, etc. By the time Julie, Richard and Keith came home I'd be feeling a lot better, and anyway I'd be so busy tidying up after them I wouldn't have time to think about it much. So, with a full programme ahead of me it's surprising I stopped to read the paper as I spread it on the floor but I did, and that momentary lapse changed my life. What I read was an advertisement in our local Tipping Herald for a junior reporter. Years ago, before babies and sterilising routines took their toll, I had wanted very much to be a

7

newspaper reporter. Now, as I looked at the advertisement, the years closed up like a telescope, and a young girl's pulse brought colour to my cheeks. Later I told the family about it enthusiastically. My son Richard, age twenty, encouraged me to have a go; Julie, my sixteen-year-old, was thrilled – would we be able to jump queues for the cinema and pop concerts on my Press card? she wanted to know. Keith took a different attitude.

"You're nuts, Chris!" he said. "That's a full-time job! If you want to work, fine – get a part-time job in Marks and Spencer if you're so anti-office work – you'll even get a staff discount. I absolutely forbid you to be so stupid about this newspaper nonsense."

I went for my interview early in January, the day of the first snowfall. Mr Heslop, the editor, and I, established an immediate rapport. He had also recently suffered a severe trauma by courtesy of his mirror – that of waking up on his fiftieth birthday to be confronted by a bald man with bad skin and a pronounced paunch. He said he detected a kindred spirit in me: I was mature, sensitive, and yet youthful in approach. I don't know which of us he was trying to flatter. He gave me the job.

Keith was right of course: I couldn't cope with the house and Julie's emotional problems and getting the stains out of Keith's sports gear as well as the job. Worse, reporting on Council meetings and the appearance of brides at weddings was almost as dull as waiting for another day's dust to accumulate on the television screen, or daisies to open in the lawn. I only kept on with it because it made Keith angry, and we were entering one of our bad patches. I never knew what brought these on, but they were characterised by arguments he started with the words "you never", or "if only you would". If I didn't want to spend my time apologising for nebulous faults, then my only defence was to work out new ways of making him angry, and I was getting quite good at this. Anyway, one Monday morning in early July, Mr Heslop came to see me. He'd just had another row with Pete Schiavo, his senior reporter, who had a quick wit and a sharp tongue and always upset him.

"That's it," said Mr Heslop, breathing heavily. "I'm not sending him, and I think you're ready for it anyway." He beamed at me magnanimously. "The Conference on Drugs and Alcohol Abuse at the Clocktower Hotel. It's going to be quite a big deal, sponsored jointly by Leisching Pharmaceuticals and local businesses. *You* can cover it. That idiot would've just sat there knocking back vodka and embarrassed us. Let's see what you're made of. I know I can rely on you. It's nice to know I can rely on someone." He went off to his office, muttering, to have another ginseng tablet. A few moments later, Pete sauntered down the corridor, whistling. He was carrying a small off-licence bag crammed with the empties from the bottom drawer of his desk.

"Goodbye, Wonderwoman," he said. "I've got the rest of the week off. I'll bring you back a stick of rock. Don't do anything I wouldn't do – in fact if you can think of anything I wouldn't do let me know – I might like to reconsider."

I learned later that what had actually happened was that Pete had told Mr Heslop he wanted a week's holiday now, and that if there were any objections, bearing in mind that he hadn't had any holiday for two years, he would take the full four weeks to which he was entitled, starting 1st September. He knew quite well that Mr Heslop had an Apex ticket to New York booked for 1st September, which he would have had to cancel if Pete were absent. As I watched him disappear out into the sunshine I wondered which of the temporary typists would coincidentally go missing during Pete's absence.

The Clocktower Hotel, where the Conference was to be held, was a converted Victorian mansion on a hilltop overlooking the town. From my kitchen window I could just make out the white blur of the clock faces above the trees. The hotel had been bought in a somewhat run-down condition three years ago by the well-known London restaurateur Mr Eric De Broux. He'd spent a fortune, so it was said, on refurbishing the place, and had had built a superb Conference Hall with state of the art facilities. There'd been a champagne opening attended by everybody who was anybody in the County. Mr Heslop had covered this himself. He had also been invited to become a member of Mr De Broux's new Gourmet Club, though he had chosen for financial reasons, no doubt, not to join. The Gourmet Club met on the first Saturday of every month at the Clocktower Restaurant, and members were treated (for an astronomical annual subscription) to a gourmet dinner, fine wines, and as much vintage port and brandy as they could hold. I thought there was a nice irony in this, bearing in mind the nature of the Conference, but Mr Heslop told me sternly not to "make waves"; the Clocktower had a regular half page advertisement in our paper and he'd no intention of losing it.

On the Tuesday evening before the Conference was due to start, a non-alcoholic cocktail hour was being held for delegates. Mr Heslop told me to go, smile nicely, and get a few quotes. Keith was furious. He had two martinis with ice and pointed out that it was *Tuesday* and the Sunday papers were still littering the living room.

"I thought you were still reading them," I said.

"Don't be silly! When do I get time to read? Somebody has to keep up with the weeding and you should see the blackfly on the broad beans!"

I felt guilty. I had sown the broad beans. "Please leave it," I said. "I'll come home early tomorrow and give them a really thorough spraying."

I shared my Mini with Richard, who normally used it in the evenings, but he was away that week with the vicar's daughter (about whom he did not permit us to make jokes), and so one family conflict was avoided. Once away from the house, I felt quite excited about the evening ahead. I wound down the window and the car was soon filled with the heady scent of nettle sap and cow-parsley, bruised by the passage of traffic. The road out to the Clocktower was little more than a narrow, winding lane barely wide enough for two cars to pass. The warm evening air was vibrant with the song of young birds and frantic swarms of insects, and I became so carried away by the sensual delight of it I almost forgot to hoot before the sharp bend round Rampton's Hollow.

Mr De Broux himself welcomed me to the Clocktower. I

wondered how he could consume so much rich food and maintain his svelte appearance. His dark hair was parted on one side and handsomely sculptured in a way that seemed to accentuate his strong, rather aquiline, nose. The overall effect was of an attractive, but cold, man.

"If you haven't been here before, do take a look round," he urged me. "Will there be anyone else coming from the Herald?" I shook my head, and he looked disappointed. It was his first big Conference, and I think he had rather hoped for a battalion of reporters and photographers. He directed me towards the bar, in front of which stood a sign, written in elegant blue and gold lettering. It announced "1987 Conference on Drugs and Alcohol Abuse, jointly sponsored by Leisching Pharmaceuticals and—" The list continued in smaller print. Perhaps Leisching were getting a conscience about the profits they made from the tranquillisers so many of my friends took.

The bar was plush in an understated, tasteful sort of way. It smelled of cigar smoke and toasted cheese canapés. I helped myself to a thick orange drink sporting a sunshade, and wished there was just a small shot of gin in it. I didn't drink much, and a small shot would have been enough to make me feel competent to talk to all these important people immersed in deep, meaningful conversations. Sitting quietly in a corner taking notes of what people said was one thing; confronting them and asking penetrating questions was another. I'd been sent out with Pete a few times to see how it was done, but had learned little. Pete would chat people up as though he were their long lost brother, then go away and write whatever he thought made a good story. I didn't think I could do that. Swallowing a large gulp of orange cocktail (and hoping I wasn't left with an orange moustache), I approached a couple I vaguely recognised. They were the Goodburns, Dr Rachel and Dr John, a hus-band-and-wife team; for some odd reason – I've been cut off short in my careful description of symptoms often enough – I thought I would be shown a little extra sympathy by the medical profession.

". . . always forgets to put the teaspoons in the right

11

compartment," Dr Rachel was saying.

"I told you we should have gone for the Bosch," Dr John replied. So much for deep, meaningful conversations!

"Er, excuse me," I began. "I'm Chris Martin from the Herald and I'm just trying to – you know – get some reactions from people on what they think might come out of this Conference."

They both stared at me blankly. Dr John was well over six foot, white-haired, and distinguished-looking. He was probably fifteen years older than his wife, who had a harassed, nervous air about her. He held his glass up to the light.

"Damn stuff's revolting! Typical De Broux – he ought to be forced to drink a couple of pints of it!" He spoke venomously, as though he would have liked to add, ". . . laced with several milligrams of arsenic." Perhaps he, too, would have preferred a real drink.

Rachel said nothing. She glanced at her watch.

"Would you say the drug problem in this town is increasing?" I asked bravely, smiling at Dr Rachel.

"Why should she say that?" demanded Dr John, belligerently.

"Well –"

"I'm certainly not going to say anything like that!" snapped Rachel. "You won't trap me that easily!"

"My wife is very tired," said Dr John, testily. "I'd appreciate it if you wouldn't badger her. She was up all last night, totally unnecessarily, with a woman in labour –"

"I don't desert my ladies, John, as you well know," she said, sharply. The veins in her neck were distended, her voice strained. I thought, not for the first time, that only women were able to commit themselves to others to the point of total exhaustion, and that I ought to make allowances for her unnecessary outburst. I smiled.

"But you must have a pretty good idea from what you do see, particularly of young people –"

"And why should I know anything more than anybody else about what you call *the drug problem*? A nice, tidy phrase, that, isn't it? So much suffering written off in three words – and no wonder, because people don't want to know

12

about the suffering, do they? They just want scapegoats –
Pillorying doctors has become a national sport! Take childbirth –" Here, Dr John tried to interrupt, but was ignored.
"Childbirth was designed as one of nature's greatest joys – a
reward for the female sex –" Baffled as I was at the turn the
conversation had taken, I couldn't help thinking that
nature's idea of rewards did not coincide with mine. She
looked at her watch again, almost tipping her drink over my
right foot. I jumped back.

"Sorry, sorry," she muttered. "This is an absolute pain,
this whole thing. It has nothing whatsoever to do with medicine. It's not what I trained for. I don't know why we're
wasting our time here. I told you, John, there's a patient I've
simply got to see."

"I don't want to hear it!" said Dr John, irritably. "I've told
you before, patients belong in the surgery – or better still, in
their own damn homes. Don't drag them out with us in the
evenings. Or on to the golf course, or to Tenerife, if we ever
damn well get there –"

I recognised an argument beginning to fall into a well-
worn rut, excused myself, and moved on. If ever there was
an example of an interview being allowed to fall completely
apart, that was it. If I'd been Pete Schiavo I would have
asked her quickly, "Are you concerned at the crisis within
the NHS?" To which she would have been bound to reply
"yes", and then I would have written a nice little piece about
a well-known local doctor being on the verge of crack-up
over the underfunding of the NHS. At least I would have
had something. In fact, I should have had something anyway; I remembered now that Pete had worked on a story
about one of Dr Rachel's patients dying of a heroin overdose
– if only I'd done some homework on the Herald's archives
this evening instead of arguing with my butcher about the fat
on his lamb chops!

I spotted the Reverend Harlow entering the bar and quickly
turned my back. He was the father of Carolyn, with whom
Richard was probably at this very moment enjoying none
too spiritual pleasures. It was just my luck that he had come

along to represent the Church. I gripped my notebook purposefully and walked towards two men leaning on the bar over a tray of assorted cheese biscuits. As I approached the younger man placed his arm in front of the tray defensively, as though it was the only food he'd seen all day and he'd no intention of sharing it. In his late forties, he wore a neatly-pressed shirt and tie over which he'd defiantly thrown a badly scuffed leather jacket. He could have done with shaving and combing his hair, too; no doubt his poor wife despaired of him. The other man I knew by sight as Major Duncton, Chairman of the Planning Committee, and "elder statesman" of local politics. The Herald sometimes referred to him reverentially as the "Father of Tipping's Town Plan". I didn't like him. He'd turned down our application to build a carport with the comment that it would be a "visual aberration on an otherwise well-ordered street". Well, maybe, but it was my Mini that was rusting. Not only that, but some streets in Tipping fairly bristled with carports – when was a visual aberration not a visual aberration? Perhaps when you have a relative on the planning committee, I had suggested, but Keith had told me not to be cynical.

"Excuse me," I said, "I wonder if you could spare me a moment?"

They stopped talking and gave me the vacant, slightly indulgent smile men reserve for women over forty who have let their appearance go, then saw my Press badge.

"Inspector Franks," said the younger man, adding with an air of disbelief. "You from the Herald?"

I smiled and nodded.

"Blimey!" He laughed. "You live and learn! You know Major Duncton here? Right – get your notebook out, love." I produced it obediently, no longer smiling. He took an exaggerated breath, and began, "I am here today representing the local police-force. We in the police intend to work in the community and with the community to combat the menace of drugs in our society. Got that? Not too fast for you?"

"No. Not too fast for me. Are you representing the Council, Major?"

The Major looked at me over his glasses. They reflected

14

the lights of the bar, as did the brass buttons on his blazer. "Got my own views on drugs, as on other things. People have to look out for themselves. Self-discipline is the answer, and plenty of it. You got children?"

"Yes."

"You should look out for them then. Nobody else will. It's the parents' responsibility. Put down good groundwork and you won't go far wrong." He leaned forward, and there seemed to be whisky on his breath. "Ladies like you would be better employed maintaining home rule rather than interfering in the machinations of authority."

The words "supercilious bastard" came unbidden to my mind – I was beginning to tire of negative reactions. I smiled with difficulty and made a few careful notes. The Inspector handed me the tray of biscuits.

"Take some of these, love, and then perhaps you'd toddle off. We're trying to have a serious business discussion here."

I refused the proffered biscuits and turned hastily away, almost bumping into a tall man in his mid-twenties carrying a full glass of tomato juice. He was quite stunningly good-looking. He had blue eyes, dark hair, and a slim, muscular build. In fact he looked a lot like Keith when I first met him, and I experienced the sort of odd little twinge midway between pain and pleasure one gets when confronted unexpectedly by an old photograph. He apologised unnecessarily, smiled automatically, and walked away without registering my presence. I felt another little twinge, because this was exactly the way Keith reacted to me nowadays.

Someone else was watching Keith's look-alike, too: a dark, intense girl with glasses. She seemed to be expecting him to speak to her, but he didn't. She slumped visibly at this rejection and clumsily topped up her orange juice with mineral water before gulping it compulsively.

None of the delegates I approached had anything very startling to say on the subject of drugs and alcohol abuse, and I was beginning to think I could have made up most of their quotes myself in the comfort of my own living room. Then there was a sudden ripple of interest in the bar at the arrival of Mr Sylvester Munroe. He was the editor of a gay

15

magazine based in Hudderston, and knew how to make a theatrical entrance. He doffed his wide-brimmed black hat, threw down his suitcase, and swallowed with audible gulps a tall glass of a striped fruit and egg concoction.

"Exquisite! Exquisite!" He gasped. "Oh, such a hot night!"

Everyone smiled politely and then turned away to make amused and derogatory remarks. I took the opportunity and approached him.

"Mr Munroe? I'm from the Tipping Herald. Do you think you could tell me what you hope to see being achieved by this Conference?"

"Call me Syl, dear," he said. "Just look at this room! What do you think of it? My friend Bernie did the décor. It's not to my taste, you know – more yours, is it? Well, we're not all the same. Bernie always says, get to know the customer, and you'll know what he wants. It's very important, putting the right person in the right setting."

"And the Conference? Your views on that?"

"Ah. Yes. Understanding, I hope. The more we talk the more we understand – provided we listen too, of course."

He broke off suddenly, appearing to concentrate his attention on someone behind me, but when I half turned to look he began to speak again. "And why are you doing a job like this? You look such a kind sort of person."

"Oh! Well – I'm quite new to it actually – I just wanted to give it a try."

Sylvester shook his head at the cocktail waitress and placed his empty glass on her tray.

"Well! Don't leave it too late to find out you're doing the wrong thing. I'm going to unpack. I'm booked into the Clocktower Room. Couldn't miss the opportunity to watch the sun come up over the Downs." He lifted his suitcase, taking another long look which I interpreted as yearning, at the person behind me. "When did you last watch the sun come up? Bet it was a long time ago. I'd do it every day if I could – it's a sort of daily renewal process. 'Bye now, dear."

When he'd gone I turned and saw that it was the tall, handsome young man with the blue eyes who was standing behind me. It gave me a rather odd feeling; I'd led a very sheltered life.

I didn't think I'd done at all well with the interviews and decided it was time to go home. I almost collided in the doorway with the Goodburns, who were also leaving. Rachel was fanning herself with a piece of paper, despite the air-conditioning, and John looked angry.

"Just leave it, darling," said Rachel. "It simply isn't worth it."

"I think I'm the best judge of that," replied John, scowling, but he followed her out of Reception.

It was on my way back from the Ladies' Room, as I passed the message board, that I spotted the note. It was written on turquoise notepaper and said, "M. Hi! After all this time! Hickory Dickory Dock, little mouse!" I stood and stared at it. Of course, it was none of my business, but it seemed the most interesting thing that had turned up all evening.

When I got home to my surprise the garage doors were open and Keith's car was missing. In the living room, Julie sat alone watching a French film with sub-titles which she hastily switched off as I entered. I thought, oh, it was that good, was it?

"Where's your father?" I asked.

"He went out, just after you did."

"Where to?"

"He didn't say. He was a bit cross. How were the non-alcoholic cocktails?"

"Awful. If you're not watching that I think you ought to go to bed."

We both took glasses of water and went up to bed. I experienced a sort of sinking feeling. Even when Keith and I had really bad rows we always went to bed together and slept with our backs touching. We'd had a row this evening and now he wasn't here. I lay awake for a while, listening for his car. I pushed back the covers, enjoying the slight cool breeze on the skin of my thigh, where my nightdress stopped. Oddly, despite Keith's absence – perhaps even because of it – I felt the slight stirrings of sexual desire. I pushed his pillow to the far side of the bed and waited for the feeling to go away. Some time later, I drifted off to sleep.

Over night the air turned humid and by the time I arrived back at the Clocktower Hotel the following morning, I was already perspiring. The hotel reception area was deserted except for the red-haired receptionist, who was fanning herself with a copy of the Daily Express.

"Would you believe it? The air-conditioning's broken down," she said, as I passed. "Mr De Broux is doing his nut!"

I slipped into the Conference Hall at the back. This was going to be easy. Just make a few notes of the salient points of the speeches, then pad out the story with observations on the packed and attentive audience, bursts of appreciative applause, etc. Mr Heslop said I was a good "bread-and-butter" reporter; I was always careful to spell people's names correctly and I got verbs in my sentences – well, most of them. What he was really saying was that I'd never uncover Watergate, but I'd do for the Tipping Herald. Looking around the softly-lit Conference Hall, alive with gently flapping agenda papers, and remembering last evening's débâcle, I thought perhaps I'd better be satisfied with that.

"And now," announced a new speaker, "we're pleased to be able to show you a film from America. It shows how a community in a very poor area of Chicago –"

A pall of cigar smoke had descended on the back row of seats. I got up. There was to be a discussion of the film after the coffee break so I'd soon pick up what it had been about, and now I was too hot and uncomfortable to concentrate. On my way out I passed the message board, and noticed that the turquoise note had disappeared – had it meant anything to "M"? I wanted fresh air, but the main doorway was blocked by men in overalls unloading dusty boxes and pieces of piping.

"You can't leave them there!" called the redhead, frantically, looking around as though she feared the wrath of Mr De Broux.

"We're not leaving 'em, love!" called one of the men reassuringly, and promptly left, accompanied by his mates.

The redhead looked despairingly heavenwards. I gave her a sympathetic smile and considered hitching up my skirt and climbing over the obstruction. I decided against it. At the rear of Reception were double doors marked "Fire Exit", which ought to lead out into the open. I had to put quite a bit of muscle into opening them. They gave with a crash on to the yard at the back of the hotel. A strong odour of decaying vegetable matter filled the air, emanating from an enormous overfilled dustbin, and I suddenly remembered that I'd forgotten to empty the bin in my kitchen. Oh damn, I thought, why can't anyone ever do anything around the house except me? And that's when I saw him, hanging around on the fire escape. Literally, I mean. By his neck. His feet dangled almost directly above my head, one floor up. He was wearing new black stick-on soles on brown soled shoes, and that's what stopped me screaming. You don't scream when you look at a pair of stick-on soles. He was swaying a bit in an air current, his dead fingers stiff and white at his sides.

"Oh God," I said aloud, but very quietly. "Oh God!" I'd have to go up and have a look. I wasn't a housewife now, but a reporter, and I'd have to go up there. The metal of the fire escape was warm and flaky, in need of a coat of paint. My legs carried me leadenly upwards, each wooden crump of my sandals carrying me closer. He was hanging from the landing beneath the Clocktower and I stopped opposite him, my hand to my mouth. It was the attractive young man in whom both Sylvester Munroe and the dark-haired girl had been interested. He looked very different now. Blue eyes wide-open, fixed, expressionless – mouth crookedly open too, a trickle of dried froth, like a slug's trail, running down the chin. His face was an odd greyish-yellow suffused with purple from the neck up, where the rope held him. Instinctively I waved a fly away from his cheek. Beginning to feel decidedly queasy, I forced myself to read his name badge – Michael Stoddart, Teacher. A voice inside my head declared in sombre tones, like those of a railway announcer: "You are looking at the work of a murderer".

19

2

"Don't be ridiculous! How can it possibly be murder? A hanging means suicide," said Mr Heslop. Over the 'phone, I could hear him stirring the artificial sweetener into his coffee.

"But – I've got a sort of gut feeling about it. I'm sure it's murder." "Gut feeling" sounded quite reporter-like – mention of voices in the head would have been most unwise.

"No, you haven't. Junior reporters don't get gut feelings. They get stupid ideas which give editors gut feelings known as indigestion." He bit into something that sounded hard and dry and crunchy, like a lump of smokeless coal, so it was probably a muesli biscuit. "Do you need to go home and change your dress?"

"Sorry?"

"I thought you might have puked all over yourself. I did when I saw my first corpse. Mind, it was spread all over a railway line and I'd just had Steak Tartare for lunch –" Another spasm of crunching. "Look, calm down. You sound as if you've got stuck in your spin-cycle. Keep on to it and see me about it later. I'll have this guy checked out and let you know."

The hotel yard was full of people standing around with their hands in their pockets. The body had been taken down now, and a man with a camera was taking more photographs of it, his flash and the slowly-revolving blue lamp on the police-car illuminating a dull, heavy morning. Occasionally the car radio would crackle into life, and the uniformed sergeant on guard at the foot of the fire escape had regular sneezing attacks, but there was none of the excitement and drama the phrase "scene of crime" invokes. Dr John Goodburn came slowly down the fire escape, wiping his

20

hands on a tissue. I hurried over to him with my notebook.

"Excuse me – could you give me any information as to cause and time of death?"

He frowned, with displeasure rather than thoughtfulness.

"He's been dead some hours. He was hanging by his neck, as you see – I'm not a pathologist."

"No, but I wonder if you'd care to say whether there were signs of a struggle. I mean, did he put up a fight?"

His expression was wary, evasive, the way doctors usually are when you ask them questions like "Will this treatment work better than the last one?" or "Are you sure there won't be any side effects?"

"Look, Mrs, er, Martin, there'll be a pathologist's report in due course. I suggest you wait for that. Now if you'll excuse me, I'm missing the Conference, which is what I really came here for." He looked tired and very much older in the morning light. I thanked him and he returned to the hotel, limping slightly as though his back hurt. When I'd reported the discovery of the body to Inspector Franks, Dr Goodburn had had to be paged, because he was at that moment telephoning his wife at their home. Apparently she too was feeling unwell. Perhaps they had cheered themselves up with too many gin and tonics after leaving the hotel last night.

The body was being transferred to a stretcher and discreetly covered with a sheet. Eric De Broux advanced a few steps up the fire escape and caught Inspector Franks by the arm.

"You will be discreet about this, won't you?" he implored. "No sirens or anything? I've got to consider my guests."

"Not a lot of point to sirens, would there be, sir?" remarked the Inspector. "He's as dead as they come. I'll have to close off this area till the boys from forensics have had a look at it, but I don't think you'll be troubled further. Get that rubbish cleared, would you? It doesn't half pen and ink."

"Thank you, thank you," muttered Mr De Broux, stepping aside to let the entourage pass.

The sergeant sneezed noisily and I handed him a tissue.

"Thanks, love. Quite a to-do, eh? If only these bloody idiots would think of the trouble they're going to cause before they jump off buildings, stick their heads on railway lines – God, you should see the paperwork this'll generate!"

Yes, I thought, that's about it. You live your life the best way you can – probably the only way you can – and in the end you finish up filed away on pieces of paper in dusty filing cabinets no one ever looks at. The more spectacular the death, the more pieces of paper, probably – Michael Stoddart would get his name into the Herald archives as well as Tipping Police Station's, the DHSS, the Inland Revenue – and whatever.

As I re-entered the pleasantly cool atmosphere of the hotel (the air-conditioning had now been restored) I was stopped by the dark-haired girl with glasses who'd been interested in Mike Stoddart yesterday. She caught my sleeve, her eye on my Press badge.

"Please tell me! I've only just heard – is it true? Was it really Mike Stoddart they found hanging from the fire escape?"

"Yes, I'm afraid so. Did you know him?"

She stood rigid, staring at me as if electrified. Her name badge said Lynn Cazalet, Social Worker.

"Did you know him?" I repeated, getting out my notebook hopefully.

Lynn Cazalet gave a gulp as though about to be sick and dashed off in the direction of the Ladies' Room. Had I been Pete Schiavo I would have followed her in there and stood with my foot in the toilet door until she'd answered my questions. But I wasn't, and I didn't even have any questions ready.

I went instead to the Coffee Shop and ordered coffee and a sandwich. Everything in the hotel was going on as normal. Diana, the red-haired receptionist, smiled her glossy official smile, footsteps dissolved into the carpet pile, soft music drifted on the artificial breeze like anaesthetic, and in the restaurant luncheon was being served. In the bar I could see Inspector Franks in his shirt sleeves drinking a pint of beer. He was talking to Sylvester Munroe, who waved his arms about a lot and kept shaking his head. I imagined the Inspector was asking him if he'd heard any strange noises in the night, as the body had been found just beneath his window. The two men didn't look as if they liked each other very much.

"Excuse me. May I join you for a moment?" A tall woman with blonde hair permed to the texture of a Brillo pad peered at me through thick-lensed glasses. I could tell she was about my age because, like me, she was dressed in colours you don't remember and wore pink lipstick in the mistaken belief that a hint of rosebuds would make her look younger.

"Dreadful business, isn't it?" she said. "Out there. I didn't go to look. I'm not morbid. I don't know how people can. A suicide, wasn't it? Dreadful! Do you know if it was one of the delegates?"

"Yes. A young man called Michael Stoddart. A teacher, I believe."

"Oh!" It came out as a girlish shriek.

"Did you know him?"

"Oh! No – no, I didn't." She started to get up, then sat down again. She had turned a dark shade of crimson. I looked at her name badge – Elaine Randall, Parent-Governor.

"Did he teach at your school?" I asked quickly.

"No. No, I'm with Northdales School, where my daughter goes. He taught at Shepherds Hill, I believe – I'd heard the name," she added hastily. Her colour was returning to normal. This time I felt the shock: my daughter went to Shepherds Hill. "It's dreadful, isn't it, when it's someone you know vaguely? Oh well!" She took a deep breath and shrugged it off. "What I wanted to talk to you about was the merger."

"The merger? Oh, the merger between Shepherds Hill and Northdales you mean." I'd received a fair amount of paperwork at home about this but hadn't really had time to study it. I was of the opinion that the Council would do what they chose whether I liked it or not, and anyway, as far as one could tell Shepherds Hill wasn't going to be much affected.

"Yes. It's absolutely awful, isn't it? Northdales is such a nice, happy, little school with a *wonderful* reputation for results. How they can even *consider* merging it with Shepherds Hill is beyond me! You *know* what their reputation is like – drugs and hooliganism – quite awful! I mean, what about parental choice?"

I could have said that as the mother of one of the drug-taking hooligans at Shepherds Hill I rather resented her attitude, but I let her carry on.

"So I would appreciate anything you could put in your paper that would represent our views. There's a tremendous amount of local opposition."

"Yes. I see. I will mention it to the Editor."

She smiled and rose to her feet.

"Thank you. Nice to talk to you," she said. "Was it – it was suicide, wasn't it?"

The suddenness of the question took me by surprise. I was just about to confide my own suspicions when my attention was caught by a commotion from Reception. Both Elaine Randall and I walked out of the Coffee Shop to see what was going on.

"You'd better get Mr De Broux out here! Now! There'll be hell to pay and I want him to know this has got nothing to do with me!" The speaker was the head waiter. He slammed a heavy object down on the reception desk and stood back, his arms outstretched in a dramatic gesture.

"I can't disturb him. You know what a morning he's had. He's having lunch in his office. Where did that come from?"

On the desk was a marble cheeseboard. Displayed upon it were an oozing wad of Camembert, several cheeses I couldn't immediately identify and a slab of Stilton. Protruding from the Stilton was a disposable plastic syringe, of the type I have sometimes seen discarded in public toilets.

"From – my – restaurant!" exclaimed the head waiter, almost apoplectic. "I've got a room full of customers!"

"Leave it with me," said Diana. "I'll tell him about it when he's had time to calm down."

The head waiter strode back to the restaurant, muttering,

and Diana, Elaine Randall and I stared at the syringe. Syringes must surely provoke fairly negative feelings in most people, but embedded in good quality cheese they look particularly obnoxious. Diana was obviously thinking much the same thing because she raised her delicate red tipped fingers from the desk and I realised she was going to take hold of the syringe.

"Don't!" I yelped, gripping her by the wrist. "Aids!"

"Oh God!" She jumped back. "What shall I do?"

"Best get rid of it. Got any thick envelopes?" She produced a handful. "You'll have to throw the cheese away anyway. Put the whole thing inside two envelopes and drop it in the bin. That way you won't have to expose the needle."

"I watched while she did it.

"Absolutely first-class advice, if you ask me," said Elaine Randall, approvingly. "You can't be too careful these days."

The rest of the afternoon passed off without incident. I tried to concentrate on a debate about the laws on solvent abuse, but my mind kept returning to the corpse swinging gently in the still morning air. Perhaps this was because there was an empty chair next to me where Michael Stoddart might have sat. I was so *sure* he'd been murdered. It was silly, of course, suicide was the logical answer, but the voice inside my head was seldom wrong. Twenty-five years ago when I'd first set eyes on Keith across the table of a coffee bar, it had said "you'll never forget this boy's face", and it had been right; a few years later, every time we made love in Keith's sleeping-bag in the woods behind the station, it had said, "this is not a wise thing to do", and it wasn't (well, I love Richard and wouldn't be without him, but you get the point). I thought of the handsome young face I'd seen at the Cocktail Hour last evening and the death mask of the morning; what had driven him to it? Why put stick-on soles on your shoes if you were not going to wear them out, why dress smartly, why come to the Conference at all, if life was so unbearable you planned to end it? It made no sense to me.

Eventually I decided to leave a few minutes early and pop into Tesco's on the way to the office, because there's nothing like a stroll behind a supermarket trolley to bring you back to reality. Mr De Broux was standing next to my car. He had his hands on his hips and his raven hair was flopping uncharacteristically over his face. The perspiration on his brow made his sallow skin look like molten wax.

"I'm sorry, Mario," he said, "but the decision is made. You used to use the stuff and I can't take risks in the kitchen."

"But Mr Broux!" whined Mario, wriggling on the seat of his scooter and passionately shaking his helmet as though to knock some sense into it. "I'm clean now! You know that! I not do this dirty thing!"

Mr De Broux shook his head and ran his hand through his hair. "There it is. I did my best for you."

He turned on his heel and walked off without a glance at me. I guessed I had just witnessed the closing scene of the syringe incident. Poor Mario. He muttered off down the hill on his scooter, still protesting his innocence.

Mr Heslop handed me a sheet of paper.

"This is the teacher's address. Get round there first thing in the morning and interview the next of kin. It might look insensitive if you go tonight." As though twelve hours would make it look any better! I was still inexperienced enough to be horrified.

"But – what about the Conference?"

"It's not so riveting you can't miss an hour – it's the wind-up session that matters. Come on, there might be some human interest here. You know, a messy divorce, something like that. It's bloody difficult filling a newspaper in summer. And – look – I hope you're being discreet up at the Clock-tower."

"Discreet?"

"Yes. I've just had De Broux on the 'phone panicking about coverage. He's even invited me to a Gourmet night! You're not tramping around looking for potential suicides on window-ledges, are you?"

"No. I did come across a syringe in the cheeseboard, though." I told him about it.

He laughed. Other people's misfortunes always seemed to relieve his tensions. "No wonder! What with corpses on the Clocktower and syringes in the Stilton he must think God's got it in for him. It's surprising how many people think God can be influenced by newspaper coverage, isn't it?"

"Yes," I replied. "And most of them are newspapermen." I shut the door quickly, half hoping he hadn't heard.

It was still hot and humid when I returned home that evening, but the house had been shut up all day and felt strangely cool. The odour of yesterday's kippers greeted me as I opened the front door. I rushed round, trying to repair last night's damage before tonight's onslaught began. Keith's breakfast cornflakes were welded to the bowl, and a wasp was pickled in the martini and tonic he'd left unfinished in the bathroom. I opened every window and made Julie's bed. It seemed she'd been home this afternoon, microwaved a pizza and finished off a carton of raspberry ripple ice-cream. No wonder she had spots. Now she was out with a friend, and probably wouldn't be back until bedtime. She'd spent a lot of time recently at the home of a girl called Angie, whose mother was more sympathetic than me, she said. I'd agonised over this a good deal, and come to the conclusion that it was all part of the rebellion phase, though there were things about Angie's mother I didn't quite like. Keith said I ought to put my foot down if I didn't want Julie to be influenced by her, but I'd never been much good at putting my foot down, and had decided to let things run their course. My only real objection to Angie's mother, whom I had never met, was that she was divorced and seemed to enjoy life to the full. I had several other friends who were divorced, and they appeared to be no happier than I was, a circumstance I found a lot more reassuring.

Keith came home late, hot and with a headache. I gave him a cold lager and a kiss, and then realised I hadn't spoken to him since early the previous evening. I was eager to tell him about what had happened that day, but instead tried to be diplomatic.

"How was your day?"

"Bloody awful! I hate this weather."

"I hope you enjoyed yourself yesterday evening?"

"Yes, I did, thank you."

"Where did you go?"

"What do you mean, where did I go? I went out with some of the lads from the Club. Where did you think I went?"

"Oh, I don't know. You didn't say, that's all."

"Well, I don't have to always say, do I? You can't expect me just to sit at home while you're off gallivanting!"

"No. But really, it wasn't gallivanting, it was incredibly boring –"

I started lining up chops in the grill pan. Keith picked up a tea-towel and began putting away last night's washing-up, which was a gesture of reconciliation.

"Keith, you'll just never believe what happened today – I found a dead body hanging from the fire escape at the Clocktower Hotel!"

He looked at me. He didn't look in the least surprised or excited.

"A dead body. I don't suppose by a remote stroke of good fortune it belonged to that bloody Heslop or Schiavo or any of the rest of them you're always going on about, did it?"

"Oh Keith! Come on – aren't you interested? When have you ever gone into work and found a dead body?"

"Never, I'm glad to say! I do a proper job, I work hard, I earn good money, and all I ask from life is a wife who'll keep the house halfway decent and provide me with a bit of companionship in the evenings. Companionship, I say – we won't go into the other services you're so reluctant to provide! And what do I get? Bloody bodies hanging from hotels and a wife whose idea of sodding companionship is to bugger off in the evenings with a notebook in pursuit of some schoolgirl fantasy about being a reporter!"

We had been through this one before, so I didn't answer. We both felt better now that it was said, in the way that a distant clap of thunder on a hot night makes you feel you have missed the eye of the storm.

Richard came home about nine. He sneaked in with a hold-

28

all full of dirty washing and his Walkman and went straight to his room. He looked tired.

"Nobody's speaking to me in this house," I said. "Did you have a nice time?"

He nodded and kissed me. I noticed he hadn't shaved that morning.

"You do look tired. Are you all right?"

"Of course I am! Don't fuss, Mum." He spoke cheerfully, showing the boyish grin and twinkling blue eyes Keith had once had. "How about you? You're all flushed."

I told him about Michael Stoddart being strung up on the Clocktower. We sat on his bed and shared a lukewarm Coke he'd found in his bag, and he listened open-mouthed.

"Really? You found him? My own Mum found a dead body? Fancy that! The minute my back's turned something exciting happens. Must've been awful, too – eyes bulging out, tongue black and everything – poor old you!"

"No, it wasn't that bad. He just looked – asleep, I suppose."

I pulled open his bag and was going to help him unpack, but he hastily snatched it from me and put it on the floor behind his desk.

"He can't have hanged himself then," he said. "Must have died of something else and been hanged later."

"What on earth do you mean?"

"Well, don't you remember that book I had, the one you didn't like me reading. You said it was gruesome. 'The Wild West – True Facts' it was called, something like that. It had all about lynching in it, and there were photos, too. It described people hanging – how long it took them to die and so forth. Apparently the eyes bulge out and the tongue –"

"Have you still got it?" I was suddenly excited. "Where is it?"

"You're joking! You gave it to a Church jumble-sale, which I thought was pretty vindictive."

"Richard, are you *sure* about this?"

"Mum, I'm studying to be an accountant, not a doctor! But that's what it said in the book. Let's work it out." He gripped his own throat and started jerking his head about, half choking and poking out his tongue.

"Don't do that – it's awful! You know you could be right. But why didn't anyone else notice it, Inspector Franks or the doctor?"

Richard shrugged. "Maybe they haven't seen people who hanged themselves before. It's not an everyday occurrence, is it? Maybe their mothers wouldn't let them read 'True Facts about the Wild West' either!"

I stood up and straightened Richard's bed covers again. He was opening drawers and tucking things into them, and some of the drawers were so crammed they wouldn't shut properly.

"What you need is a good night's sleep," I said. "Several in fact. And at least one evening spent at home tidying up this room!"

Richard gave me a mischievous wink.

"Now that's more like the Mum I know and love!"

3

Michael Stoddart's address was 23a Edgeborough Avenue. This had once been an attractive street, lined with trees and ornate gas lamps, with the Sports Ground on one side and a row of substantial Victorian houses on the other. The houses had long gardens ending at the railway embankment, which was discreetly shrouded in woods. It was the sort of street doctors and bankers moved their families into. But all that had changed when the by-pass was opened, and Edgeborough Avenue became a "rat-run" for heavy lorries seeking a quick back-entrance to the town. I suppose the houses were rather large for modern families anyway, and soon fell prey to partition walls and multiple doorbells. I knew the history of Edgeborough Avenue, because ten years ago, when the area was just beginning to go downhill, Keith and I had planned to buy a house there. The semi-wild garden would have been a paradise for the children, and our intention was to use the top floor of the house as living-quarters, and the ground floor as offices for the civil engineering partnership Keith and two colleagues were hoping to set up. We were told, though, that there was *no way* we would get planning permission to use the house for commercial purposes: Edgeborough Avenue was residential, and would remain so, because of the outstanding architectural value of the buildings. Now, as I drove along it, I spotted signs for Video Rentals and Emergency Plumbing. Abandoned cars rusted on the pavement and a skip outside an empty property had weeds growing in it. It was probably just as well we hadn't moved in here; residents, many of whom were squatters, were reputed to spend a good deal of their time robbing one another.

Stepping over discarded plastic bags of glue, I approached

number twenty-three. It was one of the best kept houses in the street, though that wasn't saying much. The flat of the deceased (as I respectfully thought of him) was on the ground floor, to the left of the imposing front door. The label on the bell just said Michael Stoddart. The front door was ajar so I went hesitantly inside. The bare hallway smelled strongly of cats and curry. I wished I hadn't come. Whatever do you say to grief-stricken relatives? I knocked on the finger-marked door. No one answered. Suddenly a voice came from behind me.

"You from the social? You got the wrong flat. It's her upstairs you want."

The door to the other ground-floor flat was half-open. A pale face, framed by thinning grey hair and slashed with scarlet lipstick peered out.

"Sorry?"

"She took the kids up the doctor's. You got the wrong flat." She'd plucked her eyebrows completely and pencilled them in shakily with a ginger crayon. Her face looked like a badly drawn skull.

"I'm looking for Mrs Stoddart."

"There ain't no Mrs Stoddart. It's Mrs Norris you people come to see. Upstairs. Only I told you. She's gone out."

I took a deep breath. "I think we'd better start again. I'm Chris Martin from the Tipping Herald and I'm following up the story of Michael Stoddart's unfortunate death. Can you tell me if he lived alone?"

Her face brightened up.

"Oh, the papers! I 'aven't spoken to any reporters since my Harold was took off nine years ago! How exciting! Stop struggling, Gladstone!" This last remark was addressed to a large ginger cat I now saw she had tucked under her arm. "You know you can't go out. They'll try to poison you again."

Harold? Gladstone? Poison? It was like inadvertently changing channels on your remote control unit in the middle of a film. I was about to have another go at the question when the front door spilled light into the hallway and Lynn Cazalet entered.

32

"Oh, it's you!" exclaimed Gladstone's owner accusingly. "Now here's another one, I never know who she's come to see!" She retreated into her flat. The door slammed and there was a protesting wail from a cat.

"She doesn't like me, poor old soul," said Lynn. "She's got fifteen cats in there and it's unhygienic. *What* can you do?" She stared at Michael Stoddart's door. Her eyes were pink-rimmed and small, underlined with the grey of misery.

"I don't know if you remember me," I said. "I'm Chris Martin from the Herald. I found Mr Stoddart's body and now I'm trying to get some information about him. Were you a personal friend?"

"I was once," she replied enigmatically. "We weren't friends any more – his idea, not mine. I saw him yesterday, for the first and last time for a month." She produced a key. "I know I shouldn't do this, but there's something in there I wanted to get. You can come with me – in fact I'd be rather glad if you would."

The flat smelled musty, but less strongly of cats than the hall and there was a subtle, seductive hint of aftershave. Michael Stoddart's presence hovered in the stillness. His books and papers littered the table, and the bed was un-made. Next to a coffee mug, still stained from his last drink, lay an exercise-book in Council grey. He had stopped in the middle of marking someone's homework. Looking around, I saw that the walls were lined with photographs, mostly in black and white, their subjects ranging from street scenes to close-ups of lips round cigarette butts – the sort of photo-graphs regarded as artistic by people who see great merit in distorted images.

"Did he take these?" I asked.

"Yes. It was his hobby. He won prizes sometimes. He said you could do a lot with a camera." She looked round the room and said sadly. "It's gone."

"What?"

"A photograph of me. He took it. It just made me look nice, that's all." Her hair was lank and greasy, and she had two red spots on her chin. I expect he'd taken it in soft focus, using some sort of filter. "He must have thrown it away –

probably about the same time he threw me away," she added bitterly. "I always knew he was out of my league really."

I felt sorry for her. I'd thought Keith was out of my league, too, but I'd hung on and hung on and persistence had triumphed.

I said, "Look, I know this seems awful, but I'd appreciate any background information you could give me on Michael Stoddart. Who is his next of kin?"

"He hasn't got a next of kin. He was abandoned at four weeks old in a shoe box outside Woolworth's in Putney High Street. He told me all about it. He got shunted from one children's home to another. Why he wasn't adopted I can't imagine, but there we are. I think the system let him down rather badly. It does sometimes, you know."

"I see. And he wasn't married?"

"He wasn't married." She thought about this for a moment, then added. "He never even said he loved me, so I suppose I've only myself to blame."

"What exactly did he do? You seem very bitter."

"What did he do? Just what men always do. Took what he wanted and then discarded me like an old sock."

I thought, that's not what men always do; sometimes they take what they want and carry on arguing with you about it for years.

Lynn said, "He was a bit strange really. I never could quite understand him. Still, I should have known someone so good-looking would never really fall for me."

She was about to succumb to self-pity. I said, "Why do you think he killed himself?"

This provoked a sharp reaction. "Mike? Kill himself? I don't believe that. He used people, he didn't get used by them. He didn't strike me as a potential suicide – and I do have some knowledge of these things. I just wish I hadn't been such an idiot about him –" She had started to walk around the room as she spoke, studying the photographs on the wall and her ex-lover's shirts hanging limp and un-ironed from the picture rail. Now she stopped suddenly at the chest of drawers.

34

"That's odd. Look at the state of this."

All the drawers were pulled out, and the bottom one lay half on the floor. Its contents – mainly boxes of film, packets of lens cleaning paper and photographic magazines – were in a jumble. It looked just like Richard's bedroom and not very remarkable.

"Mike always kept his things tidy," said Lynn. "Especially this drawer. He used to let me clean the place for him and press his clothes, but he never let me touch this drawer. He kept a lot of his equipment here. Look – there's a lens there, rolled under the bed."

"Is anything missing?" I asked, suddenly interested.

She picked things up delicately, almost fearfully, as though he might walk in any minute and shout at her.

"I can't see the negatives. He kept them in a box with dividers, everything numbered and listed. I only saw it once when he was looking something up. And his camera's not here. "Bastards!" she shouted suddenly, making me jump. "This area's terrible. The number of break-ins – you tell the police and they just don't want to know. Just so long as all the rich people with their two-car garages and swimming pools and little red box burglar alarms are kept happy, to hell with everyone else! I really hate this town!"

On top of the chest of drawers was a little stack of one pound coins and a five pound note. I said, "It's a bit odd, someone breaking in and stealing a camera and negatives and leaving cash behind. Shall we have a look round and see if they've taken anything else?"

It didn't take us long to search the small flat. I checked the window and the door locks, but neither appeared to have been forced. There was no sign of either the camera or the negatives. Lynn said the camera was a Pentax, and expensive, but it seemed odd to me that whoever had taken it had left behind the lenses that went with it. In the kitchen, next to Mike Stoddart's unfinished last meal (which had been a frozen chicken curry, by the look of it), was a notepad on which were listed the odd numbers between seventeen and thirty-one, against some of which were written names. "Greyfield Properties" appeared twice, as did the name

35

Harlow; I wondered if it could have anything to do with the Reverend Harlow, father of Richard's Carolyn.

"Have these numbers got any connection with the negatives?" I asked Lynn.

She shook her head. "I don't really know. I told you, he never let me touch any of his photographic things. Actually, I've just thought of something."

"What?"

"The camera might be in his car. He had a blue "V" registration Cortina. It must still be in the hotel car park."

"Yes, I suppose it must." So much for that mystery! "The negatives are probably there too."

"Oh no. I'd be very surprised. That box of negatives never left the drawer. You'd think they were gold dust – if only I'd meant half as much to him as those bits of celluloid –" She sighed deeply, and with finality. Perhaps now he was gone she was released from the burden of yearning for him.

"I must be off," she said. "I should be at the Conference."

"Me, too."

We left the flat, locking the door behind us. Lynn pocketed the key, said goodbye, and left. I hesitated in the hallway. The idea of negatives and possibly a camera being stolen from the flat intrigued me. Perhaps it was only wishful thinking, but I was becoming convinced that there was far more to Mike Stoddart's death than suicide while the balance of his mind was disturbed. I was about to knock on the door of Gladstone's owner, when it opened slightly and I glimpsed a pale face hiding behind it.

"Hallo again," I said, smiling.

"Hallo," came the timorous reply. Pete Schiavo's advice, "Be friendly, make them think you're on their side," came into my head, and to my surprise I heard myself say, "I've got a cat just like that one." The door opened wider. I haven't got a cat at all. I felt awful.

"Is it true cats become very attached to their homes and will tend to wander back if you move?" I asked, writhing inwardly against stabs of conscience.

"That's right, dear. I never let mine out at all. It's the best way. Give them chicken and liver and love – it's a cruel world out there."

"You didn't tell me your name."

"I'm Edie Clough, pleased to meet you."

"Tell me, Edie, did you notice if Mike Stoddart had any visitors yesterday? Maybe someone let themselves in with a key?"

"Oh! We get a lot of visitors to this house. It's her up-stairs, you know. All them social workers and people. I got a lot to do with the cats and trying to keep up with my reading, I can't watch everyone!" She gazed at me thoughtfully, anxious to please. "Yesterday was the day the gasman come, and that lady doctor, and the health visitor with the squint – no, she was the day before. And a young police-lady come in the afternoon and banged on his door."

"Did the policewoman actually go into his flat – or the gasman?"

"No. The gas meters are out here, see, and the police lady didn't have no key. She was only a youngster. You'd think they'd've sent a man round, wouldn't you, to force the door, like on the telly?"

"You mentioned the health visitor and the lady doctor – would that be Dr Rachel Goodburn? Funny, I thought she was at home ill yesterday morning."

"Oh no, she's ever so good – she come out to me in the middle of the night once when I had me gastric trouble. There's not many will do that. They're coming and going from this house at all hours, I can tell you. Like her." She jerked her thumb in the direction of the front door, and the departed Lynn Cazalet. "Mrs Norris's battery's got wore out twice."

"Her battery?"

"Yes. For the doorbell."

I smiled and put my notebook away. Edie was obviously a less than reliable witness. I had said goodbye when she called me back.

"If you're worried about your cat when you move, I'd look after him for you. They need a lot of love and time and I've got both."

Stung by guilt, I thanked her for the kind offer and left.

The sun had come out and turned the inside of the Mini into an oven. I wound down the windows and tried to convince myself that the resultant air circulation would have a cooling effect. Poor Edie. Was that what happened to you if you had no husband or children, or was she in her own way happy in her solitude? Perhaps it's just as well you can't get inside other people's heads.

By the time I passed the end of my street on the way to the Clocktower, trickles of sweat were running down behind my knees and my hands were sticky on the steering-wheel. On impulse I turned left towards our house. The van driver behind me hooted angrily at this sudden manoeuvre, but I ignored him. Keith would have raised two defiant fingers and sworn blind to anyone willing to listen, that he had signalled his intentions beforehand and the bastard couldn't have been looking, but I know I'm not the world's best driver and would prefer to keep quiet about it.

As I opened the front door there was a flurry of movement upstairs. I gasped and dropped my keys noisily to the floor.

"Who's there?" My voice sounded shrill and imperious.

"It's me, Mum." Julie appeared at the top of the stairs, wearing only a towel and looking sheepish.

"What on earth are you doing here?" All sorts of dreadful possibilities ran through my mind.

She hugged the towel tightly round her and sat down at the top of the stairs.

"I've got a free period this morning."

"Well, why aren't you dressed?"

Tears filled her eyes. I ran up the stairs, two at a time, fearing the worst.

"I'm so fat, Mum. I keep weighing myself and I just don't get any thinner. I've only had a yogurt today – that's just liquid – but I'm a pound heavier than I was last night! What am I going to do?"

I restrained the desire to laugh, putting my arm round her.

"You're not fat at all, Julie. Who says you are?"

"Heather said I looked lumpy in my yellow sun-dress."

"Who's Heather?"

38

"Angie's mum."

"Oh yes." I leaned her fair head on my shoulder and tickled her neck, as I used to when she was a toddler. "Well, you're not fat at all, though I don't think that dress fits you very well. Would you like me to see if I can do something with it?"

"Could you?"

I nodded. "I'll try. But actually, you don't eat very sensibly, you know. Shall we sit down tonight and try and work out a proper diet? I don't mean cottage cheese and carrots and stuff. I know you don't like that."

"Heather says –"

"Never mind about her. Now listen, I'm supposed to be at work. I only came in to get changed. Let's both go and put something on, shall we?"

My room looked like the aftermath of a jumble-sale. I changed into a white cotton dress that shows rather too much neckline, especially when that neckline is pale from lack of exposure, but the washing-basket was erupting alarmingly in the corner, and at least white would be cool. Julie came in, already dressed, and sprayed us both with perfume.

"Was it really you who found Mr Stoddart's dead body?" she asked.

"Yes. Oh dear, are you very upset about it? I didn't think."

"No. I didn't like him all that much. Some of the girls did though. Two of them went home crying after lunch yesterday. They said they were all going to wear black this morning. I couldn't borrow your black tee-shirt, could I?"

"I thought you didn't like him?"

"Well, I don't want to be left out." She started rummaging through my drawers. "I can think of one stupid, stuck-up little cow who'll be eating her heart out!"

I ignored the language. "Who?"

"That Sari Randall from Northdales. She said she was having it off with him twice a week in the back of his car."

This time I was shocked. "That's no way to talk! You shouldn't repeat that sort of gossip."

"It's not gossip. It's what she said!"

"Wait – did you say *Randall*?" I remembered Elaine Randall, the parent-governor.

"Yes." She'd found the tee shirt and was wrenching it this way and that. She liked her clothes baggy – I didn't and I snatched it from her angrily.

"If you're going to borrow my things at least look after them properly. Look, this Sari Randall, do you think she was really – er – having a relationship with Mr Stoddart?"

"I don't know. She said so, and Angie and I saw his car outside her house once. Well, why not? Heather says age is all in the mind. She's the same age as you, Mum, but she buys her clothes from the same shops as Angie and me. We all go together. *And* she goes to the Ace of Spades disco with Angie."

I decided to put my intuition to the test.

"Heather wouldn't by any chance have a dishy boyfriend about ten years younger than herself, would she?"

Julie looked surprised. "I didn't know you knew her. Don't tell anyone, will you, because Ken is *still married*." She spoke the last sentence in a slightly awed whisper.

I thought, oh God, this is worse than I imagined. I said, "Look – about Mr Stoddart. This nonsense about him having relationships with pupils, is that serious?"

"Well, I never heard of anyone except Sari. *I* thought he was a bit strange. He had funny eyes, sort of cold. Angie said – Angie said his eyes went right through your clothes." She giggled. "We had him once when Old King Cole was away – all the girls started doing their hair and the boys made stupid remarks." She shrugged, losing interest, and sighed. "I don't think I'll ever have a boyfriend."

On the way to the Clocktower Hotel I had two things to think about. One was that I really must take Julie in hand before Heather convinced her that extra-marital affairs and being able to wear size ten trousers (I was sure Heather would have size ten hips) were the most important things in life. Julie had to be brought up to appreciate real and lasting values. The other thing that was exercising my mind was

40

Mike Stoddart. I had been instructed to write a human-interest story about a suicide; what I had found was something a good deal more sinister.

4

The Reverend Harlow was standing on the steps of the Clocktower Hotel, enjoying Eric De Broux's best filter-coffee and God's warm July sunshine. I couldn't avoid him.

"Ah, Mrs Martin!" he greeted me. "Just got here? And how are things in the exciting world of the media today?"

"All right, thank you. Have I missed much this morning?"

"I shouldn't think so. It's all rather above my head, I'm afraid. One is aware more of the human tragedies than underlying social trends, economic factors, etc. One leaves that to the experts! A very distressing occurrence yesterday – I do hope you have recovered from it?"

"Oh yes." My thoughts turned to the hotel yard, where a strand of black and yellow police-tape would be all that remained of the drama.

"Tell me," said the Reverend Harlow. "Has old Bill decided about my 'Thought for the Week' yet? A dissertation on what might happen if *God* were to take a holiday – most timely, I thought."

"Yes, I'm sure, but Mr Heslop doesn't take me into his confidence, I'm afraid. Would you excuse me? I must get a coffee." I wanted to make my escape before he brought up the subject of Richard and Carolyn.

"Certainly. Excellent it is, too."

The Conference was just about to resume and the girl in the Coffee Shop gave me a black look when I ordered coffee. I think in her eyes I wasn't a Real Delegate, but a Real Person, like herself, and therefore ought not to expect service. On my way through Reception I briefly inspected the sponsors' stands, and helped myself to a few leaflets. This is what it's really all about, I thought – "you came to our Conference, now buy our products –". On the Leisching

Pharmaceutical stand there was a placard advertising what they called a "simple, external remedy for that personal, private discomfort all women suffer from time to time". Who could walk past such a message without feeling a twinge of – well, something or other? I picked up a leaflet. A young man in a dark suit smiled at me politely, and I hoped he wasn't thinking what I thought he was thinking. Anyway, I nearly lost coffee, leaflets, notebook and dignity in the doorway of the Conference Hall as Major Duncton pushed past me on his way to the telephone. There was someone who didn't even think of me as a Real Person.

It was the closing speech of the afternoon that provided the big surprise. A tall, thin man, whose bald head glowed in the lights with an almost ethereal radiance, took the floor to make a speech on behalf of Leisching Pharmaceuticals. We all sat to attention when we got through the polite applause, as befitted the man whose Company had paid for the lion's share of the proceedings. The tall, thin man waited for complete silence, and then launched into the expected blurb on Leisching's contribution to research and concern on the subject of drug abuse. He congratulated everybody concerned with the Conference for all the work they'd put into it – and then came the crunch, the reason for Leisching's heavy involvement:

"What my Company is proposing is the setting-up, in this town, of a Dependency Unit. This unit will provide care, rehabilitation and above all support for Dependency victims. It will not cost the NHS or local ratepayers a penny. My Company will match, pound for pound, every contribution made by local businesses. What we are trying to do is stimulate local means to fight a local problem – and by local in this case of course I mean countywide."

A ripple of surprise ran through the Hall, and the speaker gave a satisfied smile.

"Now, you are probably asking yourselves – yes, I can see a few cynical expressions over there – why should Leisching Pharmaceuticals be prepared to enter into such an arrangement? Well, I will tell you. We are an expanding company

43

with, as you may know, offices throughout the country and Europe. What we are now proposing to do is to centralise our operations. We have looked around this area and we like it; we *hope* to become part of it." He paused dramatically. "In the very near future we are hoping that a suitable site can be found in Tipping for our new head office complex. This project will, of course, provide hundreds of new jobs. We shall be part of the Tipping Community. Ladies and Gentlemen, your problems will be our problems. Let us set out to solve them together."

I was on my feet the moment he'd finished speaking, collecting up handbag and notebook. This was news! I ran to the 'phones in the hall with applause drumming in my ears and dialled the Herald's number with frantic fingers.

"Mr Heslop's only just gone to lunch," said his secretary's voice. "Can you call back in half an hour?"

This probably meant he'd been squatting on the floor of his office for the last few hours, meditating, and trying to put off eating the organic vegetable salad lunch which was to be his only sustenance until dinner time. However, I didn't want to be the one to suggest this.

"Not to worry," I said. "I'm coming in."

On my way out of Reception I caught up with Sylvester Munroe, leaving with his suitcase. He was pale and perspiring in his leather coat.

"Don't be in such a hurry, dear," he said. "Life is short. You'll get to the end soon enough."

"Yes, of course," I said, stopping for a moment. "Somebody ended his life just beneath your window the other night, didn't he?"

Sylvester closed his eyes and shook his head, as though he didn't want to be reminded of it.

"Come and see me when you're in Hudderston. We of the media must stick together."

I had another quick look round the car park for Mike Stoddart's blue Cortina, but couldn't see one with a "V" registration. Perhaps the police had already taken it away. Two hard news stories in as many days! I felt like a real reporter at last. I drove down the narrow road with the wind playing wildly through my hair and my tyres screaming as I rounded the bend at Rampton's Hollow too fast. I suppose I should have known that this good feeling wouldn't last for ever; I've seen those films where the hero walks down a sunny street whistling, only to have a tree fall on him. Still, the trees stayed upright for the time being.

When I got to the office Mr Heslop's door was open and he was studying the lay-out for the front page. This was a Thursday afternoon, and the Herald flops through people's letter-boxes on Friday morning, so he'd need quite a few indigestion tablets and probably a surreptitious shot of whisky to get him through the next few hours. I told him about Leisching Pharmaceuticals' sensational announcement, and he rubbed his hands.

"Oh, that's good! That's much better than the dead-bird-in-the-milk scandal. Get it written up and *check* it and *double* check it." This was his rather meaningless catch-phrase repeated ad infinitum to junior reporters. "And how's your suicide coming along?"

For a moment I thought this a callous reference to my own mental state.

"Well, actually, I'm really convinced it wasn't suicide."

"Facts, Chris!"

"Well, I wasn't able to track down a next-of-kin. He lived alone. You see, as far as I can gather –"

"Right! Bottom of page two. Don't just stand there! I want that Conference story."

I gave him my most beguiling smile. "Can I have my name on it?"

He was reaching for the 'phone with one hand and a peppermint with the other.

"Yes, yes! Go on, scoot. I've got to get this page re-done." He swallowed down a belch. Heaven knows what his stomach would be like if he worked on a daily paper.

By the end of the day and several hundred words later I was still feeling pleased with myself. I decided to take my courage in my hands and call at the police-station for the post-mortem results on Mike Stoddart. Bravely I parked on a single yellow line close to the station, combed my hair, and set off. Inspector Franks passed me on the pavement without a second glance, not even at the car. My fragile new-found self-esteem took a knock. After all, if someone doesn't remember you when you've just pointed them towards a dead body, there really must be very little about you that is worth remembering. Shoulders slightly slumped, I continued slowly towards the entrance, from which emerged a large familiar figure with his nose buried in a handkerchief. It was the sergeant who had stood guard at the foot of the fire-escape.

"Oh hello, love!" he said, surprised. "I remember you. You work in the kitchens at the Clocktower, don't you?"

I opened my mouth, but words failed me.

"Here, this'll interest you," he went on. "That bloke they found hanging from the fire escape – apparently he didn't hang himself at all. He was killed by a massive heroin overdose! Bit of a turn up for the books that, eh? Inspector Franks is doing his pieces, he's had to set up an Incident Room. He was hoping to take a long-weekend after the Conference finished. Him and that Major Duncton have got a boat down at Chichester Harbour. Should stick to playing with boats in their baths if you ask me."

"Look, are you telling me it wasn't suicide?"

"No, love, that's right. It only just came through. Be detectives all over your place in the morning – hope you've got an alibi!" He laughed uproariously. "Biggest joke of all is that the bloody Inspector was in the bar there till around 11.30 that night with the Major, and this bloke died around that time – they were bloody nearly witnesses! Serve him right, him and his fancy friends – poncing about at Conferences – bloody yachts!"

Sometimes it helps to look like a kitchen-maid; he wouldn't have said that to a reporter.

"You don't like the Inspector much then?"

"You like your boss, do you?"

"Well – is there a 'phone round here?"

"Yes, love, just round the corner – if the vandals haven't

46

been at it."

I thanked him and told him I hoped his cold would soon get better, then raced round the corner to the 'phone box. It had no door and was full of empty bottles and fish and chip wrappers, but it worked. Mr Heslop congratulated me on my initiative, and said he'd see to it. The story that eventually appeared on page two bore the headline "Bizarre Death at Local Hotel". You had to read it right through to discover that the hotel in question was the Clocktower, the promise of a free gourmet-dinner having worked its magic on Mr Heslop. Also, the word "murder" did not come into it – the police were apparently only treating the matter as a suspicious death. Still, I felt things were progressing.

It was on my way back to the car laden with shopping that I noticed Pete Schiavo sitting on a bench in the little garden which was normally the province of old ladies with shopping-trolleys and old men with cider bottles. My first reaction was a feeling of gratification, because it looked as if the latest recipient of his amorous attentions had had second thoughts about going on holiday with him. I'd spent half an hour on my very first morning at the Herald in the Ladies' comforting a temporary typist who'd hoped in vain to become a permanent fixture in his life, so I was pleased to see he'd failed to get his own way on this occasion. Then I saw that he was talking to two boys of about eleven, who were identical to each other, and identical to him – dark and good looking with perfect oval faces. The difference was that their curls were not streaked with the grey of his forty-three years, nor were their eyes underlined with deep semi-circles. He'd seen me, so I struggled over with the shopping.

"Get up, lads," said Pete. "This is Chris. Andy and Dave."

The boys smiled politely but did not speak. There was something touching about looking at the three of them together, as though, in seeing the boys' faces, I was seeing Pete as he was when young and untouched by life.

"What are you doing here?" I asked. "I thought you were on holiday."

47

"We were. You wouldn't believe it, but it rained solidly for three days in Torquay, so we came back." He glanced at the boys, who were out of earshot. "Do you want to know something? I'd've given anything for a little time with those two but now I've got it, and it's bloody hard going."

"Don't worry. I live with my children and I often feel like that." Pete's battles for access rights to his three children were, in his own words, the stuff of which legends were born.

"So – how did the Conference go?" asked Pete. He looked at my spotless white dress and added with a half-smile. "Have they done a conversion job on you?"

"No. I never did drink much anyway."

"Really? What do you use for anaesthetic then? That looks like a pack of lager you've got there. I'll love you for ever if you let me have one."

I gave him a can and he took a long drink with exaggerated relief. Then I said, "You'll never believe what happened. On the first morning of the Conference I found a man's dead body hanging from the Clocktower fire escape!"

He smiled vaguely and placed the can on the seat next to him. He stared at it. "Jesus!" he said. "This must be potent stuff! Or maybe it's time I gave up drinking for a while. I could have sworn you said you found a dead body on the Clocktower."

I laughed. "No, really! That is what I said!" He gave a sigh of relief, and grinned. "You know, you look quite attractive when you laugh like that, darling. I wish you'd do it more often. You usually walk round the place looking like a wet Monday in Scunthorpe."

"Do I?"

"Yes. Now what's this about a dead body?"

I was thinking about the wet Monday in Scunthorpe. A compliment and an insult almost in one breath; that was typical of Pete.

"Well, there he was, hanging by his neck from the fire escape. I'd seen him the night before, too, and he looked all right then. The police treated it as suicide by hanging to begin with, but I just came from the police station and apparently he died of a heroin overdose. *Heroin*, not hanging, so how –" Suddenly something clicked into place. Heroin overdose – hypodermic syringes – the syringe in the cheeseboard – "Oh my God!"

"What's the matter?"

"Oh God!" I said. "I think I've done something awful!"

5

The sun was getting uncomfortably hot on the back of my neck. I had explained to Pete about the syringe and accepted the offer of a sip of lager from the can. It didn't make me feel any better.

"Well, if it were me," said Pete, "I'd put on a pair of handcuffs and go down to the police-station and give myself up. The police have some pretty inventive ways of extracting confessions, so I'm told."

"Oh God!"

"That's the third time you've said that. You're worrying about nothing, darling – you weren't to know. They won't exactly give you a Citizen of the Year award but at least you'll save them looking in all the wrong places. Volunteer to help with enquiries."

"Everybody knows that means getting slapped round in a police-cell all night."

"What papers do you read, for Christ's sake?"

"Dad," said Andy. "Can we go now? We're starving!"

"I'll have to go anyway," I said. "My fish-fingers are melting."

"All right, lads, say goodbye to Chris. You may not see her for a couple of years – unless she gets remission for good behaviour."

The boys stared at me. They took a few steps backwards.

"Come on, Andy, what's up with you? I was only joking about her being a criminal. Shake hands and say goodbye properly."

Two pairs of brown eyes regarded me reluctantly. I felt uncomfortable.

"Dad –" Andy seemed to be spokesman. "Dad – Mum said if we met any of your lady friends we weren't to talk to

50

them. She says they're – not nice."

Pete's face registered shock as if he had been slapped. He stared at his sons in disbelief. Then he sighed.

"All right," he said. "Wait here for me. I'll help Chris to the car park with her shopping."

He picked up my carrier bags and started towards the car park.

"I'm sorry," he said. "I'm really sorry about that."

"It's all right. It doesn't matter. It's not your fault."

"When they're a couple of years older they'll see my side of things. They'll be more objective." He didn't sound convinced by his own words.

"They're nice boys. You must be very proud of them."

"I can't really claim credit for them. I've had very little to do with their upbringing since they were five."

When we got to my car, he said, "Look, this dead body of yours, are you really interested in it?"

"Yes. It's the only one I've ever found."

"Did Heslop let you follow it up at all?"

"He's not very interested."

"He'll hand the story to me, you know, if there looks like being anything in it. I tell you what, we'll work on it together. I'll send the boys to the pictures tomorrow and we'll meet in the Star about two and see what we've got. What do you say?"

"O.K." Why not? It might get me away from planning disputes and flower-shows for a while.

"And if it turns out to be the story of the year, and I get a job on a decent newspaper as a result of it, I'll buy you anything your little heart desires – an electric yogurt maker, a set of Janet Reger underwear, anything. Shake on it."

We shook hands. As he walked away, for the first time I felt some sympathy towards him.

To my amazement, Keith was in the kitchen wearing an apron and a slightly bemused expression.

"I put the washing in the machine," he said, "but it doesn't seem to be doing anything."

"It's just heating the water." We exchanged a chaste kiss

51

of greeting.

"I'm really sorry about last night," said Keith. "I'd had an absolute bastard day. I'm sorry. I bought you something – it's out on the patio."

I went out to look. He'd bought me a new pink fuschia to replace the one which had died after I forgot to water it. I thought guiltily that I would rather have had half-a-dozen red roses as a peace-offering, but I thanked him with another kiss and told him not to worry about anything in the kitchen.

After dinner Keith and I sat on the patio enjoying the whine of other people's hover mowers, the scent of grass and a sunset sky streaked with the purple promise of a glorious day tomorrow. I told him about finding the body, and the Conference, and confessed to being rather nervous at the prospect of visiting the police station tomorrow. He reacted quickly to this.

"You shouldn't let yourself get involved in this sort of thing. Writing nice little stories about the Council's problems with dustbin-liners is one thing, but coming up against the police is another."

"I didn't do it on purpose. Pete says they'll be understanding about it anyway. And from now on, I'm going to be investigating it with him, so I won't make any more mistakes."

"Who is this Pete?"

"Pete Schiavo. You met him once in the pub."

"Oh, him. Yes, well, if he's such a great reporter what's he doing working for a paper like the Herald?"

"I think he's had a lot of personal problems."

"Personal problems! You mean drink and women and driving sports cars into ditches – I recognise the type. He is just exactly the sort of person you ought to avoid like the plague – no sense of responsibility!"

The conversation turned to other acquaintances of ours who had got themselves into sorry circumstances through lack of responsibility, a favourite topic of Keith's. When young, he had sown his wild oats, and owned a motorbike, and done all the things young men usually do, but, on passing his thirtieth birthday he'd cut his hair, subscribed to a private pension, and started buying the Financial Times. His idea of pleasure these days was anything that didn't cost a lot of money, i.e. supermarket own-brand alcohol, cricket (if that can be described as a pleasure), and anything with balls in it on television. I sometimes wondered if you could overwork your sense of responsibility. What if a jumbo-jet fell on the house tomorrow and killed us all, I'd once asked. "Don't be silly," Keith had replied quite seriously, "I wouldn't have bought this house if it were in an airport flight-path."

The evening ended with Keith telling me he'd run into an old friend of ours that day, whose wife had just started a nice little business making wholemeal quiches. She was getting an enterprise allowance and a bank loan and all sorts of other inducements, and would no doubt need an assistant. A vision of wholemeal pastry cases riding off in solemn procession into the sunset flashed before my eyes, and Keith said he'd written her 'phone number down in my book for me. I thanked him, and promised to bear it in mind.

Friday morning dawned clear and hot, with everybody in the neighbourhood except me wearing the cheerful, self-satisfied expressions people always adopt on sunny Fridays that look like turning into fine weekends. I put on what I considered to be my most efficient looking outfit – navy linen skirt and crisp white blouse – added some colour to my cheeks, then stood back to examine the effect. Immediately the police-sergeant's remark about my working in the hotel kitchens came to mind, but it was too late to do anything about it. I met Julie at breakfast, tousle-haired over a yogurt, and I said, "Do I look awful?" She said "No", in a questioning tone, having scarcely glanced at me.

"Will you do me a favour?" I asked, on the spur of the moment. "Come shopping with me tomorrow. Help me choose some new things, and some make-up. I'm tired of looking like a middle-aged waitress!"

Somewhere in the police-station someone was whistling

"Love is a many splendoured thing", to shouts of "piss off" and "give it a rest", and the young officer on the desk was delicately picking bits of undissolved milk powder out of his tea.

"Good morning, madam, what can we do for you?" he asked cheerfully.

"I'd like to see Inspector Franks, please."

"He's very busy this morning, madam, couldn't I help?"

"Well –" I forced my brightest smile. "I've got some information on the Michael Stoddart murder case."

"Have you now!" He picked up his 'phone and stabbed a button. "Sorry, sir, but I've got a lady here with some information on Michael Stoddart. Yes. Right away, and two sugars, sir." He put the 'phone down and smiled at me. "This way, madam, second door on your left."

I started to walk along the bare corridor, my footsteps echoing erratically and my heart beating fast. Just as I reached Inspector Franks' door it opened and he emerged. He leaned in the doorway, one hand in his pocket, the other gingerly fingering a shaving-wound on his cheek, and he looked me up and down.

"Oh yes, you're the lady from the Herald, the one who found the body," he said after a while. He didn't smile, nor did he look as if he ever would. "What have you come *here* for – we always keep the Press informed – ask your colleague, what's-his-name. Now, if you don't mind, we're trying to get on with some work." He gestured along the corridor with an expression of mock politeness.

"No, look, I think I've got some information for you. I believe you're looking for a hypodermic syringe in connection with Michael Stoddart's death?" He nodded, slightly surprised. "Well, I think I may have seen it. It turned up in the restaurant and I thought it might be a health hazard, so I helped the receptionist to – er – dispose of it."

"What?"

"She wrapped it in an envelope. I think she put it straight in her wastepaper-basket."

Inspector Franks clenched his fist and scowled at me.

"I've got half-a-dozen men and a dog on their way up to

54

the hotel right this minute to search the grounds – why didn't you come forward earlier?"

I could feel my cheeks flushing, but I still kept trying to smile.

"Sorry, but I only thought of it last night – I thought this morning would be soon enough."

He swore softly to himself and called over his shoulder to someone in his office.

"Get on to the Clocktower. Tell them to switch their attention to the dustbins and wastepaper-baskets. Christ, it was the day before yesterday! Better get on to the Council as well – we may end up having to search the tip. God, on a day like this!" He wiped perspiration from his brow. I was sweating, too.

"I'm sorry," I said. "But honestly –"

"Yes, all right, missus." He seemed to be letting me off the hook, but he spoke with an unpleasant snarl. "And just while we're thinking of it I don't suppose you tripped over any machine-guns or machetes in the Ladies' Powder Room, did you? Didn't tidy them away into your shopping-bag by any chance, did you?"

I shifted my gaze nervously. The walls of the police station were painted a light turquoise, and it was probably this that triggered off a memory.

"Well, no, but there was a note –"

Inspector Franks' expression changed instantly. He took me by the arm and snapped his fingers to a passing constable.

"Interview Room 1. Get me a WPC."

He led me into a small windowless room lit only by a fluorescent strip light. It was completely bare apart from a formica topped table and three wooden chairs. The table-top was pocked with cigarette burns, and on the green, tiled floor there was a large, sticky, brown stain that looked like spilt coffee.

"Sit down," he said abruptly. I sat down. Inspector Franks sat opposite me, leaning forward on his elbows with an expression of deeply-held malice. A shiver of fear ran down my spine.

"I must caution you that tampering with evidence is a very serious matter. If you think that just because you carry a Press card you can walk on and off the scene of a suspected crime, helping yourself to anything that looks like it might make a nice juicy little news item –"

"No, no!" I interrupted. "I haven't got the note. I didn't touch it. I saw it the night before the murder. It was on the hotel message board."

The door opened to admit a solemn-faced young police-woman. She took up a position just inside the room, hands clasped behind her back, gazing intently at a spot on the wall.

"So, we're not talking about a note you removed from the body?" asked Inspector Franks.

"No. I told you, I saw it on the hotel message board. It said, "To M. After all this time! Hickory Dickory Dock. Don't forget, little Mouse", or something like that. It was on turquoise notepaper."

The Inspector sighed and waved the policewoman out of the room.

"What happened to this note?"

"I don't know. It was gone in the morning."

"This has got absolutely nothing to do with the investigation, has it?"

"Well, it was addressed to *M* –"

"A lover's note, in a hotel. I *would* say you've been reading too many detective stories, but it sounds more like Mills and Boon to me." He stood up, a sarcastic smile lifting the corners of his lips. "I think that's all for now, Mrs – er – Go back to your paper and tell them to let you stick to reporting flower-shows and bouncing-baby competitions."

We got up and he ushered me along the corridor. The glow of embarrassment had spread from my cheeks up to my hairline and down my neck. The young policeman from the desk was approaching us with a cup of tea.

"Inspector. Here's your tea, sir. Sir – that car that was found at Rampton's Hollow, we just heard; apparently it was registered to Michael Stoddart."

I glanced round sharply at the Inspector, and was about to

56

enquire about the camera and the box of negatives, but I thought better of it.

It was dark and cool inside the Star. The barman was polishing glasses and two men sat at tables by themselves, frowning over crossword puzzles. From the public bar came ripples of female laughter and the thud of darts into a board. I had never felt entirely at home in pubs – I'd spent too much time shivering outside them with crisps, and orange squash, and children squabbling over swings.

Pete said, "You look as if you need a large gin. That is what you drink, isn't it?"

"Yes, but a single is fine, otherwise I won't be able to think clearly."

"Aren't you lucky! How did you get on at the station?"

"It could have been worse."

He ordered the drinks, then said:

"I rang my contact at the police-station last night. He gave me the post-mortem results. Have you had lunch? In that case I'll skip the anatomical details." He produced his notebook. "Right – the big news is that Mike Stoddart was probably an ex-heroin user. He had scar tissue on his forearms indicating prior use of injectable drugs."

"What – you mean he was an ex-junkie?" He hadn't looked anything like my idea of an addict.

"Seems so, though it was some years ago. I shall be interested to hear what the Education Authority have to say about that! Anyway, he died of a heroin overdose, as you said, and he'd been dead for up to an hour when he was hanged from the Clocktower by person, or persons, unknown."

"Any signs of a struggle?"

"There was some bruising on his upper arm, but nothing major. Actually, whoever killed him must have really struck lucky, jabbing straight into the vein of someone presumably not co-operating. With that amount of heroin he would have gone into a coma within a minute."

I didn't care to speculate on the details. "Anything else?"

"Let's see. Time of death estimated at between eleven

p.m. and one a.m. Oh, and analysis of the stomach contents showed recent ingestion of a moderate quantity of alcohol."

"Well, he didn't drink that at the non-alcoholic cocktail do!"

"He didn't drink it in the hotel bar afterwards, either. The police seem quite positive about that."

"Oh, they would! Inspector Franks was in there till eleven-thirty with Major Duncton."

"You seem remarkably well-informed. Anyway, if it wasn't for the fact that he got himself hanged from the Clocktower, it would appear to be a clear case of accidental overdosing by an ex-addict returning to the habit."

"So – it looks as if someone used heroin to murder him and then for some strange reason hanged the body – like a sort of dreadful warning perhaps? Sounds almost medieval!"

Pete shrugged.

"The police are assuming a link with the local drugs scene. In fact, this weekend they'll be putting the screws on every known pusher and user in the area, so I wouldn't think of topping up your supplies of pot or coke or whatever it is you get off on. They expect to make an early arrest."

"Really?"

"No. They always say that."

"Did you know they found his car in Rampton's Hollow?"

"No, I didn't." He looked blank. Even though he hadn't been brought up in Tipping, and would have no memories of Rampton's Hollow as a courting spot, I'd have thought he would have remembered it. It had been the subject of a bitter local battle earlier that year, when the County Council proposed to route the new Hudderston link road through it. This would have destroyed the little pool and ancient oaks for ever, but, at the eleventh hour, a colony of rare tree-frogs had been discovered and the course of the road diverted. The conservationists had been delighted, and so, I imagined, was Mr De Broux. The new road would cut a swathe over the hilltop, right in front of his hotel, putting it squarely on the map.

"Rampton's Hollow," said Pete. "Yes, I remember. The dramatic discovery of the tree-frogs. Thames TV sent a crew down and there was this little blonde make-up girl – well, well. Rampton's Hollow's only a couple of minutes' drive from the Clocktower. So he was either murdered there, and put in another car and taken up to the Clocktower, or he was killed at the Clocktower and somebody made off with his car. Weird. But then this sort of thing usually is."

"Well – shall I tell you what *I* found out about Mike Stoddart now?"

"Go ahead."

"Well, for a start, he seems to have been very much a loner, single, no known relatives. I spoke to his ex-girl-friend, who incidentally was very bitter about the way their relationship ended. She let me into his flat. She seemed to think his camera and all his negatives had been stolen."

He raised his eyebrows. "That sounds interesting. Perhaps he had some photos someone didn't want him to have."

"*And*, according to my daughter, there's a possibility he may have had a relationship with a schoolgirl from North-dales."

Pete gave a broad, delighted grin.

"This is great stuff! We'll have another drink on that. Drugs and sex with teenagers – this is News of the World material! You can start measuring yourself up for that silk underwear. You wouldn't happen to know the girl's name, would you?"

I hesitated. "As a matter of fact, I do, but what's the point? The man is dead and the girl's probably suffered enough. I mean, she's hardly a murder suspect, is she? You're not seriously intending to make something of this?"

He smiled and reached into his inside pocket for his wallet. He pushed it towards me. Inside the plastic window was a picture of a very pretty girl with honey-blonde hair and dark-brown eyes. Behind it, half-hidden, was a black and white photo of a strikingly attractive blonde in sixties' make-up, who bore some resemblance to the girl.

"*Pour encourager les autres*," said Pete. "That's my daughter, Catherine, and for all I know her school may be full of men like Mike Stoddart. God knows I never get near enough to find out. Every time someone like Stoddart is exposed, alive or dead, it scares the shit out of the others. That's what the point is."

I had a sneaking feeling he'd gone through the wallet routine before. I sighed. I didn't feel qualified to argue. The barmaid refilled our glasses and Pete said "Cheers!" very cheerfully. I pointed to the black and white photo.

"Is that your ex-wife? She's very pretty."

"Yes, that's Helen," he said, snapping the wallet shut. "The face that launched a thousand Exocets." He looked at his watch. "Are you doing anything this afternoon that can't wait?"

"No, I don't think so."

"Then come to the school with me."

"What – to see this girl – now?"

"Yes. I've got a feeling about this. I think it's going to turn into something big. Don't you ever get feelings?"

I shrugged. Again, I didn't mention the voice in my head.

6

Pete drove a dark green MGB which was immaculate on the outside, but whose seats were always littered with an assortment of abandoned rubbish – crisp packets, torn maps, a length of Christmas tinsel. I sat down, disentangled my seat-belt, and gripped the seat-edge tensely in preparation for the journey. Pete did not seem to be aware of the existence of any speed below fifty miles per hour.

"Have you ever driven a sports car into a ditch?" I asked after a particularly close call with an oncoming petrol tanker, and remembering what Keith had said.

"No. Up a tree once, but I'm careful these days." He didn't seem surprised by the question. "By the way, I didn't congratulate you on your Conference piece. Quite a couple of days for you, eh? A murder and this Leisching project. Of course, it's bad news for us, this development thing. It means we're in for months of argument about office-blocks and environment and Tipping losing its bloody character – Christ, I hate it!"

"I suppose *you'd* prefer stories about sex and drugs and violence and bits of bodies all over the road."

He glanced at me and sighed. "What I'd prefer, darling, what I'd prefer is not to have to do this crap at all. I'd like not to have to support solicitors and off-licences and bloody motor-insurance companies – I'd like to be driving a Porsche across Europe and writing brilliant best-selling novels that would support literary agents and all kinds of expensive habits."

"You don't want much, do you?" I said, and thinking about the wet Monday in Scunthorpe, smiled.

"No. Actually I'd settle for vodka on an intravenous drip feed." He brought the car to a sharp halt outside the

61

entrance to Northdales School.

We sat gazing in silence at the chestnut-tree-lined approach, with its neatly weeded verges innocent of sweet papers. It seemed a shame that the County planned to close such a well-kept school, though frankly, as the parent of a child at the reviled Shepherds Hill, I couldn't help but feel a twinge of malicious pleasure. Pete pressed a switch and the growling guitars of Dire Straits filled the car and spilled out in the summer air. He felt around under his seat and produced a Polaroid camera, to take photos of Sari Randall, he said. Almost immediately a rising babble of high-pitched and enthusiastic voices signalled the approach of school-children. The younger ones came first, schoolbags carelessly thrown over their shoulders or dragged viciously through the dust. They inhabited their own world, oblivious to anyone over the age of twenty, their only concessions to the beauty of the afternoon being loosened shirt-collars and the frantic fanning of dog-eared exercise books. They walked in carefully sexually-segregated groups. Then came the older ones, more self-conscious, some with adult minds in awkward, immature bodies, others with adult bodies that responded to the impulses of juvenile minds.

"Come on, we'll start with these," Pete said, indicating a group of girls aged about sixteen. He got out of the car and approached them slowly, smiling pleasantly behind dark glasses.

"Hello, ladies, you all from Northdales?"

"That's why we're wearing this stupid uniform," replied a tall blonde girl, running her hand down from her breast to her very brief skirt hem indicatively. Pete pulled his Press card from his shirt pocket and flashed it at the group.

"Did you know Mike Stoddart?"

"He didn't teach here – he was at Shepherds Hill!" replied the blonde indignantly, and the others giggled.

"Is that your car?" asked a short girl with a pretty, impish face. "*My* boyfriend drives a Porsche!"

"He doesn't – she's making that up!" said the blonde. "Her boyfriend drives a bread van!" There was a lot of laughter and some scuffling amongst the girls at this. The blonde advanced on Pete. "If you want to know something about that teacher Stoddart, give me a ride in your car and I'll tell you." At this, all the girls hooted and whistled and a number of boys stopped to look.

"I don't think so, darling," said Pete.

She gave a sulky shrug. "My *Dad* likes Dire Straits. *I* think they're rubbish!"

Pete held up the camera.

"Come on, girls, let's take a few photos. You all look like Page Three girls to me."

They started giggling and playing with their hair and the boys walked away in disgust. Then the blonde girl began unbuttoning her blue and red striped uniform dress and thrusting herself forward provocatively. The boys stopped again, and a tall, broad-shouldered youth took off his glasses and approached Pete uncertainly. I could see a very nasty situation developing.

"Does anybody here know Sari Randall?" I asked desperately.

"Yes," said one of the girls. "Old Stoddart was knocking her off."

"Shut up, he wasn't! She just made that up!" exclaimed someone else. "She's a silly little cow. No one'd look at her."

"Well, who'd look at you?" asked the blonde, raising a long leg and caressing it. Pete obligingly took her picture, and she made a Brigitte Bardot pout and jumped up and down joyfully. "Anyway, here she comes, look. *She'll* never make it to Page Three."

A tall girl with short, mousey-brown hair emerged from the gate. Unlike the others, who were all dressed in some version of the school uniform, she was wearing a long sleeved black jumper and black wool skirt. Her face and neck glistened with beads of sweat. When she saw that she was the focus of attention she hesitated and fumbled with her schoolbag, as though she had forgotten something. I stepped between her and the others.

"Are you Sari Randall?" I asked.

"Yes." Her voice was soft and childlike.

63

"I'm doing a story about Mike Stoddart, who taught at Shepherds Hill, and I think you may have known him."

"Yes, I did a bit," she replied, her lower lip trembling.

I nodded. "Did you know him outside school?"

"Yes." She was keeping an eye on the other girls. "I did know him outside school!" she exclaimed suddenly, in a loud voice, so that they all looked at her. "Why shouldn't I? He came round to my house and he took me out in his car. Lots of times! Ask anybody you like!"

She stared back at the others defiantly, tears rolling down her cheeks. She hadn't been talking to me at all, it had been for their benefit. Then another tall girl with red hair ran up and grabbed her by the arm. Someone shouted, "There goes the gruesome twosome," and the two girls were swallowed up in the jostling crowd that had gathered around us. I tried to follow but Pete tapped me on the shoulder.

"Leave it. There's a couple of teachers coming out." He gave the blonde girl a broad smile and added suggestively, to shrieks of delight, "You've got it all ahead of you, darling."

We jumped into the car and he drove quickly down the road, over the hill, and out of sight of the school. He parked on the grass verge.

"Jesus, it only takes one," he said, removing the glasses and rubbing his eyes. He looked disappointed.

"Sorry. I didn't do very well," I said.

"Yes, you did. You did fine and I got a couple of good pictures of the girl." He studied them. "The point is, I think we're out of luck. I think she made the whole thing up."

"Why?"

"Oh, come on, surely you remember being that age? When I was fifteen I was almost suicidal because I thought I was the only boy in the class who hadn't been in the stationery cupboard with Mary Speck – it was ages before I realised most of the others were making it up. I was a good little Catholic boy in those days," he added, with a smile.

"Yes. I see. So shall we just forget about all this?"

"No, of course not. There can't be smoke without at least a spark, can there? But I wish we had a photo of Stoddart."

"You know – there might be one on file. Shepherds Hill

did a production of 'Oliver' and there were a couple of group photos he might be in. It's worth checking."

"Now, why didn't bloody Heslop think of that? 'Local Teacher Murdered' and a photo. The trouble with him is, there's no part of him above the stomach that works – or below it probably, for all I know."

A straggle of Northdales pupils appeared. Safely out of sight of the school, boys and girls were entwined in one another's arms, lips seeking lips, faces flushed with sun and newly-awakened sensitivity. We watched them in silence for a few moments.

"Yes. Well," said Pete, sighing. "All good things must come to an end." He handed me the photos of Sari. "If I give you these and you can get the one of Stoddart, will you show them round the shopping centre tomorrow? See if you can find anyone who's seen them together."

"Me?"

"Yes, you, darling. I've got to take the twins back to Maidstone. Try anywhere young people hang out – use charm and initiative, of which I'm sure you have plenty."

I accepted the photos reluctantly.

"By the way," I said. "Did I tell you about the note?"

"What note?"

"The note at the hotel." I told him about it. He smiled and to my surprise slowly placed his index finger on the end of my nose.

"You know what? I think the best thing I can do with you is take you home, lie you down on the couch and hypnotise you. We'll probably find you witnessed the entire murder."

For a moment I had a disturbing vision of myself lying on a couch with Pete. I blushed. I pushed his hand away and he laughed and turned on the ignition. As we accelerated down the hill I thought, God, he's very attractive – it's the eyes or the smile, or something – no wonder he has such an effect on vulnerable females. Then I thought, if I've got the sex hormone deficiency Keith says I have, how is it I can still recognise the charms of other men?

"You look hot," remarked Pete.

"Yes," I said. "I think the sun's getting to me."

I had already arranged to go on a shopping trip with Julie, so the easiest thing seemed to be to combine this with the task Pete had given me. Having Julie along would add to my credibility in approaching teenagers, I reasoned with some cynicism.

"You don't have to do it if you don't want to," I told her apologetically.

"You're joking! This is fantastic!" exclaimed Julie, turning up her shirt collar and donning dark glasses. "This is the most exciting thing I've done all summer!"

Oh dear, I thought, whatever happened to youthful idealism; I go into this thinking it's immoral and my daughter thinks it's fantastic.

We showed the photos to a group of Northdales girls in a boutique, and they recognised Sari but not Mike. In Woolworth's, a delighted shop-assistant said she knew Mike from television and declared herself free any weekend for filming in front of a studio audience. Apparently she had mistaken Mike for Leslie Crowther and thought I was a TV talent scout. It took us about half an hour to talk our way out of this. Later, we stopped at a café full of teenage smokers, and coughed over coffee and Danish pastries while we displayed the photographs. It seemed to be a lost cause. What surprised me was that of the fifty or so people we approached that morning, not one questioned our right to be prying into Mike and Sari's private lives, and most seemed quite eager to help. Perhaps Crimewatch has a lot to answer for. I didn't think Pete would be pleased.

When we got home, Julie helped me apply the new make-up she'd chosen, though she seemed a little impatient with the result.

"It's your hair really," she said.

"I'm having it permed next week."

"Dad won't notice, whatever you do."

"I bet he does."

"Go on – I'll give you fifty pence if he notices when he

comes in! What an easy way to make money – he never notices you. Heather says the day people stop looking at each other is the day they stop caring."

"And I'll bet she also says you're only as old as you feel." I didn't choose to argue the wider implications of Julie's remark.

"No, Mum, *you* said that. *She* says you're only as old as you let yourself look."

I bit back an acid comment about what I considered to be Heather's excessive reliance on cosmetics, and switched the subject to Julie's diet. We were discussing the various uses to which lemon juice might be put when Keith came in.

"My cricket shirt's not still in the wash, is it?" he asked, with an air of menace.

I raised my unusually heavy lashes and treated him to a wide-eyed gaze. "I've put everything away in your sports bag, dear."

"Oh. Good. Right, I'll be off then. Will you be popping down to watch this afternoon?"

My heart was sinking slowly. "I think I ought to mow the lawn if it doesn't rain."

Keith gave a cheery, slightly absent-minded wave and was gone. I gave Julie her fifty pence.

Later, in the kitchen, I reflected on the fact that I might not be a *femme fatale* but I was a passable mother. *My* children didn't have affairs with their teachers or unbutton their shirts for newspaper reporters. From time to time they both formed unsuitable friendships, it was true, but I always kept my cool and handled these situations with tact and understanding. I'd won Julie back today, and Richard had turned out well. Richard had never really given us any problems – apart from when he was at Nursery School and had come home every afternoon with his pockets crammed full of Council Lego. Anyway, in the long run being a successful parent was more important than looking like a cover girl. Looks, in many cases (and almost certainly in Heather's) weren't even skin deep.

Despite these feelings of saintliness, I slept badly that

night. It was hot and thundery and Keith was snoring exceptionally loudly. I became aware of noises downstairs, followed by heavy footsteps on the landing. Wondering which of the children was raiding the refrigerator, I pulled on my dressing gown and went out to investigate. The glowing red numerals on the alarm clock proclaimed that it was four twenty-seven.

"Richard!"

He was standing in the corridor, fully clothed, his face so ashen, his fair stubble looked dark and thick. He stared at me, frozen rigid.

"Have you only just got in? Oh my God, it's not the car, is it?"

He was still staring at me, but he glanced downwards for a moment and I saw that he had something clasped in his hand. The other hand was attached to the door of the loo.

"Whatever's happened? For God's sake tell me!" My voice had risen from a whisper to a yelp and Richard shushed me. He turned towards his room and beckoned me to follow. He sank down on his bed, head down, and gave a great sigh.

"We were busted, Mum. I'm sorry to wake you. Please don't get Dad."

"Busted?" I felt wide awake but my brain didn't seem to be functioning. "What do you mean?"

He hesitated. "Busted. You know – busted! Drugs and all that!"

"Busted? Drugs? No, I don't know! Tell me what you're talking about."

"Only pot, Mum. Just pot. And I didn't have anything on me."

There followed a long pause while I tried to take it in.

"Are you trying to tell me," I began, in a voice that sounded hard. "Are you trying to tell me that you and your friends smoke *pot*?"

Richard didn't answer. He studied his thumbnail and chewed it.

"Oh God, you silly boy! Have you got Carolyn involved in this?" My son and the vicar's daughter done for possession of marijuana.

"No. Carolyn and I had a bit of a barney. She wasn't –"

"Well, thank God for that at any rate! How could you do it? Have you gone mad? And what's that you're hiding from me?"

He held out his hand, palm upwards, displaying a small tinfoil packet.

"I'd got this at home. Emergency supplies," he added, ruefully.

"And where did you get it from?"

"Oh, Julie got it for me. It's easier to get at school –"

"Julie? I don't believe this!"

"It's all right, Mum. She doesn't use it. She says it gives her spots."

I sat down on the bed next to him, pulling my dressing gown round me and feeling suddenly very cold. I took a deep breath and tried counting to five. It didn't really help.

"All right. Tell me what happened."

"Well –" He hesitated, sighing. "We were in this pub –"

"What pub?"

"The Earl of Derby. And suddenly it was full of police. I mean one minute we're having a quiet drink and listening to Paul Simon, and the next the music's shut off, it's "up against the wall, hands behind your backs". Some people tried to get out but there were more police outside."

"Did they search you?"

"Yes. One of the guys I was with had some stuff on him, so they pushed us all out into a van – one of those ones without any windows. Then we got to the station and it was like the railways when there's a strike on – you know, everybody shouting and pushing and nobody knowing what's going on." He gave his head a shake, as though to wake himself from a nightmare. "I was stripped and searched, which wasn't very nice." I clasped his hand sympathetically, but it crossed my mind that if he'd been born female he would have found examinations of this sort went with the territory in a multiplicity of circumstances.

"Then they put us in a cell and we were there *hours*, Mum, not knowing what was happening. There was somebody down there singing 'She'll be coming round the mountain' at the top of his voice. He just went on and on getting shriller and hoarser and every so often he'd have these kind of fits of hysterical laughter." Richard kicked off his shoes savagely and lay down on his bed, eyes closed.

I said, "Was that it then? They just let you go?"

"Well, yes, after this detective questioned me. I was taken up to the Interview Room, and it's name and address all over again, what had I been doing in the pub, did I know this guy or that guy, where did I usually get the stuff –"

"You didn't tell them about Julie?"

"No, of course not! They kept on and on, over and over again, asking the same stupid questions. Did I know I could be charged with a very serious offence? Did I wish to make a voluntary statement?" I imagined my son, confused, frightened, sitting in that windowless interview room with the turquoise walls and the coffee stains. "Oh, and they had a picture of that Mike Stoddart, the guy you found. They kept asking me if I'd ever seen him in the Earl of Derby or if he'd tried to sell me drugs."

"And had you seen him? Had he ever approached you?" I asked sharply. Richard opened his eyes and gave me a long, hurt stare.

"Mum, I don't know. They got me so confused in the end I'd almost have told them anything just to get out."

I pulled him up into a sitting position and started unbuttoning his shirt. I was amazed at how calm I remained.

"You've been very stupid – you know that, don't you? I just hope Carolyn will be understanding about it –"

He laughed. "*Carolyn*? *She* was the one who –"

I thought, oh, was she? Well, well, Reverend Harlow! I said, "We'll discuss this later. Go and have a wash, and you'd better flush that stuff down the loo. Isn't that what you were going to do?"

"Yes. Somebody said they might come round to our houses."

"Oh God!"

"Will you tell Dad?"

"Well, I'll have to! But listen, I'll make a deal with you.

70

You promise not to touch this stuff any more, and not to bring it to the house and, even more important, *never* involve your sister again – and I won't tell him about that part of it."

He gave a sigh of relief. "Thanks, Mum."

"And Richard – *don't* flush the tinfoil down the loo. You might block it up."

I staggered back to bed. I felt as if I'd been hit over the head with a sledge-hammer. I had half a mind to ring up the Reverend Harlow that very moment and ask him if he knew his daughter was encouraging other people's sons to take drugs – but only half a mind; he was still a Vicar and I hadn't been inside a church since Julie's christening. He might point out my guilt if I pointed out his. What I couldn't understand was *why* – it was children from problem families who took drugs, surely? In the case of Carolyn, there was probably an element of rebellion, rejection of her sheltered upbringing. But *Richard* – we had neither over-protected him nor subjected him to the traumas of a broken home, etc – there was just no accounting for it. Keith kept on snoring, his great roars ending in little blips, the way they always did when he was sleeping off a large quantity of lager. For Richard's sake, I hoped he wouldn't have a hangover in the morning.

I didn't sleep again. Just after six a thought occurred to me: Mike Stoddart – had the police arrested his killer? Last night, was it possible that in a cell adjacent to Richard's the killer of Mike Stoddart had sat, quietly listening to the repeated chorus of "She'll be coming round the mountain"?

7

I jerked out of a technicolour doze just after seven o'clock, and as always averted my gaze from the badly-positioned mirror at the end of the bed. In the room next door my potentially junkie son lay sleeping, beyond that my daughter the pusher was plugging in her heated rollers, and beside me lay the husband who didn't understand me. This was another bad moment of epic proportions. However, a chink of light appeared amid the gloom: Keith and I had always suffered together, in harmony, through the children's little crises (tonsillectomies, bed-wetting, etc.); perhaps this would draw us closer. His face was turned away from me and I watched the gentle movements of his throat. When we were first married I used to wake him every Sunday morning with a kiss on the neck, and he'd wake up and kiss me back and I wouldn't complain that his mouth tasted musty. Then, usually, we'd make love. My head throbbing, I got up and went downstairs to make tea.

"Keith," I said, shaking him gently. "Keith, wake up."

He opened his eyes and stared at the steam rising from the mugs.

"Keith, something happened last night with Richard."

"Oh God! What's he done to the car?"

"It's not the car. Have some tea."

I told him most of what had happened.

"The bloody idiot!" he said. "Bloody idiot! I'll wring his bloody neck!" He had gone very red in the face and he clutched at his head as though it hurt. I found some aspirin on the dressing-table.

"I wouldn't be surprised if he's learnt his lesson already," I said. "He's really shaken up."

"I don't care! He's not getting away with this."

"It's only pot –"

"Only pot! Only pot!" He looked as if he might burst a blood vessel. "Why are you so bloody stupid? I give that boy a bloody generous allowance – he could lose his job! This isn't your precious 'sixties when jobs grew on trees."

"*My* precious sixties?"

"I'll beat it out of him!"

"Wait, let's talk it over. Let him sleep –"

"Let him sleep! I've had to work hard for every penny I've got. Him – he's had everything – you think I'm just going to pat his head and tell him not to be naughty again? You leave this to me."

He stormed out of our room and there was a lot of shouting from the room next door, all of it from Keith. After a short pause, and a dramatic, thunderous flushing of the loo Keith returned, looking murderous but triumphant.

"Right – you won't hear any more about this," he said. "I've told him that if I ever just so much as suspect him of this kind of thing again, he's out on his ear. And don't look like that. He won't give up his nice cushy life here for half an hour of pleasure."

I thought, not everyone is as fond of their home comforts as you are. "Well, if you want my opinion, you're being rather hypocritical. I know it's not an exact comparison, but I distinctly remember your being carried out of the Young Conservatives' New Year's Eve Dance in 1968 –"

"Not an exact comparison? I should say it's not! This is our son we're talking about – *our* son, on the verge of becoming a junkie."

"Oh, surely that's going a bit –"

"Yes, and what's more I blame you for it! Yes, you, and your left-wing 'Legalise Marijuana' and 'Say No to Capital Punishment' ideas! Thank God I stopped you joining the SDP, or –"

"The SDP? Come on. That's got nothing to do with anything and I never did sign that "Legalise marijuana" petition."

"And another thing. Ever since you took this ridiculous job, gallivanting out at all hours, neglecting the house – *You*

73

should have known what he was up to. You're his mother. That boy could end up with a criminal record and it'll be your fault."

Downstairs, the newspaper flopped heavily through the letterbox. Keith gave an angry snort and, quitting while he was ahead, stamped off downstairs to collect it. I sat on the bed, stunned. Normally I was only too ready to accept the blame for anything, on the grounds that I'd failed the children by not breastfeeding them or stopping Richard from keeping a hamster, or for omitting to teach Julie to swim until she was eight because I was embarrassed about the bulges at the top of my thighs – but I didn't feel obliged to accept the blame for this.

"Now look here, Keith," I said, trying to keep calm. "I'm sorry you don't like my working for the Herald, but there it is. I've spent my whole adult life looking after you and the children and I don't begrudge a minute of it, *but* – and you'd better believe this! – I am not going to give up my job just because you don't like it!"

As usual, when challenged, he drew back from accepting the gauntlet. He sat down hard on the bed and dealt the Sunday Telegraph a savage blow to flatten it. I suppose I had won a point, but I had a feeling that I was losing the game.

Keith, Richard and I were eating breakfast in stony silence when Julie came down, still in her nightdress and with an enormous roller attached to her fringe.

"Dad, there's something wrong with the loo. I can't flush it."

Richard and I exchanged horrified looks.

"Is it blocked again?" asked Keith.

"No. It's the handle thingey. It won't do anything."

Keith got up with bad grace and went to investigate. While he was out of the room I gave Julie a strong admonition to stay away from Shepherds Hill's drug pushers, and she went red and said that she would. I also couldn't resist asking her, as the police had asked Richard, if Mike Stoddart had ever offered her drugs. She looked incredulous.

74

"He was a *teacher*, Mummy!" she said.

Keith spent the rest of the morning going through Yellow Pages for a plumber who would come at short notice and not charge the earth. Eventually he found someone who would come in his lunch hour on Monday provided he was paid in cash. There then followed another argument about who should take time off work to let him in. I lost. Keith then retired to the garage, which had become the repository for a considerable amount of equipment which had fallen off the backs of lorries, and spent the rest of the day hiding things rather ineffectually under dust sheets, in case of a visit from the police.

Pete hadn't suggested it, but I used my initiative and called at the late Mike Stoddart's house on my way to work on Monday morning. The front door was closed, and several bottles of milk stood in the morning sun, mustering the energy to turn sour. I rang Edie Clough's bell, and after a few minutes a curtain moved. Slow footsteps crossed the hall.

"Good morning!" I didn't feel anything like as cheerful as I sounded. "I don't know if you remember me. I'm Chris Martin from the Herald."

"I don't want to answer no more questions," she said. "It gives me a headache."

"Yes, I know, it must be most distressing. You've had the police round here, have you?"

"Yes, but I don't know nothing. I said to them, like I told you, he didn't have visitors, that Mr Stoddart, and I've got my cats to see to. And it wasn't a row neither, just them talking. I said that."

"Sorry?"

"With him. Next door." She inclined her head towards number twenty-five. "I said they just talked. I mean I can't go watching people all day. Neighbours talk to one another, don't they? I can't be expected to know what they say."

"No. No, of course not." I'd almost forgotten what I'd come for. "Look, if I show you a photo, can you tell me if

75

you recognise the person?" I produced Sari Randall's photo and showed it to her. She shook her head.

"No. I don't know her. But my telly's on the blink. I only get BBC2."

I counted three, quietly.

"You've never seen this girl come to this house?"

"No, miss, I haven't. She's from 'Grange Hill', isn't she?"

I put the photo away quickly.

"Actually she's from a school round here. Tell me, who else lives in the house? A Mrs Norris, and who else?"

"She's a one-parent family!" exclaimed Edie, seeming proud of knowing the correct term. "And there's that Paki who works on the railways, and his brother sometimes. I call them Sing-Sing. How's your cat?"

"She's fine, thank you."

Edie collected her milk. There was a lot of screaming and wailing coming from upstairs and I decided against ringing Mrs Norris's bell. I pressed the bell marked "Singh" several times, but no one answered. I thanked Edie for all her help, said goodbye, and stared across at the mural on the house next door. Number twenty-five was definitely worth a visit.

I ascended the front steps and found myself nose to nose with a sleepy looking polar bear painted on the front door. There was no bell, so I gave the door a push between two igloos and entered a dark, gloomy hall just like the one at number twenty-seven, the difference being that this one smelt strongly of damp and the staircase leading up from it had half its treads missing. To my right was a door on which was spray painted, over the top of a delicate flower design, "Ian keep out". This seemed a trifle ambiguous. I knocked gently at the door and after a pause a young male voice called out suspiciously, "What do you want?"

"Er – I'm from the local newspaper. I wondered if you could spare the time to answer a few questions?"

"Oh, did you?" replied the voice, in a tone of consummate lack of interest. There was a long silence followed by the sound of several large bolts being drawn back. The door opened and a pale face stared at me intently. I stared back. The face was framed by long, slightly greasy, dark curls and there were deep violet circles beneath the eyes.

"Want to come in?" he asked, standing back from the door. The room was not quite as I had expected. We'd had friends in Notting Hill, years ago, who had squatted in a flat, and they'd hung it with oriental drapery and artistic, if slightly obscene, posters. This was quite different. The wall-paper, where it still existed, had been painted with water-colour scenes of animals and naked children, but over the top was an angry assortment of four letter words and explicit sexual instructions in heavy black spray paint. Most of the furniture was broken, and there was a slight odour of urine. It reminded me of the waiting-room at Tipping Station.

"I'm sorry to disturb you but I've got a couple of photos I'd like you to look at. Would you mind?"

He shrugged. "Got a cigarette?"

"Sorry, no."

He shrugged again and produced one from behind his ear.

"Got a light?"

"Sorry."

"Not got much then, have you? Where's the pictures?"

I showed him the photos of Sari Randall and Mike Stoddart. He studied them both carefully.

"Got a fiver?" he asked, his eyes narrowing.

This was actually the first time I had been faced with such a question. After a moment's hesitation I produced a note from my handbag and gave it to him.

"I've seen him. Not her."

I watched my five-pound note disappear into his trouser pocket.

"Well, he lived next door to you, didn't he? So you would have seen him. In fact I believe you didn't get on with him particularly well?"

"Believe that, do you? Well, you can sod off out of it then because I've answered questions from pigs all weekend and that's all you're getting."

I wanted value for money.

"What, questions about Mike Stoddart?"

"I gave you what you asked for. Shit, I go for a drink and get hassled and now you're here with more crap. Can't you

77

read what it says on the door?"

I thought carefully. "Go drinking in the Earl of Derby, do you? Have anything on you when they picked you up?"

He laughed unpleasantly. "Not me. I'm careful. I don't get caught easy."

"Well, you see, I'm trying to put together a story on Mike Stoddart, and if you know anything about him, anything that might help, I daresay my editor would consider some sort of payment. Not me, though," I added, holding up a warning hand. "I'm not authorised."

"Oh, sweet sixteen and never been authorised, eh? Well I don't give a toss, see, because I didn't know that shithead. Once I spoke to him, that's all, and that was enough. He told me to get off his car."

"Would that have been early last week?"

"What's it got to do with you? Maybe it was, I don't know. You think I keep a calendar in here? I never touched his car. What do I want with cars? They're all rust and shit! Aren't you going to sod off yet?"

I began to appreciate what the term "hostile witness" meant. On an impulse I tore a page from my notebook and wrote my name and the Herald 'phone number on it.

"Here," I said. "Keep this. If you can think of anything that might be helpful, give me a ring." On the way out I pointed to the flower design on the door. "You didn't do that, did you?"

"Course I didn't. That was Clare."

"Does she still live here?"

He raised his eyes to the ceiling in an exaggerated expression of disbelief.

"Don't you read your own crappy newspaper? She's dead. She O.D.'d. Back in the spring."

Yes, of course, I did remember. It was the story Pete had covered, involving Dr Rachel Goodburn. It seemed more than a coincidence that this girl, Clare, had lived (and died) next door to Mike Stoddart, who had also died of an overdose. The police were obviously right; there was a drugs connection.

My desk was covered with badly written notes. I deciphered them all, and two of them were bad news. The first was from Mr Heslop; it said: "Shepherds Hill/Northdales merger meeting. Seven p.m. Wednesday. This one is all yours." Wonderful! Keith would be thrilled. The second was signed P.S., which after a moment's puzzlement I realised was Pete. It said: "See you in the Star, twelve-fifteen. Don't be late." I thought about the plumber, about Keith, and about the loo. A tension headache started at the back of my neck.

At ten to twelve I went slowly downstairs, still undecided which appointment to keep, nervously jangling my car keys. In the foyer, a woman of about fifty was pleading with our elegant but stony-faced receptionist.

"Oh I know," she said, "I understand all about deadlines, but my husband will be *so angry* if he finds out I was late –" Her face was sad, pale, underlined by thirty-odd years of striving not to make her husband angry. I didn't hear any more.

"To hell with the loo!" I remarked to the surprised messenger, who happened to be passing. I put the car keys back in my bag.

Pete had topped up the alcohol level in his blood and was looking generally pleased with himself.

"I just scared the shit out of the headmaster of Shepherd's Hill," he said. "I asked him for a comment on the fact that he was employing ex-junkies to teach the young people entrusted to his care."

The word "junkie" struck a raw nerve, and I said sharply, "So what did he say?"

"Oh, he was ready with his little speech about the County not having a laid-down policy at present on the employment of ex-addicts – but it was a nice moment. I had him really rattled."

"You just love it, don't you? Upsetting people."

"Of course. That's the fun part of the job."

"Oh, is it? So what's the bad part?"

He thought about it briefly. "Going through people's dustbins for torn up love letters and other things, waiting in

79

the rain at railway-stations for people who have gone by car, getting kicked, punched in the face, and sworn at – having buckets of emulsion paint, potato peelings and much worse thrown over you – shall I go on?"

He looked amused, as if he were enjoying alarming me. I said, "Well, if people did all those things to you, I've no doubt you deserved it."

"Jesus! What have I done to offend you?"

I took a large sip of the gin and tonic I'd planned not to drink and tried to massage the pain away from the back of my neck.

"Actually, it isn't you. I've had an upsetting weekend. My son got involved in a drugs raid on a local pub. It seems he's been smoking pot with the Vicar's daughter."

He laughed. "Oh dear. Any charges?"

"No, but my husband seems to think it's all my fault because I work for the Herald instead of staying at home and washing the floors!" I instantly regretted saying this, because Pete shot me a sharp, inquisitive glance. People who have been unhappily married are always on the lookout for signs of marital discord in others.

"Kids are pretty good at getting themselves into trouble, whether their floors are washed or not," he said. "How did you get on with the photos?"

I shook my head. "No one's seen the two of them together. It was a waste of time."

He didn't look convinced. "Maybe."

"Do you know if the police arrested anybody?"

"No, they haven't. They haven't found the syringe yet, either – it's nose clips and spades down at the local tip even as we speak. They did make one interesting discovery though. They searched the hotel on Friday and found a camera and a set of keys to Stoddart's flat wrapped up in a Boots carrier bag in the wastepaper bin in the Conference Room."

"Oh. And what about the negatives?"

"No negatives."

I thought it over. "Mike Stoddart was killed on Tuesday night, the syringe turns up in the cheese on *Wednesday*, and on *Friday* the camera and keys are found in the Conference Room. What does that mean?"

"It doesn't mean anything to me, darling."

"Well, I think it's rather odd. I mean, it sounds as if the murderer keeps going back to the hotel and disposing of pieces of evidence. It has to mean that, doesn't it? They must empty the hotel wastepaper-baskets daily."

He thought about it and smiled indulgently. "For what it's worth, you could be right. Tell you what, Heslop's sending me up to the Clocktower to do a real hype-job on the place – you know, 'Tipping's Gourmet Crap Spot', that sort of thing. While I'm there I'll see if anybody can shed light on when the camera might have been dumped."

We drank in silence for a few moments.

"Have the police got any other leads?" I asked.

"Well, they're not so smitten now with the idea of a drugs connection, having hauled in everyone whoever came within inhalation distance of pot-smoke and drawn a blank. But on the other hand, no one's come up with a better suggestion."

"My son says they were asking if Mike Stoddart ever tried to push drugs to anyone, and my daughter tells me that he didn't."

"Your kids are full of tricks, aren't they? What does your husband do – read palms?"

I smiled. "Are they following up the note?"

"What note?"

"The one I saw on the message board."

"I don't think so. At the moment they're trying to track down where he went between leaving the hotel 'do' and snuffing it."

I moved suddenly and knocked over my empty tonic bottle. "The note! To M – 'Hickory Dickory Dock, the mouse ran up the clock –' Sylvester Munroe was staying in the Clocktower Room. I bet it was some kind of cryptic invitation for Stoddart to come up to his room! You should have seen the way he was looking at him –"

"What – are you suggesting Stoddart was *gay*? A gay killing? Christ, I hope not. I hate going into those gay bars. You've no idea –"

"I'll go and see Sylvester Munroe," I interrupted. "I can say I'm doing a follow-up on the Conference. It's only in Hudderston, and he did invite me to look him up when I was in the area."

Pete sat back and looked at me for a long moment. He seemed surprised. "You know, you amaze me. When you joined the paper I had you down as a wholemeal leek quiche and 'Women Against Everything' person, but I've got a suspicion that if we took a blood sample we'd find you've got quite a few red blood cells floating amongst the polyunsaturates and sugar substitute."

I thought, you're not far wrong about the quiches.

"I must go," I said. "Shopping."

"Wait. We're not finished with this Randall girl yet. I think we'll approach the mother though, before we see her again."

"*What*?"

"Yes. It's worth a try. Let's think how to go about it."

"Well –" No wonder he got things thrown at him. "There is a meeting at Shepherds Hill on Wednesday night about the merger with Northdales. Mr Heslop's assigned me to cover it. I know Mrs Randall is very strongly anti-merger, so she's bound to be there."

"Great! We'll catch her off guard. We can chat up a few teachers, too. *And* upset the headmaster," he added, with a wink. I got up to leave.

"Chris," said Pete. "When are we going to have this hypnotising session? I'm quite looking forward to it."

I was feeling cheerful for the first time since Saturday afternoon. I smiled and ignored the question.

8

I found an emergency plumbing firm located in Edge-borough Avenue, with the aid of a pin and Yellow Pages. The advert said "No job too small – your service is our pleasure", and the bored telephonist warned me that a call-out after six would be very expensive. Fortunately the man arrived before Keith, but he blocked our drive with his van, and this was not a good start.

"What the hell happened to the other man?" demanded Keith. "How much is this going to cost me?"

"Don't worry about it," I said frostily. "I'm quite pre-pared to pay for the privilege of not coming home in my lunch-hour."

He took it fairly well, but then Monday night was cricket practice night (or sitting around in the Club House drinking warm lager and discussing absent team members night, more likely), so he was in a fairly buoyant mood. The plumber fixed the new cistern with the minimum number of black finger-marks and chips to surrounding paintwork, and sipped a cup of tea while I fainted over my cheque book.

"Give you my card, shall I, missus, though I don't know if there's much point in it."

"Why not?"

"Oh I dunno. We're having our lease terminated, or something. They're going to redevelop the site. Put up an office-block, I reckon. I don't think the boss'll want to start up again somewhere else. He's going on sixty."

I was surprised. "Edgeborough Avenue is mostly residen-tial. I don't think they'd get permission for an office-block. I was rather surprised to see firms like yours being allowed to operate from there."

"Missus," he said, with a meaningful frown. "There's

ways and ways. I could tell you a thing or two!"

"Could you?"

He tapped his nose significantly. "Where there's a will, there's a way, and there's some with bigger wills than others, if you get my meaning." I didn't, but I tried not to let it show. "Anyway, it don't make no difference to the likes of me. I'll just be on the dole with the rest of the four million that aren't supposed to exist! Ta-ra, missus, thanks for the tea."

When he'd gone, I scooped a handful of hair and scum from the bath waste. It was too late because he'd probably already seen it, but I wanted to get it off my conscience.

The editorial offices of Shout About It, Sylvester Munroe's magazine, were located over a second-hand furniture showroom and in the shadow of a multi-storey car park. Now, I must admit to having led a fairly sheltered life, and it was with some trepidation that I ascended the dark staircase, and pushed open the door to Reception. I was debating with myself whether it would be best to avert my eyes from photographs on the walls, or study them brazenly with an attitude of mild disinterest or professional critique. In the event I was to be disappointed. The only pictures on the walls were of parrots, and the receptionist shared her area with a large rubber plant, a *monstera deliciosa*, and several ferns, all of them as sparkling fresh and green as they would have been in their natural habitat. The receptionist looked about Julie's age and was engaged in a giggly telephone conversation. (Actually, she was wearing a flying suit and had short, highlighted hair, and I looked at her twice to be one hundred per cent sure of her gender). She pressed a button on her intercom and mouthed something unintelligible at me. I heard the distant hum of a buzzer and presently the door marked "Editor" opened. Sylvester Munroe, clad in turquoise and black leather, and wearing an enormous diamond stud in his lapel, appeared.

"Ah, dear Mrs Martin," he exclaimed. "Such a delight to see you again so soon! Do come in."

He led me into his office, which contained another rubber

plant and an enormous desk. There *were* photographs here, but they were just ordinary pictures of ordinary-looking people smiling self-consciously at a camera. Most of them were signed. I recognised one extremely well-known comedian, who had scrawled "Good luck, Syl, dear," across his own forehead.

"Coffee, my dear?" enquired Sylvester, puffing water from a sprayer at the rubber plant.

"Yes, please. Do they like that?" I asked, indicating the plant.

"Love it! Wouldn't you, on a hot day? Two coffees, Terry," he added, into the intercom. "Say, before we start on the chat, do you know what's happened about that *dreadful* business? Have the police made an arrest?"

I hesitated. "They're following up several lines of enquiry, I believe. Have they been to see you since the Conference ended?"

Sylvester stopped puffing the sprayer and looked at me sharply.

"What makes you think they would, dear?"

"Well —" At that moment the door opened and to my surprise an extremely attractive girl entered. She was dressed in a brief white dress and thigh high boots of soft white leather adorned with swinging thongs. She put the tray of coffee down on Sylvester's desk, smiled a glossy smile at us both and left. I realised that he was watching me and that there was a look of glee on his face.

"My dear, your expression!" he exclaimed. "You were expecting a lovely little *fellow* in tasselled boots weren't you, dear? Well, that would be lovely, but most of them can't type and besides, we have to keep the advertisers happy!" This was obviously a long-standing joke, but I wasn't quite convinced of the logic behind it; Keith said everybody in advertising was bent. Anyway, I'd lost my temporary advantage. I decided to regain it.

"I gather you knew the late Michael Stoddart quite well."

His expression froze. He studied me through narrowed eyes, wondering if he could bluff his way out of it.

"Yes, I did know Mikey," he said at last, picking up a gold

85

pen and tapping it against his chin. "How did your people get on to that?"

"As a matter of fact I happened to read the note you left on the message board in the hotel. Why, is it supposed to be a secret?"

He leaned forward suddenly in the chair and dropped the pen heavily. His face, beaded with sweat, was close to mine. "Have you told the police about this?"

For a moment I felt hemmed in by the jungle plants and by the large figure of Sylvester Munroe. I couldn't make up my mind what would be the best answer, so I fell back on what always seemed a safe response: "No."

He got up and walked round the rubber plant, flicking imaginary dust off the leaves.

"Look," he said. "A man in my position has to be very careful. Even in these enlightened times, don't you think I've suffered my share of harassment? My God, you're a woman, you know what it's like to be always on the bottom of the heap. Forget about the note, dear, it's best forgotten about."

I nodded. "You don't want the police to know that you knew Mike and invited him to your room. All right, I can understand that, in the circumstances," I said, with a smile intended to be sympathetic. "So perhaps you could fill in some background – did you know him before he came to Tipping?"

"Yes, yes, that's right, dear." He seemed eager to please. "When I had my flat in Notting Hill. He moved in next door with some – well, undesirables. A nice lad, he was then, such a shame. He'd been brought up in a Children's Home, you know – several in fact. They chuck them out when they're of age, and sometimes the poor boys can't cope. He was about seventeen, I think, and I was in my music phase, so we're talking about – oh – ten years ago? Yes. Dear, dear."

"Was that when he started taking drugs?"

"Yes. My dear, I implored him not to! I mean, we all like a good time, don't we, but with heroin the pay-off's too great. He was such a bright boy too. I said to him, 'Get your life together, Mikey, work out what will *really* make you

86

happy! Take me, for instance, I'm a *communicator*. What I do best is *communicate* – so – Shout About It'! I mean, I could have gone down the same road as Mikey very easily, but I resisted it."

"Did he take your advice?"

Sylvester nodded proudly. "He was a bright boy – he knew I was right. He stayed at my place for a while and we had a little benefit 'do' for him – I used to be in a band, would you believe! Anyway, he went away to this clinic and got himself cured. He trusted me, you see, and with Mikey, that was something. Do you remember – yes, I'm sure you must – that saying about never trusting anyone over thirty? Well, with Mikey it was anyone over twenty. And I'm afraid he didn't care too much for the ladies. Probably something to do with his mother abandoning him. Very unforgiving, was Mikey."

I hesitated. "You mean he was –"

"No!" Sylvester looked hurt and angry. "Do you imagine I did what I did for him for carnal reward? My God, I expected better of you – you with your kind face!"

I blushed. "I'm sorry. It was a stupid remark." I tried to move the conversation on. "So then he went into teaching?"

"Well, to be honest, dear, we lost touch. You know how you do. Until last week. Of course teaching was the logical thing. Teaching or photography – that was his other love."

"Why do you say teaching was the logical thing?"

"Well, because he loved kids, simply adored them. I mean, he'd suffered so much at the hands of authority – doctors and social workers and so forth, all of them adult, of course. Everybody has to love something, dear."

"Of course. So he had a chip on his shoulder?"

"A big one."

I decided to cross more dangerous ground.

"And you ran into him at the Conference, just by chance. Why did you write him the note?"

He smiled. "You mean, why not just stroll up and chat to him? Well, my dear, I've had enough rebuffs in my life. He might not have wanted to know me. So I wrote the stupid note."

I picked up my coffee cup and drained it of its by now lukewarm contents.

"And did he meet you?"

Sylvester looked at his 'phone, probably willing it to ring and save him.

"I'm telling you the truth," he said, putting his hands on the desk, palms upward. "Because I don't want to hassle with the police. If I tell it to you as it really happened, will you keep mum about it?"

"Well –" Pete would say yes, of course, and look sincere. I said "Yes".

"Mikey came to my room just after ten. I had a hip flask of Scotch. We drank and we chatted – old times, new times. He was a good listener, you know. He'd got hard, mind, I could see that – upbringing will out, you know."

"And?"

"*And* he left, just after eleven. That was the last I saw of him until – well, you know when we all next saw him. I asked him to stay and have a sandwich or two – Scotch always makes me peckish – but he said he couldn't. He said he was meeting someone."

"Did he give you any idea who it might be?"

"Absolutely not. At that time of night I assumed it would be a lady, perhaps a married lady he didn't want to be seen with. Who knows? He was no great admirer of the fair sex, but there are urges that need to be satisfied, aren't there?" I opened my mouth to question him further, but he held up a hand. "Now, dear, it's no good asking me who or where because I just don't know. If I knew then I'd have to go to the police, but I don't. I don't really know anything. Now, if I hop along to the police-station and say, look boys, when you asked me did I hear anything funny under my window that night and I said no – which was true because I'd taken a sleeping-pill after the Scotch – what I should have told you was that Mikey was an old friend and came to my room for drinks – well, they're not going to believe me, are they? I mean, they're not kind and understanding, like you! They're going to start all their nasty tricks on me and it won't be fair because I don't know anything!" He stared down at his

88

fingernails as though they were in imminent danger of being ripped out.

"Mike left you just after eleven, and you didn't see him alive again?"

"No, dear. Oh God, you're not going to the police, are you?"

I stood up, adjusting the shoulder strap of my handbag.

"In your own interests, Mr Munroe, I think you should volunteer this information, but I have no plans to contact the police myself."

He put his head in his hands. "God, I'm drained!"

I was half way through the door when he called me back.

"What about your follow-up story on the Conference?"

"Thank you, Mr Munroe, you gave me what I came for."

Pete was not at his desk, but his 'phone rang and I answered it. A woman, who revealed herself through what sounded like clenched teeth to be his ex-wife, requested that he ring her. She was very sarcastic when I asked, out of habit, if he had her number, but she gave it to me anyway. I'd just finished writing it down when Pete appeared with a cup of coffee.

"I've just put the 'phone down on your wife," I said.

"Well done, I usually do that as well," he replied. "And she's my ex-wife, darling."

I handed him the note. He studied it absently, then said, "Will you do me a favour? Ring her back and say you're awfully sorry but I've been run over by the Council dustcart. Tell her they've got me in the operating theatre, trying to stitch my balls back on, using microsurgery. Helen would love that."

I tried not to laugh. "That isn't funny. It might be important. She was very insistent."

"She's always bloody insistent. She's married some other idiot now so she can go and insist to him, can't she?" He screwed up my note and tossed it accurately into the waste-paper-basket, adding aggressively. "What's it to you anyway?"

"Nothing. It's your life. I only wanted to tell you what

happened with Sylvester Munroe."

"Who's he?"

I gave an exasperated sigh, hitched my skirt up an inch or two and perched uncomfortably on the edge of a table.

"Sylvester Munroe is the editor of a gay magazine and I went to see him this morning – as we agreed – to find out if he was the author of the note I saw on the notice board the night Mike Stoddart – you do remember Mike Stoddart? – the night Mike Stoddart died. Well – he was." I paused for dramatic effect. "They were old friends apparently, on a purely platonic basis. They had a few drinks together in Sylvester's hotel room, and then Mike left. To meet some-one, possibly a married lady."

Pete said, "You really have got very nice legs, Chris. Did you know that?"

"Oh, for Heaven's sake, you're not listening!" I pulled my skirt down angrily.

"Yes, I am. My eyes and ears work quite independently. You are saying that you have turned up new evidence in the Stoddart case, and I congratulate you, on both your initiative and your legs. I haven't been very fair to you and I'm sorry. I didn't take much more notice of you when you told me about the note than the police did. Am I forgiven?"

I was not used to being apologised to. "Yes. All right."

"The thing is," Pete said, "we're really obliged to inform the police about this. How do you feel about that?"

Another visit to Inspector Franks held little charm. I said, "Well, I promised Sylvester that I wouldn't go to the police, and suggested that he should go in voluntarily. I really don't like breaking my word."

"Oh dear. Conscience. All right, it's up to you. Let's stay one step ahead, shall we?" He leaned his chair dangerously far backwards, tempting gravity. "A lady, eh? I wonder. I was up at the Clocktower this morning. and I had a look at the fire escape. It would take a pretty strong woman – or man for that matter, to carry a dead body up there. Es-pecially without making any noise. Do you think your friend Sylvester was telling the whole truth?"

"Yes, I do, actually." I thought over my interview with

Sylvester Munroe. "Yes, I'm sure he was."

"So – one possibility that presents itself is that Mike Stoddart was murdered by a very large woman, or I suppose, an average sized woman with the aid of a fairly large accomplice. Personally, *I* always avoid getting involved with very large women, or women with very large husbands, but I suppose there's no accounting for taste." At that moment he attempted to bring his chair back into its proper position, badly misjudged the manoeuvre and fell forward on to the desk, splitting open his lower lip.

I said, "Are you all right?"

"Yes, of course I am," he snapped, swallowing blood and checking his teeth for solidity. He obviously wasn't all right but would have died rather than say so. I know better than to trample on a man's macho image of himself, so I gave him a clean tissue and didn't laugh.

"Er – when you were at the Clocktower, did you ask them about rubbish collection?" I asked, tactfully changing the subject.

"No, darling, it hardly seemed the right moment. De Broux was like a cat on hot bricks, tiptoeing around after me, offering free drinks. There are times when it doesn't pay to upset people. But I did find out that he visits his London restaurant every Friday, so we could have a nose round then, while the cat's away."

He mopped blood from the desk top. Mr Heslop emerged from his office and gave Pete an astonished look: it was rare indeed to see a Herald reporter shedding blood over his work.

"Oh dear!" he exclaimed jauntily, glancing at me. "You two not getting on too well?"

Pete muttered something that sounded like "Get stuffed," into the tissue.

"We're going over the evidence in the Stoddart case," I said quickly.

"Really?" He turned to Pete. "You mean to say you've let yourself get taken in by her enthusiasm for that routine piece of unpleasantness? You do surprise me." He looked more amused than surprised. "Anyway, to more important things.

91

I've heard a little whisper."

"Get your hearing-aid checked, Bill," Pete said, rising from the desk. Mr Heslop's expression changed to a scowl as he watched his departing figure.

"He'll go too far with me one day, you know," he said. "He might not think much of this paper, but with his record I'd like to see him get a job anywhere else! I'll tell *you*, then, as you're involved. The Leisching development. Rumour has it that Edgeborough Avenue is going to go under the bulldozer."

"Edgeborough Avenue! But I thought that was zoned as residential."

"Where there's a will there's a way," remarked Mr Heslop, sounding off an echo in my memory. "See if you can get a quote from someone on the planning committee. There'll be months of wrangling about it. It'll run and run, Chris, wonderful stuff." He walked off, rubbing his hands.

It'll run and run, will it, I thought, looking down at my recently complimented legs. Like disputes over the closure of schools, statistics, advice columns, cheap non-drip gloss paint, cracks in a marriage that won't stay papered over. Back to normality with a bump.

9

There was a time when the designation "Councillor" in front
of someone's name would have inspired in me a measure of
awe, but over the past few months I had come to realise that
they were, after all, only human. Perhaps even surgeons,
queens, and company chairmen are, too; I haven't found out
yet. Anyway, a few of Tipping's local Councillors were
ordinary middle-aged women, like myself, who had decided
that the best way they could keep their minds off their
wrinkles (and their husbands') was to serve the community;
most were people who would like to have made it in
national, not to say international, politics, but were held
back by being (in their words) "too nice", and all wished to
leave their mark on the hearts and minds of Tipping's residents. Still, it was over-ambitious of me – inspired by my
success with Sylvester Munroe – to approach Major
Duncton that afternoon. I selected him because "everybody
knew" that the Major was the only one on the Planning
Committee who really mattered, but I knew it was a mistake
as I drove between the banks of overgrown rhododendrons
that brooded along the driveway to his house.

Major Duncton lived on a hilltop overlooking Tipping, so
he could look down and admire its neatly planned streets
(with or without carports), tasteful office-blocks harmonis-
ing with local architecture, and the green open spaces that
had been thoughtfully provided for the use of residents on
the closely-packed council estates. It did look good from up
here; you couldn't see the vandalised wastepaper bins on the
open spaces, or the bits of concrete fascia falling off the
office blocks. On a clear day there was a view of the trees
surrounding the Clocktower Hotel.

Parked outside the front door was Major Duncton's

Rover and his wife's Renault. I felt a twinge of alarm; there was no room for me to turn the car round and I'd have to reverse out down the long drive, something I wasn't good at. I tidied up my hair with my fingers and rang the doorbell. The woman who answered it was in her fifties, one of those women who hasn't had a waist for years and who wears a belt to remind her where it used to be. The passing years had drained her face of colour, and she wore heavy tortoiseshell spectacles studded with rhinestones which threw her pallor into relief. She confirmed that she was Mrs Duncton.

"The Major's out with the landscape gardener," she said, "but he'll be back in a moment. Won't you come in?"

She led me into what she called the drawing-room. It was cool, Persian-carpeted, and smelt of furniture polish and – oddly – mothballs. I only had time to examine the ivory carvings in the glass-fronted cabinet before Major Duncton appeared. He shook hands without smiling.

"We met at the Conference," I reminded him. He looked blank. "We've heard a rumour at the Herald that Edgeborough Avenue is being considered as a possible site for the Leisching complex."

"Have you indeed!"

"Is there any truth in it?"

He sighed. He reached into his pocket for a cigar and proceeded to light it. He didn't ask me if I minded.

"It's being considered along with other sites."

"But I thought Edgeborough Avenue was supposed to be strictly residential?"

"So it was, but the position is now under review."

"But –" My personal knowledge of Edgeborough Avenue emboldened me. "But I thought the houses there were considered to be of outstanding architectural merit?"

He sighed again. "You'll get your chance to object at the proper time Mrs, er –"

"Martin. And I don't want to *object*. I simply want to confirm the story with a few facts. I'm a reporter from the Herald," I reminded him.

He chuckled and seemed to be enjoying the cigar. "A reporter – yes, of course, you did say. Just that I'm used to

94

reporters being rather differently constructed. What happened – couldn't you get on the TOPS course you wanted?"

I took my breath in sharply.

"No need to be offended, Mrs Martin! If you were a little more experienced you'd know I never talk to the Press. An unnecessary waste of time. Things run along quite smoothly without being reported by the media. A lot more smoothly, as a matter of fact. Proper announcements will be made at the correct time and those concerned can have their say then." He might have added "For all the good it'll do them".

"I see – but this is a big development and concerns the whole community really – I mean –" I was defeated.

"Yes, of course, it does," he replied soothingly, releasing a great cloud of fragrant cigar smoke. "And I – we, in the Planning Committee, will look at all aspects and come to the decision which is best for the whole community. Now that's all I have to say on the matter." He sank into a large leather armchair and looked disapprovingly at the highly polished small table next to him. "Ruth!" he roared. "Ashtray!"

Ruth came at a run and I left. As I crossed the driveway to my car, she called after me fearfully, "Will you be able to get out all right? The Major's only just had that little ornamental wall built over there –"

I looked at the little ornamental wall with horror. It curved beautifully round the corner of the drive and had built-in niches for plants. I kept my eye on it all the time as I reversed. It was only when I'd completed the turn and looked back at the still intact wall with triumph, that I realised I'd completely flattened a small bed of begonias and lobelia on the other side of the drive. I didn't have the courage to go back and apologise.

I thought about the Edgeborough Avenue affair as I drove back to the Herald. Why was it all right for Leisching Pharmaceuticals to put up a giant office block on Edgeborough Avenue when it had not been all right for Keith and me to convert one floor of one house into an office? How could buildings possess outstanding architectural merit one year, and not possess it a few years later? I wondered if Keith would take it personally when I told him; probably not; he hadn't had to endure the character derogation that went with Major Duncton's pronouncement. I didn't feel sorry about the begonias.

Predictably, Keith was more upset about my Wednesday evening assignment than about office-blocks being built on Edgeborough Avenue. I shouldn't have used the word "assignment", of course; a stint of baby-sitting or a Tupperware party would have been O.K.

"We never do anything together these days," he complained. "You used to walk round the garden with me in the evenings, spraying the greenfly."

"Well, that was because I'd been in the house all day and it was a relief to have someone to talk to. You never answered anyway."

"I did!"

"Yes. Sort of ums and ahs."

"Well, I'm tired in the evenings."

"Not too tired for cricket practice at least once a week."

"I need the exercise. Do you want me to have a coronary or something?"

He went off up the garden to stab the compost heap with a fork before I could answer. In any case, I'd lost the battle over his devotion to cricket years ago.

I arrived at Shepherds Hill early, I thought, but the car park was already full and cars were encroaching menacingly on the playing field. People advanced on the auditorium in noisy, animated groups, some carrying sheafs of the papers we'd all been sent by various interested parties in the dispute over the merger plans. Of course, it goes without saying that everyone present that evening was against the scheme; no one gives up a pleasant couple of hours in the garden to go out and congratulate the County Council on the excellent job it is doing, and there's nothing like a good protest meeting to convince the population of a small town that democracy works. I saw Ernst, our photographer, strolling in sullenly, with his equipment. He didn't say anything to me, but then I didn't expect him to. A man of few words, was Ernst, and none of them wasted on lady reporters.

It was standing-room only inside, and I shouldered my way to the front, remarking "Press" with a confident smile to anyone who looked like arguing. The County Education Officer opened the meeting with the very unwise statement that we shouldn't be thinking of the merger as a cutback; it was nothing more than a light pruning, a reshaping of the framework through which flowed the sap of – I didn't get the rest of this, because I couldn't remember the shorthand outline for "framework" in time. Anyway, it didn't matter, because the assembled protesters were all consumers who knew only too well that when a washing-machine manufacturer announces "will not tangle your clothes", what he actually means is "for God's sake don't ever put tights, bras and pyjama cords in the same wash". People leapt to their feet, shouting "Rubbish!", and a woman in St. John's Ambulance uniform told everybody repeatedly that her father hadn't fought and died in the Netherlands so that his grandchildren should receive an inferior education. I got down a fair amount of this, but all the while I kept one eye on Elaine Randall, who was in the front row amongst the most vociferous protesters.

The meeting broke up in noisy disarray, and I somehow managed to push my way out with the teachers and officials, arriving at the front of the building out of breath and slightly dishevelled.

"What the hell's going on?" demanded Pete. "I had to park a mile away."

Mr Patience was talking to the County Education Officer. He saw Pete and hastily turned his back. I had been thinking of asking for his reaction to the meeting but decided I'd already got so much material it wasn't worth the effort in the circumstances. Pete spotted a group of teachers emerging from the school and we approached them.

"Seems like a fun way to spend your evening," he remarked in a friendly way.

"Certainly is." The teacher who answered was in his late thirties, dressed in an out-of-fashion corduroy jacket with leather patches on the elbows.

"We're from the Herald," said Pete, "doing a story on a colleague of yours. Mike Stoddart."

"Yes? Didn't really know him. Kept himself to himself. Sorry."

"Surely there must have been talk in the staffroom?" The three of us walked along together, slowly.

"There's always talk in the staffroom, not much of it about teaching!"

Pete said, "Well, you must have all been pretty shocked by what happened?"

"That's fair comment." The teacher turned as if casually to look back at Mr Patience, who was still in conversation with the official.

"Look," went on Pete. "If you tell us anything, it'll be in confidence. We're from the local paper, but if you get the boys from the nationals in here they won't be worried about reputations and confidentiality. And this could turn into a big story, as you'll appreciate – murder, drugs and so forth."

"Well –" The teacher hesitated. "Matter of fact, he wasn't particularly liked. Didn't mix socially. Kids loved him which, well, I suppose it meant he was a good teacher. Yes, I'll give him that. But he was a real loner. Whatever he did in his private life he kept it to himself." He hesitated again. "When he came here about a year ago, I knew someone who taught at the school in Brighton where he was before."

"And?"

"Well, it's only a rumour, of course, but the story is that he left suddenly because he was having an affair with a school-governor's wife."

Pete raised his eyebrows and nodded appreciatively.

"Any more?"

"Well, I could give you the 'phone number of this chap in Brighton, if you like."

"Thanks, that would be a big help."

I nudged Pete. "There's Elaine Randall."

"You go," he said. "I'll catch you up."

I hopped over a flower-bed, catching the stiletto heel of my sandal in soft earth, and ran after the matching figure of Elaine Randall. Her legs were a lot longer than mine, and so were her husband's. The Randalls were still talking high-spiritedly to another couple about the "next stage of the battle".

"Excuse me," I said, panting slightly. "I don't know if you remember me – we met at the Conference, Mrs Randall. I'm Chris Martin from the Herald."

"Oh yes, I do remember." She smiled behind the glasses. "I'm so glad you were at the meeting. It did go well. I don't see how they can go ahead with this frightful plan when there's so much opposition, do you?"

I got out my notebook and wrote down her views, making appropriately sympathetic noises. Pete joined us unobtrusively.

I said, "Mrs Randall, on a slightly different topic, we're doing a story about the Shepherds Hill teacher who died, and I believe your daughter Sari knew him?"

"Sarah?" She looked surprised. "Well, yes, I suppose she did know him. She seemed to quite like him."

I don't know what answer I'd expected, but it wasn't quite this one. I struggled to choose the right words.

"Would that have been – did she know him through some form of out-of-school activity?"

She looked even more puzzled. "I'm not quite sure what you mean. She knew him through me."

"Through you, Mrs Randall?" Pete put in quickly, with a deceptively pleasant smile.

"Yes." Suddenly her face changed. She flushed, looked from one to the other of us, and then across to her husband, who had walked on ahead. "I knew him because of my involvement in local conservation. He was a most helpful young man. I mean, I can't imagine how he can have got mixed up in such a terrible thing. Is it true what they're saying, that it was all something to do with drugs? Well, of course, I only knew him as a photographer, and I mean, not at all, really –"

Pete interrupted her by placing his hand on her arm.

"Mrs Randall, there are times when we all do things which are indiscreet. Sometimes we end up in trouble we never imagined. It's always best, if you can, to clear problems up

99

before they go from bad to worse."

Elaine Randall's face was by now bright scarlet. She stared at Pete as though transfixed.

"Elaine!" The voice of her husband broke the spell. "Come *on*! We're going to be hours getting out of this lot!"

"I'm sorry – we must go – we haven't eaten yet. My husband –"

She sprinted after her husband, like a hare escaping from a hound.

"What was all that about?" I asked Pete.

"Well, don't you see? It was Mrs Randall herself who was having an affair with Stoddart, not her daughter. He must have had a penchant for older women, not kids at all. Maybe it had something to do with his mother abandoning him – I don't know, I'm not into psychiatry –"

"Oh, you can't be serious! Mrs Randall is just an ordinary sort of woman, like – well, like me, I suppose."

He raised his eyebrows. "What do you expect, for Christ's sake? Are you saying you're completely immune to bronzed biceps?" I didn't answer, and he laughed. "This is looking good. She's a big woman, your Mrs Randall. I can just imagine her climbing up the fire escape with young Mike slung over her shoulder. He'd probably told her they were through, and –"

"Oh, this is really silly. I'm going home," I said. "I'll bet there's a perfectly reasonable explanation for her knowing him and not wanting to talk about it."

"Yes. Sex."

I rummaged angrily through my bag for my car keys.

"You've got a very low opinion of women," I said.

"I haven't! Men, women – it's all the same. The two commonest motives for doing anything are sex and money. Take your pick."

"I see. You're saying that nothing else matters except sex and money. Doesn't say much for you, does it? What's *your* motivation?"

For a moment, he seemed to be considering the question seriously. Then he grinned. "Why don't you offer me both, see which I accept?"

This probably had the desired effect. I blushed.

"Come for a drink," he said. "We'll discuss it further."

"No, thank you." Then, because I had sounded prim, I added, "I don't want to go home smelling of alcohol. It wouldn't be appreciated."

"All right. Come back to my flat instead, have a look at my unfinished novels."

There is a right way of dealing with this sort of suggestion, a casual, sophisticated way that leaves the suggester knowing that you are a woman of the world, haven't taken offence and didn't take it seriously anyway, but aren't to be trifled with. I didn't know what that way was. I got into the car.

"Goodbye, Chris, have sweet, innocent dreams," said Pete.

On the way home I thought a lot about Elaine Randall. When I'd first met her at the Clocktower I'd immediately empathised with her. I didn't quite share her concerns, but I did understand her motivation, and it wasn't sex. Sex wasn't my motivation either, and nor was money. Pete was making the mistake of judging others by his own standards. All the same, she was a large woman and she had looked very shaken. There had to be a reason for that.

10

I awoke on Friday morning to an unaccustomed feeling of well-being. Mr Heslop had complimented my piece on the merger meeting, and yesterday after coming out of the hairdresser's with my new natural-look perm, a van driver at a zebra crossing had smiled at me and looked at my legs. Why the hairstyle should have made him look at my legs, and why I was almost as pleased about it as I was about my success with the story, I can't say, but there it is. I peered at myself through the dust and finger-marks on my bedroom mirror and tried on eyeliner and a little blusher. The 'phone rang downstairs. Keith shouted, "Somebody answer that, I'm late," and the front door slammed. I stood up, noting that if I breathed in my stomach was almost flat, and went downstairs to answer it.

"I hope I didn't get you out of bed," said Pete.

"No, you didn't." Richard ran past, looking pale and tired and worried. His tie was undone. "Do your tie up!" I called.

"I'm not wearing one," said Pete. "As a matter of fact I'm not even wearing a shirt. I'm wearing an old tee-shirt and jeans. We're going down to Brighton, you and me, to see Mike Stoddart's ex-ladyfriend. Bring a bikini and bucket and spade, if you like."

"Oh! I thought we were going to the Clocktower today."

"We'll go there on the way. Look, I thought you'd be impressed I managed to get hold of the address *and* arrange for us to have a day out at the seaside in this weather."

"All right, I'm impressed. Shall I be ready in half an hour?"

"No. Twenty minutes," he said, and hung up.

I went back upstairs and threw open the bedroom window. Already the air was sharp with the scent of dehydrating foliage and the sun's heat was strong on my arm. Julie lent me a white cotton sun-top and I put on dark glasses. A day at the seaside. I looked about ten years younger – only because the glasses hid the wrinkles round my eyes, but an illusion is an illusion, and Heather may have had a point when she said you're only as old as you let yourself look.

Pete said, "I like your hair," and smiled appreciatively as if he meant it. I was surprised he'd noticed, because it had taken Keith most of the evening to comment. We drove to the Clocktower with brilliant sun and deep shadow deluge-ing alternately through the open sun-roof. There was no other traffic on the road, and the hotel car park was almost deserted. We parked under a tree, then followed a signpost for "Deliveries only". It led into the service yard at the rear of the hotel, from which the fire-escape climbed bleakly to the Clocktower Room. Suspended from the landing beneath the topmost window was a limp black shape. It was a frilly negligee, unmoving in the still hot air. Pete and I exchanged amused (and in my case slightly unnerved) glances. A young man in white overalls unbuttoned to the waist lounged on a box in the corner of the yard. He was eating a Mars bar, smoking a cigarette and listening to his Walkman. His eyes were closed. Pete deftly removed the Mars bar from his outstretched hand. He jumped as if awoken from a deep sleep.

"What's up? Where did you spring from?" he exclaimed, snatching back the Mars bar. "I'm on my break!"

"That's all right, we just want to ask you a couple of questions," said Pete.

He looked immediately suspicious. "I don't think I answer questions. You're from the Hotel Guide, aren't you? Oh God!" He threw down the half-smoked cigarette and stamped on it, then immediately regretted the action. "Hey, I'm on my break – Mr De Broux says we can smoke out here."

"No, we're not from the Hotel Guide. We're here about the little incident you had the other week," Pete said, nod-ding towards the fire-escape. "Were you here then?"

"Yes, but –" He looked from one to the other of us, but particularly at my sun-top. "Who are you anyway? You look more like the Hotel Guide than the police. I've never seen police going round dressed like that, except on the telly." He seemed pleased with his ability to distinguish real detectives from the fictional variety.

I said, "We're not the police either. I was here for the Conference, for the Tipping Herald. I'm the one who found the body."

"I *can't* talk to you then! Mr De Broux sent us a memo saying it's instant dismissal for anyone who talks to the press. I *need* this job. I was unemployed for –"

"O.K.," said Pete. "No names, nothing. Just a couple of routine questions, a tenner for you and we're gone. What d'you say? Deal?"

He looked doubtful. "What are the questions?"

Pete took out his notebook and looked at it.

"Do you know anything about the cleaning and rubbish disposal system here?" The boy nodded. "O.K., so tell me when do they normally clean the rooms and empty the wastepaper-baskets?"

"Oh, every morning between nine and twelve. The guests are usually out then – when we have any."

"And would that apply to the wastepaper-basket in the Conference Hall?"

"No. The bins in the reception areas and the downstairs loos and the Conference Hall are emptied at night and put out with the kitchen rubbish. Mr De Broux is very particular about that. He won't have the guests coming down for their fancy breakfasts and finding full ash-trays and bins." He lit another cigarette and inhaled gratefully, as though on a life-support machine.

"In that case," persisted Pete, "what time of night does the kitchen and reception area rubbish get put out?"

"About eleven-thirty, after the restaurant and the bar close."

I said, "So thinking back to last week, to the night of the, er, incident, anything put in the Conference Room bin after eleven-thirty that Tuesday night, or during Wednesday, would be there until it got put out with the kitchen rubbish at about eleven-thirty p.m. on the Wednesday?"

"Yes, that's right."

"So how could something put in the bin in the early hours of Tuesday still be there on Friday morning?"

He shook his head. "It couldn't. Mr De Broux was fussing around like an old hen, both mornings before the Conference started, checking everything. I know, 'cos he dragged me round with him. The bin in the Conference Room was empty both mornings."

I frowned. "In that case the bin in the Conference Hall ought to have been empty when the police got there on Friday –"

"Ah. No." The boy shook his head. "There was a bit of a to-do here, after the Conference finished on Thursday. A guy was sacked –"

"Mario," I interrupted.

"Christ! How do you know these things?" he exclaimed, awestruck by the supernatural powers of the press. "Well, Mario was sacked and we were short-handed – and then there was a union meeting to discuss unfair dismissal. That was Thursday afternoon, right after the Conference. Mr De Broux was cursing something rotten and he just locked the door on the Conference Room and nobody touched it again. We'd've done it Friday morning, but the police came –"

Pete produced a ten-pound note from his wallet and put it in the hand that held the Mars bar. "Thanks. You've been a big help."

The boy eyed us both suspiciously. "I still say those are bloody funny questions for a newspaper. You sure you're not doing some sort of hygiene survey for the Hotel Guide?"

"Don't worry about it," said Pete. "Plug yourself back into your music, close your eyes, and when you open them again we'll be gone. Just like magic."

As we walked back to the car, I said, "It was almost certainly one of the delegates who put the camera and keys in the bin, and they did it during the Thursday session."

"Yes," agreed Pete. "And it was almost certainly Elaine Randall!"

*   *   *   *   *

Brighton shimmered under one of those hot white mists which severs a seaside town from the rest of the world, almost from reality. The heat had subdued even the naked brown children on the beach, and bubbled up the tarmacked pavement in black beads of sweat. Pete handed me a street map and an address, and we negotiated our way through wealthy suburbs where most roads were labelled "Private – no access except for residents", and anyone driving anything less expensive than a Ford Granada was viewed with suspicion. You could almost smell the money; it was a pity the residents couldn't smell the ozone they'd paid such a premium to be near, for fear that the opening of a window would set off an alarm in the police station. The address we'd been given belonged to a sprawling colonial-style bungalow guarded by two stone lions. There was a warning notice about guard dogs, but I didn't see any. Pete rang the doorbell.

"We've called to see Mrs Jordan-Booth," he said to the maid of indeterminate nationality who answered it.

"Not here," she said, keeping the chain on the door.

"We've come all the way down from London, darling. Is there any way of contacting her?"

"Sure." The maid consulted her watch. "Now she be at Duke's Head. O.K.?"

"Is that far?"

The maid gave us rather confused directions involving a level-crossing and two churches, and we set off. Pete drove too fast, as usual, and we never found the second church, but suddenly there was the Duke's Head. I said, "This can't be right." It was a large, modern pub on the edge of a Council estate, all glaring new brick and garish mock-traditional signboards. I've seen more tasteful public loos. In the car park were a mini-van, several motor-cycles and an old Ford Capri with enormous tyres and no glass in the back window.

Pete put the Krooklok on his car and we went inside. It was a spacious, characterless bar, with a salt and pepper pot on every table to make you feel you ought to order some-

106

thing to eat. The barman wore a bow tie and a bored expression.

"A gin and tonic, a vodka tonic, and whatever you're having," said Pete. "Would you happen to know a Mrs Jordan-Booth?"

The barman nodded and pointed over to a window table. A woman sat with her back to us, alone except for a cigarette and a whisky glass. Her hair was blonde, sloping neatly into the nape of her neck, and beneath it several rows of pearls glistened milkily. We collected our drinks and approached. She turned to look at us, and there followed one of those awful moments when you have to pretend not to be shocked. The face of the woman did not belong to the hair. She must once have been beautiful, but now her skin was taut over high cheekbones, giving her a perpetual smile, and the lips and eyes were painted in – with extreme skill – but still, painted in like those of a doll. I guessed she was the wrong side of fifty.

"Hi," said Pete. "Mind if we join you? We're just down for the day. Do you live round here?"

"I do, darling, but I don't wish to be reminded of it when I'm enjoying myself." Her voice was a low drawl, sexy, I suppose. She drew deeply on a pungent-smelling French cigarette, and her gaze poured over Pete like double cream on a strawberry. "Sit where I can see you. I just love a new face!" We sat down and she leaned back elegantly in her chair, the hand that held the cigarette chunky with diamonds.

"So, what goes on in these parts?" asked Pete, smiling his disarming smile.

Mrs Jordan-Booth sipped her whisky. "Absolutely nothing goes on around here, not for those who are still half-alive. That's the trouble, darling. Most of the people round here have been dead for years and no one's noticed!" She thought this a great joke, and we laughed as though it was. "Best pub in Brighton, this," she added, looking admiringly at the acres of plastic seating and twinkling arcade games.

Pete took out his notebook. "That's interesting. We're from a London newspaper, researching a piece on English

107

seaside resorts."

"Oh, are you really? How awfully exciting! Do you know, that's not what I'd've guessed you did for a living. Especially not you, darling," she added, touching Pete's hand. "You're so awfully photogenic I'd've said show business was more your line. Male model, perhaps."

"You haven't seen my passport photo," remarked Pete, slightly taken aback.

"Nobody understands what it means to be photogenic," mused Mrs Jordan-Booth. "I was a model you know, just after the war, when it was a real profession. My, those were the days –" She sighed, dreamy-eyed. "I could tell you a tale or two –"

And she did. She talked through three double whiskies without slurring a syllable. She told us about her suitors and the parties, and how she'd never known what it was like to go to bed before dawn. She'd appeared on cat-walks in London and Paris and New York, breakfasted at Tiffany's and dined at the Ritz – and now the high spot of her day was opening time at the Duke's Head. She didn't seem bitter, just bored; she'd replaced the fresh glow of youth with the timeless glitter of diamonds, and taut muscle with expensive plastic surgery, and maybe she no longer knew the difference. Maybe it didn't matter. Maybe all that mattered was having someone look at the result. After three gins, nothing much mattered to me. While Pete was at the bar, Mrs Jordan-Booth said, "I hope you appreciate your colleague. He's a *darling*, and such a good listener! They're not all like that, you know."

"No," I said, leaning forward conspiratorially. "Especially not when he's your husband!"

"Oh, and *that's* the truth!" she replied in delighted sisterhood.

Pete put the drinks on the table. Mrs Jordan-Booth downed hers with one flamboyant gesture, and announced that her taxi would be here in a few minutes. "And I haven't told you anything you wanted to know about Brighton," she added. "Still, lunch ready, you know, and Bernard will be expecting me. Hello Sid!" Sid clapped her on the shoulder chummily as he passed by with a bottle of Daddies' sauce. Several of Sid's friends, at a nearby table, called out, "Watcha, Val!"

"Do you know," said Pete, "I've just remembered. I used to know this guy who lived round here. Mike Stoddart's his name. He's a teacher. Wouldn't happen to know him, would you?"

For the first time since we'd met her, Mrs Jordan-Booth looked lost for words.

"Surely he wasn't a *friend* of yours?" she asked finally.

He shrugged. "Acquaintance."

She sat down again, picking up her empty glass and studying it with disappointment.

"Odd coincidence, actually," she said. "Bernard's governor of a school where he used to teach. I got to know him rather well." She glanced at me, and instinctively I gave her a smile of encouragement. "Yes, *rather* well. He was a good-looking young man, and I'm very fond of good-looking young men. Turned out to be a right bastard, though, if you'll excuse my French."

Pete raised his eyebrows. "What, Mike? Really?"

"Yes. Wanted money. Very nasty."

I leaned across the table more heavily than I intended, nodding sympathetically. The movement made me feel slightly dizzy. "You don't mean – he wanted money not to tell your husband?" I asked.

"Oh no! Goodness, Bernard doesn't give a hoot what I do! Not a hoot, as long as I'm discreet. We have a very understanding marriage. No, it wasn't that. It was the photographs."

Pete said sharply, "What photographs?"

"Taxi, Val, love!" shouted someone at the door.

"What photographs?" insisted Pete.

"Photographs of me, darling. In the nuddy. Kept my figure, don't you think? Young Michael took super photos, but it wouldn't do, would it, having copies all round the school. Bernard nearly had a heart attack –"

"Come on, love, meter's running!"

Both Pete and Mrs Jordan-Booth stood up at the same

time. He wasn't smiling now, and he put a detaining hand on her arm.

"Did your husband pay money to Stoddart to get those photos back? Was that why he left Brighton?"

For a moment she looked surprised, and I think she knew we'd been deceiving her, but she shut the knowledge away quickly behind the façade of gaiety.

"Yes, darling, and I popped them away in my album. Toodle – oo!"

We watched her go, in almost open-mouthed silence. Pete grabbed my hand and held it up in a boxer's victory gesture.

"We've done it! We've cracked it. He blackmailed Mrs Jordan-Booth and got away with it and he tried the same trick on Elaine. You and your social worker friend were right about there being negatives missing. Elaine was not only a jilted lover, she was a blackmail victim – I don't think you could have a clearer motive than that."

I closed my eyes for a moment. I'd had far too much gin. "So – what now?" I asked.

"Well, right now, I feel like giving you a big kiss, but I suppose you'd object to that." He studied me for a while, then finished his drink. "Anyway, what we do now is put it all together. We need a statement from the social worker about the negatives, we need to find out where the lovers met – my guess is Rampton's Hollow – and we need to find out where she got the heroin that killed him. I admit that's a bit of a puzzle. You wouldn't think she'd have that kind of contact. Still, a woman scorned and all that – she must have seen the old needle holes while they were writhing all over one another. It's open and shut, darling. And then it'll be a front page exclusive – hello Daily Mirror for me and hello weekend for two in Paris for you."

"Paris – for two – for me?"

"Yes. A romantic weekend in Paris with your husband. Isn't that what you'd like?" He put his glass down and looked at me, smiling exactly the same smile that had charmed Mrs Jordan-Booth, Elaine Randall, the girls outside the school and numerous others into saying more than they intended.

I smiled back. "Well, we're off to Portugal in October for our second honeymoon."

"Oh really? In my experience people go on second honeymoons in a last desperate attempt to stay out of the divorce courts."

I looked away, out of the window. I hoped this wasn't true but I didn't comment. Mrs Jordan-Booth's hand waved regally from the window of the departing taxi.

"There's one thing I don't understand," I said. "What on earth does Mrs Jordan-Booth see in this place?"

"Well." Pete looked out of the window. Sid and his friends were strolling across the car park giving the thumbs up sign in Mrs Jordan-Booth's direction. "I think it's because *here*, she's still somebody."

We bought fish and chips and pickled onions with a liberal dressing of salt, and ate them on the sea front. It was easy, under the seductive influence of sun and gin, not to worry about sodium and cholesterol levels, or anything else for that matter. My mind drifted pleasantly and effortlessly like the haze on the softly-lisping waves. I shouldn't have had the third and fourth gins. Pete suggested a walk on the beach to clear our heads, and we took off our shoes and strolled across the warm sand towards the sea.

"All right," he said, suddenly and firmly clasping my hand. "Confession time. Why does someone as attractive and intelligent as you take a job like this?"

"Oh God! Flattery!" I exclaimed, fearing a send-up, though I had been thinking how nice I must look with the new hairstyle and the start of a suntan.

"And it won't get me anywhere? I'd still like an answer."

"Why?"

"Well, perhaps because I think you're attractive and intelligent. Or is that sexist and offensive?"

I couldn't read his expression behind the dark glasses.

"I don't know. I don't know why you keep thinking of me as a feminist. I took this job because it was a childhood ambition of mine to be a reporter. Now laugh."

"I'm not laughing."

We'd reached the sea, and let it wash over our ankles.

"Someone told me you once had a novel published," I said. "Why did you give up writing?"

"You've obviously never read the novel! It was naive and irrelevant. Anyway, I didn't give up writing, I just stopped finishing things. Probably something to do with not believing in anything that isn't seventy per cent proof and bottled in Poland. I asked you over the other night to take a look at my unfinished novels and you wouldn't come!"

He was still holding my hand and I released it quickly.

"Of course I wouldn't come! I'm a respectable married woman and I can't be enticed to men's flats to read their unfinished novels!"

He laughed. "All right. I'll give you the finished one then and you can read it in the privacy of your own home. But I warn you, you won't like it."

"I don't know how you can be so sure."

"Actually, I can't be where you're concerned. I'm still trying to get to the real you." He reached out and pulled the strap down over my shoulder, and for a stunned moment I thought he was furthering this ambition. "You're burning, darling. Don't worry, I've got some sun-cream in the car."

When we got back to the car he opened the glove compartment and a lot of things fell out – maps, garage repair bills, an empty vodka bottle. He handed me a plastic tube of sun-cream. It had exceeded its "sell by" date by two years, and was the wrong stuff anyway, but I didn't say anything. I pulled down my shoulder straps and began smoothing in the cream. He watched me.

"Would you like me to do that?" he asked.

It was quiet in the car, just the distant murmur of waves and sleepy insects. My ankles still glowed from the cool embrace of the sea. I would have liked Pete to touch me; I would have liked to feel his fingers move slowly over my skin, trace down across the contours of my breast. I blushed and shook my head, and the tube fell through my slippery grip on to the floor. Pete leaned over and retrieved it. As he handed it back to me, he said, "I just want you to know how

112

sorry I am."

"What for?"

"For your being a respectable married woman. It really is an awful pity. On such a lovely day. And in Brighton."

I looked at him sharply, and he winked.

11

I felt very guilty about that moment on Brighton sea front. It had been the gin, of course, the gin and the heady atmosphere of success on the Stoddart story, but all the same it was just as well Pete and I wouldn't be working together much longer. There was nothing wrong in feeling mildly attracted to someone, and nothing wrong in allowing that person to flirt with you a little, but you had to know when to stop. Clearly that moment was now, before anyone started taking things seriously.

We had large steaks for dinner on Saturday evening, after which I went up to bed with a glass of Alka-Seltzer, and Keith poured himself a brandy and sat down to watch the late-night horror double bill. If there wasn't too much screaming he'd probably fall asleep on the sofa. I've never understood some people's passion for watching terrified women being devoured by bloodstained rats; time and tedium are well able to devour both men and women quite horrifically without the aid of rats, and one has to watch it every day.

Anyway, there was Pete's novel on the dressing-table. I opened it where somebody had opened it before, at the scene where Nick (one of the two central characters) had his first sexual experience with an au pair girl called Trudi on Shepherds Bush Green. I shut it again quickly. It was very explicit. Nick spent a lot of time having sexual experiences and agonising over them afterwards, usually to Marty, who'd had an incestuous relationship with his sister, over which he quite understandably agonised constantly. In the end Marty severed his head on a railway-line in Kent, and this was described in gruesome detail. I almost stopped reading at this point, but my eye was caught by the description of the girl who now entered Nick's life. She sounded very much like Pete's ex-wife Helen. From here on the story became a romance, poignantly told, of how Nick was saved from slow self-destruction by the love of this girl. It ended with a touching little scene where the young lovers threw their last few pound notes in frail, fluttering succession off Westminster Bridge, and vowed to love one another for ever or until separated by death. I closed the book and put it under my pillow. Poor Pete, I thought, if you really believed love wouldn't cost you anything.

I woke early, determined to do something about the front garden. Keith had mysteriously found his way into bed beside me some time after television close-down, and I eased out from under the covers without waking him. Clad in old jeans and stout gloves I prepared to grapple the bindweed from the roses. He'd be pleased – no amazed – when he saw the result. I'd reckoned without Mrs Taylor, though. She was best avoided unless you had half-an-hour to spare. I dodged optimistically behind a dwarf conifer.

"Hello!" she called cheerfully. "Lovely day again!"

"Yes, isn't it?" I replied, removing the gloves reluctantly and walking towards her.

"Did you have a nice day out on Friday with your friend?" she asked, eyes gleaming.

"Er – well, it was a working trip, actually."

"Oh, must be nice to have a job like that. Where were you off to?"

"Brighton." I could see her brain responding to the connotations of that and carried on quickly. "What about you – I hope you made the most of the nice weather."

"Oh, well –" To my dismay she put down her Mail on Sunday and leaned against the gate-post. "I was up at the doctor's again, I'm afraid." She then proceeded to give me a long account of her hot flushes and the hormone-replacement therapy she'd been receiving, ending with the cheering comment that I'd got it all to come.

"Oh yes. Oh dear," I said, which is about all you can say.

"Anyway, I'm going to have to change my doctor soon. I don't know what I'm going to do."

"Oh? Why's that?"

"Well, I only went over to their practice because I'd heard Dr Rachel was so good with these things, I mean it's not convenient for me unless I have the car. So if they're going there's no point in my travelling all that way, is there? Do you know I'll have changed doctors three times in the last five years? I suppose you're allowed."

"Sorry – did you say the Goodburns are leaving?" I asked, surprised.

"Well, that's what I heard. My husband's niece knows one of the secretaries. Dr John's a lot older than Dr Rachel, retirement age, I should say, even though he still looks all right. But it takes its toll, doesn't it? Did you know he was married before? He's got a daughter, lives somewhere locally. A funny set-up, if you ask me, two doctors married to each other. Rather like film stars marrying film stars, I suppose –" No doubt she would have explained her train of thought at length, but I stopped her.

"Do I understand you to mean they're *both* leaving the practice?"

"Yes. Selling up and retiring to Portugal, so I heard. Mind you, she's been going right off lately, if you ask me. Same age as me, she is," she added, giving me a meaningful nudge. "What's that they say – 'physician heal thyself', or something? Well – do you know Mrs Fry from Lansdown Road? Apparently she prescribed her quite the wrong dosage of her blood-pressure pills and if it hadn't been for the chemist –"

After she'd gone, I went inside and made a note on my message pad, beneath the reminder to collect Keith's dry-cleaning, to call and see the Goodburns and find out if there was any truth in the rumour. Richard came downstairs while I was in the kitchen, still in his pyjamas, and he looked so awful I gave up the idea of gardening to make breakfast for him.

"What's up?" I asked.

"Carolyn won't speak to me."

116

"Why?"

He obviously didn't want to answer.

"It hasn't got anything to do with your little run-in with the police, has it?" I prompted.

"Don't be stupid! Why should it have? Every time I talk to you and Dad you just can't resist a snidey little comment about that, can you?"

"It wasn't meant to be snidey. Look, wouldn't it be a good idea if you broadened your circle of friends a bit, took out different girls occasionally? You're only twenty."

Richard gave me a disgusted look.

"Who do you think you are, Mum – Claire bloody Rayner? I'm going back to bed."

He pushed the scrambled eggs away, half-eaten. I couldn't remember love ever having put me off my food. I felt glad I wouldn't have to be his age again, and was just wondering whether to eat the eggs myself, when the 'phone rang. How sweet, Carolyn 'phoning to make up, I thought, answering it.

"Hello? Is that the Mrs Martin who works for the Herald?" The voice was female, rather shrill, anxious.

"Yes."

"This is Elaine Randall. I wonder if I could possibly see you this morning? It really is rather urgent."

My pulse raced. Elaine Randall, the probable murderer of Michael Stoddart. Did she know I knew?

"Er – is this about the merger?" As the words left my mouth I thought, oh God, supposing she thinks I said "murder"?

"No, it's not the merger, it's something quite different." Well, that was plain enough. "Shall I come over to you? Would half-an-hour be all right?"

I looked around at the state of the living-room.

"No, it's not really very convenient. Would you mind if I came to your house instead?"

She said she wouldn't, and gave me directions to her house. The gardening abandoned, I tidied up and peeled potatoes for lunch. There were movements upstairs; Keith had got the sock drawer jammed again. I put down the potato-peeler and left to interview the murderer.

It was about half past ten when I arrived at the Randalls' house, and saw her peering anxiously out of the window from behind a World Wildlife poster. She opened the door before I got to it.

"Do come in. I'm so sorry to disturb your Sunday morning."

"That's all right."

She showed me into her living-room, which was actually more untidy than mine, but in a different way. Piles of books and papers teetered on chair arms, and the misty-green carpet was littered with sewing threads and paper clips. Evidence of industry, rather than indolence. I got out my notebook.

"Oh no – if you don't mind, I'd like what we say not to be written down."

I thought, the house is empty, husband and children out – she's going to confess to the affair.

"My husband wanted to be here, but he had to take the dog out," she said, confounding me. "He was a stray and I never got him properly trained, so someone has to take him out regularly or he annoys the neighbours." I presumed these latter remarks were references to the dog. I put my notebook away obediently.

Elaine Randall sat down next to a copy of the Sunday Times Book of Body Maintenance, and crossed her long legs.

"It's about – it's about Mr Stoddart," she said. I sat up straight. "I'm really hoping this won't have to go any further." She hesitated. "Well, I did something very silly. I was just so angry at what they can get away with in this country. I mean, it's our heritage, isn't it? Ours and our children's! There's always something being destroyed in the name of progress. You can say it's just a few fields and what does it matter, but it goes on all the time, this relentless chipping away –"

"I'm afraid I'm not with you."

"It's a full-time job, conserving what we've got, and nine times out of ten *they* win. So this time, when it was sug-

118

gested, I jolly well thought, why not!" Her face reddened with emotion, and she pushed her glasses forcefully back into position.

"Could you explain?"

"Well, it was the thought of the bulldozers in Rampton's Hollow. I was walking the dog up there one day and making some notes when I met Mr Stoddart with his camera. He could see the beauty of the place, of course, and when I told him what they were planning to do – well! He was as upset as I was. I mean, who in their right mind wouldn't be? So he said surely there must be a way. He said what if some sort of rare animal or plant was found to live there? Well, I said, of course if that were the case, we might be able to get a conservation order –" She got up suddenly. "Would you like some coffee?"

"No, thank you. I've just had some. I'm not quite sure what your point is."

She sat down again. "Mr Stoddart said that Rampton's Hollow must be exactly the right habitat for some rare plant or animal. He asked – he asked if I knew of new wildlife colonies ever being deliberately created in these circumstances – seeded, so to speak. Well, of course, one does get to hear of these things –" She looked down at her hands clasped firmly on her knees. "Eventually I gave him a name, just a name, and that's all I know! Really, I didn't do any more than that. I know it was foolish but I honestly wasn't any more involved than that."

I blinked. "Are you telling me that those tree-frogs were planted in Rampton's Hollow to stop the new road going through?"

"All I know is that they weren't there before. Look, I know it was awfully dishonest but the developers and the planners have all the tricks up their sleeves – why shouldn't we win occasionally?"

A distant church bell chimed monotonously until the sound was obliterated by the roar of a powerful motor bike. Mrs Randall's face assumed a pained expression.

I said, "Look, I'm not sure why you're telling me this. Presumably you don't want to be quoted as a source?"

She looked horrified. "Oh dear God, no! I just wanted you to know how little I was actually involved. I mean, you seemed to think Sarah knew something about it and I can assure you she knows nothing. She happened to be at home the day Mr Stoddart called to collect the name and address, and as I said she seemed to like him – bit of a schoolgirl crush, I suppose. I mean –" She frowned in puzzlement. "You probably already know more about it than I do. The other reporter, the one you were with at the school, he said it would be best to tell the truth now and get things out into the open. My husband and I talked it over and agreed we should, and I felt I knew you so much better than the other gentleman. But I wonder – however did you get on to the story in the first place?"

"Ah. Yes. To be honest –" To be honest we didn't know anything about it until you just told me. To be honest Pete has suspected every member of your family, except – to date – your husband, of having sexual relations with Michael Stoddart, and that's what he was talking about. "To be honest, my colleague is handling this story himself, and I don't know all the details."

"I'm not trying to evade responsibility," explained Mrs Randall, earnestly. "If I were more deeply involved I'd jolly well admit it and be proud of it, but as you see I know almost nothing about it, and one hears such *dreadful* stories of people being hounded by the press. There has to be some-one else in this, doesn't there? I mean, I don't know how involved poor Mr Stoddart was but he was only a teacher and these things cost a lot of money. So there's somebody much more involved than me who paid for it all. *That's* the person who's in the best position to give our side of things."

"And you've no idea who it is?"

"Somebody who jolly well cares about the environment and is prepared to put his money where his mouth is, I should think! I'd like to shake his hand, wouldn't you?" she asked, challengingly.

"Well – yes." I stood up. It was a bad move, because so did Mrs Randall, and she towered above me. "The other question, Mrs Randall, is – what was the name you gave to

Mike Stoddart, the name of the person who presumably decided Rampton's Hollow was a good site for tree-frogs, and arranged for the colony to be 'planted'?"

She gasped. "Well, I certainly won't tell you that!"

"Not under any circumstances? Not even if it means keeping your name out of things entirely?"

"Never! You can't prove a thing anyway. The tree-frog colony has been authenticated by experts and they start work on the new road next month. I don't know how you got on to this, but you're too late! Anyway, I'm quite prepared to go to prison if necessary – I would *never* compromise the conservation movement!" She spoke with all the brave defiance of a captain who would go down with anybody's ship.

I said, "I do appreciate your co-operation, Mrs Randall, and it's quite possible that you won't have to answer any more questions on this matter."

As I left, she told me again that she wasn't trying to evade responsibility, and that she hoped the Herald was enlightened enough to share her views on conservation. She contrived to look both relieved that she'd got it off her chest, and mortified that she might have betrayed the conservation movement. I was beginning to feel sorry for her in her moral dilemma, and would have said so, but she had to dash off to rescue a man who'd just been pulled through a hedge by a large dog.

When I got home I could scarcely contain my excitement, but Keith and Richard looked as though they'd had a row and Julie wouldn't have been interested. Besides, I remembered Keith's comment about my getting in too deep, so I just went dutifully into the kitchen and stuffed the chicken. Later, Richard and Keith must have made up their quarrel, because they called out to me that they were going to the pub for a pre-lunch drink. Immediately I dialled Pete's number. After what seemed an age the receiver was lifted and his voice said sleepily, "You must have a death wish, ringing me at this hour."

"Sorry. It's gone twelve, you know. Can I tell you about Elaine Randall?"

"All right. What?"

I told him. There was a long silence.

"Christ," he said. "Jesus, I don't know what to say."

"Nice to hear you feeling so religious on a Sunday morning."

"Oh, very funny! You must be really pleased – you've just screwed up my entire theory."

"Sorry. But this is better, isn't it? I mean, *who* stood to benefit financially from the road being re-routed?"

Silence. "I don't know. Pass."

"Eric De Broux! The road will go right past his hotel and he'll pick up the passing trade!"

"Oh, aren't you sharp this morning! And I suppose he killed Stoddart and hanged him from the Clocktower as a publicity stunt?" He was obviously jealous of my astuteness.

"Well, perhaps not exactly. But you must admit it's possible Mike Stoddart tried to blackmail him –"

"Yes, all right, but keep it down, will you – my head's hurting. God this could be big – Fraudulent Frogs halt 'A' Road. We could get this in the nationals even if De Broux isn't the murderer. A well-known figure involved –" He emitted what sounded like the groan of someone in severe pain. "Look, I'll have to think this out when my head's cleared. I feel lousy."

"All right, I'll see you tomorrow then."

I started to hang up, but he said, "No, wait – I'm sorry I snapped at you, I thought you were Helen. She always extracts maximum nuisance value from her telephone calls. Listen, give me half an hour, then come over. I'll make you breakfast and we can talk about this De Broux thing."

"Idiot! I'm having lunch in half an hour!"

As I replaced the receiver I imagined him holding his head, groping in the bathroom cupboard for aspirin. I wondered if he wore pyjamas in bed, or . . . The potato-water frothed alarmingly at the top of the saucepan. I turned down the gas. If you lived alone, there really wasn't much worth getting up for on a Sunday morning. Keith and I had seen quite a few of our friends' marriages break up over the years, which was why we often congratulated ourselves on our own having held together despite its imperfections. Divorce was always more traumatic than people imagined, especially when it meant losing touch with your children. Still, as Keith would have said, you should think of the price before indulging in the pleasure, not wait until you were boosting valium (or vodka) sales.

It was inevitable really, but I felt a little put out. Pete took the frog story out of my hands. He spent Tuesday in London following it up; although he didn't say it, he probably felt that trailing me along would have been an encumbrance. Anyway, that day there was an armed hold-up at a local supermarket, and in his absence I was assigned to cover it. I extracted a good eye-witness account from the lady on the check-out because she said I had a "nice, kind face", and it was on the way back, wreathed in self-congratulation, that I realised I had just passed the Goodburns' surgery. Memory of the note on my message pad at home prompted me to make an emergency stop. I reversed erratically into the small car park, most of whose spaces were helpfully marked "For doctors' cars only", and pulled up rather too close to a new black BMW. As I was locking up, Dr John Goodburn appeared from a side exit.

"I can't open my door," he remarked, testily, pointing at the Mini.

"Oh, I'm sorry, I'll move. But before I do –" This was an accidental, but surely quite clever, twist on the salesman's foot-in-the-door ploy. "Would you mind answering a few questions?"

He frowned. "I saw you up at the Clocktower, didn't I? You're from the Herald."

"Yes, that's right. We've heard a rumour that –"

He frowned. "Rumours are dangerous things. I don't know who started this one, but I can tell you that any comment I may have made to you at the Clocktower immediately after examining that young man's body was entirely speculative and without a proper –"

"No, no, it's not about the murder." He was obviously rather touchy on the subject of his inability to spot the difference between death by hanging and overdosing on heroin. "It's about the possibility of your leaving this practice."

He frowned again. "I don't see that that's any of your business."

"No, not mine personally, but your patients –"

The word "patients" obviously angered him.

"Look, are you going to move this car? I'm late for an important appointment!" He took a step towards me as though he were contemplating snatching the keys from my hand. He was tall, with the slight stoop of age, and his healthily-tanned face carried wrinkles that were more like frown lines than laughter lines. Perhaps he suffered intermittent back pain, I thought, remembering the slight limp I had noticed at the Clocktower, and this accounted for his bad temper. I moved the car.

When he'd gone, driving his BMW with the same confident purposefulness that accompanied his stride, I decided not to give up. I went into the waiting-room, which was deserted except for a large well-worn teddy bear and several dusty cactus plants. The receptionist was not at her post, but I could hear voices coming from somewhere. The bell on the counter said "ring for attention", but was unblemished, as though no one had ever dared touch it. I certainly didn't. I amused myself reading the "Aids" poster, and the "When not to ring your surgery" advice.

"Yes?" The receptionist maintained her position about six feet from the counter, looking like a goalkeeper prepared to dive in any direction to stave off an attack.

"I wonder if I might see Dr Rachel Goodburn."

"Have you an appointment?"

"No, I'm afraid not. Actually, I'm not a patient." I knew this would have a calming effect. "I'm from the Herald. I'd just like a couple of minutes."

"I'll see."

She disappeared for long enough to have filled in two Inland Revenue forms, and I was on the point of leaving when she returned to announce that the doctor could spare me a moment.

Dr Rachel sat at her desk surrounded by patients' files and a variegated ivy plant that had got out of control. She was in her late forties, her dark hair shot through with grey, but beneath the white coat she had the slender figure of a young woman.

"What can I do for you?" she asked, glancing up without smiling.

"Well, I've heard a rumour that you and your husband may be giving up the practice here and I wondered if there was any truth in it?"

She sighed and leaned back in her chair.

"I can't imagine how you heard that. Nothing is finalised. John and I have merely been reviewing our position."

"I see. I can tell you that you are, personally, extremely well-thought of in this town and would be sadly missed. And your husband, too, of course."

"Really. Well, any decision we make would have to be in our own best interests."

I decided to press a little further. "Of course, your husband is rather nearer to retirement age than you are. I suppose general practice takes its toll?"

Her eyes narrowed. "What are you implying?"

I had in fact been thinking of Dr John's back trouble, and his apparent difficulty in diagnosing causes of death, but I said, "Oh, just that you must both have a very full case load which would be exhausting at any age. A lot of your patients come from Edgeborough Avenue and the big council estate, and –" Her expression had changed. I couldn't read it. I'd intended to comment on the fact that people who are financially deprived often have more health problems, but I lost my gist and started again. "You must both be delighted by the prospect of the new drug abuse centre Leisching Pharmaceuticals has proposed?"

"Why? What are you getting at?"

What had I said? I frowned to cover my confusion. "Well, I just thought, you probably both have patients with addiction problems – surely you feel this would be a step in the right direction?"

"Now look!" She stood up. She was going rigid with

anger. "I've had just about enough of this! Every time someone dies in this town of anything remotely connected with drug addiction you people are round here, harassing my staff –"

"Why? Who's died? You're not referring to the Clock-tower murder, are you? Have there been allegations that Dr John ought –"

"I swear I'll report you to the Press Council! I know what you're trying to do! This is harassment! Marjorie!" The receptionist's footsteps came pounding along the corridor. "Marjorie! This lady is leaving."

I said, "Look, I don't know what you think –"

Dr Goodburn said, "If you don't leave I'll call the police. And I would advise you most strongly against making any allegations you can't support." She was still standing, her fists clenched. Her face had gone very red and she seemed to be shaking. Marjorie gave me an uncompromising stare. I left.

When I got back to my desk I had a cup of coffee and a chocolate biscuit to calm my nerves. Within the space of a few hours I'd been congratulated on my sympathetic approach, *and* accused of harassment. There was something odd somewhere. Even if there were rumblings that Dr John ought to have recognised an overdose victim, it didn't explain Dr Rachel's defensive reaction. Dr John had been called to the scene merely to certify death, which he had done, and if he'd hazarded a wrong guess as to cause it couldn't be held against him. I had a hunch that was worth following up. I picked up the 'phone and dialled the number of the Goodburns' surgery.

"Appointments!"

"Oh hello, I'd like to make an appointment for my husband, Mr Michael Stoddart." My forefinger was ready to disconnect the call, but in my experience doctors' records were always weeks out of date.

"Which doctor is he registered with, please?"

"Oh, do you know, he didn't say. We haven't been married long – I just know it's one of the Goodburns."

There was a sigh, followed by a long silence.

"He's with Dr Rachel. I can give you Wednesday at ten, or –"

I disconnected the call. So he was one of her patients. She'd had two patients die of heroin overdoses in six months – but why the paranoia? She could scarcely consider herself in any way responsible for a patient being unfortunate enough to get himself murdered, by whatever means. She could have known, from his medical records, that he was an ex-addict, but doctors were not required to pass such information on, even to the education authorities in the case of a teacher. There wasn't a logical reason for this over-reaction, but there was a reason: stress, pressure of work, an over-bearing, humourless, husband – and all this compounded by the symptoms of the menopause. Thank you, Mrs Taylor. Thank you for reminding me of the tribulations ahead. Just as I thought I had drawn back from the abyss, life conspired to remind me where it was.

12

I was working on my shopping-list as an antidote to the day's traumas, when Pete rang from London.

"How are you getting on?" I asked.

"Not very well. Naturalists are like the medical profession, apparently. They stick together like bloody mussels."

"Funny you should say that."

"Why?"

"Oh never mind, I'll tell you when I see you."

"Ah. Yes, well, that's what I'm ringing about. How would you like a night out in town? I remembered this friend of mine who used to know Eric De Broux and I've arranged to have dinner with him."

"When?"

"Tonight."

"Oh." I sighed disconsolately.

"Is that a problem?"

"Well, yes. Keith goes out Monday nights, so if I went out tonight as well it would mean we'd hardly see each other."

"Forget it, then."

My brain had already started coming up with reasons why I should go – I hadn't had a night out in London since 1976 and the frog story was really mine anyway. "No. I'd like to come. How shall I meet you?"

Even before the receiver was back on its cradle I was working out ways of tackling Keith. It was all a question of approach really. I dialled the number and was put through to his office.

"Hello. Bad news, I'm afraid. I've got to go up to London this evening."

"Whatever for?" He sounded more surprised than angry.

"To interview someone. I can't get out of it, I'm afraid. There are so many people away on holiday." I hadn't intended to lie; I was just following a newly-discovered instinct for getting my own way. It seemed to be working, so I felt guilty. "Sorry. There's some of that nice lasagne in the freezer and Julie can make you a salad –"

That evening I dressed quite deliberately to look sexy, because I wanted to make an impression on myself. I chose very high heels and a tight-fitting black skirt, silky-feel blouse and tights. As I surveyed myself in the mirror I ran a hand down slowly over my hip and thigh, and liked the flow of the curve. For a few hours, Cinderella was going to imagine herself to be having a ball.

I was just about to leave, and thanking God that Keith was late, when Richard came home and saw me with the car keys in my hand.

"Oh Mum, you can't take the car! Don't you remember, you promised I could have it tonight. I'm taking Carolyn to see Cosmic Dandruff in Hudderston and I've got to have it."

"What's Cosmic Dandruff?"

"A band, Mum! Come on, you promised – Carolyn and I are only just on speaking terms again and if I have to ask her to take her car –"

"O.K., but only if you take me to the station, and right now! By the way, this band, has anyone ever recommended a good shampoo?"

"Oh, ha, ha! Yes, everybody!"

He drove me to the station and kissed me goodbye. As I got out of the car I gave him my most earnest, motherly look.

"Richard, you will be careful, won't you. You know what goes on at these pop concerts as well as I do. For God's sake, after what happened the other week –" He looked infuriated. "And make sure your Dad gets his dinner, and you too!"

The pub where I had arranged to meet Pete was in Bayswater. It was vast, all mirrors, dark oak panelling and a

129

ceiling dyed chestnut-brown by a century or more of nicotine smoke. I'd had a worrying time finding it, not being very good with the A-Z, and for a stomach-turning moment thought I wouldn't be able to find Pete either amongst the blur of alien faces. So much for my stolen evening out. Then I saw him, standing at the bar wearing his best leather jacket – the one without the rip in the sleeve – and, surprisingly, a tie, though this had been wrenched untidily loose at the neck. He looked depressed, but he smiled when he saw me.

"How's my favourite junior reporter?" he asked, handing me a gin and tonic. "You're late, and the ice has melted. Listen, I've had it up to here with these bloody frogs. I spoke to one or two people I can trust, and they all agree it's a great story, but before we go any further with it we need to get hold of someone who'll look at the colony and declare it fraudulent. Well, this may come as a shock to you, but you can count the number of tree-frog experts in this country on the fingers of one hand, and –" He closed his fingers into a tight fist. "That's exactly what they're like."

"So – what are you going to do?"

"Well, I'm not giving up. Not yet. I've got the name of a French expert, and the French, as you know, are always keen to drop the British in the shit. We'll see. Can I tell you you look lovely tonight?"

I smiled and glanced at my watch. "If you like. Where's your friend?"

"John? Oh, he'll be along. He's a freelance food writer. That means he'll eat anything for anybody, and write whatever seems to offer him the best advantage. He used to know Eric De Broux and I thought he could give us some inside info on the man. John's not the most scintillating conversationist I've ever met, but he's an expert on all-night drinking clubs. By the way, what were you going to tell me on the 'phone this afternoon when I mentioned mussels? Not another bloody wildlife story, is it?"

"Not mussels! Doctors! I went to see Dr Rachel Goodburn this morning and she almost had me thrown out. Threatened me with the Press Council and everything."

"Ah. Well, if you mentioned you worked for the Herald I

imagine she probably would. Don't you remember that story I worked on a few months ago, about the kid who died of a heroin overdose? A young girl, it was, and she was five months pregnant. She hadn't even been referred to a social worker. She was registered as a patient of the wonderful, caring Dr Rachel, but the wonderful, caring Dr Rachel swore blind she'd never examined her. I just didn't believe her, that's all."

"I always rather liked Dr Rachel. I think she's probably under a lot of stress at the moment."

Pete laughed. "Maybe, but that's not why she jumped down your throat. I almost camped out in her surgery for a while. 'Local Doctor's negligence leads to death of teenager and unborn baby' – it would have made a good story, but I couldn't get anywhere with it. I even took the receptionist out and wined and dined her and made vague promises about our future together."

"Not Marjorie?"

"Christ, no! June, the almost-pretty one with the lisp."

"Well, that would explain it then. Using your charms to elicit information, no wonder!"

"My charms weren't very effective." He ran his eyes slowly over me, resting momentarily on my legs in the black-tinted tights. "I've no doubt yours would be though, given the right circumstances. And talking of charms, here comes John. He's an unscrupulous bastard, so don't let him know what we're on to."

For some reason I'd expected a food writer to be small-boned, effeminate-looking, and perhaps slightly overweight, but definitely distinguished. John Blanchard was quite the reverse. He was over six foot and built like a rugger player's nightmare. He probably was overweight, but it was spread over such a large area you might not notice, and his clothing gave the haphazard appearance of having been selected at random from other people's dryers in a run-down laun-derette. He gave Pete a hearty punch on the shoulder by way of greeting, and treated me to a bone-crunching handshake.

"So, how've you been?" he asked, swallowing half a pint of real ale without blinking. "How long's it been – ten years?

You were in the Gulf last I heard. And how's the very lovely Helen?"

"We were divorced five years ago."

"Oh dear, that's a bugger. 'Course, you know Andrea and I were divorced. Women! Who knows what goes on in their heads? They ought to come supplied with a handbook!"

"That's not quite true of Helen. She's about as transparent as a sheet of glass and a bloody sight more dangerous to handle."

I gave a sigh of disgust.

"Sorry, Chris," said John. "Men's talk."

After another drink we went to a Greek restaurant in a back street which John said he had only recently "put on the map". It was decked out with fishing-nets, exotic shells and postcards of quaint-looking villages without any vowels in their names, and every table flickered with candle light. Although it was crowded, at the sight of John an army of waiters appeared with menus and order pads, and a vase of carnations was placed on the table. John brushed the menus away and gave a long and detailed order, ending with the instruction ". . . and hold the food until we've finished the first bottle." My head was already spinning after three gins in the pub. Pete announced he didn't much care for retsina, John said it improved your virility no end, and after a few tentative sips I remarked that it might well put Rentokil out of business. John laughed with unnecessary vigour at this, and tried to peer down the front of my blouse.

"Just so there's no misunderstanding," he said, "you and Pete, are you – ?"

"No!" I said quickly.

"Unfortunately no," said Pete. "Chris has achieved the near impossible – a happy marriage – haven't you, darling?"

I was saved the embarrassment of answering by the arrival of a large platter of stuffed vine-leaves. John immediately heaped his plate with them. He seemed to swallow them without chewing. Pete refilled my glass for the fourth time, and said:

"John, does my memory serve me correctly – weren't you a friend of the eminent Mr Eric De Broux?"

"Yes, that's right. I knew him in the days before he made his mark with Partridge De Broux and Duckling Peppercorn De Broux, and all that."

It was about this time that I felt something brush against my right thigh. John was sitting opposite me, with Pete to his right. I could see Pete's hands. I could see John's, too, but his legs were quite long enough to reach me without effort. I didn't say anything.

"Opened up a place in your neck of the woods, hasn't he?" added John.

"Yes," said Pete. "Bloody great hotel."

"I haven't been there myself," said John. "But from what I hear he's bitten off more than he can chew. His places in Kensington and Knightsbridge are still going like the clappers but that hotel's going to turn out to be a white elephant. He should have stuck to restaurants. Matter of fact, the word is that he's overstretched himself, and if the situation doesn't turn round pretty smartly he could be in quite spectacular trouble."

"Reckless with money, is he?" suggested Pete.

"Oh no, I wouldn't say that. Quite the reverse. He comes from an old blue-blooded family, you know – descended from William the Conqueror's falconer or something. They cut him off without a penny when he went into catering – joined the working-classes, the way they saw it, I suppose. Very reactionary family. Interesting, though. I looked them up once. His great-great grandfather killed two men in a brawl over a card-game."

"It's in his genes then!" I exclaimed, meaning murder, and being carried away by the wine and the warmth of the atmosphere. This time it was Pete who nudged my leg.

"What?" said John. He squeezed my right knee between his thighs and I looked at him sharply.

"Private joke," said Pete.

"Dangerous things, private jokes with married women." John kept his eyes on mine, challenging me to complain about what was going on under the table. I gave him a half-smile and moved my leg away.

"So – what, does he gamble, womanise, what?" asked

133

Pete.

John shook his head. "He's a bit of a bore, if you want my opinion. Lives for food. Well, there's no harm in that provided you indulge in all the other pleasures as well, is there?" He speared the last vine-leaf roll on his plate and slowly offered it to me in an overtly suggestive way, his eyes never leaving my face. "Why is our Pete so interested in Eric De Broux?"

I smiled with studied innocence and accepted the food from his fork, glad as I leaned forward that I hadn't put on a low necked blouse. Pete cleared his throat noisily.

"Have some more wine, John." The wine gushed from the bottle over John's wrist and up his sleeve. "Sorry. We're always keen to know about local celebrities. Was he ever married, or aren't women his thing?"

"Yes, he was married. Strange choice, too – an older woman. She's dead now. I imagine it was her money he used to buy into this hotel. She came from a fairly aristocratic background too, just like him."

At this moment a sweating waiter appeared with a tray of rice and kebabs and John – who presumably had asbestos coated fingers – pulled off a sizzling chunk of meat and put it in his mouth. I looked away and caught Pete's eye. He smiled. It was a warm, conspiratorial smile. I smiled back.

"She was a doctor's wife," said John. "I'll remember her name in a minute. Eric wooed her away from her husband with champagne and dinners *à deux* cooked by his own fair hands. Love at first bite, I suppose. Ha, Ha!" We all laughed automatically. John spat something on to the side of his plate. "Bloody undercooked pork. I'm sending this back. Mae Goodburn, that was it!"

"Goodburn! Are you sure?" asked Pete.

John shouted to the waiter and winked at me. His leg was crawling up mine like a caterpillar on a stalk of grass, but I did my best to ignore it.

"Did you say Goodburn?" I prompted.

"That's right – Goodburn. Where are these buggers? I'm going to the kitchen. Don't eat that, I'll get it changed. Can't have you spending all night in the loo, can we?" he added to

134

me, implying by his look that he would rather I spent all night doing something quite different.

When he'd gone, Pete said, "Well, well, so Eric De Broux was married to Dr Goodburn's first wife – it's a small world, isn't it?" He poured more wine into my glass.

"It's a small table as well," I said, trying not to giggle. "Your friend keeps touching my legs."

"What? Christ, you told me off for just mentioning your legs! Are you going to let him get away with it? I hope you're not going to ask me to hit him."

I leaned forward. I hadn't eaten so much yet that my waistband was tight, and I felt good about myself: why shouldn't I? I was eating dinner in a candle-lit restaurant with an attractive man.

"But I'm supposed to be nice to him, aren't I?" I asked in a low voice intended to hold a hint of mockery. "Isn't that why you invited me tonight, to tempt him with my charms?"

He looked shocked. "Christ, no. What made you think that?" I smiled to show that I was joking. He said seriously, "Chris, you do know why I asked you tonight, don't you? I thought we had developed an understanding, you and me."

I said primly, "I really don't know what you're talking about," but a blush of pleasure darkened my cheeks.

"Yes, you do –" He tried to read my expression, but I was still giving out contradictory signals. Finally, he grinned and said with a wink, "I'm talking about the fact that I desire you and intend to lure you into my bed tonight."

The words excited me. I said "Oh!" and we both moved forward. The candle flame started to lick hungrily at the tip of his tie, and instinctively I retrieved it and tucked it inside his shirt. My fingers caught in the small damp hairs on his chest. He looked at my mouth, and in a moment he was going to kiss me. I waited. Suddenly a black olive hit his nose, bounced off and struck me on the cheek. We ignored it. It was followed by another, less accurate.

"Break it up! You'll go blind, both of you, at your age," said John.

"Sod off," said Pete, tossing the olive angrily at John's face and – fortunately – missing.

135

The rest of the meal was eaten in an atmosphere of slight tension. John made bad jokes that Pete didn't laugh at, and I had to move my legs out of his way so many times I felt as if I'd spent the evening doing aerobics. Nobody mentioned Eric De Broux again and Pete kept refilling my glass and trying to catch my eye. Eventually John threw his napkin on to the table, smacked his lips and said, "Right, where to now?"

I looked at my watch and said nervously, "If we don't go now we'll miss the last train."

"It's no problem. We can stay overnight in a hotel," said Pete, looking at me intently.

John whistled. "Now there's a very optimistic suggestion which Chris has got too much sense to take you up on, old son!"

"She can make up her own mind without your help."

"I really must get back tonight," I said, desperately. Half a life spent opening cans of baked beans and pairing up socks had not equipped me for this situation.

Pete shrugged as though he didn't care one way or the other. "O.K. John, get the bill and we'll settle up."

John said, "Don't be stupid, there isn't a bill!"

Pete shrugged again and disappeared in the direction of the cloakroom. As soon as he was out of sight John seized my hand and thrust a card into it. "Give me your 'phone number. Come up to town next week and I'll give you a really good time."

"But –"

"Go on, you know you want to. I'm a man of the world, I've seen it all before. These bloody intense Italians are no good to you. Let a real man show you the ropes."

I gave him a weak smile and took the card and a pen. The 'phone number of Tipping's Aids Advice Centre came immediately to mind and I wrote it down and handed it back to him. I suppose it was a nasty thing to do, but take it from me, retsina affects the judgment. John accepted the card with an exaggerated wink and slipped it into his pocket. He removed a pink carnation from the vase and tucked it behind my right ear.

"Ah Pete," he said. "A flower for your lady."

Pete smiled coldly, selected a white carnation, and put it behind my left ear. I had to leave the restaurant with flower water dripping down both sides of my neck.

We both fell asleep on the train and wouldn't have got out at Tipping had a fellow passenger not fallen into my lap when the train stopped. It was twenty-five past midnight and the station was almost deserted. Pete offered to drive me home. He said he thought I'd had too much to drink. I said I hadn't got my car anyway and climbed into his. I fastened the seat belt and automatically gripped the edge of the seat as he turned on the ignition, but he drove slowly out of the car park and very slowly along the High Street. As we approached the roundabout he said, "Come back to my place for coffee." He slowed the car almost to walking speed.

"I can't," I said. "It's really late and I'm really tired."

He turned to glance at me. I stared straight ahead. We crawled round the roundabout, almost stopped, then made the circuit again. We were both wondering what I'd do if he took the road to his flat. Suddenly he accelerated sharply away in the direction of my house. He pulled up outside next door's conifers, out of sight of our darkened windows, and switched off the engine.

"Well?" he said.

"Well, what?"

He laughed softly. "Well, well. I was offering you more than just coffee back there, you know."

I giggled. "That's all right. I didn't fancy an After Eight mint either."

In the muted golden glow from the street-lamp I saw him smile wryly. He said, "I can't think why I'm letting you off so lightly," and leaned across me towards the door handle. His aftershave smelled sweet. He kissed me. He kissed me gently and tentatively at first, but there was a small explosion inside my head and my mouth opened eagerly. His tongue blended with mine.

"We'll go back to my place," he said, reaching for the ignition.

"No!" I opened the door and jumped out into the street. "Oh God, I've had too much wine!"

He groaned.

"No, darling," he called after me. "I got it just about right!"

The house was dark and quiet, and I went straight to the bathroom and washed my face in cold water, which is supposed to help, but didn't. When I brushed my hair the two carnations fell to the floor and I dropped them absent-mindedly into the toothmug, where I would have to face then, along with other things, in the morning. I tiptoed into our bedroom.

In the safety of my bed and with the scent of Pete's aftershave still in my nostrils, I wished fervently that I'd let him take me back to his flat in the first place. I imagined sitting in a softly-lit room with Dire Straits playing quietly in the background. I imagined Pete kissing me. I imagined that at first I'd say no – but no, this wouldn't do. I wouldn't just say no at first, I would say no to everything. I couldn't be unfaithful to Keith, not ever. It was unimaginable. But my pulses were still racing, and the taste and smell of my almost-lover wouldn't go away. So instead I sat on Pete's sofa and crossed my elegantly-curving legs, and he fixed me with a dark, smouldering look. Then he kissed me passionately and dragged me, protesting weakly, into his bedroom, where he wrenched off my blouse. My breasts, now mysteriously grown to approximately the size of those sweet, fragrant Charentais melons one sees on the market in summer, fell into his hands and he kissed them. I begged him to stop, but he ripped off the rest of my clothes and forced me on to the bed. So I closed my eyes and pulled in my stomach and he made love to me, brutally but beautifully, and . . . The fantasy overcame me at this point. I bit deeply into my pillow.

Keith gave a great snort and rolled on to my side of the bed. I closed my eyes and the room spun round and round in the darkness.

13

The pain started just above my right ear and surged across my forehead. I was so thirsty I almost choked. It took several seconds for me to register the fact that the Mini wasn't in the drive, and that it was ten to nine and I was stranded three miles from the office.

"Julie!" I called, breaking the pain barrier. "Where's Richard? Where's my car?"

"Didn't Dad tell you?" she asked, sucking marmalade off her toast.

"Dad didn't even wake me."

"Richard stayed with friends in Hudderston last night. He's going straight to work in your car."

"Oh, wonderful!"

I caught the bus. I'd never noticed before how bumpy the road was into Tipping town centre. Sexual harassment at work – there'd been a programme on Channel Four about it only last week. The correct procedure would be to complain straight away to Mr Heslop about Pete's behaviour. Taking me out, plying me with alcohol and thinking I'd be a push-over – he'd probably claim for our drinks on his expense sheet as well! Supposing he was working with a gay colleague, and the gay colleague tried the same trick on him – how would he like it? I went straight to Mr Heslop's office. He was sitting at his desk, chuckling over a pile of letters.

"Listen to this," he said, and assumed a high, rather cracked female voice. "'I am a widow and a pensioner, and for many years it has been my privilege to do the flowers in St Francis Church on Edgeborough Avenue. I was on my way home the other night with my bits and pieces in a brown paper bag –'" For some reason he found this highly amusing. (At least he was in a good mood.) "'– when a youth staggered against me, knocking the bag out of my hand. He kicked it across the pavement, and when I requested most civilly that he pick it up as I suffer from an arthritic hip, he proceeded to relieve himself against the wall!'" More laughter. "'Since this incident I have been unable to face going out at night for fear of being subjected to an even worse assault. The police did not take my complaint seriously. In my opinion the sooner the derelict buildings on Edgeborough Avenue are razed to the ground the sooner decent people – etc., etc.'" He shook his head, still chuckling. "Oh dear, oh dear – it's always the old dears least likely to be attacked who see a rapist round every corner isn't it? Silly old bat! Still, we're getting a lot of letters like that about the Edgeborough Avenue project – only a few so far who want to see the buildings preserved."

"Oh."

"You look a bit liverish this morning. Honey and cider vinegar with a dash of coarsely ground black pepper, that's what you need. I have it every morning, sets me up for the day. You should try it."

"I will. Thank you."

"Didn't you want to see me about something?"

"No. It doesn't matter."

Pete was sitting at his desk, writing.

"Hello," he said. "You look awful."

"I want to talk to you about last night," I said, with as much menace as I could muster.

"Yes." He put his pen down and looked at me. "Before you do, let me apologise. I behaved very badly and I'm sorry. Alcohol tends to loosen the brakes on one's desires."

"Yes. Well, perhaps you shouldn't drink so much," I said, feeling hot round the neck.

"Perhaps."

I turned to go.

"So – you think Eric De Broux murdered Stoddart because he was blackmailing him over the tree-frogs?"

I wasn't thinking of anything except the pain in my head. I said, "Well, he could have, couldn't he?"

"If Stoddart had been found with a meat-cleaver between his shoulders at the bottom of a lake I'd think it highly probable, but it doesn't really make a lot of sense for him to have killed him and hanged him from the Clocktower and left bits of evidence all over his own hotel, does it?"

"No, I suppose not. What are you doing about the frogs?"

"Trying to get hold of this guy in France."

"What about the possibility that De Broux married Dr John Goodburn's first wife?"

"I should forget about that. I don't see what it's got to do with anything."

"No, I suppose not. If Eric De Broux himself had been murdered then Dr Goodburn might have a good motive for doing it."

"Don't be silly. Running away with a man's wife is no motive for murder. I'd've paid someone to take Helen off my hands. Preferably an undertaker."

I didn't feel like laughing at anybody's jokes that morning. I said seriously, "I don't think you mean that at all."

His smile vanished.

"Go away and have an aspirin. I've got to start ringing half of bloody France."

The Mini was parked in the drive when I got home. Surprised, I went inside and called out to Richard, but he didn't answer. There was loud music emanating from his room, so I knocked several times on his door. Perhaps – horror of horrors – he was in there with Carolyn. Eventually I plucked up my courage and opened the door with violent rattling of the handle. He was lying on his bed, his pallor apparent through the darkness, staring at the ceiling.

"Are you all right?" I asked, alarmed.

"Yes."

"Haven't you been to work today?"

"No."

"Are you ill?"

His eyes left the ceiling and found me.

"I'm fine," he said, languidly.

"Well, you can't just take days off work when you feel like

141

it! God, I felt awful today but I went to work."

"Why?" he asked, in an edgy tone of voice.

"Well – ! Is it Carolyn? Have you two had another row?"

"No."

"You're not worth talking to!" I said angrily, and went downstairs to tackle the kitchen.

I thought about Richard as I washed up. What was the matter with him? He hadn't been the brightest child in his class but he'd always been "a trier" as Keith put it. It simply wasn't like him to give up work on a whim. Perhaps if I tried a friendlier approach I'd get somewhere with him. I made us both tea and took it up to his room. I sat on the edge of his bed and chatted about the Herald, and last night's meal, even going so far as to tell him what we'd learned about the tree-frog colony in Rampton's Hollow.

"So we think people may have gone there at the dead of night with frogs in boxes and planted the colony, just to get the by-pass re-routed!" I said, trying to make it sound interesting.

"Frogs in boxes!" exclaimed Richard suddenly. "Frogs in boxes!" And he began to laugh, softly at first, but gradually sounding more and more hysterical.

"Oh my God, Richard!" I said, suddenly alerted. "What have you taken?"

He went on laughing. "Taken? Why should I have taken anything?" he asked in a temporary lull. "Can't anyone be happy in this house without taking something? Dad's always bad tempered unless he's pissed, and when he's pissed he's – Oh God, frogs in boxes!"

I grabbed Richard by the arms and examined them. Well, no needle holes, anyway.

"You're being bloody stupid!" I shouted. "This won't do you any good! You'll lose your job if you go on like this!"

"Stuff the job! Who wants to be an accountant! Money stinks! Money and mortgages and twenty-one years of married bliss –"

I thought, well, we all felt like that in the "sixties" and look at us now. I said, "Your father will kill you if he sees you like this! You stay in your room – I'll say you're ill.

142

Don't you dare come out!"

I went out of the room and slammed the door with finality. Leaning on it, I thought how awful everything seemed. Here was I, just recovering from a monumental hangover, remonstrating with my son about drug taking. Suddenly I decided there was only one thing to do; I'd be an old-fashioned parent, I'd go and see the Reverend Harlow and discuss what our two children were up to. I felt a lot better once I'd reached this decision and I went back to the kitchen and made apple sauce to go with our pork chops.

The Reverend Harlow agreed to see me on my way home from work the following day. I was a little afraid of running into Carolyn, but the Vicarage was large and quiet and empty; if she was there, I didn't see her. He showed me into the drawing-room and opened the French doors on to a daisy-sprinkled lawn.

"I believe it's not too early for sherry, Mrs Martin," he suggested. "Or possibly a glass of wine? I have an excellent German white chilling in the refrigerator."

"That would be very nice, thank you."

Carolyn's pretty, determined face glared at me from photographs all over the room. Somehow I had never really liked her. Accepting the wine, I said:

"I wanted to have a little chat with you about Richard and Carolyn."

"Getting along splendidly, aren't they?"

"Well – yes. I'm afraid that's part of the problem. Richard is only twenty and he's still got a long way to go before he qualifies. I really would rather he didn't get too serious with anyone."

"Ah, well – but there isn't an awful lot one can do about these things, is there? Youngsters today are extremely headstrong. Since Carolyn's mother passed on I've found it best just to let things take their course."

I hesitated. "Well, of course, one doesn't want to interfere – but perhaps a little gentle influencing in the right direction. Richard is even talking about giving up his career."

"Oh dear. Oh yes, that would be a shame. Yes, I see.

143

Perhaps if I were to suggest that Carolyn takes a little holiday, visit her aunt in Rhodesia – sorry, it's Zimbabwe nowadays, isn't it? Lovely place. Do her good, I suppose, to see some of the world. Yes, Mrs Martin, I'd no idea. I will do all I can. Have some more wine?"

I thought that indeed he really did have no idea, and I accepted the wine thankfully.

"Yes, dear me," said the Reverend Harlow. "One never knows what to expect with these young people. In some ways early marriage is a good thing, of course. We mustn't ignore the facts of life, must we? Especially not now there is the ghastly spectre of Aids lurking before us – however there are other considerations –" He studied his wine speculatively, and said, "Any more news on that awful business at the Clocktower?"

"Not that I've heard, no."

"A most unfortunate young man. I met him just the once, briefly, at the Conference. All the tenancies were handled through an agent."

I blinked. "Sorry?"

"He lived in one of my properties. Oh, I suppose you wouldn't know. Not that it's any secret. I used to own a couple of houses in Edgeborough Avenue – sold them about a month ago, actually. Bit like Monopoly, isn't it?"

"Is it? I didn't know you were in the property business?"

"Oh, hardly that, Mrs Martin. Just a little dabble. There's nothing wrong with making money if you are gifted with the opportunity. I did rather well out of those two properties. Money can be put to extremely good use."

He had drained his glass, and seemed to be deciding whether to refill it. I said:

"Whatever made you buy property in Edgeborough Avenue of all places? Not a good bet, I'd've thought."

"No, and many would have agreed with you, I'm sure. Once an area starts to go down it's hard to save, though I did what I could for my bit of it. You wouldn't have heard any of my tenants complain of poor conditions, I do assure you. It was at the Church fête a couple of years ago. I mentioned to my old friend, Bruce Duncton, that I had a small legacy to invest, and he suggested that Edgeborough Avenue was an area due for an upturn in fortunes."

I said, "You do know that they're thinking of knocking down a lot of the houses in Edgeborough Avenue and siting the Leisching Pharmaceuticals building there?"

He succumbed to temptation and refilled his glass. "Well, I'm sure the good Major and his colleagues on the Planning Committee will come to the most satisfactory decision on that one. One mustn't try to halt progress, Mrs Martin, just for the sake of it. In any case, I was approached by a property company about a month ago and I sold them both my properties at a more than handsome profit. So it's really out of my province now."

I suddenly remembered the paper I'd seen in Mike Stoddart's flat; it had mentioned the name Harlow and listed the numbers 17 to 31; it also included the name of a property company – Greyfield Properties.

"Was the company that bought your properties called Greyfield, by any chance?"

"Yes. Yes, that's right," nodded the Reverend, looking surprised. "Interested in property development, are you, Mrs Martin?"

"Well, not really. It's just that there's quite a row developing over Edgeborough Avenue. Would you happen to know if Greyfield bought up any other houses in Edgeborough Avenue at the same time as yours?"

"Well – I wouldn't know. A parishioner of mine, Mrs Parkes, used to own number twenty-nine. She bought it at about the time I did, also on good old Bruce's advice. We went to an auction together, Mrs Parkes and I, to pick up second-hand furniture. Quite a daunting task for an elderly widow, arranging builders and decorators and furniture, you know. She had some tenant trouble, too – most unfortunate. I've no idea if she still owns the property. As a matter of fact I'm glad you reminded me about Mrs Parkes. I haven't seen her in Church lately. Must pop over there."

I had almost forgotten about Richard. I said, "Well, thank you for your time. I'm glad we understand each other about Richard and Carolyn. We don't want them to make any mistakes, do we?"

The following morning I arrived at work early. I consulted the file on the Leisching Development and confirmed that it was the numbers seventeen to thirty-one Edgeborough Avenue which were to be demolished (should planning permission be granted) to make way for the new office-block. I wasn't quite sure what this meant, but I was sure it meant something. As it was Friday there was a relaxed atmosphere in the office and I found Pete with his feet up on his desk, trying to translate a letter from a Parisian Institute using a pocket dictionary and a tourist phrase-book.

"Are you still after the frog expert?" I asked.

"Yes, but I wish you'd put it more tactfully. The last thing we want is an international incident. Do you know any French?"

"I can point at a menu."

"That's a big help! I think it says this guy's on holiday but we should contact his assistant in Bordeaux. Here." He handed me the letter. I looked at it but could only just about understand the date. I gave it back to him.

"Listen. I went to see the Reverend Harlow last night –"

"I absolutely refuse to believe you've done anything worth confessing, darling," he interrupted, mockingly.

"His daughter goes out with my son, if you must know. Anyway, it came up in the conversation that he owned two houses in Edgeborough Avenue, including the one Mike Stoddart lived in. He apparently bought them two years ago on the advice of Major Duncton and sold them about a month ago after being approached by a property company called Greyfield."

"So?" He was still reading the letter.

"Well, apparently Major Duncton advised both the Reverend Harlow and another lady to buy houses in Edgeborough Avenue. He said there were profits to be made. And the thing is, Mike Stoddart had a list in his flat of the people who owned numbers seventeen to thirty-one Edgeborough Avenue. So –"

"So what! If this is a roundabout way of accusing the

146

Reverend Harlow of Stoddart's murder, I don't buy it. I'm a born-again atheist, but honestly, darling, there are limits."

"No!" I slapped the sole of his foot in exasperation. "Not the Reverend Harlow! Not anybody specifically. I'm just saying it seems odd that the Chairman of the Planning Committee is going around advising people to buy property in a run-down area. Then, out of the blue, a big drugs company wants a site in Tipping, and suddenly Edgeborough Avenue is being considered. Not only that, but before it's made public Greyfield Properties comes along and makes a good offer –"

"But not half as good as it would have been after the announcement that Edgeborough Avenue might be redesignated for commercial use," said Pete, suddenly interested, taking his feet off the desk. "You're suggesting that Major Duncton is involved in a deal with Greyfield Properties. Matter of fact, I've got a notice here about an emergency planning meeting to discuss a change of use for the site. Somebody's really pushing this thing through."

"Do you think Mike Stoddart knew about it and was blackmailing the Major?"

He laughed. "I think that's a giant leap of the imagination! Just because he blackmailed one unfortunate old lady and possibly a restaurateur who'd fallen on difficult times, we mustn't assume he was blackmailing everybody. The whole thing's pretty tenuous as it is."

"Don't you think it's worth following up?" I was disappointed. I didn't like the Major.

"Oh yes. After I've sorted out the frogs. Bill would love it, you know – 'Edgeborough Avenue Property Scandal' or something. He's got a pile of letters this morning from a bunch of lunatics calling themselves the Friends of Tipping's Heritage. I told you – people in this town *love* this sort of thing. Their diaries must read: went home, mowed lawn, wrote letter of objection to planning committee, drank Horlicks, complained about next-door's dog barking, screwed wife – that's if it's Saturday, of course –"

"Yes," I blushed. "So what about the list I saw in Mike Stoddart's flat? If I could get the key from Lynn Cazalet,

147

what would be the legal position on going in to have another look?"

"Well, if she's in legal possession of a key, and she willingly hands it to you I don't think there'd be a problem. But they'll probably have re-let the flat by now. I'll ring my friend Taffy at the police-station and see if he knows."

"Thanks."

"All right. Now do me a favour – stop distracting me and let me concentrate on the few words of French I know so I can ring Bordeaux."

I gave a mock salute, then said, "One thing, Pete. How can you be a born-again atheist?"

He grinned. "That's easy. You just open your bedroom window every morning and shout 'I don't believe in you, you bastard'!"

I returned to my desk and rang Social Services. They left me on "hold" for about half an hour, but eventually gave me an extension number for Lynn Cazalet. They then cut me off. Two cups of coffee and a lot of time spent listening to an engaged tone later, I got through. She was out – on an emergency call, they said. It wasn't going to be my day. I decided to take an early lunch. Pete was still sitting at his desk, unbending paper clips with a vengeful expression on his face.

"The bastard's taking a long weekend," he said. "And it's a public holiday in France on Monday. They gave me another number to ring but it's always bloody engaged!" He slammed down his fist with tremendous force on the telephone, and it gave a feeble trill of protest.

"I know just how you feel," I said sympathetically, adding with a deeper honesty than intended, "I've had a lifetime of things not working out the way I wanted."

He looked at me thoughtfully and said, "And so you came to work here –"

By mid-afternoon it seemed that Lynn Cazalet had disappeared off the face of the earth. Pete's 'phone was making odd screeching noises and he said it wasn't working. He came back from the Star and sat on the edge of my desk.

"I just saw Taffy," he said. "Apparently the landlord of twenty-three Edgeborough Avenue is in no hurry to re-let the flat –"

"That would be Greyfield Properties! They'll be waiting for the Planning Committee decision."

"Yes, perhaps. Anyway, the police haven't been able to track down Stoddart's next of kin so all his things are still in the flat. It's all yours."

"No, it isn't. I can't get hold of the key."

"Can't you?"

"No."

I tossed my pen into the in-tray, sighed, and leaned back in my chair. The window was open, and the sky heavy with cloud, but it was a hot, breathless afternoon. I felt swollen with the heat.

Pete said, "It's not been a very fulfilling day for either of us, has it?"

I shook my head and smiled.

He said. "Maybe there's something we can do about it. I've got a skeleton key at home. We could let ourselves into Stoddart's flat."

"Oh! Wouldn't that be breaking and entering?"

"It's only breaking and entering if you break something to enter. We won't break anything."

"How can you be sure the key will fit?"

"I can't, until we try."

I thought of Keith and his comment on the syringe incident, that I was getting in too deep and shouldn't cross the police. Pete stood up and extended a hand to me.

"Come on," he said. "Do you really want to sit around here all afternoon when we could be living dangerously?"

"It's the living dangerously part that bothers me! I don't want my husband to have to come and bail me out of a cell."

"Oh, he won't, darling. Your husband won't know anything about it."

I stood up and collected my handbag from the desk drawer. I already had a rather uneasy feeling that things were not going to go as planned, but I dismissed it as a general edginess induced by the weather.

14

It was when we pulled up on the forecourt of Pete's flat that about a dozen alarm-bells went off simultaneously in my head. He parked neatly in front of a rose-bush that looked exactly like the ones in my garden, festooned with bindweed and the sad dead heads of spent blooms, and switched off the engine.

"I haven't seen this key since 1974 so we'd better have a drink while I look for it. Come on."

"It's all right. I'll wait here, I don't mind."

He hesitated. "Well, *I* mind. I need a drink and I can't have one with you sitting out here. Besides, the neighbours will think you think I'm Jack the Ripper if you don't come in with me." He got out, slammed the door, locked it, and walked round and opened my door. "Come on."

I got out and followed him inside and up the bleak stair-case. The voice in my head was uttering confused warnings. You can't handle this, it said, back out now or face dire consequences later. Back out of what? I queried – looking for the key, breaking into Mike Stoddart's flat? You're not suggesting, are you, that I shouldn't go into this man's flat with him? How absurd! I'm a mature married woman, and he's – well, not a rapist. We are neither of us interested in anything but the story.

Pete unlocked the door and stood aside, smiling politely and apologising for the mess. His living-room was unmistak-ably a man's room – no ornaments or houseplants and only three photographs in silver frames. They were of his children at different ages, and a plain piece of card obscured half of one (presumably covering his ex-wife's face). The room contained a table with a typewriter on it and a lot of papers, hi-fi equipment, a television and a shelf loaded with bottles

150

and glasses. Pete made straight for the bottles.

"What would you like to drink? I've got vodka or vodka, Smirnoff or genuine Russian, and some tonic. I don't have guests very often."

"Smirnoff, please. A very small one with lots of tonic." The steep stairs had left me breathless; I hadn't realised I was so unfit.

He poured a large measure of vodka into a small glass and handed it to me with a bottle of lukewarm tonic. There wasn't room in the glass for much of the tonic, but I filled it to the brim and took a sip. I don't know whether it was the effect of the almost neat spirit on the back of my throat, or a stray carbon dioxide bubble bursting in my nostril, but I was suddenly overcome by a violent fit of sneezing.

"Oh Christ, you're allergic to me!" he exclaimed. He gave me a wad of tissues to sneeze into and stood with an arm round me. "Don't die, don't die! I don't want to have to explain your dead body to the neighbours."

"You're very concerned about your neighbours," I managed between sneezes. His arm on my shoulder was warm but not comforting.

"Actually, I don't give a shit about them. But I do care about you. Are you all right now? Have another sip. Do you feel a bit less tense?"

"What makes you say that? I'm not tense."

"Yes, you are, you're very tense. It's because of me, isn't it?"

"Yes. All right, I suppose it is."

I walked over to the table, put my drink on it and blew my nose. I wished he'd stop looking at me. My eye fell on a page marked "Chapter Eleven".

"Is this a new book you're writing?"

"Yes." He sat down on the sofa.

"I read the first one you gave me. I liked most of it."

He winced. "I rather wished I hadn't given you that. This one is much more fun. I've got to the bit where they're making passionate love in this car balanced on the edge of a precipice. One sudden movement, and –" He snapped his fingers. I gulped my drink. I felt as though I were pretty

151

close to a precipice, too. "Of course, making passionate love is nice anywhere. It doesn't have to be on a cliff edge. Sit down."

The sofa was dark green and new. It went well with the soft green carpet and curtains. I sat down. The vodka was going to my knees.

"Look, I really think –" I began.

"Don't think."

With a sudden movement he leaned over and kissed me, and this time I responded immediately to the remembered taste of his mouth. He was delicious, better than anything I could think of, but it was a taste I mustn't allow myself to develop.

"I can't do this," I said, wrenching free.

"Yes, you can. It's like whistling, you just sort of put your lips together, and –"

"Oh, don't joke. I'm serious!"

"So am I. Very, very serious." He held my face and kissed me gently on the forehead, then he moved his hands down slowly over me, caressing my breasts, my stomach, my thighs. My nerve endings anticipated each touch.

"Don't!" I gripped his wrists.

He sighed and sank back on the sofa, deftly twisting out of my grasp. He caught my hands and kissed them in turn.

"Just stop thinking for a minute," he suggested softly. "See how it feels."

"Look, we'll both regret this," I said desperately. "I thought we were friends. Don't let's spoil it."

"Of course we're friends, that's what makes it so irresistible. That's why I won't touch you or do anything unless you want it. But I know what I want. I want to make love to you. I want to kiss your ears, your neck, your breasts – the rounded part of your tummy, where it –"

"Oh stop!"

His eyes were closed, the long dark lashes lying on his cheeks. I put my hand on his chest to distance myself from him, but I could feel his heart beating fast beneath my palm and it vibrated through the veins of my hand, along my arm and into my body. I moved forward. I kissed the soft skin of

152

his closed eyelid. He said "Christ!" in a tone of slight surprise, and we found each other's mouths and fell into the cushions. I'd stop any second and get up and walk out. He struggled with my bra strap, and then my right breast fell suddenly through my open shirt front and his fingers made gentle circles round the nipple. I said, "Don't do that," and he leaned over and took my nipple in his mouth instead, and the ache low down in my stomach deepened. "Oh, please," I began, as we rolled on to the floor.

"Shut up," he whispered. "Don't you know when to stop talking? Don't talk or think about anything."

I felt him undoing his trouser belt.

"Oh no – don't!"

He pressed himself against me.

"I can't!" I said.

"You can, you can. Look at me. I love you. Say yes."

My body was saying yes. I said, "No."

He groaned painfully. "Oh Jesus!"

I stroked his face, thinking how beautiful he was. After all these years of feeling nothing, the feeling was too strong to be denied.

"Yes," I said. "*Now*, before I change my –"

Afterwards, I discovered we were lying under his writing-table surrounded by screwed up typing paper and squashed beer cans. The underside of the table wasn't stained dark like the top, and the number 9337841 was stamped on it in violet ink. I couldn't remember exactly how we'd got there. Pete's face was resting on my shoulder, almost welded there by perspiration. I looked at his dark curls, threaded through with grey, and breathed in the scent of his skin. I had just committed adultery, and I felt wonderful.

"Well," said Pete, taking a deep breath like a diver emerging from water. "You O.K.?" I nodded, and he smiled. "Me too. Say something, then."

"I don't know what to say."

"Say you're not upset with me. Say it was nice."

"It was lovely, and I'm not upset with you."

A drop of perspiration fell from his head on to my cheek.

He blotted it with a finger.

"Think we can stay like this for ever?"

"No."

He sighed. "It's a pity you're such a realist. Kiss me."

We kissed.

A few minutes later he went to the kitchen and returned with a Mars bar and an apple, which we shared. He said there wasn't anything else to eat in the flat apart from stale peanuts left behind by the twins. We sat on the floor, leaning against one another, listening to Friday afternoon drift by outside. There seemed no need for conversation, and I certainly didn't feel like thinking. Suddenly I noticed that it was past four o'clock.

"God, we'd better hurry up and find this key," I said.

He laughed, and said, as I should have known he would, "I haven't got a bloody skeleton key. What do you think I am – a burglar?"

"Oh, Pete!"

"Look, darling, we were obviously made for each other. One of us had to do something about it. To hell with the Stoddart story and the damn frogs –"

"Made for each other!" I exclaimed scornfully. But when he moved to undo the last remaining button on my shirt I didn't resist. I lay back on the carpet and pulled his face down towards me.

Julie said, "Are you sure you're all right, Mum? You haven't seemed well all day."

It was Saturday night and I'd just dried up dinner plates and put them in the 'fridge. Yesterday afternoon kept playing in my head like a video tape. Julie took the plates out of the 'fridge and put them in the cupboard.

"Actually you *look* well," she said. "Nice pink cheeks and everything. It's just that you keep doing funny things."

"I'm fine, I'm fine," I said, hugging her. "And I love you more than anything in the world."

"Oh!"

This sort of declaration was not common in our household. Keith opened the door and waved the *Radio Times* at me.

"This is last week's!" he exclaimed. "I could be missing a good film!"

"You're not," said Julie. "It's all repeats and classical music tonight. I'm going to my room to listen to something decent." She gave me an odd look and left. I followed Keith to the living-room. I don't know why, but in that moment I hated him. I was the guilty party, yet for some irrational reason I blamed him for everything. We sat together, watching television – on screen two men in tweed jackets and trousers with turn-ups discussed their conception of God (Keith must have been asleep over the remote control unit because he usually couldn't abide a programme devoid of action). All these years, I thought, all these years you've made me feel dead and useless, ironing tea-towels to make you love me, washing your floors, making meals you didn't taste. You made me despise myself. You made me think I couldn't do anything except iron tea-towels and wash floors, and in the end I couldn't. I was dead from the neck up before I went to work for the Herald, and dead from the neck down until Pete touched me. Keith started to snore and the remote control unit slipped through his fingers. It fell on his foot and he woke up with a start.

"We might as well go up to bed," he said, yawning in disgust at the television.

"What's the hell's the matter with you?" he asked, from the darkness.

"I'm sorry, I just don't feel like it."

"I'll be very quick –" Somehow that made it worse.

"No! I've got indigestion!"

I twisted into a rigid curve, my back to him. I heard him swear softly and turn the other way.

155

15

On Monday morning Pete dropped a red rose on my desk. I recognised it as having come from the bush where he parked his car. When I picked it up an earwig fell out of it and scuttled across my desk into the paper-clip tray. I put the rose in some water, and hoped the earwig would not reappear.

I rang Lynn Cazalet first thing and said we were thinking of printing a few of Mike's photos in the paper (tactical untruths were becoming a habit) and could she possibly let me into his flat some time? She said that she had a very full caseload at the moment, what with staff holidays and a tummybug doing the rounds, but she'd leave the key in her office and I could collect it any time. She sounded very cheerful; perhaps she was happiest when over-worked.

Pete was not cheerful.

"I finally ran down the frog expert," he said angrily. "And he wants the most astronomical fee to come over and look at these damn frogs. There's no point even asking Heslop, so I told him to stuff it." He pulled a leaf off my rose and shredded it with his fingers.

"What about the nationals? You said they were interested."

"If we could break the story locally, they'd come up with the money."

"Oh."

"Right. So we're going up to the Clocktower to tackle De Broux. I've nicked Ernst's spare camera and you can put it round your neck."

"Whatever for? I don't know how to use it."

"Don't worry. I don't want you to use it. The mere sight of

a camera can be very intimidating."

We drove up to the Clocktower through a damp grey morning that seemed colder than August. I didn't actually feel like intimidating anyone; I kept glancing sideways at Pete and experiencing little twinges of remembered passion. He didn't look at me; he was concentrating his mind on being threatening.

There were quite a few cars in the hotel car park, and we soon discovered that a wedding reception was imminent. A woman with a large hat that billowed ostrich feathers like a nuclear explosion was arguing with Mr De Broux about the size of the baked salmon and the layout of the buffet. When she saw me she said, "Oh God, they've sent a *woman*!" to my intense puzzlement, and then told me to go outside and get into position for the pony and trap. Her manner was so imperious I almost obeyed, but Pete stopped me.

"This lady's not your photographer. We're Press, to see Mr De Broux."

"Well, can't it wait?" said Eric De Broux, testily. "I didn't send for you."

"Of course you didn't! We're responding to a report that the by-pass is to be re-routed back through Rampton's Hollow now that the tree-frog colony has been invalidated. Would you care to comment on that, please?"

Eric De Broux's mouth opened and closed soundlessly.

"When I ordered salmon," put in the woman with the hat, "I specifically and absolutely definitely –"

"If you wouldn't mind excusing me for a moment, Mrs Anderson," said De Broux unsmiling. "Mrs Jackson is the best person to speak to about this. Mrs Jackson! Would you be kind enough to assist Mrs Anderson. And would you two follow me, please."

He led us through Reception, down the steps and out on to the lawn. It was starting to rain, so this was not a welcoming manoeuvre.

"Well, Mr De Broux, as I said, we'd like your reaction to this latest development in the by-pass saga."

"What the hell are you talking about?"

"I'm talking about the fact that experts have been called in to question the validity of the tree-frog colony, and –"

"Experts have already validated it! Where did you get this from?"

"Chris, a photo, I think, please," said Pete, and I raised the heavy camera obediently, hoping I'd got it the right way up.

"Put that bloody thing down! You're not getting anything from me. I've got no comment to make on anything. I say again – where did you get this story about the tree-frog colony being invalidated?"

Pete hesitated. "I can't reveal my source, Mr De Broux."

Eric De Broux frowned, then nodded slowly.

"Oh, I see. There's no enquiry, is there? You've come up here on some kind of fishing expedition. Not much news in August, is there, so pick on somebody a few people have heard of and try to start up a rumour! Let me tell you this, I'm a personal friend –"

"It's no fishing expedition, Mr De Broux. That tree-frog colony is a plant, as you know better than I."

There was silence. Pete, shorter than De Broux, waited with a slightly amused expression for an answer. A large drop of rain hit the taller man on the cheekbone and slid slowly down his chin. Suddenly he grabbed Pete by the lapels and felt inside his pockets. Pete's expression turned to one of long suffering as he let him do it.

"I know you bastards," said De Broux. "You're taping this." He looked at me. "I want to see inside your bag."

This was embarrassing because my bag always contains an assortment of very personal things such as a supply of soft toilet-paper, make-up stained tissues, and tampons for emergency use, but I showed him anyway.

"Satisfied, Mr De Broux?" asked Pete. "A lifetime in the public eye has taught you some things then. You've got to expect a bit of heat if you disregard conventional morality – like running off with other men's wives, for instance."

For a moment I thought De Broux was going to hit him, but he was far too controlled for that.

"I don't like you," he said. "I didn't like you when you first came up here, and if it wasn't for the presence of this lady I'd be a lot more explicit. Go and pick over the dregs of someone else's rubbish tip. That's all you're fit for."

"Your rubbish tip will do nicely for now, thank you, Mr De Broux," said Pete, brightly. "And talking of rubbish tips, it's an odd coincidence, isn't it, that Mike Stoddart got himself disposed of on your premises?"

Again, De Broux was taken by surprise, but he covered it up quickly.

"What's floating through that sewer-like mind of yours now?"

"Was Mike Stoddart blackmailing you?"

"Blackmailing me? What the hell for?"

"For having arranged the setting up of the tree-frog colony."

Eric De Broux laughed. "Him? He couldn't arrange anything. He was an opportunist. Like you. Someone who wasn't fussy where he stuck his fingers. He's dead now, so it won't do you any good, but I can tell you that all he did was approach me with an idea, and give me a name. When I'd got my money's worth I paid him. And you can't prove a thing."

"Oh, but I'm doing quite well so far, aren't I? You'd be surprised how easy it is to put two and two together. Why don't you give me the name Stoddart gave you and then I'll leave you in peace. I might even be able to keep your name out of it."

De Broux put his hands on his hips and took a menacing step forward.

"You *will* leave me in peace and you *will* keep my name out of it. Now get off my property before I call the police." He turned his back on us and started towards the hotel. Pete called after him, loudly enough for the wedding-party, which was just assembling in the drive, to have heard.

"Why did you murder Michael Stoddart? Was it to keep him quiet?"

De Broux stopped and turned slowly. His face was full of contempt. "If I ever decide to murder anyone, you'll be the first in line."

The pony and trap arrived at that moment and a young

(male) photographer stepped forward to take a picture of the happy couple seated in it. When they rose to descend from the trap, I saw that the bride was at least seven months pregnant. Poor Mrs Anderson, no wonder she had wanted everything else to be just right. I'd only been three months gone on my wedding day, and my mother had vowed to kill me if I was sick.

When we got back to the car, Pete said, "Shit! I think we just lost the frog story. Shit!"

I huddled into my cardigan, feeling slightly shaken. "Did you believe him when he said Stoddart wasn't blackmailing him?"

"I don't know. He was very sure of himself. Now, that could be because he's disposed of the only person who was a danger to him, or it could be that he's telling the truth. Actually I don't think he's stupid enough to have let someone like Stoddart get something on him in the first place. Anyway –" He took a deep breath and shook his head. "Forget all that. Let's think about us. I can't wait for tonight."

"Why – what's happening tonight?"

"Your husband goes out on Mondays. It's your night off. It's our night together."

"Oh – oh, I don't know about that. I hadn't thought about it." I was thrown into a panic. "I mean, on Friday it was unpremeditated, but –"

"*Unpremeditated*?" He pretended to be hurt. "You've got murder on the brain. How can you talk about us like that?"

I smiled sadly and shook my head.

"I've never done anything like it before."

"Really? You were getting the hang of it nicely."

"Oh shut up! You know what I mean."

He sighed. "Yes, yes, I know what you mean. You mean you can't make up your mind if I'm worth it. Well, I think you are. I think you're worth any amount of suffering and expense." He looked at me sideways and grinned. "I went out and bought new sheets on Saturday because I thought you'd be shocked at how off-white mine are."

"Idiot! You can't expect me to have an affair with you

160

because of the state of your laundry!"

"No. Actually, I'm old-fashioned. I thought we might do it because we like each other."

He switched on the engine and threw the car backwards across the wet car park in a noisy circle. This move effectively ended the conversation.

The story we eventually wrote went like this: "A leading French expert on tree frogs, M. – , said today from his holiday home near Cahors in the Dordogne region of France (Pete: 'These boring, irrelevant details help to convince the reader you're telling the truth') that there was a strong possibility the tree-frog colony in Rampton's Hollow had been artificially created. (Pete: 'He may have said that: I couldn't understand a bloody word.') The Colony, which was allegedly discovered earlier this year and led to the new Tipping by-pass being re-routed over Clocktower Hill, consists of –" Here we inserted a piece culled from an earlier news item. Our concluding sentence was: "It seems likely that Department of Transport officials will want experts to take another look at the frogs in Rampton's Hollow, and there remains the possibility that the road will now take the course originally intended".

I looked at Pete. "It seems a pity, really. Those frogs must be nicely settled by now."

"Oh Christ, Chris! First rule of newspaper reporting – don't get involved. Anyway, it'll be a miracle if I can get this past Bill. I'll put it on his desk first thing in the morning. Sometimes he comes in with indigestion and he'll agree to anything just to get me out of his office."

I was sitting on Pete's bed, wearing a shirt that smelled of him, a watch, and my worn gold wedding-ring. We were eating cheese biscuits and drinking wine straight from the bottle. It was getting dark outside and Keith would be strolling towards the clubhouse.

Pete said, "You know, I've been doing some thinking about Mike Stoddart. I think we may have misjudged him. I don't think he was a blackmailer, pure and simple. He was

161

an outsider. He liked screwing people up. He didn't just do it for the money, he did it to get back at the bastards. He screwed up Mr and Mrs Jordan-Booth, who were rich and thoughtless, and Lynn Cazalet of Social Services, and the Department of Transport, and possibly Mr Tipping himself, the Chairman of the Planning Committee. Nice going. I've been targetting people like that for years and not getting half as far with it."

"You make it sound as if it was a sort of crusade. You sound as if you admire him."

"Not really. I don't admire anyone – unless they've got good legs and a nice smile, of course."

"Sexist!"

"There, you see, you are a feminist at heart. If someone told me I had good legs and a nice smile I wouldn't object."

"You have got a nice smile. Anyway, we're not getting very far with finding Mike Stoddart's murderer."

"No, that's true. All we know for sure is that it was someone he was blackmailing and that it was probably one of the Conference delegates."

"He was supposed to have an appointment with someone. *And* it had to be someone who could get hold of heroin."

"Anybody can get hold of heroin if they really want it. We seem to be short of someone with a clear-cut motive."

"Yes, a motive – what if it was a case of mistaken identity? You never saw Mike Stoddart. He was tall and dark – from behind he could easily be mistaken for Eric De Broux. What if he went out in the hotel grounds to meet a lady friend, and Dr Goodburn, mad with jealousy over his first wife, mistook him for De Broux –"

"And injected him with a syringeful of heroin he had brought along for the purpose of despatching De Broux? An odd choice of weapon, if you're determined it was a crime of passion."

"Well, it would explain why Dr Rachel went for me that time – assuming he'd confessed to her."

"But I've *told* you what was the matter with Dr Rachel. You ever thought of giving all this up and writing crime thrillers? Don't keep looking at your watch." I hadn't noticed that I was. "Does he always get home at exactly the same time, your husband?"

"More or less."

"Have you got a good excuse ready for where you've been, just in case?"

"Yes." I shivered. I wasn't cold. Pete put his arm round me and kissed me.

"I hope you realise I'm very taken with you," he said, licking my ear. "In future, I'm going to look forward to Mondays –"

I must have been extremely agitated when I got home that night. I remember seeing the garage doors gaping open, dark and empty, and thinking that at least I wouldn't have to try out my story on Keith. I ran straight in and found Julie in the kitchen. We had coffee and chocolate biscuits and talked over Angie's boyfriend problems. What I didn't do was switch off the lights of my car. How Keith drove past it without noticing I've no idea, except that it was raining hard by that time and he just hurried in with a towel over his head. Anyway, in the morning I had a flat battery and had to appeal for next-door's help with jump leads.

It was after half past nine when I arrived in the Herald car park, and no sooner had I switched off the engine than large angry drops of rain began exploding on the windscreen. Within seconds it was raining so hard I couldn't see the end of the car bonnet and the clattering on the roof made me feel like a war correspondent under artillery fire. I decided to sit it out; "my car had a flat battery" is a perfectly acceptable excuse for being late, whereas "my child was sick", or "the washing-machine flooded" never would be. Suddenly there was a frantic knocking on the passenger door. I unlocked it and Pete slid inside, dripping water from nose, hair and ears.

"You're late!" he exclaimed, shaking his head like a dog.

"And you're wet! What did you come out for?"

"I've been watching for you from my window. I thought something had happened to you, because I've a strong suspicion, darling, that you're not terribly good at deceiving people."

163

"Oh, I'm not so bad," I said, with a pang of guilt. "It's nice to see you, anyway."

We thought no one could see us through the rain. We sat together waiting for it to stop, and then we started kissing and cuddling like teenagers and didn't notice that it had. Keith hadn't kissed me in a car since he collected me from the hospital after Julie's birth. Then, for the second time that day, the passenger door was wrenched open.

"If you two must do that," said Bill Heslop, coldly, "I wish you'd do it on your own time. I want you both in my office – now!"

Mr Heslop sat at his desk with the confident malice of a headmaster who has just apprehended the wretched child who set fire to his wastepaper-basket. I sat down as I was told, but Pete leaned against the doorpost with his arms folded, refusing to be intimidated.

"Now," said Mr Heslop. "What's all this silly nonsense about frogs?"

"It's all there, Bill," said Pete. "It's a true story. Those are the facts."

"This is *it*? This is all you have?" He picked up the paper and studied it dramatically, as though looking for something written in invisible ink. "I'm not printing this! You've got nothing!"

"Bill – this is the truth. Eric De Broux paid for those frogs to be planted there. We know that, though admittedly we haven't been able as yet to nail him down. When we do, we'll –"

"I'm not printing this if you can't prove it!"

"We *will* prove it when the Department of Transport holds an enquiry, which they'll have to, if –"

"This is irresponsible reporting, Pete, and you know it! This newspaper does not go in for that kind of journalism!" He tossed the paper contemptuously into a tray on his desk. Pete seized it.

"For Christ's sake, we *know* this is the truth! You think it's irresponsible? I think it's bloody restrained! De Broux admitted it to us – I haven't even mentioned his bloody

164

name!"

"I *will not* print it if you can't prove it. And you *can't* prove it. *And* I don't want either of you upsetting De Broux again. The man's an advertiser, for God's sake!"

Pete went over to the window and punched a dictionary on the sill.

"It's a bloody good thing you weren't running this newspaper when America was discovered," he said, furiously. "You wouldn't have printed it until someone came back with a hamburger and a copy of the New York Times!"

Mr Heslop turned slowly to look at him.

"Don't carry this Latin temperament thing too far with me, Pete. If you want to resign, say so."

Pete swore under his breath and scowled out of the window.

"Well, well," said Mr Heslop, turning to me. "I used to wonder what was the big fascination with this Stoddart thing. Now I know. Well, well."

I could feel my face colouring from the neck upwards.

"I blame myself in a way," he went on. "I should have seen this coming." Pete shot him a sharp look, which he ignored. "Listen, Chris, why don't you take a week's holiday, spend some more time with your family?"

Pete looked from one to the other of us incredulously. He seemed about to speak, but I said, "I've already got my holiday booked. In October, for my second honeymoon –" If I could have pressed a button and died right there, I would have. I didn't look at Pete. He walked out of the room and slammed the door behind him.

I stood up. "Thank you, Mr Heslop, but I don't want to take any time off. I'm sorry I was late in this morning. I think I'd better go and catch up."

Pete's desk was empty. I looked out of the window and saw his car speed out through the car park exit to the accompaniment of outraged hooting. Later, I received a message to meet him in the Star at lunchtime.

When I arrived, he'd obviously been drinking for a while but seemed surprisingly calm.

"It's just the way it goes," he said. "So near and yet so far, the story of my life. Cheers – have a double. Apparently De Broux rang Bill after we'd left yesterday and complained about harassment. Then he threatened to withdraw his advertising, and finally offered him a year's free membership of the Gourmet Club. Well, we all know the way to Bill's heart. I used to know one of the secretaries rather well, and she told me all about it. So – it's farewell to frogs time. You're not taking that holiday, are you?"

I shook my head. "I feel awful, though."

"Don't. He doesn't care what we do with our lives. I could kill him, you know. I'm going to give his name to the British Heart Foundation – get them to send him all their literature about rich diets and heart disease. That'll put him off his bloody gourmet dinners!"

I laughed.

"There is one thing, though, that you should know," said Pete. "I just came from the police station. They expect to make an arrest in the Michael Stoddart case – within the next twenty-four hours."

16

At approximately nine-thirty on Wednesday morning the
Herald received a 'phone call about the hold-up of a
Securicor van just outside Hudderston. A guard had been
shot and in the ensuing car chase two cars and a milk float
were overturned – "blood and milk all over the road," said
the informant, cheerfully. Pete went out to cover the story,
and I was left to await the end of the Stoddart murder case
and my return to a non-stop diet of W.I. meetings and
planning disputes. I'd been thinking a lot about my "mistaken identity" theory, and I liked it. It didn't explain the
missing negatives, but perhaps there weren't any missing
negatives. There were bound to be a lot of unexplained
loose ends until the murderer was unmasked and encouraged to confess all. However, the biggest problem with my
theory remained the doubt over whether or not our Dr
Goodburn and De Broux's Dr Goodburn were one and the
same. I decided to try and find out. Then, if Dr Goodburn
was arrested, I could still do a "your own reporter worked it
out first" story.

I looked up the Goodburns' home 'phone number. It was
ten o'clock, and they were bound to be out and their house
empty, apart from – with luck – a maid. I was sure they
would have some sort of domestic help; one doesn't undergo
years of training for a profession only to have to load one's
own dishwasher. I dialled the number. Eventually an elderly
female voice announced: "the Goodburn residence".

"Is that Mrs Goodburn?" I asked, knowing perfectly well
that it wasn't.

"No. I'm the housekeeper."

"Oh good morning. I'm calling from Western Amalga-
mated Assurance. I have in front of me an old policy in the

names of John Goodburn and *Mae* Goodburn, who, I believe, was Dr Goodburn's first wife. The policy seems to have been superseded by one in the name of *Rachel* Goodburn, but before I lose it in the archives I wonder if you could confirm that Mae Goodburn was the wife of the John Goodburn at your address? I don't want to find I've got my Goodburns mixed up."

"Well, I –" The voice quavered. "I haven't been with the doctor that long. I think you'd better ask him."

"I see." I was disappointed, but I'd half expected something like this. "Look, there's a minor child on this policy. Their daughter, I believe –"

"Tamsin?"

"Yes, that's right." I wriggled joyfully in my seat. "I wonder if you could give me her present address?"

"I'll get the book." There was a long silence. When she came back, she said, "I don't think I ought to give you this over the 'phone. You could be anyone. You might be double glazing, or Timeshare, or cavity wall insulation. I saw that Channel 4 programme about telephone sales frauds –"

I clenched my fist and banged it soundlessly on the desk.

"Yes, yes, I understand. Don't worry, I'll write to Dr Goodburn." I put the 'phone down. The 'phone book had nothing listed under T. Goodburn, but then Tamsin would almost certainly be married by now. Even at the very end, I was to be thwarted in my efforts to solve the Stoddart mystery. There was nothing for it but to give up.

I was decanting my mid-morning coffee from the saucer to the cup when my 'phone rang. There seemed to be no one at the other end of it.

"Hello? Anybody there?"

"I want to see you." The voice was muffled, young and unrecognisable.

"Who is this?"

"Ian."

I went through a list of Richard's friends, but still couldn't connect anyone with the voice.

"Twenty-five Edgeborough Avenue," said the voice. "I've

got something for you."

I remembered.

"What've you got?" I asked suspiciously, not keen to resume Ian's acquaintance.

"If you want to find out, come and see me. Now. Otherwise I don't give a toss." The pips started clamouring and then the 'phone went dead. I looked at my watch. I could go over to the squat, see Ian, sneak into Tesco's for some shopping, and still meet Pete in the Star at lunchtime as arranged. Just in case anything went wrong, though, I told the messenger on my way out that I was going to meet an informant at twenty-five Edgeborough Avenue, and that if anyone wanted me after that I'd be in the Star. Mentioning Tesco's would have spoiled the effect.

Twenty-five Edgeborough Avenue looked even less inviting than previously. Somebody had smashed a hole through the front door in the middle of the carefully painted polar bear's head, and the door now balanced on one hinge. I eased myself carefully past it, as it was a heavy front door, and through the dark damp gloom of the hall could make out the door marked "Ian keep out". That, too, was half open.

"Can I come in?" I called warily. The place was eerily quiet, as though something had just died there. I detected a noise, a breath, behind the door.

"Ian?"

The door opened slowly wider, and I suddenly knew that entering would be a mistake.

"Hello, Ian, I'm Chris from the Herald," I said brightly, taking a half step forward. In the grey light from the partly boarded up window I could make out Ian standing behind the door. He looked ill. He was wearing dark glasses, and beads of sweat glistened on his pale, unshaven face.

"You don't impress me," he said, not moving from the dark corner he crouched in. "You don't impress me a bit. You couldn't do sod all for anyone, could you?"

I stopped pretending to smile.

"What do you want?"

"I want a reporter. You're crap, you can't do anything for me."

169

"O.K. I don't have to take this," I said, crisply, turning to go, and quite impressed by my own assertiveness. "Go jump in a lake!" The sunlight from the street touched my face briefly, and then a hand caught the fabric of my blouse and pulled me back into the darkness. The door slammed. My eyes were looking at Ian's through the gloom. Slightly alarmed, I said, "Look, you rang me and I came. Tell me what it is you've got for me and I'll go. I've got other appointments."

"They're hassling me," said Ian.

"Who? Who's hassling you?"

He didn't answer. It was very quiet in the room. A lorry passed by and the window rattled slightly, but the sounds of the street seemed far away.

"The police. The police have been hassling me," said Ian.

"Well, write a letter to the Chief Constable." I meant to sound hard, but my voice was shaking. Ian didn't move. He had his hand on the door. I said, "Well, you said you'd got something for me, what is it? Do you want money first, is that it?" The bag over my shoulder contained thirty pounds in cash, plus credit cards. I suddenly thought, oh God, I'm putting ideas into his head. He gave a sigh that turned into a gulp, and shuddered convulsively.

"I want you to put it in your paper," he said.

"What?"

"That they're hassling me! You thick or what? Put it in your newspaper that I'm being hassled. That's what you want, isn't it? A shitty story. You see what they did to my door? They turned my place over. They can't do that." He gave another convulsive shudder, and drops of sweat splashed from beneath his lank, greasy hair. I felt moisture on my arm. I took a step backwards.

"You need a fix, don't you?" I said.

"Why? You got some stuff?"

"Of course I haven't. Look – you're a junkie and you're getting hassled. This can't be a new experience for you." I thought of Richard with horror. "Have you tried the National Council for Civil Liberties? I don't know –"

"I want them off my back!" shouted Ian, suddenly

170

jumping out of his corner and gripping me by the wrist. "You said you wanted something – I'll give you something! It's Clare you want to know about. I'll tell you about Clare."

"Clare? You mean the girl who died here?" I glanced around the room, with its broken furniture and jumble of filthy bedding. There seemed to be a lot of noise coming from the street. I tried to pull my arm away from Ian but his fingers were surprisingly strong.

"You've got it! I tell you where she got the stuff that killed her, you put my story in the paper, get the filth off my back. Deal?"

Ian had wildly overestimated not only the power of the press, but my power in particular. However, this did not seem the moment to say so.

"Deal," I said, weakly, trying again to release my hand.

There was a sudden crash in the hallway outside and almost simultaneously Ian reached out with his other hand and shot home a long bolt on the door.

"Police!" The door shook under the weight of pounding and rattling at the handle. "Open this bloody door!"

"I've got a woman in here!" screamed Ian. "Say something, bitch!" He twisted my wrist until something in my elbow clicked. I screamed. Ian let me go and stepped back from the door. "Get away! Get away or she's dead!" He reached into the pocket of his denim jacket and pulled out what looked like a silver fountain pen. He jerked the top off and it wasn't a pen; it was a knife with a four-inch blade tapered to a skewer like point. We both stared at it. The banging on the door had stopped.

"All right, son," came a self-confident voice from the street. "Let's not play games, shall we? You'll only make it worse for yourself in the long run. Come to the window and let's talk."

Ian wrenched me over to the window by the shoulder and forced me up against the sticky, cracked glass.

"See the bitch, do you? See the bitch?" He jabbed the knife into my adam's apple and I gagged on it, forcing the steel deeper into my throat. I waited for the warm rush of blood. For several seconds, everything went black.

". . . do anything silly." The voice floated into my consciousness, sounding less self-confident now. "Let's everybody keep calm. We'll talk about this."

Directly outside the house was a police car, its blue light turning relentlessly, and in the distance approaching sirens whipped up a frenzy of sound. As far as I could tell, I wasn't actually bleeding; at least my chest didn't feel wet, but then my whole body was numbed. A lot of people were gathering outside. Some were policemen, some women with shopping bags; through the grey smears on the glass and my panic they all looked unreal, like fading images on a badly tuned television screen.

A policeman with a flat hat and a loudhailer came forward.

"Ian! Ian Duggan! Come on son, let the lady go. There's no need for all this. You're putting yourself into a worse position. At the moment you're only wanted for questioning at the station. Let's clear this up, shall we?"

Ian laughed. He pulled me away from the window, only to force me up against it again hard enough to deal me a crushing blow to the nose. Suddenly I was seeing pictures of a little blonde-haired girl in a pink dress picking flowers, a little blonde girl in a red plastic mac on a climbing frame – Julie. *My* life should be flashing before my eyes but instead it was Julie's. Oh God, I thought, I'm cracking up, this is it, if I go into hysterics I'll never get out of here. I'll die in this dark place that smells of urine just like Clare did. We could hear noises inside the building, a splintering of rotten floorboards, terse muffled instructions. Ian shouted out of the window, "You won't get to me before I kill her! I'll do it now!"

The loudhailer response was immediate. "All right, son, O.K. I'm withdrawing my men from the house. Got it? We'll all calm down. Stand still and watch them come out."

There was further noise in the corridor. We saw four men leave by the front door. It went very quiet. There was only me and Ian in the world. His breath was coming in short painful rasps, and I wasn't breathing at all. A distant plane growled across the sky. I must be breathing or I'd be dead.

172

My elbow hurt where Ian had wrenched it and I tried to reach it with my other hand. Instantly Ian shifted the knife menacingly and muttered, "Stay still, bitch."

"Ian – Ian." At the second attempt I discovered that a whisper put only bearable pressure on the knife blade. "You were going to tell me about Clare." At that moment I didn't care about Clare, but it seemed like a mutual interest.

"What about Clare?"

"You were going to tell me where she got the stuff that killed her, you said. She was pregnant, wasn't she? She lived here with her boyfriend. And you were staying with them so you knew what was going on. Were you here the night it happened? Perhaps you tried to help her get a doctor. Did she feel ill and overdose by accident? Was it the fault of the pusher? Who –" I'd just about run out of the babble of questions I'd hoped would keep me alive when he interrupted contemptuously.

"Christ, you talk a lot of shit! You know nothing, do you, about being a junkie and being pregnant. You know nothing about anything. You're all the same, you do-gooding rich bitches, with your big cars and your fancy promises. Gives you a thrill, does it, taking risks, doing good for people. Long as *you* don't get your face rubbed in the shit, eh? Always a way out for you, isn't there? Well, not this time, there isn't!"

Ian was suddenly seized by a violent convulsion and hunched over in pain, releasing me. I ran through the semi-darkness towards where I hoped the door was and found instead another door, not bolted. Sobbing I grabbed the handle and wrenched and pushed, but not hard or fast enough. His fierce hands were on my neck again. I screamed. He laughed.

"Think you'll get away, do you? Don't make that noise! I broke into a flat in Holland Park once. There was this woman there with blue hair and a blue budgie. She screamed and so did the bloody budgie. I tied her up with a curtain cord. Then a got a kebab skewer from the kitchen. Know what I did? Know what I did?" I closed my eyes. Inside my head I said, don't tell me, don't tell me. "I'll tell you – I skewered that budgie to the floor of its cage!" He laughed, but he'd gone very white. "You're not getting away from me again, any more than the bloody budgie. Put your hand on the wall."

I looked at my hands. I looked at his knife. I looked at his contorted face and clenched teeth. I knew exactly what he was going to do.

"Do it!" he screamed.

The left hand, I thought, at least I'll save the right one. Slowly I raised my left hand with the worn gold ring on the third finger and placed it on the flaky grey plaster of the wall.

Maybe my heart stopped at that moment, I don't know. Suddenly there was a tremendous explosion of noise and light in the room, and a blow to the back pitched me on to an evil-smelling mattress. I looked up in time to see Ian collapsing like a split sapling with dark blood bubbling from his mouth. The room was full of policemen. I was dragged out into the sunshine, over smashed doors, and people stared at me. A blur of strange faces, voices:

"Get her to the hospital –"

"You can see a lady doctor, if you want, love –"

"– take a statement later."

"What name shall –"

"Christ, who let the bloody Press through?"

Then, Pete's voice. "She's with me. I've come to collect her."

He looked at me and said, "Jesus Christ, what the hell have you been up to?" He was pale and shaken. His car was parked at an angle in the middle of the road and appeared to be splashed with milk.

"Get in, let's go," he said urgently, opening the passenger door, but I felt a heavy restraining hand on my shoulder.

"Oh, it's you, is it? I might have bloody known!" Inspector Franks loomed against the sun, looking menacing. "Well, I want you down at the station. You've just screwed up a perfectly routine operation."

"Not now," said Pete. "I'm taking her to the hospital."

"I'm O.K.!" I protested, leaning on the car for support.

"A couple of words for local radio?" said someone, thrusting forward a microphone.

"Sod off," said Pete.

Inspector Franks had disappeared into the crowd.

"Quick, let's get out of here," Pete said, pushing me into the car. Just as he was closing the door I saw Ernst approaching, grim-faced. He prodded Pete in the chest and glared at me.

"You two keep your hands off my bloody equipment," he said, and snapped off half a dozen pictures of my pale, dirty face and dishevelled hair. He had absolutely no sensitivity. Pete swore at him and jumped into the car. He switched on the engine and revved noisily, scattering onlookers in all directions. We accelerated away with a squeal of tyres.

"Are you all right?" he asked, driving erratically.

"Yes. That Ian is a lunatic! Oh God!" I took several deep breaths. I wished he wouldn't drive so fast.

"Are you sure you're all right?"

"Yes. I'd be better if you'd slow down. Thank you."

He drove into a cul-de-sac and stopped abruptly.

"I love you, Christine, and you're a bloody idiot," he said, suddenly and passionately. "I feel like hitting you."

"It wasn't my fault!"

"I still feel like hitting you. Christ!" He banged his forehead deliberately against the steering wheel, then sighed. "O.K. No more violence. You're white as a sheet."

We were parked outside a builders' merchants. Two men with shaven heads and tattoos were staring at us.

I said, "I'm afraid I feel a bit sick."

"Christ," said Pete. "Let's take you home. You need brandy and bed." He re-started the car. I looked at him in alarm. "Don't be silly, I didn't mean that," he said. "I do have some finer feelings. We'll talk all this out tomorrow."

When we arrived at my house, Keith's car was in the drive.

"Oh shit," said Pete, with feeling. "Bill must have rung him."

I could see Keith in the living room on the 'phone.

"You'd better go," I said.

175

"No," said Pete.

Keith saw us and put down the 'phone. Pete came round and helped me out of the car. He started walking up the drive with his arm round me.

"Here we are, safely delivered!" he said to Keith.

"Well, no bloody thanks to you lot!" shouted Keith.

"Come on, it could be worse – how would you have felt if they'd sent her to the Falklands?"

"They didn't send you to the Falklands, did they!"

There was silence. Pete's arm, on my shoulder, went rigid.

"I was in the Gulf at the time, working on an English language newspaper," he said, evenly. "Now there's trouble in the Gulf, and I'm here. That's the way it goes."

"Yes, you would say that, wouldn't you? You people, you thrive on the suffering and misery of others!"

Pete laughed without humour. "Yes. Well, I've had this conversation so many times –" The completing phrase "and with better men than you" hung on the air between us, fortunately unuttered.

I said, "I really don't feel very well."

"Course you don't, darling," said Pete. "Go and have a brandy and sleep on it. Write it all up in the morning. We love you." He kissed me lightly on the mouth and smiled disarmingly at Keith. "You should take care of her. She's really something."

As he drove away, Keith took me into the house, glowering, and poured me a large brandy. Then I had to tell him what had happened. I toned it down a bit – well, a lot – and this made him more angry than reassured. Why did he have to get called away from important meetings because of my escapades? Other wives had perfectly respectable things happen to them, like car accidents or appendices perforating – why did I have to get into such sordid and inexplicable situations? I sat and listened to the silence left behind by Pete's car engine. Keith had tossed his jacket and tie across the sofa arm and I would have to pick them up and press them. I came closer to panic then than at any other time that day. I buried my face in a cushion and stifled a scream.

17

At about midday on Thursday, in plenty of time for Friday's edition of the Herald, it was announced that Ian Duggan had been charged with the murder of Michael Stoddart and had made a full confession.

"But it's ridiculous!" I said to Pete. "What possible motive could he have had?"

"Motive? What do you mean *motive*, for Christ's sake? Psychopaths like that don't need motives, especially not when they're full of drugs. I've seen perfectly normal people do some pretty weird things after drinking too much home-made beer, let alone taking heroin."

"Well – yes. The old lady who lived next door to him did say they had an argument and he admitted it himself. Yesterday he said he had something to tell me about Clare and about her heroin supplier, and then he kept on about do-gooding rich bitches – it was almost as though he were confusing me with someone else."

"There you are, you see. Deranged. It's ironic, really. Someone like Stoddart who makes a career out of making enemies goes and gets bumped off by a common or garden lunatic. Just see what a lucky escape you had." He hesitated. "Was – did – Your husband didn't seem very sympathetic about it."

I looked away. I didn't want to discuss Keith with him. "I told you. He doesn't approve of my working for the Herald. I didn't dare tell him just how awful it really was yesterday."

"I see. Not exactly a close and caring relationship then, is it?"

I turned to go.

"Chris – get on to your social worker friend some time. I'd like to have a look at that list of Edgeborough Avenue

177

houses. It might be worth looking into, and if Stoddart did some homework on it we might as well have the benefit of it."

To say I had a bad weekend would be putting it mildly. In the first place, I kept waking at five every morning with a start and looking at my left hand to see if there was a knife in it. On Sunday, in the half-light, I thought I saw a large spider sitting there on top of the grey blue vein which protrudes just a little beneath my second finger. I screamed and woke Keith. I had steeled myself for a horrific injury and some part of me was cheated that it had not materialised. Keith cuddled me, but couldn't resist remarking for the fourth time that lady reporters shouldn't be sent to interview criminals, especially when there were loud-mouthed jerks like Pete (he didn't use the word jerk) who were just made for the job. He had come home from work on Friday enraged by my appearance on the front page of the Herald, because apparently most of his colleagues found it necessary to ask him if I'd run down Lord Lucan or the Brinks Mat gang yet, and what was it like being married to a Mrs James Bond! To add to this, we received more than a dozen 'phone calls from local people, some of whom we vaguely knew, all anxious to confirm that I was the lady in the Edgeborough Avenue drama and to ask a few not very discreet questions about the experience. I began to have some sympathy for the view that the tabloid press only caters for the prurient curiosity of ordinary people. Anyway, late on Saturday evening I'd just about had enough and when an elderly female voice enquired "Are you the lady on the front page of the Herald –" I snapped "yes, and if you'd care to send me a stamped addressed envelope, I'll let you have a signed photo with details of my bra size and the brand of cornflakes I eat!" I instantly regretted this, in case the caller turned out to be someone I knew, but Julie, who was listening, said "Brilliant!"

I called in at Lynn Cazalet's office early on Monday morning, and she was actually there. She'd done something different to her hair and wasn't wearing glasses; also she'd painted her fingernails red. She looked at me strangely, and I realised that she didn't recognise me either, with the perm and re-vamped make-up. I wondered guiltily if we both had new men in our lives.

"You said you'd lend me the key to Mike Stoddart's flat," I reminded her.

"Oh, yes." She smiled, opened a drawer and pulled out a stack of files, cartons of paper clips, and an enormous box of Belgian chocolates with a red ribbon and a scrawled message on the lid. Her eyes registered a warm glow at the sight of this. She produced the key and handed it to me.

"They're all coming down, those houses," she said.

"That's not really definite."

She shrugged. "All I know is, there's a lot of people needing to be re-housed. Some very difficult cases, too. Oh!" She looked at me in sudden surprise. "I don't often read the Herald, but weren't you – ?"

I managed to smile. "Yes. Best forgotten about, actually."

"Really? Haven't you been recommended to seek counselling?"

Inwardly I groaned. The last thing I needed was to have to talk to someone else about the events of the previous Wednesday.

"I'm fine, honestly. And you – are you all right – over things now?"

She took her breath in sharply and let it out again. "To be honest, it's a period of my life I'm not particularly keen to remember. Still, we all do things we're not proud of, don't we?"

"Yes, I'm afraid so."

"And of course," she went on, "now they've caught the murderer the whole thing's over with. It's odd, isn't it, but somehow the very name of Edgeborough Avenue seems to be synonymous with death and misery. Perhaps it'll be as well when it's wiped off the map."

"There are quite a few people who agree with you." I thought of the dark, filthy room where Ian Duggan had lived and where a girl called Clare had died. It can't have been a good place to await the birth of your baby. "Tell me," I said, "if a girl gets pregnant, and she's also a heroin addict, would there be any particular problems?"

She looked understandably surprised by the question. I could have mentioned Clare by name, but it seemed likely that Pete had already harassed Social Services on the subject.

"It's just that I've got a friend with a daughter in this predicament. My friend is extremely worried."

Lynn shook her head. "Well, so she should be. Her daughter probably won't carry the baby full term, and when it's born it'll be addicted. Is the girl a registered addict?"

"I don't know."

"You see this is part of the problem. These girls desperately need medical help, but they won't seek it because they're afraid their babies will be taken into care. And I have to say that they frequently are. It's a critical time, pregnancy. And what with Aids and everything – if we could only get them not to share needles. There's always the risk of tainted heroin, too, and miscarriage –" She shook her head again.

"Yes. I see. Not a happy picture." Her 'phone rang. "Well, I won't take up any more of your time. Thanks for this. I'll return it."

Lynn lifted the 'phone with her hand over the mouthpiece. "No," she said, very definitely. "Don't bother."

The door and windows of Ian Duggan's late residence were covered with brand new boards, glinting with nails, but already someone had spray painted obscenities across them. We parked outside Mike Stoddart's flat, had a quick look round to make sure the area was devoid of police, then let ourselves in to the flat. It smelt of mould and musty bed linen. His wardrobe and chest had been emptied, and the contents packed into cardboard boxes. The bed had been stripped to the extent that the mattress was patterned with diagonal cuts, spilling wadding on to the floor. An unwashed shirt, thrown carelessly over the pile of blankets, was mute testimony to the fact that this had once been someone's home.

"Eerie, isn't it?" remarked Pete. "All that's left of a man's

180

life."

He tipped out the contents of the wastepaper-basket: empty Kodak film boxes, Polo mint wrappers, a broken pencil.

"Fast film," he said, holding up one of the film boxes. "For night photography without a flash, in case you didn't know."

I was afraid that at any moment we'd be discovered in our search and Keith would be called away from work yet again, this time to bail me out of the police-station. I helped Pete check quickly through the contents of the cardboard boxes; one contained clothes, another, books, papers and photographs. Pete examined these with swift expertise and shook his head.

"The only interesting thing about the contents of this box is what's missing – negatives. There are literally hundreds of photos and not a single negative. I know it doesn't seem to matter any more, but it is odd." He picked up an empty wrapper marked "Reynolds and Dobbs, photographic suppliers". "This reminds me. I haven't sent off my holiday snaps yet."

"I don't think I've taken my Christmas ones out of the camera yet, either. You know – you don't think Mike Stoddart might have had a film in for processing?"

"That's a thought! Yes, that is a thought. If someone went through here and took his negatives and the film from his camera, would they think of checking with the processors? And if not –"

"I could call in when I'm shopping. It's next to the dry-cleaners."

"You're so practical! Will you do me a favour and put my film in at the same time? It's in the car."

We went next to the kitchen. The drawers had been removed from the kitchen dresser and stacked on the floor, their contents crowded on to a small table. The pad which had contained the list of numbers and names was next to the drawers, but the top sheet had been removed. I held it up to the light, trying to make something out of the faint impressions that remained on the paper.

"What possible reason could the police have for taking away the list?" I asked.

"I can't imagine," said Pete. "Unless they guessed what we guessed. Or – more likely – somebody wrote down a racing-tip on the top sheet and took it away with them. It's a bloody nuisance. I'll have to start from scratch looking up who owns what in this street. Still, it'll take my mind off you." He gave me a chaste kiss on the lips.

There was little else to see in the flat. The police had searched it thoroughly for drugs, lifting floorboards, dismantling the toilet cistern, and removing the front of the gas fire.

"I wonder if they found anything," I said.

"I don't know, but I had a call from Taffy this morning. He wants to meet me in Hudderston this lunchtime. I like the sound of that – it means he doesn't want to be seen with me, so he must have something interesting to tell me." He crossed to the front window and looked out. "Well, Stoddart had a good view of his friendly neighbourhood psychopath," he remarked, looking across at the boarded up windows of the squat. "Most murder victims turn out to have been killed by people they knew well – comforting thought, isn't it?"

On the way out I noticed the door of Edie Clough's flat half-open. A pale face peered at us.

"I'm not going," she said. "It's no good to me, electric heating and that. I got all the hot water I want."

"Hello, Edie," I said resignedly.

"There's so many of you," she went on. "Council and Social and all that. I won't go. This is my home."

"How's Gladstone?"

"Gone! I think they poisoned him." She started to cry. "They want to stop me. They think it's not important, what I do. I made parachutes, you know, hundreds of them. Men's lives depended on me! I did my bit! This is my *home*! Can't you do nothing?" Her hand reached out, snake like, and fastened on to my arm.

"I'm from the Herald, Edie. I'll make a note of your protest." I didn't particularly like strangers holding me, but I shook her off gently.

As we got into the car I took a long look at the boarded up door of Number Twenty-Five, once resplendent with its arctic scene.

"Pete, when you followed up the Clare story, did you talk to Ian?"

"No. He wasn't there. I couldn't even get hold of the boyfriend. He'd called the ambulance – too late, of course – and then panicked and 'phoned his parents. They came down in a Mercedes and took him off to their big house in the country. I couldn't get to him at all. I think they sent him away for a cure. Why?"

"Would you mind very much if I tried to see him? Just curiosity, really."

"No, of course I wouldn't mind. But it's a dead story, darling, people like that forget very quickly."

Pete dropped me off in the High Street and I collected Keith's dry-cleaning and called at Reynolds and Dobbs. Sadly, my brilliant idea came to nothing; there were no uncollected photographs in the name of Stoddart. Still, I handed in Pete's film and bought new films for my camera, ready for our once-so-looked-forward-to second honeymoon. I was still analysing my reactions to this forthcoming event when I reached Tesco's. On her way out, walking straight out with a wire basket of groceries, was Rachel Goodburn. Nobody stopped her or looked at her. She marched out to her black BMW parked on a double yellow line, dropped the basket on the back seat and sped to an emergency stop at a red traffic light. Heavens, I thought, what you can get away with if you have the right air of authority! Then, more soberly, I remembered my interview with her and Mrs Taylor's remarks about her "going right off" lately, and I felt guilty. The poor woman was clearly at a difficult point in her life, and being harassed by people like Pete and me could in itself have contributed to this appalling lapse. I was glad to see that no one had followed her.

Pete did not return to his desk that afternoon, nor did he 'phone to confirm our evening assignation. I went home

183

feeling rather uneasy. Richard and Julie were in the kitchen, having a row. It seemed to be about who should clear the mountain of washing up in the sink so one of them could prepare a snack. They stopped when they saw me.

"Mum'll do it," said Richard, with Keith's old beguiling smile.

"Mum won't!" I said angrily. "Sort it out between you. We all work in this house now." (Julie had just started a summer job in a refreshment kiosk.)

"You'll be sorry when I'm gone," muttered Richard, with a wink at Julie.

"What's that supposed to mean?"

"Why don't you tell her?" said Julie. "She probably wants to let your room out anyway. Or can I have it – we could knock down the wall and make a nice big –"

"What are you two on about?"

"Richard's going to Africa!"

Richard had suddenly dived into the washing-up.

"What's this about Africa?"

He ran water noisily into the sink. "Well, Mum, it seems like such a good opportunity. I'm only *thinking* about it. Carolyn's been invited out to Zimbabwe, and we're thinking of buying an old van, doing a sort of tour –"

"But Richard, your career!"

"It'll wait! I can come back to it. You and Dad are always saying how you wished you'd done more things when you were young. I'm only thinking about it."

I glanced at my watch and pushed Richard away from the washing up.

"You're mad. You're not thinking about it at all. You're just thinking what you want to think." My plans for Richard and Carolyn seemed to be backfiring on me badly. I attacked last night's shepherd's pie dish with determined savagery. "I don't know what your father will say!"

"Will you tell him tonight when he gets in?" asked Julie, a glint in her eye.

I looked at my watch again. "Well, perhaps not tonight. He goes out on Mondays."

"You going out as well?" she asked.

"Well, yes, I might. If no one's going to be in I thought I might as well call and see Judith." Judith was an old school friend and my "alibi".

Julie stared at me accusingly, hands on hips.

"You and Dad are always out these days. When one goes out, so does the other. It's like Bleak House around here. Which one of you is having the affair, I should like to know?"

I caught my breath. "Don't be so silly! That's that Heather talking! What nonsense!"

The two of them exchanged amused glances. This was the old pattern, one getting the other into trouble, then the two uniting and defending themselves by a divisive attack on Keith and me. I shouldn't take Julie's remark to heart. She couldn't possibly be serious. I blushed into the washing-up bowl and finished the dishes while my children waited politely.

I rang Pete's doorbell for a long time, but no one answered. His car was not in its place. I sat in the Mini and stared at the net-curtained windows of the downstairs flat. Perhaps Pete had gone to the off-licence. Why were men so unpredictable? No, that was a pointless question; Keith was always predictable, and Richard would have been were it not for the dreadful Carolyn. I should have explained things more strongly to the Reverend Harlow. Richard would leave home, Julie would go away to college, and I'd be left with Keith. I wanted to bang my head on the steering-wheel. One of the net curtains twitched slightly, and I glimpsed a grey face watching me. How many other ladies had sat where I was sitting now, waiting for Pete to honour them with his presence? He said he loved me, but that could mean anything or nothing. He said I made him feel as if he was nineteen again, and if his novel about the adventures of the nineteen-year-old Nick was anything to go by, that must have been intended as a compliment.

For perhaps ten minutes, my thoughts see-sawed back and forth over my various problems.

My friend Judith had once had an affair with a dentist. She

was in her late twenties at the time – the right age for such things, while one's children are chocolate-mouthed and leaky, and one's husband has suddenly developed a passion for hang-gliding or almost anything that will get him out of the house and parental responsibilities. I provided her with alibis when required. The affair ended when the dentist got back together with his wife and Judith, sadder but wiser, decided to have a third baby. Her husband never found out, and she confided that the whole thing had been absolutely and totally worth it. But what would happen to Keith and me after Pete? We certainly wouldn't have another baby.

I looked at my watch. He's not coming, I thought, he doesn't want me any more. "How could he do this?" I moaned aloud, not sure which hurt worse, being rejected, or being without him.

Reversing has never been something I do well, and I was concentrating so hard on finding the gap in the forecourt wall that it wasn't until the last moment that I saw the dark green shape of Pete's car behind me. Overwhelmed by relief I jumped briefly on the accelerator instead of the brake. Pete, who must have lightning reactions, swerved violently and there was an explosion of breaking glass followed by the sound of a myriad falling fragments. I had somehow stopped and stalled the engine. Pete got out, looking startled, and went to inspect the damage.

"Bloody hell, Christine," he said. "What were you trying to do? You're supposed to run into your lover's arms not his bloody car!"

"I'm so sorry – I don't know how it happened. I'll pay for the damage," I said, climbing weakly to my feet.

"Don't be insulting! It's only a headlamp anyway. Hello, Mrs MacDonald!" he called out loudly to a movement behind the net curtains. "She wants to see if I'm going to hit you. Let's give the old bat something to think about." He seized me and bent me backwards over the bonnet of the Mini, kissing me passionately and melodramatically.

"That'll teach her to mind my car with her shopping trolley," he muttered.

"You're very cheerful, considering," I said. "Have you

186

been drinking?"

"Yes, of course I have. All afternoon in a Chinese restaurant in Hudderston. But that's not the reason. Come on, let's clear this mess up and I'll tell you all about it."

Impulsively I put my arms round him and hugged him tightly. He couldn't have known the reason for the gesture, but he hugged me back.

His flat was untidy with the untidiness of a person who lives alone and never bothers to put anything away, and it didn't look as though the Hoover had been used since my last visit. He'd brought home two bottles of wine and a carrier bag of Chinese food.

"It should still be hot," he said, handing me a fork. "I went through two red lights to get here. It's all for you. I don't think I'll ever be able to look a prawn in the balls again."

I love prawn balls and I was suddenly hungry, so I picked up the fork. Pete drank a glass of Alka Seltzer and then reached for the vodka.

"You eat, darling," he said. "I'll talk. Let me tell you first about Taffy. I've known him ever since I came to Tipping. He's a good old-fashioned policeman – joined the force to catch criminals and keep old ladies on scooters off the motorway. There aren't too many of his kind about nowadays, believe me."

"Well, Inspector Franks certainly isn't one of them."

"No, right. I'm coming to that. It's the Ian Duggan confession that has upset Taffy. Apparently he made it about as voluntarily as a pig goes to the slaughterhouse. Not that anyone expects a criminal to be responsive to tea and sympathy, but Taffy reckons this is a real stitch-up. Apparently the Inspector had been spitting blood over the Stoddart murder. He wanted a quick result."

"I suppose it was an embarrassment to him, having been so close to the scene of the crime when it happened."

"Probably. Anyway he hit on Duggan as being a likely suspect right from the start, because he's got previous convictions for theft and assault and he's heavily into drugs. They pulled him in for questioning a few times and turned his place over looking for illegal substances, you know the kind of thing."

"That's what Duggan was complaining about. He wanted us to run a story on police harassment."

"Well, finally they decided to pull him in and get a statement out of him. They tailed him around for a couple of days so he wouldn't have access to his usual sources of drugs, then when they were sure he was desperate for a fix, they pounced. And that's when you unfortunately got in the way." Pete reached for his jacket, which was slung over the back of the chair, and produced his notebook. "Taffy repeated to me some of the statement. Listen. It was a sunny evening and Duggan had had a fix. He went out in the street and sat on the bonnet of Mike Stoddart's Cortina. Stoddart came out and told him to piss off. They had quite a row about it – to which there was a witness, apparently – and then Stoddart went off to the Clocktower Hotel. Duggan thought things over for a while, then decided to follow Stoddart up to the Clocktower. He walked and hitched his way there, and by the time he arrived it was dark. He hung around in the grounds waiting for Stoddart to come out. Eventually he did come out and Duggan accosted him. He says Stoddart laughed at him and called him names, there was a struggle, and Duggan got angry and jabbed him with a syringeful of heroin."

"What – he took heroin with him as a murder weapon?"

"No. According to the statement he had the stuff on him for his own use – one syringeful would have been enough for two or three fixes – fatal, of course, if administered all in one go. What he's saying is that he did it while he was out of his mind – it seemed like a good idea at the time." He shrugged. "It makes sense of a sort, and of course it would clear police books of the murder. But they need evidence to support a confession and this is where we get to the interesting bit. Duggan says in his statement that he carried the body up the fire escape and hanged it with the tow-rope – he's not sure where he got the tow-rope from – and then he took Stoddart's flat and car keys, went back to the car and stole the camera. All right, so far, so good. He was about to go

188

when he decided he was hungry. So he entered the hotel through an unlocked kitchen door and helped himself to cheese. That was when he deposited the syringe in the Stilton. Then he wandered round a bit, got scared, and dumped the camera and flat keys in a wastepaper basket –"

I stopped a forkful of beanshoots on its way to my mouth.

"But that can't possibly be true because the camera and keys weren't found until –"

"Exactly. But wait, there's more. He says in the statement he drove off in Stoddart's car, changed his mind, abandoned the car in Rampton's Hollow and walked the rest of the way home. The police have no witnesses to any of this, of course, *but* they have got a good set of Duggan's prints on the camera. And this is what particularly concerns Taffy. He believes that Duggan's prints got on the camera *while it was in the police-station*." He leaned back in the chair, taking a large sip of his vodka.

I shook my head, uncomprehending.

"You mean the police framed him and got him to invent the whole confession? Why would he do that?"

"Oh, come on. He was desperate for a fix. They convinced him that if he confessed to killing Stoddart while temporarily unbalanced through drugs he'd get a light sentence, and then they worked on the confession, bit by bit. It was Inspector Franks himself who obtained this confession. By the end of it all Duggan would have signed anything to get himself a fix."

I remembered Richard's comment that he'd have said anything the police wanted, just to get out of the station.

"And you really believe that Inspector Franks would go so far as to falsify evidence?"

"I do, but it isn't what *I* believe, it's what Taffy is alleging. And we know ourselves that that camera can't have been put in the wastepaper-basket on the night of the murder. Taken together, these two facts call into question the whole confession. Don't look so shocked. You must know that if the police get someone for burglary they'll encourage him to admit to fifty-nine previous offences just to clear their books. Duggan is a dangerous menace, and it was a small step on from normal practice for Inspector Franks to see to it that he was well and truly stitched up. But he reckoned without Taffy's conscience – and us, of course."

"Yes, well, I didn't like the Inspector much –"

Pete smiled. "He's got fancy friends, apparently, and he likes to keep in with them. A mugging or a burglary in the better parts of town would get high police priority, as compared to a similar offence in, say, Edgeborough Avenue."

"Yes, people with red box burglar alarms," I murmured, thinking of something Lynn Cazalet had once said. "The Inspector is a close friend of Major Duncton. They own a yacht."

"Really. Well, good old Taffy doesn't think much of his methods of policing Tipping." He gave a sudden, bright smile and kissed me on the forehead. "And the best thing, darling, is this. Look." He produced a pocket cassette recorder from his jacket and placed it on the table next to the chicken with crispy noodles. "I got it all on tape."

"Did Taffy know you were doing that? No, wait. I don't think I want to know that. It's your conscience."

He grinned and helped himself to crispy noodles. "Police harassment. A false confession. Tampering with evidence in a murder case. This is Sunday Times material! When it comes to trial, I may be able to sell it to their Insight team. Maybe we can even present them with the real murderer by then."

I looked at him. I'd come out tonight steeled – well, anxious – to commit adultery, and instead I was involved in police-corruption and deals with the Sunday Times.

"Here's to fame and fortune and to hell with frogs," said Pete, filling his empty vodka glass with wine. We touched glasses. He looked tired, but happy; in fact his face looked younger and softer than usual. I wondered if this was because of the story – or me. I put down my fork, leaned forward, and kissed him gently on the throat.

"Don't let's think of it now," I said. "I want to make it up to you for the car."

"Oh! Well." He held his car keys out to me. "In that case, here – go and drive the damn thing into a wall. That ought to be worth a whole night with you."

When I left, Pete escorted me downstairs. He said, "Chris, I've got to see more of you."

"You've seen all there is to see of me."

"Silly! You know what I mean. I'm only sure I'm alive when I'm with you."

It was too dark to see his face.

"Me too," I said.

He took a deep breath and let it out slowly. "Go home now, if you're going."

"I'm really sorry about the car."

He laughed and said enigmatically, "And I'm really sorry about your husband."

On the way home, I thought, I'm forty, we're both forty, we know better than to imagine ourselves in love. This is awful, but it isn't catastrophic. I parked the Mini, switched off the lights and went into the house. I didn't once think about Mike Stoddart, Ian Duggan, or Taffy's story of police corruption.

18

"What do you know about Ellis Willard?" enquired Mr Heslop, rolling up his sleeves to inspect his suntan.

"Who?"

"Ellis Willard. I thought you listed literature on your C.V. as one of your main interests."

Yes, I had, but that was when I still thought an interest in English literature would be an asset to a newspaper reporter.

"Ellis Willard was apparently Tipping's only published poet of any note," said Mr Heslop. "He lived at number thirty-one Edgeborough Avenue for a time, and this bunch calling themselves the 'Friends of Tipping's Heritage' have dug him up as a reason to preserve Edgeborough Avenue in its original form. They'll be after one of those blue plaques and a bloody tourist guide-book next. Anyway, find something out about him from the library, will you?"

"Yes, Mr Heslop."

"This dispute is building up nicely. We can keep it going right through August. They're holding a public meeting on the 23rd, by the way, in the old Church Hall, to display the plans."

"I hope it doesn't rain then. The last time I was there the roof leaked."

He sat on the corner of my desk, arms folded, looking at me.

"You know, you're normally so practical and sensible. You're too old to need fatherly advice, and of course I'm too young to give it to you, but really – you seem to have some sort of blind spot where our mutual friend is concerned."

I didn't answer.

Mr Heslop sighed. "Don't forget about Ellis Willard."

*　　*　　*　　*　　*

I spent a morning in the library looking up Ellis Willard. He was a minor nineteenth-century poet who didn't make it into the Oxford Dictionary of Quotations, and his chief claim to fame seemed to lie in the fact that he once removed and burned all his clothes on the doorstep of a lady love who'd spurned him. He was also a hopeless opium addict, and it seemed quite appropriate to me that a Drug Abuse Clinic should be sited in the vicinity of his home. I said so in my story. Mr Heslop looked at it and shook his head.

"No," he said. "Let's keep the issue clear cut. It's a case of jobs and a clinic against architectural and cultural heritage."

"But don't you think there's a certain irony in –"

"Look, this is the Tipping Herald, not the bloody Guardian! And I want some nice bits of poetry, too, about autumn leaves and English woodsmoke in the nostrils. You know, impressions of an English countryside the cretins round here actually think exists!"

He'd got severe indigestion. I said, "Yes, Mr Heslop," and left him to it.

On Wednesday evening, Richard announced that he and Carolyn had changed their minds about going to Africa. They were going to withdraw all their savings and "do the world".

"I blame you for this," said Keith, predictably. "Ever since you started work on the Herald things have gone from bad to worse. Look at the state of this place! No wonder the boy wants to get away. This isn't a home any more, it's a hostel – and a bloody poorly-run one at that!"

"The boy wants to get away because he'd like to see the world and he's found someone who'll happily share his sleeping-bag with him while he does it."

"My God! That's fine talk coming from you! What the hell do you know about sharing sleeping-bags? You get your kicks from playing around with phrases on bits of paper, making up nice stories about boring people. Yes, and don't remind me about sleeping-bags. We did share one once, didn't we, and I've paid for it ever bloody since!"

193

"You've paid for it! What about me?"

"What about you? I've given you everything you've ever wanted! If it wasn't for me you wouldn't be able to afford to play at being a newspaper reporter. Even in the sixties not every girl who was stupid enough to get herself pregnant got married off at the point of a shotgun."

"Oh, that's not fair! Nobody forced you – you wanted to marry me! Just because we're going through a bad patch don't twist up the past!"

"A bad patch" was putting it mildly; ever since Pete and I became lovers I hadn't been able to bear Keith touching me, and he was getting increasingly resentful.

"Well, anyway," went on Keith, in a lower voice. "I want Richard to get off to a good start in life. He can piss about later if he wants to. He's got all the opportunities I never had and thousands of others would give their right arms for. Whose side are you on?"

"Really, I just want him to be happy –"

"Happy? That sounds like sixties crap to me! I don't even know what happy means – do you?"

The following morning, I asked Pete for the address of Clare's boyfriend's family.

"What do you want this for?" he asked. "It's a dead story."

"I don't know really. Ian Duggan seemed to think there was something in the Clare story we'd be interested in and I can't get to him any more. Her boyfriend is my only hope. Actually I've got a personal interest in errant youngsters at the moment."

"Your son?"

"Yes. He wants to go round the world with his girlfriend."

"Then let him go!" said Pete, with feeling. "Otherwise he'll end up just like us, wondering where it all went."

"It isn't as simple as that. Keith wants him to do his finals first and get his career under way."

"Well, he would, wouldn't he? That's just what I'd expect him to say."

"You don't know him –"

194

"I don't want to know him!" snapped Pete.

The Massinghams only had a two line address, so I knew they had to be rich – "Tillings", Roehatch. With the aid of a magnifying glass I found the village of Roehatch on the map, and set off from Tipping with a full tank of petrol and a packet of sandwiches. It took me over an hour of exceptionally nervous driving to get there. I hate narrow lanes bordered by cows and hedges and cornfields, and tractors that suddenly appear head-on out of nowhere, followed by convoys of Land Rovers and milk tankers.

"Tillings" had probably once been a small farmhouse with a couple of outbuildings, but now it was divorced from its agricultural origins by a gleaming green swathe of lawn complete with shimmering blue swimming-pool. The garage doors were open to reveal a black Mercedes and a red Porsche, and parked in the driveway was a dusty Land Rover. As I switched off my car engine I could hear dogs barking somewhere inside the house. I pressed the doorbell, which appeared not to respond but must have, because the barking reached a crescendo.

"Yes?" The door was opened by a tall woman with a billowing mane of flaming-red hair. She was in her mid-forties, wore very little make-up, and looked disturbingly fantastic in jeans and an old shirt that was probably her husband's. A quick glance told me that in the same outfit I would have looked like an escapee from the Siberian salt mines. Even more unsettling was the fact that I was sure I knew her from somewhere.

"Yes?" she repeated.

"Oh! I'm sorry. I'm looking for David Massingham."

It was as though a cloud passed over her brilliant smile.

"Well, I'm Jill Massingham, his mother, can I help?"

"Will he be back at all?"

"No, I'm afraid not," she said, tight-lipped.

"Oh. This is the last address I have for him. Perhaps you can tell me where I might find him now?"

She sighed. "You'd better come in. Does he owe you money? I really thought we'd seen the last of all that now."

She led me through into the kitchen. It was beautiful – low-beamed ceiling, Aga cooking-range, glass-fronted antique pine cabinets and a large china vase of assorted wild flowers on the table. I thought immediately of advertisements for fruit-cake, packet soups, vitamin-enriched bread – anything in fact where someone wanted to convince you of the wholesome naturalness of an unspeakably artificial product. Except, of course, that this kitchen was the genuine article, in a setting so quiet and rural you could hear the housemartins in the rafters preen the pesticide from their feathers.

"How much is it and who shall I make it out to?" she asked, reaching for her bag.

"No, Mrs Massingham, it's not money. I'll be honest with you." Well, as honest as seems convenient. "I'm with a newspaper and a short while ago I attended a Conference on Drugs and Alcohol Abuse. I'm now doing a follow-up feature where I'm trying to put together some actual case histories." I hesitated. She hadn't reacted. "I know this must be painful for you, but I gather David had a few problems with drugs, and I was rather hoping –"

She laughed suddenly. "A few problems! Oh excuse me, but that really is good! Here do have a coffee. Cigarette? No, of course not. Unfashionable habit." She lit up a long cigarette and poured out the coffee. "So what's your angle then? Are you looking for classic cases of poor little rich boys? Or broken homes and battered mums? Where do you think *I'll* fit? I'll tell you this – having children is a game for losers."

"Yes. Well – perhaps if you could tell me a little about David's early life." I sipped the hot coffee. I was even more sure I'd seen Jill Massingham somewhere before.

"David's early life. Well, quite simply, I loved him. He was the elder of my two boys and my favourite. Michael was the cleverer of the two, but David was the kind one. You can't help having favourites, can you? We gave them everything, you know, both of them. Don, my husband, is in advertising. He started up an agency in the sixties boom time, and we've just never looked back. I don't know what an unpaid bill looks like, can you imagine that?"

"No."

She laughed, and reached for an ash-tray. "Well, I'll tell you something. I've probably missed more of life than you have." She paused to let the remark sink in. It sank in, but I didn't believe it. "Well, anyway, both boys had exactly what they wanted – *fantastic* train sets, adventure holidays, every Action Man ever made – I've got an attic full of those wretched things! Waiting for the grandchildren." She took a long pull on her cigarette. "The grandchildren. Well, at least I shan't have to bear the guilt for how they turn out."

"Are you saying you gave the boys too much?"

She smiled pityingly. "You do like things simple, don't you? Have you got children?" I nodded. "And do you think it's worth it?"

I thought about it. "On most levels, yes."

She shrugged. "Well, you're lucky then. Oh, Michael's doing fine. He gets married next month, and I'm to be a granny at last." She flashed me the warm smile I knew I'd seen before.

"Congratulations. And David – when did things start to go wrong?"

"When he failed his 'A' levels. Oh, we said it didn't matter, and of course it didn't. We could have set him up in any business he fancied. We bought him a nice little Lancia to cheer him up and he drove the wretched thing into the side of a bus. In a bus station! Thank God the bus was empty at the time – witnesses said he did it deliberately." She sighed. "I don't know. What can you do? Then he went out by himself one day and got a job in a supermarket filling shelves. He wore old clothes and started speaking with a dreadful accent, but we didn't mind. He got involved with some girl or other, older than him, with a couple of kids by different fathers. God! That was awful. Don said she was a gold-digger and David left home. We didn't hear from him for months, and then we got a call from a Birmingham police station. This time it was drugs and he'd stolen a car." She sighed again. "This is so boring, isn't it?"

"No!"

"All right, I'll go on. We bought him another car and Don gave him a job at the agency. He didn't do any work, he spent all his time smoking pot and doing obscene drawings on the desk-top. Finally he sold the car, pocketed the money and disappeared." She stubbed out her cigarette, half-smoked, and gazed out at the golden glow of cornfields beyond her kitchen window.

"Er, is that all?" I prompted.

"No. No, it gets worse. We eventually got a call from David from a place called Tipping – well, you probably know it, it's only about an hour from here. He was living in a squat with a girl, and he wanted money. Don didn't want me to give them any. He said it would go straight into the drug dealer's pocket. I did, of course. What can you do – they'll only start stealing things. David was just rotting in this place, not doing anything with his life, and then one day he 'phoned and said the girl was pregnant." She made a sudden choking sound, and tears came into her eyes. "Oh, I'm sorry. David was so pleased, you see, so happy. I thought, thank God, he's happy at last and he's going to be a father. This will change everything." She lit another cigarette. "The girl was a junkie, too. Don doesn't know it to this day, but she'd had a baby before and it was taken into care. I told David he had to take her to a doctor but apparently she wouldn't go because she said they'd take the baby away again." Jill shook her head. "Well, there was some sort of crisis – premature bleeding, I think – and David managed to get her to see a doctor they could trust."

I leaned forward over the coffee cups. "You're sure about that – she definitely saw a doctor?"

"Yes, of course I'm sure. It was my first grandchild, and I 'phoned them every week, sent money. All for nothing, though. The silly girl overdosed herself.'

"Oh, that's dreadful."

"My first grandchild. Dead in a dirty basement in a dead junkie's tummy. There are no euphemisms for that."

I watched her silent, suddenly old face.

"Look," I said. "Could I possibly see David? Do you know where he is now?"

Jill Massingham turned her gaze slowly towards me.

"He's in Canada," she said. "Working on an Indian reservation, so I heard. He's changed." She shrugged. "He doesn't use drugs now, and he doesn't write to me, so I don't know where he turns for consolation. We all need consolation, don't we?" She gave a light, fluttery laugh. "So – what's your verdict on me then? What will you write about me in your nice, clean little piece for which you will no doubt be handsomely paid?"

I looked away. "I'm sorry. I don't know. All cases are different. You've been very kind." I wasn't sure what I'd learned, but I wanted to leave the beautiful kitchen and the beautiful woman. I thanked her for her help, finished my coffee, and she showed me to the front door. Another round of barking from the dogs commenced as I set foot on the driveway. Almost back at the Mini, I turned to look at her again.

"I hope you won't mind my saying this, but I'm sure I've seen you somewhere before."

She laughed. "Yes, a lot of people say that. I used to be Miss Marigold. That's where I met Don. Remember, in the sixties?" She went into a little dance routine in the doorway and it suddenly came to me like a flash from the past. "Miss Marigold", a liquid household-cleaner for all surfaces, and the dizzy redhead in the flower costume who danced your troubles away – I looked at Jill Massingham, and we both laughed; odd how such trivia stick in the mind.

I drove away from "Tillings", up a hill, and stopped on the edge of a field to eat my sandwiches. It was strange, I thought, that on walking into Jill Massingham's kitchen I should have been instantly reminded of a TV commercial. Could that be part of the puzzle? Jill and Don Massingham lived in an illusion of their own making, an illusion which David might not have been able to share. I thought of Richard. It wasn't my fault if he loved Carolyn, and if Carolyn was wild and reckless and irresponsible – was it? Can it be your fault if your children choose another person's illusion of reality? "Miss Marigold – the solution to all your household's problems" – well, not really.

"You were right," I said to Pete, on Friday morning. "David Massingham's mother is absolutely positive that Clare received medical attention for her pregnancy. I couldn't see David though. He's gone to Canada."

He sighed. "Yes. I know a cover-up when I see one. We'll just have to file it under 'F' for frogs and failure."

"She was quite an interesting person, though, Mrs Massingham. Made me think. And would it really have been such a good story, Dr Rachel's negligence, if that's what it was?"

"Not just negligence, darling – falsification of records. Doctors aren't supposed to do that. Our lives depend on them. Once they start bending the rules to suit themselves there's no telling where it can lead. Misuse of drugs, for instance."

"What – you mean doctors supplying drugs like heroin for profit? Do you think that's what Ian Duggan was getting at? 'Rich do-gooding bitches taking risks', he said. Perhaps Dr Rachel was the one supplying Clare with heroin!"

Pete shook his head. "Who knows? It doesn't matter. The girl's dead, Massingham's in Canada, and Duggan's likely to stay behind bars for quite a while. If Dr Rachel were building up a little nest-egg for herself supplying teenage junkies, then she's got away with it."

I sighed. It was becoming depressingly easy to think the worst of everyone.

"Listen," said Pete. "Edgeborough Avenue. I've been doing some checking. Over the last two or three years all the houses between seventeen and thirty-one have changed hands. Apart from two which were bought by Greyfield Properties, all the others were bought by people who wouldn't normally speculate in property. Your Reverend Harlow and a Mrs Parkes, a nice respectable widow who bought a house on the advice of Major Duncton – such a kind, helpful man, she said. There was also a retired solicitor called Scott, who now lives in Malta and whom I haven't been able to contact. They were all the sort of people who'd be happy to make a reasonable profit and not look too deeply into things. They all sold out to Greyfield Properties over the last few months – just about the time one would suppose Leisching first made overtures to Tipping Council for a site. And now the only thing that stands between Tipping and the Leisching Pharmaceutical complex and Greyfield making a huge profit is Major Duncton's Planning Committee – and of course The Friends of Tipping's Heritage."

"I see. So it looks as if the Major picked out Edgeborough Avenue some years ago as a site for commercial development, despite the fact that it was zoned as residential, alerted Greyfield Properties to its potential, and then persuaded other people to buy houses there. We're assuming Greyfield give him some sort of pay-off, are we? But why didn't Greyfield buy all the houses in the first place?"

"Well, supposing you owned a crumbling old house in a run-down street and a property company showed an interest in it, what would you do? You'd up the price, especially if you knew they'd made an offer to your neighbours as well. But if a dithery old widow wanted to buy it at the asking-price, you'd sell the bloody thing and laugh all the way to the bank. Remember, at this stage it was still a gamble for Greyfield and the Major. When Leisching came on the scene they could afford to offer Harlow and the others quite a nice price. The only obstacle is getting through the change of use for the site, and when you look at what's on offer for Tipping – a drug abuse clinic and hundreds of jobs – it doesn't look like much of a problem – especially with Mr Tipping himself on your side."

"All right. So what now?"

Pete made a face. "It's quite simple. We have to prove a connection between the Major and Greyfield Properties."

"Ah." I must have looked blank.

"Yes, well, I was being sarcastic. Naturally it isn't simple at all. Greyfield Properties operate from an accommodation address with the sort of directors who make a career out of appearing on directorship lists. One of them is interesting, though. A Mr Mears. I think he lives near you." He showed me the address.

201

"Yes. I know Drayton Cottages," I said. "They're just two-up two-down terraced cottages, not really director material. Shall I call on him on my way home?"

"Yes. Good idea. Find out all you can, who he works with, any other companies he's got an interest in. Your nice, soft voice should work wonders on him, like it does on me. I'll be working on my car this evening, fixing the dents you put round the headlamp."

I was sitting on the corner of Pete's desk and Mr Heslop gave me a disapproving look.

"We're just talking about Edgeborough Avenue," I said, defensively.

"Really. Well, that's a happy coincidence. Not doing anything tomorrow afternoon, are you?"

"Well –" Oh dear, not Saturday work, I had planned a major shopping-expedition to refill the freezer.

"St Francis' Church Fête. The Tipping Heritage people are going to be there with a petition. See if you can get some quotes."

"It's being opened by Eric De Broux this year, isn't it?" said Pete.

"It is as a matter of fact," agreed Mr Heslop with an air of suspicion.

"Wear your Kermit outfit, Chris," said Pete.

I went back to my desk and sat down. I put Mr Mears' address in my handbag and worked out how I could fit St Francis' Church Fête in with the shopping. I thought about Edgeborough Avenue, and how nice it would be if Major Duncton turned out to be a crook and I had a hand in bringing him down, but I couldn't really put my mind to it. Something was bothering me, two ideas trying to connect together. Suddenly I jumped up and ran down the corridor to Pete's desk.

"Listen!" I shrieked. "I've got it!"

"Oh God, are you all right?"

"Yes! Listen – Dr Rachel killed Mike Stoddart! She did it because he knew she was visiting Clare and supplying her with drugs. He photographed her through the window or something, and tried to blackmail her, and she knew he was an ex-heroin addict himself, and –"

"Pumped him full of heroin and hung him from the Clock-tower," finished Pete. He smiled. "Actually, it's not a bad theory. There are two things wrong with it. One, I doubt very much whether she'd have had the physical strength to carry a dead body up the fire escape, or even to hold Stoddart long enough to administer the injection. True, she could have used chloroform or something more sophisti-cated on him – and there is the possibility that her husband helped her. But then there's objection number two. If she killed him with a heroin overdose the sensible thing would have been to have left him where he lay with the syringe beside him. Then Inspector Franks would assume it was an accidental overdose by an addict resuming the habit, I'd do a story on government education cuts driving teachers to drugs, and that would be the end of it."

"Oh. Yes." I gave him a rueful smile. "Have you noticed how hot it's getting? I think the heat must be doing some-thing to my brain."

Drayton Cottages once commanded a view over woodlands to the rooftops of Tipping huddling in the valley, but in the sixties the woodland was cleared and two housing estates built in its place. One day no doubt the cottages would be "improved" by the addition of double glazing, stone fascias, and the like, but that afternoon their ruddy brick exteriors glowed in the oppressive heat of a threatened thunderstorm, and much-mended net curtains hung limply at open sash windows. There was neither bell nor knocker at number six, but I rattled the heavy letter flap. Tired feet plodded slowly down the steep staircase, and the door opened to reveal a plump woman in a blue overall.

"Good afternoon. Are you Mrs Mears?"

"No, love. She goes down the Centre Friday afternoons."

"Is Mr Mears here?"

"No. It's his day for the physio. What's it about, love?"

"Well, I'd really like to speak to him. What time will he be back?"

"Look, love, between you and me there's not really much point talking to him. He's gone a bit – you know. Well, they are both in their eighties. I'm the home help. I've been with them for years, lovely pair they are. What's it about, love?"

I sighed. Perhaps Pete had got hold of the wrong address.

"Don't worry. It was about his business interests, but I think there must be some mistake. I'm Christine Martin from the Herald. I'm afraid sometimes we get things a bit mixed up!"

"Oh! His business interests! You'll want his son-in-law then."

This sounded more promising. "Well, where can I find him?"

"At the station, I should think. Give him a ring, I would, he goes out quite a bit."

"What, the railway-station, you mean?"

"No, love, not the *railway* station, the *police* station. His son-in-law is the Inspector – Inspector Franks."

"Inspector Franks! Are you sure?"

"Yes, love, that's right. You can catch him at the station. Look, I've got to finish the upstairs and get home to do my lads' tea – I'll tell the Inspector you called."

As she closed the door I shouted after her, "Oh, please don't bother the Inspector!" but I wasn't sure if she heard.

19

Keith came home from work before I had a chance to ring Pete, and he had a headache. We sat in the kitchen, half watching a regional news programme, and I wondered whether I dare mention Inspector Franks' name in front of him. The last time I'd talked about the Stoddart case, and ventured the opinion that the police might have arrested the wrong man, it had led to an argument.

"This is turning into a bloody left-wing anti-police crusade!" Keith shouted. "You'll jump on any fashionable bandwagon, won't you? Why don't you just apply for a job on the Communist Weekly or whatever it is?"

I'd looked at him and wondered if he were ill. Men of his age sometimes had sudden strokes. He'd got up and stormed out of the room, and later he had muttered something about needing a drink and he went to the pub. Really, he just seemed to need to be out of the house – and away from me.

Keith retired to the living-room to watch Channel Four news and nurse his headache. I was left with the washing-up and Richard's shirts to iron. Pete's phone rang and rang. Finally, his voice, out of breath, exclaimed, "What?"

"It's the lady who smashed up your car."

"Oh, hello you."

"Ronald Mears – he's Inspector Franks' father-in-law. And he's senile, and the Inspector handles his business affairs."

There was silence. Pete gave a low whistle. "Inspector Franks. Jesus!"

"He and the Major must have planned the whole thing, letting the Edgeborough Avenue area run down and get a bad reputation for crime. Will they really make a lot of money?"

205

"Lots."

"Can we prove it?"

"We'll have a bloody good try."

I hesitated. "If there's a lot of money involved, and if Mike Stoddart knew about it, do you not think it at all possible that Inspector Franks killed him to shut him up?"

Pete laughed, whether at the idea or my reticence in putting it forward, I wasn't sure. After he'd thought for a bit, he said, "As a suspect, I like Inspector Franks better than Eric De Broux, Rachel Goodburn, or John Goodburn and your mistaken-identity theory! Let's suppose the Inspector kills him with heroin and hangs him from the Clocktower to make it look like there was some sort of bizarre drug-scene connection. No problem there. But why dispose of the camera, keys and syringe at the hotel? Why not hang on to them until he'd singled out Duggan as a suspect and then plant them in his flat? Also, what was the point of driving Stoddart's car down to Rampton's Hollow? He'd've had to walk back to the Clocktower to get his own car."

"Well, Major Duncton probably helped him. And anyway, he might have met and killed Stoddart in Rampton's Hollow."

"Yes, that's true. Perhaps we ought to interview a couple of those bloody frogs."

I laughed. "Oh well. Perhaps we'll never know."

He said, "Come and see me tonight. We'll talk it over."

"I can't. Really."

He sighed. "I want to see you. I was thinking about you before you rang."

"Only because you were filling in the dents I made."

"Only because I think of you most of the time anyway." There was a rumble of thunder. I heard it reverberate around the evening sky and crackle through the telephone receiver. "Jesus, it's hot. I'm taking off my shirt. Come over here and I'll take off yours too."

"You know I can't."

Keith walked into the kitchen and opened the 'fridge.

Pete said, "Any minute it'll start raining. Hard, cold drops on our hot flesh. We'll leave the bedroom window open and make love in the rain. I'll kiss the raindrops off your nipples. I can taste it already. Are you listening, am I getting to you?"

"Where's the bottle opener?" asked Keith.

"I am getting to you, aren't I? Tell him to find his own sodding bottle opener and come and see me. I'm waiting for you and aching for you –"

"I'll have to go now!" I said, sharply. "See you Monday!" I put the 'phone down before he could say anything else. "The bottle opener's in the right-hand drawer, Keith, under the tea towels."

He found it. "Who were you 'phoning?"

"Oh – Mr Heslop about the St Francis' Church Fête tomorrow. Would you like to come?" I tried to fan the flush from my cheeks with a magazine.

"You know we're playing away tomorrow. You look really hot. Are you all right?"

"Yes, of course I am. You'd be hot if you'd stayed in the kitchen, washing-up!" I replied with unnecessary savagery.

Julie and I got to the Fête as it opened, and I used my Press card to queue-jump, to Julie's great delight. The sun was just sulking out from behind receding clouds, and limp, wet bunting hanging around the field steamed spectacularly in the sudden warmth. It was to be a day of sundresses and gum boots, dark glasses and sweaty plastic macs. Eric De Broux, looking quite odd in sky-blue track suit and trainers, gave a short opening speech expressing his pleasure at having been honoured with the task, etc., etc., and urging us all to enjoy ourselves and spend freely in the cause of various charities. He had donated several raffle prizes in the form of free dinners at his hotel, and looked forward to welcoming the lucky winners. Then he announced that the caged pet competition would be starting in half an hour, and left the platform to an accompaniment of polite, uninterested clapping. Julie and I made for the produce stall and bought a cake and some apricot jam for tea before the rush started. We found the stand run by the Friends of Tipping's

Heritage, and it was manned by none other than Elaine Randall. She looked a little nervous when she saw me.

"Are you going to sign our petition?" she asked.

"Yes, all right, why not?" I agreed. "How's it going?"

"Oh, really amazingly well. People are expressing so much interest in Ellis Willard's work." A line drawing of a young man with a sensual mouth was pinned to a placard, and surrounding it were pages of poetry obviously typed in a hurry and with liberal use of Tipp-Ex. No one was looking at them.

After a quick appraisal of the terrified hamsters in the caged pet competition, and an abortive attempt (thank God) to win a goldfish at hoopla, Julie wandered off to look for friends, and I returned to question the curious at the Tipping's Heritage stand. The sun had come out fully by now, and the queue for ice-cream had grown so long that some of the people standing in it were actually reading Ellis Willard's poems for want of something to do. I was able to elicit some printable reactions to the Edgeborough Avenue development, though no one was struck by the poetry. Suddenly someone ran a finger down my back and I turned round to face Pete.

"What on earth are you doing here?"

"I came to see you, what else?"

"But my daughter's here!"

"So? So are several hundred other people. Why shouldn't I just happen to be here too?"

"Well, I shouldn't have thought this was your kind of thing anyway."

"It isn't." He looked at the ice-cream queue and laughed. "Last time Helen and I came to one of these I spent the afternoon in the beer tent, Helen was two hours in the pony-ride queue, and the kids all got lost and had to be rescued from the St John's Ambulance tent!"

"Well, at least you're laughing about it."

"Only in retrospect, darling."

"Anyway, I haven't forgiven you yet for talking to me on the telephone like that last night. All you ever think about is sex."

"So do you. That's why we're so perfectly matched. That's why one day –"

"Hello!" Julie was standing there, looking from one to the other of us, her eyes bright and curious and seeing everything. Pete smiled.

"Now you must be Julie," he said. "Apart from the hair, you look just like your Mum. I hope you'll take that as the compliment it's meant to be."

"Oh! Well, I don't know if I do want to look like her –" She turned to me, questioningly.

"This is Pete, whom I work with," I said quickly. "We just happened to bump into one another."

"*My* Dad's not here," said Julie. "He doesn't like these things. Did your kids drag you along?"

"Er, no, I don't actually live with my kids."

"Oh, you're divorced, are you, and your wife's got custody? That's a shame!"

"Julie, don't be personal!"

"My kids are quite grown-up now," Pete said. "They don't really need me any more."

"No, but you still need them, don't you? If I ever have kids I won't want some other woman looking after them. They're still bits of you, aren't they?"

There was an uncomfortable silence. Pete laughed.

"Let's all go to the refreshment tent and I'll buy a beer for Chris and me and a pint of AB Negative for little Miss First-Cut-is-the-Deepest here."

We found the refreshment tent and Pete ordered half-a-pint of warm beer for each of us, Julie included. It seemed to me that the two of them were playing up to one another, she, trying to be witty, and funny, and forward, and he encouraging her and letting her outsmart him. She wasn't like my little Julie any more, she was an adult indulging in repartee with another adult. I wasn't sure if I liked it, but it got me out of an awkward situation.

Afterwards, I bought us all "lucky" fête programmes and Julie went off, slightly flushed, but happy to rejoin her friends. Pete took my hand but I pulled away angrily.

"Don't! She's not stupid!" I opened the programme and

read it. At the other end of the field, we had apparently just missed a display by Tamsin Delaney's Young Unicorn Drama Group. *Tamsin* Delaney! "Pete, look – *Tamsin*. That could be Dr Goodburn's daughter by his first wife."

"It could be a lot of people, darling."

"Let's go and find out."

"What the hell for? What does it matter? I keep telling you, in real life men rarely resort to murdering their wife's lovers. And certainly not more than ten years after the event. As a matter of fact," he added, his tone changing slightly. "If it's a crime of passion you want, I can think of a far stronger motive for the lover killing the husband."

I glanced at him uneasily. "Oh?"

"Well, it's not great, you know, sitting at home on a Saturday night knowing another man is drunkenly screwing the woman you're dreaming about!"

He clenched his teeth and walked off. I caught up with him, almost slipping on the mud.

"Pete, we don't," I said, catching his hand. "I couldn't –"

He didn't look at me. I don't think he believed me. Ahead of us, people were laughing and sliding about in puddles; I couldn't talk to the back of his head.

The Young Unicorns ranged in age from about twelve to fifteen and were uniformly scruffy in jeans and tee-shirts, like all serious artists. They were stowing away their equipment – an old chair, a trumpet, several large hats and a dustbin – in a small trailer attached to a battered Citroen. A tall, blonde woman in her early thirties was instructing them in well-modulated, carrying tones. She looked not in the least like Dr Goodburn.

"Excuse me. Are you Tamsin Delaney?" I asked.

"Yes, that's right."

"Can you spare me a minute? I'm from the Tipping Herald."

"Delighted to. Hang on a second. Take a break everyone! Back here by four o'clock sharp and anyone late catches the bus! Oh, wait! You didn't want a photo did you?" she asked me. I shook my head. "Toddle off then!"

Tamsin seated herself on the edge of the platform, shaking her head and running a hand through her long hair.

"To be honest these things are more trouble than they're worth, but it's good practice for the kids, playing to an unpredictable audience. Now, what can I do for you?"

"You'll have to forgive me. It's got nothing to do with your Young Unicorns – whose performance, incidentally, I enjoyed very much. I'm doing a little piece on the Goodburn surgery." No response. "You are Dr Goodburn's daughter, aren't you?"

"Yes."

"Well, the rumour is that they're moving away from the area, and –"

"Are they?" She looked surprised.

"Yes – didn't you know?"

"No! I'm afraid they don't confide in me. You've really come to the wrong person on this one, I'm afraid!" She laughed, as though at some private joke.

"Oh dear," I said, also laughing. "Not the wicked step-mother syndrome, is it?"

"Rachel, you mean? Heavens, no. Quite the reverse. She's –" She hesitated. "Just a minute. What paper did you say you were with?"

I told her.

"Well, I really think you ought to be talking to Rachel and my father about their plans. I can't tell you anything anyway." She smiled encouragingly. "Now, if you wanted some background info on the Young Unicorns, I'd be very glad to fill you in."

Pete took a long breath and leaned back (rather unwisely, I thought) against the support pole of the coconut shy. He closed his eyes.

"'The high spot of this year's fête was undoubtedly the very accomplished display given by the Young Unicorns' Drama Group, who showed what can be done with a minimum of resources and a maximum of talent.' How does that sound to you, darling?"

I said "Fine," and Tamsin said "Super," because we each thought the "darling" was addressed to us. Tamsin looked pleased.

Pete said, "The Goodburn Surgery story. Chris is putting together a nice factual piece on how long it's been going, that sort of thing, but it does help to have an inside view. Anyway, darling, it's up to you." He shrugged, smiled, and looked away, as though losing interest.

Tamsin thought for a moment. "Honestly, I can't tell you much. My parents were divorced about fifteen years ago. Mummy married again, and my father married Rachel about six years later. Actually, I wasn't close to my father at all – not even when he and Mummy were married. He was always too busy being a doctor. Anyway, he and Rachel set up the practice here about eight years ago, and it was Rachel who arranged what family contact there was. Just one of those things, really – my father and I never got to know one another properly."

"Would I be right in saying that Eric De Broux is your stepfather?" I asked.

"Yes," she said, and added with a laugh. "You would, actually, but I hope you won't be mentioning the fact in your article!"

"Oh – why's that?"

"Well, ever since Eric bought the Clocktower Hotel my father's had a sort of persecution complex. God knows why. He never forgave Eric for luring Mummy away, despite the dog's life he'd led her. He seemed to think Eric had followed him to torment him. Oh, God, you won't use this, will you?"

I managed to swallow a gasp of triumph.

"Heavens, no, we're not the News of the World!" I said, with a sickly smile. "Thank you for your time. It was very kind of you when you've got so much clearing up to do –"

Eric De Broux and the sky-blue track suit suddenly appeared between us.

"Are these people annoying you, Tamsin?" he asked, glaring at Pete.

"No?" replied Tamsin, on an interrogatory note, looking puzzled.

"Because if they are, don't hesitate to call for police assistance. I assure you, you have absolutely nothing to fear from this very poor excuse for a journalist."

Pete laughed. "If I visit your restaurant, Mr De Broux, any chance I'll get a nice dish of frogs' legs?"

"If you visit my restaurant, a fist down your throat is what you'll get!"

"Eric!" exclaimed Tamsin, horrified.

"It's all right, darling, don't worry about it," said Pete. "The lengths to which people will go to protect their financial interests never surprises me. Come on, Chris."

When we were out of earshot, I couldn't resist saying, "I told you so! And now we know we've got the right Dr Goodburn."

He said, with heavy sarcasm. "Yes, and isn't it a pity we've got the wrong murder victim?"

Having decided not to wait to see if our "lucky" programmes had won anything in the raffle, Julie and I sat in the queue to leave the car park behind dozens of others similarly lacking in optimism. Julie was cuddling a pink teddy bear Pete had won for her at hoopla (he said the beer had steadied his aim).

"Mum," she said, after a long period of unnatural quietness. "Who is Pete?"

"I told you. He works at the Herald."

She held the teddy-bear by its leg and tried to fan herself with it.

"You two are in love, aren't you?" she asked, in a deceptively matter of fact tone.

"What? Don't be silly!"

"You were looking at each other all soppy when you thought I wasn't around. I saw it!"

"Julie, for goodness' sake! Don't say things like that!" The car in front edged forward and I followed, getting too close.

"He's quite good-looking for his age. He's got nice eyes. I don't blame you." She stared hard at me, and I could sense a sudden change in mood. "Are you going to leave Dad?" she asked in a quiet, child's voice.

"Oh, of course not! Will you please stop this silly talk? This is all absolute nonsense!" I began to feel slightly sick and wished I could get away from Julie.

"Mum," said Julie, after a long pause. "When I said that

the other day, about wondering whether it was you, or Dad, having the affair, it was Dad I was thinking of, not you. Don't you think it's funny that he wears his expensive aftershave to cricket practice? You know, the one in the brown bottle."

"Look, I've got better things to do than to go around smelling your father when he goes out for an evening. And if you don't stop this sort of talk *at once* you can get out of my car and walk home! Really – not everyone subscribes to the kind of lifestyle your friend Heather does!"

In the circumstances that was a pretty bitchy thing to say.

When we got home I went up to the bathroom and gave a quick shake to the brown bottle of aftershave I'd given Keith for Christmas. It was almost empty.

20

"'Edgeborough Avenue'", said Mr Heslop. "'The Dispute that has Split the Town in Two' – what do you think of that for Friday's headline?"

"Well," I said, thoughtfully. "It hasn't really split the town in two, has it? I mean there are a few people who think it would be a good thing for Tipping to have the Leisching complex here, with hundreds of jobs and a drug abuse clinic, and a few people who are worried about losing some nice old houses, but most people don't seem very interested."

Mr Heslop looked irritated. "All right – 'Edgeborough Avenue – Most People Not Very Interested' – how many newspapers do you think a headline like that would sell?" He put a folder containing a number of letters on my desk. "Now I want a page of pros and a page of cons. Use these and what you got on Saturday. Throw in some more of the poetry and go down to the Unemployed Centre and get a few quotes from there to balance things up. Oh, and don't be smart and chat up unemployed poets, either, I don't want any more bloody irony. This issue's going to coincide with the Leisching meeting to display the plans, so let's really sock it to them." Pete walked past, blowing me a kiss and mouthing "see you later".

"What's he up to?" demanded Mr Heslop, suspiciously.

"I don't know exactly," I replied truthfully. "He doesn't tell me everything."

"Hm. Well, it had better not be another time-wasting exercise."

That afternoon I received a 'phone call from Keith to say that he was going out to dinner straight from work to celebrate a colleague's fortieth birthday, and not to wait up for him. This was astounding news, as it would mean his missing cricket practice for the first time in living memory, and I couldn't resist pointing out that my fortieth birthday had passed without so much as a portion of chips being festively consumed. In fact we had quite a bitter argument about it over the telephone, my anger being fuelled by relief that I wouldn't have to face him before meeting Pete. Pete suggested that in the circumstances we should meet early and have a meal out, but I said no; it didn't seem worth the risk. Perhaps the idea of being caught with Pete in a restaurant by my next-door neighbour started off a chain reaction in my brain, because as I drove home from work to lie to the children about visiting Judith again, I began to feel uneasy. I accelerated round the bend towards home, eager to escape the censorious gaze of dozens of pairs of eyes I had begun to imagine were watching me. Parked in the driveway of our house was a dark-grey Peugeot estate car I'd never seen before. I felt instantly alarmed, as though this intruder had something to do with my earlier train of thought.

As I parked in the road outside the house a man emerged from the garage. He was short and balding, and wore an ill-fitting suit, the pockets of which bulged with pens and pieces of string. He looked at me over the top of his clipboard.

"Mrs Martin?"

"Yes."

"Won't be much longer. You've just about got room here, I'd say. That drain's a bit of a problem but we'll see what we can do."

"I'm sorry. I don't know what you're talking about."

He had three strands of grey hair crossing his bald patch, and he pushed them out of the way flamboyantly, as though dealing with a mane of unruly locks.

"Mrs Martin? Thirty-one Barrington Avenue?"

"Yes."

He winked. "Thought so, love, I don't make mistakes. The double garage. Not squared it with your husband yet, have you?"

I was baffled. "Look, who are you exactly?"

"Bill Pritchard, ma'am, Pritchard Brothers, Builders." He handed me a card. "Matching brick, of course, we'll do a

216

nice job, don't worry. I'm sure you've heard of us. We did the extension on Number forty-seven."

"Yes, I've heard of you and a double garage would be wonderful, but I haven't asked you for an estimate or anything, and I'm sure my husband hasn't. We applied for planning permission for a carport last year and were refused."

He leaned against his car and looked me up and down. I didn't like him. He had body odour. He sighed.

"All right, love, have it your way. I'm a man of the world and I've seen it all before. It's no business of mine how you get favours out of the military. All I know is I'm on a backscratcher job and I'll do as I'm told." He made a few more notes on the clipboard while I stared at him in bewilderment. We didn't know anyone in the army.

"All right then, love, all done," said Bill Pritchard. "We've got a slack period coming up in September, we can do it then. Tell you what, seeing as you've got friends in such high places, I could give you a nice discount on a granny flat on top of the new garage. Add an extra seven or eight thousand to the price of your house, even if you haven't got a granny. Want me to do you a quote?"

I shook my head, just wanting him to go.

"Fair enough, love, you think about it. See you in September!" He got into his car, then leaned out of the window to give me another, longer appraisal. I was perspiring a little and he looked like the kind of man who would go for sweaty women. "Give me a ring if you like," he said, with a wink. "The discount on the granny flat's negotiable."

I watched him go, open mouthed. There was a Mrs D. Martin of Barton Gardens over the other side of town. A few years ago I'd been repeatedly sent her mail order catalogue and quantities of thermal underwear until I threatened to write to a consumer affairs programme. Somehow or other, Mr Bill Pritchard must have got his addresses mixed up, though it puzzled me that someone so fond of thermal underwear could be involved in what he had suggested. Well, I'd led a sheltered life and there were probably a lot of strange fetishes I didn't know about.

When I arrived at Pete's flat, as always our first few moments together were tense. We exchanged chaste kisses, and he poured us both a drink. We sat a foot apart on the sofa and smiled at each other and my hand shook a little.

"How have you been getting on with Greyfield?" I asked.

"Not great, actually. How was your day?"

"Pretty boring. I, er, thought a bit about the Stoddart murder." He smiled, so I carried on. "We seem to have three imperfect suspects. Number One, Eric De Broux. Mike Stoddart could have blackmailed him over the frogs. He probably took photos of their being planted. So De Broux arranged to meet him at Rampton's Hollow and pay him off, killed him, and took the negatives from the flat and the film from the camera. So far so good?" Pete nodded. "But then he proceeded to leave bits of evidence, including the body, all over his own hotel, which doesn't seem to be logical."

"O.K. Suspect Number Two," prompted Pete, edging closer along the sofa.

"Suspect Number Two is Rachel Goodburn," I said. "Stoddart lived next-door to Clare and saw Rachel coming and going, probably at night. He took photos of her injecting Clare, or accepting money, or something. After Clare's death he blackmailed Rachel, and finally she arranged to meet him at Rampton's Hollow where she killed him." I laughed. "And then she had some sort of brainstorm and took the body up to the Clocktower –"

"Yes, all right." He sounded impatient.

"Suspect Number Three is Inspector Franks and/or Major Duncton. I'd really like it to be them." I thought for a moment. "Stoddart somehow put two and two together about the Edgeborough Avenue development. I don't know what photos he could have had, though – the Inspector and the Major meeting someone from Greyfield Properties?" Pete shrugged. "Well, anyway, one or both of them met and killed Stoddart and then the Inspector set about framing Ian Duggan. And didn't make a very good job of it."

"O.K." he said. "But let me remind you of something.

Apart from De Broux we can't be certain any of our suspects had the slightest motive. We *think* Rachel Goodburn was visiting Clare, but we don't know and we don't know that Stoddart knew. We *think* Stoddart may have known about the Edgeborough Avenue conspiracy, but apart from a few notes which have disappeared there's no evidence of it. He may have known almost nothing about it."

I sighed. "We need those photographs."

"Well, we haven't got them and we never will have. I'm just grateful you've given up your mistaken identity theory."

"I'm not sure I have – I mean, the whole thing is so illogical that –"

"All right, darling, now forget about it, will you?" He had run out of patience. "If we can get this Edgeborough Avenue conspiracy story together, and of course the Ian Duggan frame-up, we shall have done extremely well."

"What – well enough to get you a job on a better newspaper than the Herald!" I suggested, with a hint of sarcasm. I turned away. And you'll leave Tipping and live in London, I thought, and I'll never see you again.

He must have misread my thoughts.

"Oh dear – is your husband getting suspicious?" he asked.

"No. I don't think so."

"Well – good, because *I've* been thinking about more important things than murder. I'd like to take you away somewhere for a couple of days. To a decent hotel with room service and no dead bodies on the fire escape." He reached across the gulf of sofa and took my hand. "You won't have to wash a dish or a sock or do anything for two whole days. Except think about me, and us, and be my mistress."

The feeling of edginess was still upon me. I said dangerously, "I bet you weren't this kind to Helen."

"No. No, I wasn't kind to Helen at all."

I hadn't expected such honesty, and tried to make amends. "Well, it's sweet of you, but –"

"It isn't *sweet* of me, for Christ's sake! I want to keep you awake all night and see you looking pale and tired and scarcely able to walk in the morning!"

"You say some awful things," I said, blushing.

The image of the hotel room with its tangled bed and us together on it in the early morning light became too strong. He looked down at my jeans, taut across my hips and stomach, and unzipped me. We fell back on to the sofa.

I left Pete's later than usual that night, and the moment I'd pulled out of the forecourt and waved goodbye the spell was broken. I started to worry in case some dreadful disaster had overtaken Julie or Richard during my extended absence. Perhaps that's why I didn't immediately notice the dark-blue Fiesta which followed me closely as I turned first right, and then left, and entered the roundabout. I don't like night driving, and always drive slowly, no matter how anxious I am to reach my destination. It was when the Fiesta didn't overtake as I left the roundabout that I got the distinct but uncanny feeling I was being followed. I accelerated; so did the Fiesta. I braked; the Fiesta braked. Ahead was a crossroads where I needed to turn left towards home. I was beginning to panic. I indicated left, slowed, moved over slightly, then at the last moment accelerated with a squeal of tyres into a fast turn right. Blood hammered in my ears, almost drowning out the outraged hooting of a van driver who'd had to brake hard to miss me. The Fiesta was stopped at the junction. I breathed a sigh of relief. I'd lost him. On reflection I could now see that the sensible thing would have been to have driven straight home into my own garage and called for Richard's assistance if necessary, but I'd come from Pete's flat and was blinded by guilty conscience.

I tried to visualise the road before me. It was empty, lit by ugly, orange street-lamps and hemmed in between high fences topped with barbed-wire. I was sure there was a right-turn somewhere which would take me off the industrial estate. I slowed down slightly and the van passed, hooted, and disappeared. Now the road was empty in both directions, an incandescent orange corridor through a blackened landscape. And then there it was again, the blue Fiesta, suddenly bulging into view in the mirror. "Oh God!" I moaned aloud. Now there was nowhere to go. I stamped down the accelerator but nothing seemed to happen; the Fiesta was closing on me as though I were standing still. I could make out the pallor of the driver's face above the glare of his headlamps. "Oh please, please!" I begged God and the car, gripping the steering wheel too tight and dancing over the white line. The Fiesta flashed its lights. My heart was pounding in panic. I swerved back into my lane as we rounded a bend and suddenly he was beside me, the noise of his engine merging with mine into a crescendo of sound. The hairs on the back of my neck rose. I glanced quickly at the Fiesta, my foot hard to the floor. The driver's hands, glowing brightly orange, began to make a left-turn of the wheel, unmistakably towards me. I reacted instantly, swerving to the left and hitting grass with a jarring bump. As I ploughed on to the verge, braking, I knew he'd got me. "Oh God!" I screamed, and came to a violent halt.

There was silence. Frantically I reached over, and locked the passenger door and my own door. The door of the Fiesta was opening and a man climbed out, slowly, relaxed. As he stepped into the beam of light from a street-lamp I recognised him: it was Inspector Franks. The hairs on the back of my neck were still erect. He put his face against the windscreen and tapped on the glass. He was so close I could make out large open pores on the end of his nose. He pressed his police identity card to the screen. "Open the door and stand away from the car," he said. "I want a word with you."

Trembling uncontrollably, I unlocked the door and got out. There didn't seem to be much choice.

"Well, well," said the Inspector. "You don't believe in making things easy for yourself, do you? A classic piece of menopausal driving if ever I saw one – waltzing all over the bloody road!"

"I thought – I thought –"

"Yes, I imagine you had quite a few things on your mind, the life you lead." He walked slowly round the Mini, his feet crunching in the gravel and debris at the side of the road. In the distance a guard-dog barked in a bored sort of way, as though it had given up hope of anything ever happening.

"This your car?" asked the Inspector. "Know the number,

do you?" He bent down behind the car and for a moment I couldn't see him. Then I heard the sound of a heavy blow and glass breaking. I ran to the back of the Mini and there stood the Inspector with a brick in his hand, shaking his head.

"It's an offence you know, Mrs Martin, driving at night with a rear lamp missing. I might have to write this up." He dropped the brick. I stared at him, rigid with horror. "Been drinking as well, have you? Oh, but no, I don't suppose you'd've had time, would you? Too busy with other things." He advanced on me, slowly and menacingly. As he approached he raised his arms and I steeled myself for a blow to the head. One hand found my left ear, the other settled on my right breast and squeezed it painfully. "Nice cosy working-relationship you have with your colleague, don't you? I clocked where your car's been all evening!" His breath smelled faintly of beer. He chuckled and pushed me back against the Mini. "Oh, don't worry, I'm a family man. Coming up to thirty years of marriage and never a thought in the wrong place. 'Cos I've got my priorities right, you see. Wife and family – that's what it's all about. Insuring for their future – and mine, of course. And that's why, you see, I don't like people like you poking their dirty noses where they shouldn't. Know what I'm talking about?" I still couldn't speak. "Well, do you?"

"Yes. I think so."

"Well! That's good. I can be very unpleasant. You ask that son of yours. I've already had to speak to him once about his little habits – I might have to do it again. You understanding me, are you?" He started to walk back to his car. "But on the other hand, I *can* be quite reasonable. You tell your very close friend I want to see you both tomorrow. Nine o'clock not too early for you, is it? Good. Nine o'clock at Rampton's Hollow, then – just the three of us." His smile was unpleasant. "I'm off home to the wife. Oh and see to it you get that light fixed, will you? If I see it again, I'll have to charge you."

He got into his car and drove away without a second glance at me.

222

I stood still, taking deep, calming breaths. The dog barked again, drowning out the receding drone of the Inspector's car, and then there was silence. When I was sure the Inspector was far away I got into the Mini and headed back to Pete's flat.

"Christ! What's happened?" he demanded, seeing my white face. "What's the bastard done to you?"

"No – not Keith." Pete had a drink in his hand and I took it and swallowed the neat vodka. Slowly I felt better. "Inspector Franks. He was waiting for me outside. He ran me off the road on the industrial estate –" I took another sip. "He smashed one of my rear lights and threatened all kinds of things."

"Christ! You're not hurt?"

"No. He wants to see us both tomorrow." I sat down. "At Rampton's Hollow."

There was silence as we both considered the implications of this.

"What do you think he wants to see us for?" I asked.

"Well, with luck to offer us a bribe to drop the Edgeborough Avenue story," said Pete, with a short laugh.

And without luck to kill us both, I thought. I laughed too. My own thought had been funnier.

"I don't think you ought to come," said Pete, quite calmly. He was used to being threatened.

"Of course I'm coming."

"You look awful. Are you sure you're all right?"

He put his arms round me and kissed the top of my head. I could still feel the Inspector's grip on my ear and my breast.

"Oh God!" I said suddenly. "The time! And the car! What am I going to tell Keith?"

Pete let go of me. He looked pale.

"I know! I'll say I had an accident on the way home from Judith's. That would make me late, wouldn't it? Yes – he'll be angry but he won't suspect."

Pete picked up his jacket and his car keys.

"Get up," he said.

"What?"

"You want to go home, so go home. I'll drive behind you.

Hurry, for Christ's sake." He looked furious. I didn't know what I had done. I got up unsteadily and made for the door. He barred my way, and I thought for the second time that evening that someone was going to hit me.

"Nothing matters to you, does it," he said, through clenched teeth. "Except preventing your husband from finding out that you and I can't keep our hands off one another. That and his bloody no-claims bonus!" He slammed the door of his flat and the noise echoed loudly down the stairwell. From the downstairs flat came a muffled shout of complaint.

It was shortly after midnight when I got home and Keith hadn't been in long. He was sitting up in bed drinking whisky and looking red-eyed from earlier over-indulgence. I told him about the car. He stared at me as though he hadn't heard, then muttered something about it being the last bloody straw. I started to undress (hoping I'd put my underwear on the right way round) but he snapped off the light and turned his back on me with the sort of finality with which one switches off a boring television programme.

I didn't sleep much that night, and when I awoke to dark clouds and heavy rain it felt as though the day ought not to have started. Keith took a double dose of Alka-Seltzer and spent a long time in the bathroom. I had coffee and aspirin and donned jeans and an anorak, ready for Rampton's Hollow. I considered secreting a kitchen knife in my handbag – as though I'd be able to use it. I could already see the headline: "Two reporters found dead in Rampton's Hollow – was it a suicide pact?" (Mr Heslop favoured long headlines). The report would mention our love affair and detail the manner of our death – I felt sick and couldn't finish the coffee.

When I met Pete, at the end of our road, he said, "I'm, er, sorry about last night. Bad moment." He spoke awkwardly, as though he wasn't used to apologising. I shrugged.

"Let me do the talking," he said. "We take whatever he offers, all right? He's no fool, so I haven't even bothered with the tape." I was glad I'd left the knife in the drawer.

224

"Follow me."

I got in my car and followed Pete out to Rampton's Hollow through a tunnel of dark, dripping greenery. Leaves, loosened early by heavy rain, flattened themselves with shocking suddenness on the windscreen, and one caught in the wiper blade and scraped, groaning, back and forth across the glass. We turned into the lane, bumped round a bend, and there was the dark-blue Fiesta parked in what was probably a courting spot, and where perhaps Mike Stoddart's car had been abandoned – perhaps where he had died. Pete pulled up behind the Fiesta, with me close behind. I sat in the Mini, waiting for someone to move. The groan of the leaf had changed to a high-pitched whine. Pete got out of his car and came back for me. We approached the Fiesta together slowly, and the Inspector opened the door, a smile on his face.

"Oh dear, oh dear, what a state. So sorry the two of you had to get your feet wet." With distaste he got out of the car. To Pete, he said. "Hold your arms out." Briskly he searched him, presumably for a tape recorder, then he turned to me. "Open your handbag." He rummaged untidily through the contents, then ran his hands lightly over my body. We were quite damp by the time we got into the car, and I felt cold.

"So what can we do for you?" asked Pete, smiling. "Were you planning on making a statement to the Press?"

The Inspector chuckled. "No, sunshine, you've got that wrong! That's not what we're here for at all." He leaned against the steering-wheel, quite practised at intimidation, watching us.

"Not exactly 'Journalist of the Year' material, are you, either of you? There's Mrs Mopp over there, with her unfortunate tendency for falling over sharp instruments and getting her broom handle up everyone's nose, and then there's you, sunshine." He pulled a sheet of paper from his pocket and proceeded to undo its many folds. "Our computer's got your name engraved on its heart! Quite a little treasure, aren't we? Peter Enzo Schiavo. Speeding – speeding – driving without due care and attention – one year's disqualification for driving while unfit owing to excessive alcohol –

dear, dear – speeding – want me to go on? I'd hate to have to pay your insurance premium on that thing." He re-folded the paper and replaced it in his pocket, with a self-satisfied smile. "You're not really a problem to me, either of you. You, sunshine, have only got to so much as breathe on a bollard and I can have your driving-licence away from you for good." He glanced at me with a contempt which implied that no further comment was necessary.

"Still, I don't like to leave loose ends. Do things the easy way, that's me. So I'm prepared to make a deal with you – stop poking around in the affairs of my family and friends and I'll arrange a few things to your advantage." He paused for the meaning of his words to sink in.

"Such as?" asked Pete.

"Well," began the Inspector. "Mrs Martin. My friends inform me you've had your heart set on a carport for that rather battered vehicle of yours. You know, I think we can do rather better than that. I've got contacts, you see, and I can arrange for you to have a nice new double garage – no invoice, of course. How's that?"

I took a sharp breath, which he seemed to mistake for a gasp of delight.

"And tell your husband not to sweat blood over the planning permission, all right? These things can be arranged." He turned to Pete. "And you, sunshine – well, you drive that heap of yours over to a dealer of my choice and you'll get a hundred per cent trade-in deal. Up to a certain limit, of course."

"I suppose a Porsche would be out of the question," remarked Pete, drily.

"You suppose right, sunshine. Never make the mistake of over-estimating your own value. That could be fatal."

There was a moment's silence. Pete and I exchanged an involuntary glance and the Inspector watched us. His expression was one of delighted malice. He looked at his watch.

"Well, I'm a busy man. I've got old ladies to protect and criminals to catch. Which way are we going to do this – the hard way or the easy way?"

Pete said, "If you know so much about me you'll know I always prefer the easy life."

"Yes, that was exactly my opinion," agreed the Inspector, contemptuously. "And what about the very lovely Mrs Martin?"

"It's – yes, I don't want any trouble," I said, truthfully.

"Very good!" The Inspector looked at his watch again.

"And when will we get all these goodies?" asked Pete.

"Oh, don't you worry, I keep my promises, but we're none of us in any hurry, are we? Let's say – when the foundation stone of the Leisching complex is laid, shall we? And in the meantime, I'd deem it a great favour if you'd soft-peddle this Ellis Willard nonsense. My friends and I have put a lot of time and effort into this venture – which is in the best interests of Tipping, as you well know – and we don't want to see it torpedoed by a bunch of muddle-headed do-gooding trendies!"

"Oh, I shouldn't worry," said Pete. "We're printing some of his poetry. That should provide a pretty good case against him."

The Inspector appeared not to understand this remark.

"You people make me sick," he said, scowling. "Exposing this and that – rabbiting on about the people's right to know. What the hell do you care? You're as bent as anyone else!"

"Yes," said Pete. "Well, you should know."

"Right, piss off, both of you," Inspector Franks said suddenly. "And remember. One wrong word in that paper of yours and your nuts will be in my cracker."

Pete opened the car door, letting in a gust of cold, damp air.

"As a matter of fact," he said, "I think you're being most generous. We didn't know what to expect, in the light of recent events."

Oh God, I thought, don't say it, if Inspector Franks thinks we think he killed Mike Stoddart and he did –

"What recent events?" asked the Inspector, irritably, switching on his engine.

"Well –" Pete looked at me and must have decided that discretion is the better part of valour. "I suppose Chris here has got in your way a few times –"

"Piss off!" repeated Inspector Franks.

When we arrived at the office my hands were shaking, so Pete brought two cups of coffee and seated himself on the edge of my desk.

"Shall I go out for a brandy?" he asked.

"Look, I'm not used to being offered bribes backed up by death threats! What are we going to do?"

"I don't know yet. Look, don't take this death threat thing too seriously. I told you before we haven't a shred of evidence that Inspector Franks is a murderer, and anyway, killing the two of us and making it look accidental wouldn't be easy. He was only trying to scare the shit out of us – especially you."

"He succeeded."

"Great! The thing is, you can't prove someone's threatened to kill you unless you've got a knife between the shoulder blades – in this case preferably one borrowed from the police-canteen – and as for the bribe, well, without –"

I let go of my coffee cup too soon, spilling it into the saucer. "There's something I didn't tell you," I said. "About the double garage. A man came round to my house yesterday to measure us up for one. I thought it was a mistake, but he kept giving me sort of nudge-nudge wink-wink looks and insisting he'd been sent round by someone – I think he meant Major Duncton."

Pete froze in the act of dismantling a paper clip.

"He actually said that?"

"No, but he said something about my having done favours for the military –"

"Christ! I think we've got the bastards. Do you remember his name?"

"I've got his card somewhere."

"Give it to me."

I went through the jumbled contents of my bag and found it. "I don't see why he'd admit he does under-the-counter jobs for Major Duncton. This is his livelihood! What can we possibly offer him? After all, it's just my word against his."

"Well, darling, it's a question of approach. I'll say I'm doing a story on Council corruption. I'll say I've been approached by a lady, a jilted and vengeful mistress, who is refusing to take a pay-off, and that it's all going to be on the front page of Friday's Herald –"

"Oh, thanks a lot!"

"Well, it's only what he thinks already, very probably." He blew me a kiss. "I'm going, before someone else gets to him. This – Pritchard – obviously wasn't supposed to get in touch with you just yet but they've got their wires crossed and shot themselves in the foot – if you'll excuse the mixed metaphor."

He turned to go.

"Pete," I said. "Tell me something. Didn't you for a moment consider accepting the new car?"

He laughed.

"Well, it may come as a surprise to you but a very long time ago I did believe that writing the truth would change the world, and just occasionally I am still smitten by this fallacy." He hesitated, then added. "Of course, if he'd offered me a Porsche, it might have been a different story. Look, don't worry – I promise you it will all be all right."

As he spoke, I knew with complete certainty that sooner rather than later, everything was going to come crashing down around my shoulders.

21

The sun had come out, fierce with all the brooding strength of August, and turned the spilt coffee in my saucer to a dark-brown glue. Pete hadn't returned from his visit to Bill Pritchard, and it was almost time to go home. The sense of impending doom I'd felt this morning had lifted. Pete was right – this was dull old Tipping, not Chicago or Los Angeles, and the only real threat to my life was what I was doing with it.

As usual these days I was reluctant to go home. My "work" life was so much more enjoyable than my "home" life, that I wanted to make it last as long as possible. I had run out of ideas for trying to improve things at home. Meals were taken in sullen silence – Richard and Keith ready to fly at one another's throats, Julie anxious about calories, and Keith and I maintaining an uneasy peace – so the provision of little treats like steak or sherry trifle was no longer helpful. As for the house, as Keith frequently pointed out, it was showing signs of prolonged neglect (grass between the patio tiles, paint peeling from the bathroom walls). That was it! Tonight I'd start a new campaign to restore the house – no, not restore it – revitalise it! It would have the same effect as buying a new outfit of clothes: we'd all feel better. I pulled a piece of paper from my notepad and had just begun to make a list for the DIY store when Pete came in. He dropped a cassette recorder and a thick brown envelope on my desk.

"Do you remember I once told you that if you helped me get a story in the nationals I'd give you whatever your heart desired?"

"Yes, I do remember you saying that."

"Well, speak and it's yours."

I laughed. "I'll have to think about it."

230

"Oh, you do disappoint me. I was under the impression I'd already offered it to you."

There was silence. I smiled. He didn't.

"Pritchard?" I asked.

"Yes. Want to hear it?"

He pressed the switch and the machine emitted a sound like darts thudding into a board. After a few seconds the addition of clinking glasses and someone shouting "*Go for a double five*" confirmed that the sound was darts thudding into a board.

Pete: "Have a double this time."

Pritchard: "All right. Cheers, mate." Pause. "What you got that thing for?" (Suspiciously)

Pete: "Save me making notes. Ever tried holding a glass and a pen and a sandwich at the same time? Cheers, darling, have one yourself."

Female voice: "Oh, ta, thanks."

Pritchard: "Lovely pair!" Laughter.

Pete: "Yes. Just like –"

Pete leaned forward quickly and pressed another button. "I'll fast forward it a bit."

Pete: ". . . a few Council contracts?"

Pritchard: "Been bloody hard to keep going the last couple of years. We take what we can get, mate. Time was any silly cow asked you to fix a dodgy chimney-stack you'd tell her to stuff it. Now you got to take what you can get."

Pete: "So any work you can get out of the Council is very welcome?"

Pritchard: "'S'right."

Pete: "Got a special arrangement with anybody at the Council, have you?"

Pritchard: "Well, you know how it is, mate. You make contacts over the years. You get to know who'll put in a good word for you at the right time, know what I mean?"

Pete: "Sure, why not? Only idiots play by the rules."

There was an interruption of loud male laughter followed by muffled thumps and the clatter of cutlery dropped from a great height. An unidentified voice shouted "Shit!"

Pritchard: "That was my sodding pickled onion!"

Pete: *"I'll get you another one. Excuse me, darling, send down the pickled onion jar, will you? Thanks, darling."*

Pritchard (grumpily): *"It's all these bloody office staff coming in all of a sudden. This used to be a decent pub."*

Pete: *"The thing is, mate, I've got a statement here from a lady on the subject of nudge-nudge wink-wink at the Council. It's going to be a big story, this one. It's got everything – sex, scandal, slush money, bribery – you name it. I've got quite a few people implicated, just ordinary men trying to earn a decent living, and that's why I want to get round as many of them as I can – give them a chance to put their side of things."*

Pritchard (from a distance, sounding uninterested): *"Oh?"*

Pete: *"I'm afraid your name's on the list, mate."*

Pritchard: *"What? What the hell are you talking about?"*

Pete: *"A Mrs Martin. She used to – well, let's just say she was a close friend of Major Duncton – you'll have to buy the paper to find out more."*

Dramatic pause filled by raucous background laughter (I covered my face with my hands).

Pete: *"I gather you were instructed by Major Duncton to carry out some alteration work to her house in – what was it – Barrington Avenue. No invoice – but a promise of finer things to come from the Council?"*

Pritchard uttered a string of expletives heard frequently on the Watergate tapes.

Pete: *"Sorry, mate, just trying to give you a chance to put your side. The public can be very sympathetic to small businessmen going through hard times. It's the big boys they want to see pulled down. Here, same again, is it?"*

Pritchard: *"Shit!"*

Pete: *"Know how you feel, mate. We're on the same side, you and me. It's those bastards up there, always with their heads above the bloody water line – Over here, darling!"*

At that point the tape was interrupted by the sound of people falling over and glasses breaking. Somebody shouted *"Bloody pickled onions all over the floor – I've got a bloody interview this afternoon – look at the ketchup down the front of my interview suit!"* in a voice bordering on hysteria, and a series of clicks indicated a break in recording. When it resumed, the background noise had diminished considerably.

Pete: "So you had an arrangement with Major Duncton whereby he'd look kindly on planning applications you were involved in, in return for the odd favour?"

Pritchard: "Yes."

Pete: "Did you ever do any work at his home?"

Pritchard: "Yes."

Pete: "And did you submit an invoice?"

Pritchard: "What for? The bugger wouldn't have paid it!"

Pete: "And you were instructed by Major Duncton to carry out building work for Mrs Martin of Thirty-One Barrington Avenue and not to submit an invoice, in return for the award of future Council contracts?"

Pritchard: "Yes! The stupid cow! Bloody women are never satisfied, are they? I offered to do a nice little job for her, over and above instructions – 'Course, I had the measure of her, one look and you can tell, can't you? I could tell you a thing or two about –"

Pete snapped the machine off hastily and pocketed it. I wondered what further aspersions had been cast upon my reputation, and decided it was probably better I didn't know.

"Well, that's it," he said. "Like it? I even got some photocopies of his ledgers. What more can a man ask? Come here – Heslop's not around, is he? I want to kiss you."

I stood up quickly and held him at arm's length. People were beginning to sneak out early, intent on mowing their lawns, and I knew there was already gossip about me and Pete.

"You're acting as if you're drunk," I said. He was wearing my favourite sweet-smelling aftershave.

"With happiness, darling. I've got everything I want at the moment – except one thing. No, two, if you count the Porsche."

I picked up the DIY list.

"Come for a celebration drink, Chris, please," Pete said. "It's only just gone five. You can still get home before H.R.H. arrives."

233

I looked at the list in my hand. It could wait for another day.

We took the story to Mr Heslop at midday on Thursday. He had just set out, on his desk, a tub of cottage cheese, a package of bean sprouts and a wedge of wholemeal bread that had obviously caused the bread knife a lot of pain. He didn't look pleased to see us.

"What's all this?" he asked, adding sarcastically. "Pub closed for refurbishment or something, is it?"

"It's the big story this paper's been waiting for, Bill," said Pete, handing it to him. Mr Heslop took it delicately between two fingers, holding it away from him.

"This wouldn't have anything to do with frogs, would it?" he asked suspiciously.

"Absolutely not," replied Pete. "But I can't swear that there isn't a potential advertiser of a used bike or rabbit-hutch mentioned in here."

Mr Heslop ignored the remark and put the file beside his slice of bread. "Go on, then, I'll look at it after lunch."

"I think you'd better look at it now. Save reaching for the indigestion tablets later," said Pete, winking at me. Mr Heslop sighed, defiantly and noisily munched a handful of bean sprouts, and began to read. Three strokes of the jaw later he stopped in mid-chew and made the mistake of trying to gasp and swallow at the same time. Pete slapped him on the back with slightly excessive force and I handed him his vitamin-enriched orange juice.

"Good God!" he exclaimed, when he'd recovered. "How much of this is true?"

"All of it!" we replied, in unison.

"Well, I hope you've got some –"

"A bloody file full. See for yourself!"

Mr Heslop carried on reading, shaking his head occasionally, and ignoring the lure of the beansprouts. When he'd finished, he said "Christ!" and picked up the file. "I don't think I want to know how you came by all this. How much has it cost us, for God's sake?"

"Quite a lot in terms of personal sacrifice, actually, apart from the cost of car repairs, etc., but that'll come through on our expenses. This is the story of the year, Bill, and I can tell you we wouldn't have got it at all if it weren't for Chris."

"Oh, well, it wasn't really –" I began. I'd been going to point out that it had actually been the Stoddart murder story I'd wanted, but I simply smiled and took the compliment.

"Well," said Bill, giving me a nod of acknowledgement (he is not known for displays of enthusiasm). "So much for the front page! Looks like we've got some thinking to do – we'll move the disabled bed-push on to Page Four – the Reverend Harlow's piece can go altogether – God, there'll be fireworks tomorrow at the Church Hall meeting!"

"Leisching will probably pull out beforehand," said Pete.

"Pull out? You mean, not go ahead with the project at all?" I asked. It hadn't occurred to me, before, that reporting the story would change the course of events; I'd been happy enough to bring down Major Duncton and the Inspector, the Leisching development itself had always seemed like quite a good idea.

"Of course not," said Mr Heslop. "They won't want their name associated with something like this."

"Oh! But I thought it was supposed to be such a shot in the arm for Tipping! Eight hundred new jobs and all that –"

They both looked at me in surprise.

"It's a real shot in the arm for this paper," said Mr Heslop. "Raise our circulation quite a bit."

Well, for better or worse, this is part of the story that went in the Herald under the banner headline "Edgeborough Avenue – the Blot on this Town's Honour":

"*Important questions are being asked today as to who exactly will profit from the proposed business development at Edgeborough Avenue. Herald reporters investigating this astonishing story have been threatened, offered financial inducements, and, in one case, subjected to actual personal violence in order to persuade them to abandon their search for the truth. This is what we have learned so far:*

That a senior police-officer has a considerable financial stake in Greyfield Properties, the development company at the centre of the row. This same officer, according to a statement from a respected and long-serving member of the force, has been responsible for the Edgeborough Avenue area being consistently "underpoliced" – a fact which has led to a sharp rise in crime and corresponding drop in property values. Charges of assault against this officer are to be made by a Herald reporter.

"That a well known local Councillor, close friend and business associate of the above mentioned police-officer, advised local people to invest in houses in Edgeborough Avenue some years ago because 'this is an area with a future'. All these people have recently been approached by, and have sold their properties to, Greyfield Properties, at a modest profit – but if this area is now re-zoned to 'business use' at next week's emergency meeting of the Planning Committee – who will make the real profit?

"It was this same Councillor who approached the director of a local building firm and requested him to carry out work at the home of a Herald reporter on a 'no cost' basis, in an attempt to 'buy' the silence of this newspaper. The builder concerned further stated that over the past few years he carried out extensive building work to the Councillor's home without submitting an invoice, in order to ensure he was awarded Council contracts . . ."

I went home that evening feeling pretty good. There was still the problem of explaining things to Keith (how I'd come to be assaulted by a police officer without mentioning it to him, for instance) but, just lately, he had shown so little interest in me and my manifold failings that I didn't expect to have to provide chapter and verse. Besides, it was a warm summer evening and the sky promised one of those glorious sunsets into which people drift off happily. In other words, metaphorically speaking, I made the fatal mistake of walking along the road whistling, without knowing what was around the next corner.

Richard and Julie went out together for once to a Young Conservatives' Barbecue – not that they were Young Conservatives, or Young Anythings, but there was to be an open-air disco and drinks at reduced prices. Richard said if it got boring they'd stand in a corner and sing 'The Red Flag', but I knew he only said it to worry me. Keith took four cans of lager and the Telegraph crossword out on to the patio, and I got out the step-ladder, paint, and brushes and went to tackle the bathroom. I stripped to my pants, put on an old shirt of Keith's, and covered my head with a scarf. As I climbed the ladder I caught sight of myself in the mirror. Had Pete been around I would not have been safe dressed like this – not even at the top of the ladder. My reflection smiled back sadly at me. I wished –

I'd painted a small corner of the ceiling when the bathroom door opened. Keith came in and looked at me.

"Hello, I'm just starting on the ceiling," I remarked, rather unnecessarily.

He gave an odd smile and crossed the room in the two steps that was all it took. He reached up and placed his hand on my thigh. I froze for an instant, then carried on with an even, flowing motion of the brush. As I leaned into the stroke I realised that from where he was standing Keith would be viewing me almost naked right up to the throat. I tried to pull the shirt close to my stomach with my free hand and wobbled dangerously on the ladder.

"Come down," said Keith, his fingers tightening on my thigh.

"Look, I want to finish this. I've only just started."

"Come down." He climbed on to the bottom rung of the ladder and reached up, one hand on my hip, the other seeking my breast.

"Oh God, you'll have us both off!" I shrieked.

"Then put that bloody brush down and get off!"

"But it'll go stiff if I –"

He snatched the brush from me and threw it into the basin, splattering white emulsion over the pink tiles and carpet he had once so lovingly laid.

"Come on, let's have some fun for a change," he said, undoing his trousers. "It's been bloody months! Get off that ladder or I'm coming up."

I was panicking. I didn't want him, I'd been thinking about Pete. I climbed down the ladder. There wasn't any excuse – would he believe me if I said I had my period?

"That's better. Take that shirt off."

"Oh, not in here – the paint – there's no room!"

He opened the door and pulled me across the landing and into our bedroom. He didn't bother to close the door. He pushed me on to the bed and kissed me and wrenched at the shirt buttons. I thought, there's nothing I can do about it, I'll just have to put up with it – it won't be any worse than before. But of course it was; in the old days I'd been able to shut my mind to it and think of other things, now his every touch was a travesty of what Pete and I did together. Keith didn't smell right, his mouth tasted, and felt, quite different – I wanted to scream and push him away with a knee to the stomach. Suddenly he stopped and flung the shirt back over me.

"You're useless!" he shouted. "You're not worth bothering with!" He turned away and pulled up his underpants. I sat up, cuddling the shirt to me.

"I'm sorry – what have I done?"

"You haven't bloody done anything! You never do, do you? I don't know why I even bother – you just lie there like a slab. How do you think a man can put up with it year after year?" He was red-faced with anger and hurt pride. "Well, I'll tell you – I bloody well can't and I don't have to. Do you hear me? It's your own fault! I found someone a lot more obliging than you!"

We stared at each other. We thought over the words, trying to make sense of them, working out what they meant to us. Keith's expression changed from anger to shock. He wished he hadn't said it. Suddenly I felt sorry for him, I wanted to make him feel better.

"Yes," I said, "I understand. I know –"

"You understand? You understand, do you? Yes, that's bloody typical, isn't it? You just sit there like you've done all our married life, crushing me with your bloody understanding! You understand everything, don't you? In a minute you'll offer me a cup of tea, or a whisky and you'll bloody understand – but you don't, do you? All these years and you don't really understand a single thing about me!"

He was so angry he was practically screaming.

"You're probably right," I said. "About us never really understanding each other. I do know what you mean." At this, he looked as if he might burst a blood vessel, so I hurried on, without thinking. "But this time I really can understand. You see for the past few weeks I've been having an affair with Pete."

He stood rooted to the spot, staring at me. I was terrified: I couldn't tell what he was thinking. Finally he said, "What did he do – give you hormone injections?" and walked out of the room.

Later, we sat on the bed, drinking whisky (which I've never liked) and talking. He said he'd been seeing Barbara Morrish, a lady from his accounts department, on and off for years. I remembered her from annual dinner dances – she was tall and blonde with angular shoulders and a large mouth. He remarked vindictively that it was really since I'd started work at the Herald, and been out so much in the evenings without caring where he was, that the affair had become more serious. Well, of course, I should have known; no one could do as much cricket practice as Keith and not end up playing for England. He kept telling me how "nice" she was.

"And so how's *your* big romance?" he asked sarcastically. His eyes were bloodshot from the lager and the whisky.

I shook my head.

"Well – has he asked you to leave me and marry him or what?"

I shook my head again. "He did say he loved me."

Keith laughed. "Oh yes, I'll bet he did! He'd say anything to get you into his bed and keep you coming back there. God, you're naive! He must have thought it was his birthday when he set eyes on you. My God, that mouthy little bastard – I ought to go round there and punch him in the mouth –"

The children came in just after midnight, and we were still sitting on the bed, drinking, and I was crying a little. They were laughing and stumbling about on the stairs, but I didn't go to see them. When the house had gone quiet again Keith took my hand and held it on his knee.

"I think we've both been rather silly, don't you?" he said. "Is it too late to – you know – try again?"

"I don't know what went wrong. I don't even know when it went wrong!" I said desperately.

"I'll stop seeing Barbara. She gets on my nerves sometimes anyway. There's the kids –" I looked at him. His shirt was undone and his beard was beginning to grow out of a white, tired face. He looked helpless. It wasn't his fault: it was mine; I should have made more effort.

"We'll feel better after the holiday," said Keith. "We could move, if you like. I was working it out last week. I could afford an extra ten thousand on the mortgage, and we could get somewhere out in the country. You always said you wanted a big garden."

I gazed at my knees. Pete had liked my knees. I had liked all of Pete. I suppose I'd loved him, but Keith was my husband. It was with Keith that I'd had children, built my home and planned for all the real things of life, like retirement, death, cold weather, next season's vegetable plot. Keith was real life, Pete just a diversion from it.

"I'll hand in my notice tomorrow," I said, "and of course I'll stop seeing Pete."

22

I don't think either of us slept much that night. In the morning Keith kissed my cheek as I lay in bed, pretending to doze. He came back into the bedroom to say goodbye before he went to work, and I opened an eye and looked at his face. When he'd gone I pulled the sheet over me and tried to remember what it had felt like when I was twenty with Richard's little feet inside me, and Keith had kissed me and gone to work and left me to play at being housewife. I couldn't remember.

I didn't go to work that morning. I 'phoned to say I was ill, and I'd come in after lunch. I sat on the patio and wrote out my notice. The 'phone rang several times, and I knew it was Pete, but I didn't answer it. After I'd watched the one o'clock news and washed up everything in sight, there was nothing for it but to go out and face the day. I checked methodically and uncharacteristically through my handbag to make sure I'd got everything, and came across the receipt for Pete's holiday photos. The pain started all over again. I drove into town beneath gloomy skies that threatened rain, and called in at Reynolds and Dobbs. The photos were ready, in a large yellow and black wallet that didn't want to be forced into my handbag.

As I parked outside the office the first heavy drops of rain began to fall. My desk was littered with files and notes and I sat down quietly and went through them. Mr Heslop's door was shut, and I knew that if I walked along the corridor I'd be bound to run into Pete, so I decided to delay handing in my notice, Then, suddenly, just when I'd managed to concentrate my mind on a badly-written letter from a lady about the number of cats missing from her estate, he was there beside me.

"Hello," said Pete. "You all right? Where've you been? I phoned three times."

"I'm all right." I picked up my 'phone. Anything to make him go away.

"You're not. What's happened?" He took the 'phone from me and replaced it firmly.

I swallowed hard. "I didn't feel well. Last night we had a hell of a row about things and I told Keith about you and me."

"Oh." He was taken aback. "You might have told me. I'm a rare blood group and I need to inform the hospital." He lifted the 'phone with a nervous laugh that died on his lips when he saw my expression.

"Yes, it's just funny to you, isn't it? Like everything else," I snapped. I'd had enough, and jokes were the last straw. "Well, don't worry about it – it's got nothing to do with you."

"Nothing to do with me?"

"No. Nothing. It hasn't got anything to do with you. We've talked it all through and we're going to work things out in our own way." He looked shocked and uncomprehending. I held up my hands in a defensive, barrier-forming gesture. "I'm sorry."

"You're sorry," he said. "Sorry, like 'Sorry your dinner's cold'." His voice rose into a cruel imitation of mine. "'Sorry your shirt's not ironed – sorry I don't want to screw you any more'!"

The messenger, who was passing, stopped and stared at us, open-mouthed. Pete still had the 'phone in his hand. He threw it at me, hitting me on the arm.

"Do what you bloody like!" he shouted. "Do what you bloody like and I hope it chokes you!"

He turned sharply and bumped into Mr Heslop. The messenger slunk away, disappointed that the show was over.

"Keep your voices down," said Mr Heslop. "Why are you still here, anyway? There's an enormous crowd outside the Church Hall apparently."

Pete and I avoided looking at one another. Mr Heslop said, "Well, I'm sorry to interrupt your private affairs but if you wouldn't mind, there might be something worth reporting out there that won't conveniently wait."

I glanced at Pete. I'd expected him to laugh when I told him, and say something like "Well, it was fun while it lasted". He didn't look amused.

He said without expression, "Are you coming, Chris?"

I picked up my handbag and followed him out to the car park. It was raining hard by now. I got into Pete's car. As we pulled out into the traffic, I said, "Pete –"

"Shut up!" he said, angrily. "Just shut up! If you haven't got anything to say that I want to hear, shut up!"

When we arrived at the Church Hall the rain had eased off a little, but the sight that greeted us was of firmly gripped umbrellas and hooded plastic macs jostling for position around the porch. Placards were being carried at odd, dejected angles, and those written in felt-tip marker pen now appeared to convey Chinese revolutionary messages. I spotted Elaine Randall, defiantly without umbrella, her glasses blobbed with rain, standing on the porch steps, shouting. Her placard read, "Heritage before Profit", and she was in animated discussion with a young man, also umbrella-less, whose placard read "Jobs before Pricks" (I think it was meant to be "Jobs before Bricks", but the bottom part of the "B" had run off). Pete stopped the car two inches from the back of a man waving a "Tipping's Heritage" banner, jumped out and pushed his way through the crowd, to shouts of "who do you think you are, obstructing the pavement – what about the disabled?" from a woman with one of those lethally-spiked shopping trolleys. I followed him.

"What's happening?" he demanded of Elaine Randall.

"Oh – Mr Schiavo!" she exclaimed warmly. "No one's turned up to let us in. They don't dare show their faces after that wonderful story you did in the Herald. Absolutely super job – congratulations!"

Pete didn't even smile. I tried to. Another woman with an old-fashioned string-mop had pushed her way to the front in our wake. She blew smoke in my face.

"I must get in there somehow," she said desperately. "It's Jane Fonda tonight!"

"Sorry? What?"

"Jane Fonda. You know, all them fat ladies in purple leotards jumping about. They'll play merry hell with me if the floor's wet. The roof leaks, you see. The Vicar –"

"It's a fix!" shouted a voice from the crowd. "Left wing press bias! They're all in it together – the BBC and the newspapers – privatise the lot of them, that's what I say. Give free market forces a chance!"

There were hoots of derisive laughter.

"What d'you mean, privatise the newspapers? They *are* bloody privatised and they're all bloody fascists – You ought to –"

The rest of this interchange was lost as the crowd scuffled out of the way of the two men in suits who had parked their black Ford Granada close behind Pete's car. One of them carried a sheet of paper and the other handed him drawing pins. They attached the paper to the door of the Church Hall.

"You from Leisching?" asked Pete.

One of the men nodded. He jerked his thumb at the sheet of paper. "Statements from the Press Office," he muttered, and shouldered his way back through the crowd. Ernst had arrived, and industriously snapped off shots of the departing Leisching men, with explanatory placards and umbrellas in the background. I read the notice on the door and made shorthand notes; it said: "This afternoon's Public Meeting has been cancelled. A statement will be issued by Leisching Pharmaceuticals Press Office at five o'clock today." Further down the street there was more excitement as a convoy of BBC Outside Broadcast vans arrived, and the crowd streamed away in their direction. People were hoping to get a close look at faces they recognised, be filmed (women removed their scarves and started playing with their hair), or better still, get picked for "local reaction" interviews. The BBC crew were keen to get the refreshments van operative.

Pete said, "It's over. You can ring Leischings yourself and get the statement. I've had enough. I'm off."

"Well, so there you are!" Inspector Franks mounted the porch steps, barring our departure. He looked more than usually rumpled, and his expression was murderous. "You're a marked man. I'm going to get you." He spoke to Pete, ignoring me, as always.

"Are you?" Pete returned the stare. He didn't look triumphant or angry, just curious and detached. "Do me a favour then, try it now, will you? Before I forget who the hell you are."

The Inspector gritted his teeth. This was almost more than he could stand. And then Pete laughed and moved to push past him. Inspector Franks raised his right arm and delivered a heavy blow to his face. It made a muffled crunching sound, and somebody shouted "Christ!" Pete crumpled into the Church Hall wall amid a noisy scattering of pebble dash. I screamed. Ernst's camera rasped into action.

"For God's sake, Jim!" exclaimed the Inspector's companion. "Have you gone mad?" He pulled him away, and Ernst's camera whirred again. Pete stood up, clutching his face. Ernst took a picture of the blood streaming through his fingers and down the back of his hand, then gave him an oil-stained handkerchief.

"You'd better have bloody well got that," Pete said to him. "It's the only worthwhile thing that's happened today."

"You bet," replied Ernst.

"Are you all right?" I asked, adding softly. "Please speak to me."

He didn't look at me.

"Here, ducks, you from the papers?" asked the woman with the cigarette and the mop. "You seen what's going on down there? Old girl with a cat looks like she's going to jump off a building." Numbly I followed the direction of her deeply nicotine-stained finger. A few hundred yards from the Church Hall was the disputed territory of Edgeborough Avenue. It bristled with signboards proclaiming "Greyfield Developments". Standing on the ledge of a first floor window at number twenty-seven, was a frail figure with long white hair. She appeared to be wearing a nightgown, and clutching a large ginger cat.

"It's Edie!" I said. Pete pressed the handkerchief to his nose and we began running down the street with Ernst. People saw us and followed, splashing through the puddles and trampling their slogans into the gutter.

Edie Clough was wearing her scarlet lipstick and her white hair blew about wildly in the sharpening breeze. She had been out on the ledge long enough to get her rose-printed cotton nightdress wet. It clung to her, revealing her skeletal contours. Two youths with tattooed arms and tight jeans stared up at her, their arms folded and expressions of amusement on their faces.

"Yeah, you stay there, gran!" one of them shouted. "Who's trying to stop you?"

"What's happened?" I asked.

"Daft old bat," said the youth. "Nothing to do with us. We was just passing by and she started shouting at us about her bloody cat stuck on a ledge. Now she's got the cat and she won't come down. Got nothing to do with us." He suddenly became aware of the number of people gathering behind us. "Come on, Kev, let's get out of here!"

"I know who you are!" called Edie, to their departing backs. "You're Special Branch. You can't fool me!"

"Edie!" I called. "They've gone now. Come on down."

"I tell you, I'm not shifting. If I come down they'll get me and torture me. It's 'cos of what I know. They want to get hold of my papers. It's 'cos of what I know about Gladstone and where he come from!"

Had I not been already acquainted with Edie, I might have been tempted to ask for an explanation.

"Edie, please come down and go home!" I shouted.

"I can't. They're all after me. They keep coming round to board up my windows. I don't mind about the electric but I got to have light. I lost my can-opener –"

At that moment a black BMW edged through the crowd and pulled up outside number twenty-seven. Rachel Goodburn got out. It had stopped raining now and everybody was drying out in the breeze, but Rachel's hair hung in dripping ringlets, as though she'd been caught in a downpour and hadn't bothered to shake off the water. She collected her doctor's bag.

"Does this woman need help?" she asked quietly, and there was a murmur of assent from the crowd. She walked up the steps, hesitated for just a moment, then went in through the open front door. When her face appeared at the window Edie started, wavering away from the wall towards the edge. Close behind me, a woman shrieked. The fall would probably have done no more than break a few bones, but beneath the window was a fence of spiked iron railings. If Edie jumped, she would almost certainly impale herself on them. Seeing this, Ernst stepped forward and began focusing his lens on the spikes, walking this way and that to determine the best angle.

It was impossible to hear what Rachel was saying. She spoke quietly to Edie, nodding frequently, and putting out her hand to stroke the cat. As I watched, I thought of the house next door, the dark basement, the frightened, pregnant girl. I looked at the window, now boarded up, where Mike Stoddart could have stood and watched the comings and goings from the basement. Now Rachel was holding Edie's hand, doing what she was best at – "caring for the whole patient", as someone had said. The little voice in my head confirmed what I already knew: that Rachel had helped Clare, supplying her with clean needles and heroin so she could have, and keep, a healthy baby. I didn't need the voice in my head to tell me that Mike Stoddart, with his warped desire for revenge against the world, would not have missed an opportunity for blackmail. Intuition, I suppose, told me what reason could not make sense of.

Edie was wavering a few short feet from death. I remembered how, when I'd asked her if anyone visited the house the morning after the murder she'd mentioned "the lady-doctor", and I'd assumed Rachel's visit was to Mrs Norris. But now I knew that she'd been to Mike Stoddart's flat to collect the negatives.

Rachel and Edie smiled at one another, and Rachel was holding the ginger cat. She looked relieved. She was pleased to have saved a life. She must have been pleased when it looked like she could save Clare and the baby, devastated when it all went wrong. And Pete had hounded her, and Mike Stoddart had come along with photographs and threats. Killing him, when it came to it, must have seemed like a relief – morally justifiable. She thought her work more important than the life of a blackmailer – was it? I didn't know. If I'd been sure, maybe I'd have walked away and said nothing.

Edie slowly edged along the sill, holding Rachel's hand, and climbed awkwardly through the window, to muted applause from the crowd. Two uniformed policemen had arrived and strode up the steps of number twenty-seven. I followed them. Rachel started down the stairs with her arm round Edie. I stood outside the door of Mike Stoddart's flat, next to the two policemen, who took no notice of me. Obviously I still didn't look like a reporter, because if I had, they'd have thrown me out.

As Rachel descended the final stair she glanced over at Mike Stoddart's door. I stepped forward. I held up the distinctive yellow and black wallet containing the photographs of Pete's sons.

"You take a very good photograph, Dr Rachel," I said. She let go of Edie.

"Oh my God," she said. "Where did you get those?"

"They were waiting to be collected at Reynolds and Dobbs," I replied truthfully.

"Oh – God!" she moaned, wiping at her face clumsily with her sleeve. "Oh, God – I didn't know! I thought I'd burned everything." The two policemen looked at one another in puzzlement. Pete and Ernst stood in the doorway behind me, darkening the hall, and Rachel slumped on to the bottom stair. She seemed to be crying. Edie suddenly dashed back into her flat and bolted the door noisily. Rachel looked up.

"I've been punished enough!" she exclaimed. "Every single day! You think you know everything – you find out someone's made a mistake, a well-intentioned mistake, and you can't let it alone, can you? If it wasn't for people like you, and people like *him* –" She pointed at Mike Stoddart's door. "None of this would have been necessary. Wherever you look it's the same – cure the disease, to hell with the patient – write the story, write *off* the consequences!" She stared accusingly at Pete, who was still bleeding into the handkerchief.

"Well, all right," I said. "You gave Clare drugs and needles and you looked after her. You shouldn't have done it but you did. We can all understand the reason. But she still died. And then –"

Rachel looked at me, the sharpness of her gaze stopping me in mid-sentence. She said quietly, "I was so tired. If *you* make a mistake when you're tired it doesn't kill anybody. That boyfriend of hers rang me in the middle of the night – I'd only just got back from the hospital. I made up a syringe, enough for two or three doses, got in the car and drove over there with it. Looking back, I can remember she was shaking when I handed it to her – I should have stayed and administered it myself. I don't know why I didn't, except that I was tired. She overdosed herself. It could have happened – no matter who supplied her."

"You supplied illegal drugs," put in Pete. "You falsified records. You would have been, and should have been, struck off. Stoddart blackmailed you and you murdered him, one crime leading to another, as it always does."

"He kept coming back for more money! He had photos and he wouldn't give them to me. When I met him at Rampton's Hollow I gave him the opportunity – I offered him five thousand for the negatives, which was all I could lay my hands on without going to my husband. He just laughed. I don't think he wanted the money. He said he liked being able to push me around the way he'd been pushed around by doctors and social workers. I don't know what he was talking about, but I could see it was no use trying to reason with him."

"You killed him in Rampton's Hollow," I said. "Why didn't you just leave him there?"

She hesitated, twisting her hair with her fingers. Then she stood up and addressed one of the policemen.

"I'm not saying any more. I want a solicitor."

"It was your husband, wasn't it? Your husband helped

249

you commit murder!" snapped Pete.

"No! No! He didn't know anything about it – *I* killed him, I told you – I didn't tell John anything about it because I didn't want to involve him. It was all a terrible mistake!" She covered her face again. "Oh God, what have I done to John?"

"She's covering up for her husband," said Pete.

"No," Rachel said. "I'm not covering up for John. All he did was to move the body. It was this silly feud with Eric De Broux. He didn't know what he was doing. John and I left the cocktail evening early because he couldn't bear being there. We went home and he had a few whiskies. I told him I had to check on a patient and I went to meet Stoddart. After I'd gone, John drank too much, he decided he'd go and – I don't know – punch Eric on the nose. On his way to the Clocktower he slowed right down on that sharp bend before Rampton's Hollow – had to almost stop, I think. I'd left Stoddart's car with its lights on, and John could see the body lying on the track. Naturally, he got out to take a look. He was going to do all the right things. He went back to his car and started to 'phone for the police, but then the idea came to him, the idea of humiliating Eric De Broux. He switched off the lights on Stoddart's car. He thought of just taking the syringe and leaving it on the reception desk or something, but by then he'd already tampered with evidence and touched things, so he thought, why not? Why not go the whole way? He put the body in his car and drove up to the Clocktower. Hanging Stoddart from the fire escape seemed absolutely brilliant to him at the time. What could be more spectacular? But I *swear* he had nothing to do with the murder. I didn't tell him the truth for some time."

"And the next day he put the syringe in the cheese to further embarrass De Broux?" I suggested.

"Yes."

"And you went to Stoddart's flat and collected all his negatives and the camera, and destroyed all the photos?"

"Yes. But I didn't think of –" She looked at the wallet in my hand.

"And the camera and the keys?"

250

"I took them with me to the Conference on the Thursday and put them in the wastepaper basket. It just seemed the – neatest sort of thing to do." She looked at me appealingly. "We were going to give up medicine altogether. I found I couldn't get over what I'd done. It made everything else seem degraded. When that boy was arrested I nearly gave myself up, but John said – John said he was just another nothing who deserved to be put away before he harmed someone. I just don't know, I just don't know –"

The two policemen moved forward and caught Rachel by the arms as she toppled unsteadily. I felt a surge of pity and guilt. Ernst backed down the steps, taking pictures of Rachel being led away by a baffled police escort.

Pete and I stood alone in the hallway of Mike Stoddart's house. His nose had stopped bleeding, but it was swollen and his face and shirt were smeared with blood. He didn't say anything for a moment. Perhaps he didn't know what to say to me. Then he took my right hand and shook it formally.

"You did great," he said. "You always do."

I wanted to say that I was sorry, that I hadn't been fair to him, that I should have considered his feelings.

"Are those mine?" he asked, indicating the photos. I nodded. He took them. "Thanks. Thank you, Chris. For everything. Have a nice weekend." He walked quickly down the steps and away up the street towards his car. I said "Goodbye," but he probably didn't hear.

Suddenly, Ernst reappeared. To my astonishment, he put his arms round me and hugged me.

"Great!" he exclaimed. "Fantastic! All those great shots! What a really wonderful day this has been!"

It was the only time he ever spoke to me, and he managed to say precisely the wrong thing.

We had eaten dinner in an appalling, total silence, and were watching a dreadful sitcom about a couple on the verge of divorce on holiday in Spain. It was so dreadful and so apt, that we were actually watching it. Julie and Richard had gone out together after dinner, whispering. I think Julie had put two and two together and conveyed the result to Richard. They both knew when it was best not to be around, in any case. A huge roar of laughter erupted from the television, the credits rolled, and I had to think about real life again. *My* real life.

In five weeks' time I'd be going on a second honeymoon with a man I no longer loved, and sometimes had to try quite hard to like. Why was I doing this? Ought I not to embark boldly on a new life – as a single career woman, perhaps, earning my own money, my children's respect, and making other people clean their fingermarks off light switches? The alternative, which I had acceded to so readily last night, was to re-dedicate myself to Keith and the house; to find a part-time job in an office and spend my time typing other people's words on to pieces of paper and despatching those pieces of paper to different parts of the world where other, equally bored people would type out answers. Last night this had seemed a welcome return to normality – why was I feeling so negative about it now?

Keith suddenly cleared his throat and spoke.

"Did you hand your notice in?"

"Yes." Mr Heslop had refused to accept it, putting the unopened envelope in his drawer and telling me to think about it over the weekend, but I didn't mention this.

Keith said, "I wish you'd remembered the Martini," and poured himself a whisky instead. "We'll bring back our full allowance of spirits this year. Pity you won't get all your holiday pay, but still at least you'll be off for a week before we go." He swallowed half the whisky. "Be a good idea if we can get all the decorating finished before you look for another job, if we're going to sell the house. It can make quite a difference, you know, being in good decorative order."

He picked up a copy of the Herald, open at the "Houses for Sale" section, then threw it aside angrily, remembering.

"I hope you told your boyfriend to start looking elsewhere for his fun?"

"Yes."

I thought, I haven't asked you if you've told Barbara to

look elsewhere for her fun.

"I don't know what you saw in him," he went on. "I really can't see it. I'd've thought you had more taste."

I thought, I haven't asked you what you saw in Barbara; I haven't told you I thought you had more taste. I said, "He made me laugh."

"What – false noses in the bedroom, was it?" asked Keith, without a trace of humour.

The 'phone rang. We both ignored it for a while, then Keith got up and answered it. He looked at me, and I heard him say, "You've got a nerve!" He dropped the receiver next to the 'phone as though it was something disgusting to handle. "It's for you. Your *ex*-lover," he said, and sat down again to watch television. I walked round to the telephone and picked it up.

"Hello. How are you?" I asked, not knowing what to say.

"Me? Oh, I'm all right. And how are you? Oh, you're all right too, aren't you? Nicely tucked up with your husband discussing your second honeymoon. Yes, of course you are, silly of me to ask!" His voice sounded strange and hard. "Still, I thought I'd let you know that my nose isn't broken and my teeth are all solid, but you don't really want to know that – do you?"

I turned my back on Keith. "That's not true."

There was a long silence. He sighed, and when he spoke again, the edge had gone from his voice.

"Is he still there with you?"

"Yes."

"Well, will you tell him in that nice soft voice of yours to sod off for a few minutes?"

I half-covered the mouthpiece. "Keith – would you mind – just for a minute?" Keith got up and walked out, slamming the door hard.

"He's gone."

Pete said, "Just listen. I've been thinking about you for hours. You're the best thing that's happened to me in about five hundred years and I can't simply walk away from you. You owe me something. You owe me an explanation at least."

"I know. I'm sorry. I just don't know what to say. Keith wants us to get our marriage back together and we couldn't if I went on seeing you. I handed in my notice today."

"Oh Christ!"

There was a pause. I listened to him breathing.

"But *why*, for Christ's sake?" he said. "Why are you doing this? Because of twenty years and marriage vows and the family heirlooms your bloody mother-in-law gave you? What about us? What about the next twenty years?"

"Well, I don't know. You never said –"

"I never said. Well, what could I say? You never talked about your husband or your marriage or what you felt. You were always worried about getting home and not creasing your clothes. How was I to know what I meant to you? Just a pleasant diversion from the washing up, was I?" I winced. "I still don't bloody know."

I said, "Well –" and couldn't go on.

"Look," he said, and paused to swallow something, probably vodka. "I'll spell it out. I love you. I live and breathe for you and I don't give a shit about anything, or anyone, else. I'd cut off my ears for you, though I'm rather hoping you won't ask me to."

I said slowly, "I love you too, Pete."

"Marry me, then."

"Are you serious?"

"Oh Jesus!" Something rattled along the telephone line, ice in a glass, perhaps. "Look, I've got 'A' levels, I can't be that bad at expressing myself, so it must be you. It's a simple question. Do you want to stay with him, or do you want to marry me?"

"Well –" I sat down. Keith's face, young and handsome, stared at me from our wedding photo. "What about my children?"

"Your children are old enough to understand. I only wish mine had been."

"Do I have to make up my mind right away?"

He hesitated. "I think if you can't, it's because you're going to tell me no."

I stared out of the window at the lawn. It needed mowing.

I didn't really mind mowing lawns or ironing shirts. My friend Judith had now become an ardent feminist, and if I were to ask her advice she'd give me her little speech about men being part of life's excess baggage and urge me to tell both Keith and Pete to go jump in a lake. Then she'd go home and secretly polish her husband's shoes. If I lived alone things would still need mowing and ironing, only there wouldn't be anyone else to look at them.

"Look," said Pete. "If it helps I could take our washing to the launderette. Only I would appreciate your advice on what to put with what. Those new sheets I bought have developed mysterious purple streaks –"

"Don't be silly," I said. "Of course I'll do all your washing for you."

Afterwards, I did wonder if this was rather a rash promise.

MORE TITLES AVAILABLE FROM
HODDER AND STOUGHTON PAPERBACKS

B. M. GILL

☐	51583 X	Time and Time Again	£2.99
☐	48837 9	Dying To Meet You	£2.50
☐	38520 0	The Twelfth Juror	£2.50
☐	41341 7	Nursery Crimes	£2.50
☐	40856 1	Seminar For Murder	£2.50
☐	28112 X	Victims	£2.50

ELIZABETH FERRARS

☐	51590 2	A Foot In The Grave	£2.99
☐	43053 2	Murder Among Friends	£2.50

LINDA BARNES

☐	50919 8	A Trouble of Fools	£3.50

All these books are available at your local bookshop or newsagent, or can be ordered direct from the publisher. Just tick the titles you want and fill in the form below.

Prices and availability subject to change without notice.

Hodder & Stoughton Paperbacks, P.O. Box 11, Falmouth, Cornwall.

Please send cheque or postal order, and allow the following for postage and packing:

U.K. – 80p for one book, and 20p for each additional book ordered up to a £2.00 maximum.

B.F.P.O. – 80p for the first book and 20p for each additional book.

OTHER OVERSEAS CUSTOMERS INCLUDING EIRE – £1.50 for the first book, £1.00 for the second book, plus 30p per copy for each additional book.

Name ....

Address ....

....